中国古代火药火器史

The history of gunpowder and firearm in ancient China

刘 旭 著

大象出版社

图书在版编目(CIP)数据

中国古代火药火器史/刘旭著.—郑州:大象出版社,
2004.1(2012.2重印)
ISBN 978-7-5347-3028-3

Ⅰ.①中… Ⅱ.①刘… Ⅲ.①发射药—技术史—中国—古代 Ⅳ.①TQ56-09

中国版本图书馆 CIP 数据核字(2003)第001732号

中国古代火药火器史
刘旭 著

出 版 人	王刘纯
责任编辑	杨天敬
责任校对	石 明 孙 靖
封面设计	张 帆
监 制	杨吉哲

出版发行	大象出版社(郑州市开元路18号 邮政编码450044)
	发行科 0371-63863551 总编室 0371-63863572
网 址	www.daxiang.cn
印 刷	河南省瑞光印务股份有限公司
经 销	各地新华书店经销
开 本	787×1092 1/16
印 张	18
字 数	408千字
版 次	2004年1月第1版 2012年2月第2次印刷
定 价	39.00元

若发现印、装质量问题,影响阅读,请与承印厂联系调换。
印厂地址 郑州市二环支路35号
邮政编码 450012 电话 (0371)63956290

序一

　　1984年,由周谷城先生任主编的《中国文化史丛书》编委会成立,随后陆续征集了若干书稿,交上海人民出版社印行。其中有刘旭先生《中国古代火炮史》一书,初讨论时,或以为书题与文化史距离较远。后经审读,始知此书翔实丰富,对研究我国科技发展很有贡献,同丛书预定"从各个层面、各个角度来探索中国文化的奥秘"宗旨相符。这部书在1989年出版后,果能受到读者的认可。

　　刘旭先生是中国古代兵器研究的专家,执教于湘潭大学多年,除《中国古代火炮史》外,有《干戈春秋》、《中国古代兵器图册》、《中国古代火炮发明时间初探》、《明清时代火炮制造初探》、《中国古代火炮射程初探》等著作和论文,类能抉微发覆,多有创获。最近,刘旭先生在《中国古代火炮史》的基础上,扩大视野,深入探索,又撰成《中国古代火药火器史》一书,是值得我们欢迎的。

　　火药是我国历史上四大发明之一,早为国人所周知,也是世界学术界多数人的共识。但在很长时期内,国内学者关于火药、火器的论作并不很多,试查严敦杰先生主编的《中国古代科技史论文索引(1900—1982)》,便可知晓。环绕着火药、火器的历史发展,还存在不少争论和问题。不同见解产生的原因,是多种多样的。学术上的见仁见智,应当继续研讨,彼此切磋。个别故意贬低中国文化成就的,则有必要予以反驳。总的说来,实事求是的科学精神,是我们一定要坚持的。

　　刘旭先生著作的优长,正在于强调实事求是。他广泛吸取了国内外研究有关问题的成果,而不随波逐流,能够作出权衡,有所裁断。在《中国古代火炮史》书中,这一点已有明显表现。例如关于火药发明时间,刘旭先生不从四五十年代冯家昇先生《火药的发现及其传播》、《火药的发明和西传》等作品的唐初说,改用李约瑟、鲁桂珍《关于中国文化领域内火药与火器史的新看法》的意见,即9世纪时期。至于火药的应用于军事,仍采冯先生唐末之说。同时,关于中国最早的管形火器,刘旭先生则不用李、鲁二氏上引论文的提法。他根据《武经总要》等文献,指出公元950年的时期不可能有装填弹丸的火枪,因而法国巴黎基美博物馆绘有火枪的佛教画的年代是可疑的。这些论断表明,刘旭先生治学的态度非常谨严谨慎。《中国古代火药火器史》正是继续贯彻着这样的原则。

　　不久以前,我在《中国古代科技名著译丛》序中谈到,"中国古代科学技术曾在世界上居领先地位,历千余年,作为其成果载体的科学典籍数量浩繁,是人类的一项宝贵财富"。以现存最早的书目《汉书·艺文志》为例,所收书籍共596部,分列六略,而以科技为主的数术、方技二略即占90部,还有一些有关的著作见于他略。"由此可见,天、算、医、农等基础学科在西汉时已建立起自己的体系框架。这反映出,我国在当时是世界上科学技术最发达的地区之一。"半个多世纪以来,中国科学技术史的研究日益发达,已形成根深叶茂的专门学科。不过技术史的研究,在整个学科领域内相对说要薄弱一些,近年不少有识学者为此作了呼吁。火药、火器历史的探讨,是技术史的一个重要课题,又与其他许多学科分支有密切关系。希望刘旭先生这部《中国古代火药火器史》的问世,能引起更多人重视这方面的学术研究。

李学勤

于中国社会科学院历史研究所

序二

刘旭教授新著《中国古代火药火器史》，洋洋四十余万言，观点新颖，论述独到，分析精辟，是社会科学和自然科学研究中的佳作。付梓之际，提出一个人们普遍关注的重大问题：

当代大学生，怎样对待中国传统文化？

经过认真、缜密思考，我想，应该这样回答：

文科学生，必须认真全面地学习中国传统文化，这是理所当然的，没有疑义的。理工科学生，应该与文科学生有所区别，这也是理所当然的，没有疑义的。

写到这里，我记起了中国科学院院士杨叔子先生的一个提议。杨先生提倡，文科学生必须学习中国传统文化；理工科学生，也必须学习中国传统文化。并且建议学校做出规定，无论文科学生还是理工科学生，对一些古代经典的诗词文章，必须能够背诵，不能背诵的，素质教育课不得过关，这样，毕业或许就成问题了。杨先生的主张也许有些苛刻，但其出发点完全是为了文理工科学生，希望他们能了解和学好中国传统文化。

那么，文理工科学生，应该如何学习中国传统文化呢？

我想，其一，文科学生，对古代经典诗词文章，必须能够背诵；其二，理工科学生，特别是农林医科学生，起码要背熟一点唐诗；其三，如果条件允许，无论文科学生，理工科学生，农林医科学生，建议读一点像刘旭教授新著《中国古代火药火器史》这样属于中国传统文化范畴的论著，以加深对中国传统文化、特别是中国传统文化瑰宝的了解。

一句话，无论是文科学生，也无论是理工科或是农林医科学生，都要学习一些我们的先人留给我们的优秀的文化遗产，都要用优秀的中国传统文化陶冶自己的情操，提高自己的品德修养，成为21世纪与时俱进的佼佼者。

我是从事自然科学研究工作的老一辈学者，写出这些，愿与广大青年学子共勉。

是为序。

中国工程院院士

张齐生

目 录

第一章　火药的发明和早期应用 …………………………………（ 1 ）
 第一节　火药的发明 ………………………………………（ 1 ）
  一、对硝石、硫磺、炭的逐步认识和利用 ………………（ 1 ）
  二、炼丹家和炼丹术的发展 ………………………………（ 4 ）
  三、炼丹和火药的发明 ……………………………………（ 6 ）
 第二节　火药的早期应用 …………………………………（ 12 ）
  一、火药首先被应用于医药 ………………………………（ 12 ）
  二、火药被应用于军事 ……………………………………（ 12 ）

第二章　宋金——火药火器发展的初始阶段 ……………………（ 15 ）
 第一节　最早的军用火药配方 ……………………………（ 15 ）
  一、三个军用火药配方 ……………………………………（ 15 ）
  二、宋代火药的性质和特点 ………………………………（ 17 ）
  三、火药配方性能的模拟实验 ……………………………（ 18 ）
  四、火药生产的初步发展和火药性能的改进 ……………（ 21 ）
 第二节　火枪、飞火枪、突火枪和霹雳炮 ………………（ 23 ）
  一、陈规火枪——管形火器的诞生 ………………………（ 23 ）
  二、金人的飞火枪和火枪 …………………………………（ 29 ）
  三、突火枪——火炮的发明 ………………………………（ 31 ）
  四、火箭和引火线的发明 …………………………………（ 34 ）
 第三节　初始阶段的主要火器 ……………………………（ 37 ）
  一、燃烧性火器 ……………………………………………（ 37 ）
  二、爆炸性火器 ……………………………………………（ 40 ）
  三、管形火器 ………………………………………………（ 41 ）
  四、火箭 ……………………………………………………（ 42 ）
 第四节　初始阶段火器的生产和使用 ……………………（ 42 ）
  一、庞大的火器生产规模 …………………………………（ 42 ）
  二、实战中开始使用火器 …………………………………（ 43 ）

第三章 元代——火药火器的发展时期 （46）

第一节 蒙古军队的征伐战争和火药火器技术的掌握 （46）
一、蒙古军队的征伐战争 （46）
二、火药火器技术的掌握 （46）

第二节 西安出土的火药 （47）
一、最早的火药实物 （47）
二、从"炮祸"、烟花诗、"铜将军"诗看元代火药 （48）

第三节 金属管形火器的出现 （50）
一、8尊管形火器实物 （50）
二、金属管形火器发展的几个特点 （53）
三、"筒"、"火筒"和"火铳"名称辨析 （55）

第四节 火器部队的诞生 （56）
一、元代火器在战争中的应用 （56）
二、火器部队的诞生 （57）

第四章 明代——火药火器的鼎盛时期 （60）

第一节 火药理论研究 （60）
一、火药品种增多 （60）
二、发射火药组配比率的改进 （63）
三、对火药理论的研究和探索 （65）

第二节 火器制造机构、制造人和制造量 （68）
一、火铳火炮铭文 （68）
二、火器制造机构 （69）
三、火器制造人 （71）
四、火器的生产量 （72）
五、铭文中的其它几个问题 （75）

第三节 火器性能的改进 （78）
一、管形火器形制性能的改进 （78）
二、爆炸火器形制性能的改进 （87）
三、火箭形制性能的改进 （88）

第四节 主要的火器品种 （89）
一、燃烧火器 （90）
二、爆炸火器 （94）
三、管形火器 （99）
四、火箭 （132）

第五节 火器与明军 （136）
一、神机营和车营 （137）
二、火器普遍装备军队 （138）
三、明军主要依恃火器作战 （142）

第五章 清代——火药火器的衰落时期 (145)
第一节 火药、弹丸和火绳 (145)
一、火药 (145)
二、弹丸 (149)
三、火绳 (153)
第二节 鸟枪与火炮 (153)
一、清代鸟枪火炮发展概况 (153)
二、清代火器发展的几个特点 (159)
三、严禁私藏私造私贩火器 (163)
第三节 清代火器的主要品种 (169)
一、火炮 (169)
二、鸟枪 (179)
三、火弹、火球及其它火器 (183)
第四节 火器与清军 (185)
一、八旗的专业火器部队 (185)
二、绿营的火器编制 (187)
三、火器的操演 (190)
四、火器在实战中的使用 (194)
第五节 古代火器的没落 (199)
一、新旧火器更换的过程 (199)
二、火器更换的原因 (210)
三、火器更换的局限性及历史意义 (215)

第六章 明清火器的制造 (217)
第一节 火药弹丸的制造 (217)
一、火药的制造工艺技术 (217)
二、弹丸的制造工艺技术 (220)
第二节 火箭、鸟铳的制造 (222)
一、火箭的制造工艺技术 (222)
二、鸟铳的制造工艺技术 (223)
三、鸟铳制造的费用 (224)
第三节 火炮的制造 (224)
一、打造 (225)
二、铸造 (226)
三、龚振麟铁模铸炮法 (229)
四、火炮铸造中需要注意的问题 (230)

第七章 火药的民用 (232)
第一节 火药在娱乐方面的应用 (232)
一、烟火的发明 (232)

二、鞭炮的发明 …………………………………………………… (234)
　　三、烟火、鞭炮发展概况 ………………………………………… (235)
　　四、烟火、鞭炮的制造 …………………………………………… (237)
　第二节　火药在手工业方面的应用 ………………………………… (239)
　　一、问题的提出 …………………………………………………… (239)
　　二、在采石业中使用火药的情况 ………………………………… (239)
　　三、中国古代采矿业中是否使用了火药 ………………………… (240)
第八章　古代火药、火器的西传东渐 …………………………………… (242)
　第一节　中国火药、火器的西传 …………………………………… (242)
　　一、中国古代火药、火器西传到欧洲 …………………………… (242)
　　二、中国古代火药、火器西传的两种途径 ……………………… (244)
　　三、通过阿拉伯国家传入欧洲的火药、火器 …………………… (246)
　第二节　欧洲火药、火器制作技术的东渐 ………………………… (249)
　　一、对输入先进火器品种进行仿制 ……………………………… (249)
　　二、聘用西洋火器专家制造火器 ………………………………… (256)
　　三、吸收西方先进火器技术创制新式火器 ……………………… (258)
　　四、火器著作的问世 ……………………………………………… (259)
　　五、火药、火器技术西传东渐的历史意义 ……………………… (260)
　结束语 …………………………………………………………………… (261)
附　录
　中国古代火药火器大事记 …………………………………………… (262)
　参考书目 ………………………………………………………………… (272)
后　记 ……………………………………………………………………… (275)

第一章 火药的发明和早期应用

火药,现代常称黑火药或褐色火药,其主要成分是硝石(硝酸钾)、硫磺、炭(木炭)。我国史籍上最早出现"火药"这一名称,大概在宋仁宗时期。据《宋会要》记载,宋仁宗天圣元年(1023年),宋都汴京设有专门制造攻城器械的作坊,分为二十一作,"曰:大木作、锯匠作、小木作、皮作、大炉作、小炉作、麻作、石作、砖作、泥作、井作、赤白作、桶作、瓦作、竹作、猛火油作、钉铰作、火药作、金火作、青窑作、窑子作"。① "火药作"是专门生产火药的,"火药"一词在这里正式出现。之后二十一年,即宋仁宗庆历四年(1044年),曾公亮等人编撰的《武经总要》这本军事专业百科书中,不但使用了"火药"这个名词,并且详细记载了军用火药的三种配方。这不但是我国、也是世界上最早正式出现的火药名称和军用火药配方。但是并非我国火药发明的最早年代,我国火药的发明还可往上追溯很长一段时间。

第一节 火药的发明

我国古代的火药,是一千多年前炼丹家在炼丹过程中发明的,与我国的传统医学有着密切的关系。这一发明,经历了漫长的过程。

一、对硝石、硫磺、炭的逐步认识和利用

古代火药的三种主要成分是硝石、硫磺和炭。

硝石,即硝酸钾,化学分子式为 KNO_3。天然硝石通常存在于含有钾、钠、镁、钙的土壤中,一般多与钠盐、镁盐等矿物共生,采用水沥滤、蒸发和结晶等方法,可以从含硝石的土壤中提炼到较为纯净的硝。在中国古代,硝石简称硝,"硝"字又写作"消",故古籍上常出现芒消、苦消、焰消、火消、生消等名称,有时还将硝称为地霜、北帝玄珠等。大概早在公元前六世纪的春秋时代,人们就认识了硝石。《太平御览》曾记载有"范子计然曰:消石出陇道"②。范子计然是春秋时代人,可见最迟在春秋时代人们就知道了硝石。到了汉代,人们不但认识了硝石,而且将它作为一味重要药材用来治病了。《史记》详细记载了淳于氏用硝石给人治病的情况:"淄川王美人怀子而不乳",淳于氏"复诊其脉,而脉躁。躁者有余病,即饮以硝石一齐,出血,血如豆比五六枚"。③ 在当时,不但医药家用硝石治病,炼丹家还将硝石作为重要的炼丹材料。刘向《列仙传》记载说:"赤斧者,巴戎人,为碧鸡祠主簿。能炼丹与消石服

---

① 《宋会要》职官三七。
② 《太平御览》,卷九八八。
③ 《史记》,卷一五〇《扁鹊仓公列传四五》。

之,三十年身返如童子,毛发皆赤"。① 另外,《三十六水法》中,记载了42种水溶液共58方,其中33方使用了硝石②。一般认为,《三十六水法》是八公授于西汉淮南王刘安的。经考证,其主要内容出于汉代。因此,硝石作为《三十六水法》中主要的试剂,应该在汉代就使用了。

西汉以后,医药和炼丹术中都广泛使用硝石,并且对硝石的性质有了进一步的认识。1972年11月,我国考古工作者在甘肃武威旱滩坡发现了一批东汉早期的医学简牍,这批简牍共92片,内容十分丰富,其中所载各种方剂30多个,分别属针灸科、内科、外科、五官科、妇科;简文中所列药物名称约100味,计有植物类、动物类和矿物类等,而矿物类药物共16种,其中就有硝石。③ 大约成书于西汉末、东汉初的《神农本草经》,同时记载了硝石和朴硝:"消石,味苦寒,主五脏积热,胃胀闭,涤去蓄结饮食,推陈致新,除邪气。炼之如膏,久服轻身。"④"朴消,味苦寒,主百病,除寒热邪气,逐六腑积聚,结固留癖。能化七十二种石。炼饵服之,轻身神仙。"⑤

经今人考证,《神农本草经》所说的"朴消",实际是指硝酸钾,而消石主要是指硫酸钠;⑥朴硝不但能治"百病",而且能"化七十二种石"。可见,尽管在命名上产生了混淆,但是,当时人们对硝酸钾这种物质的化学特性及其在医学上的应用和疗效已有了较深入的认识,并且在医药和炼丹中已经广泛使用。还必须特别指出,当时的炼丹家已做过火炼硝石的试验。

到了南北朝时期,人们不但了解了硝石的性质,而且掌握了鉴别硝石和朴硝的科学方法。《证类本草》记载曰:"陶隐居云:(消石)疗病亦与朴消相似。仙经多用此消化诸石,今无正识别此者。顷来寻访,犹云与朴消同山,所以朴消名消石朴也。如此,则非一种物。先时有人得一种物,其色理与朴消大同小异,脁脁如握盐雪不冰。强烧之,紫青烟起,仍成灰,不停沸,如朴消,云是真消石也。"⑦在这里,关键是"紫青烟起"四个字。当钾盐被烧灼时,立即产生紫色火焰。而钠盐被烧灼时,产生黄色火焰。这就是化学上有名的火焰测试法。这种鉴别硝石(硫酸钾)和朴硝(硝酸钠)的火焰试法,不但是我国化学史上也是世界化学史上钾盐鉴定的最早记载,它和近代分析化学上用来鉴别钾盐和钠盐的方法是相似的。鉴别硝石和朴硝的火焰测试法的发现及其掌握,为后来大量地采用硝石制造火药作了技术上的准备。

硫磺,又称黄硇砂、黄牙、阳侯、将军、石硫黄,有时也写作"流黄"。⑧ 单体硫为黄色。天

---

① 见《太平御览》,卷九八八;但《四库全书》《古今说部丛书》等辑录的《列仙传》中,均无"能炼丹与消石服之,三十年身返如童子,毛发皆赤"等语。
② 《三十六水法》,见《正统道藏·洞神部·众术类》,总第五九七册。本书所引用书目出处均见书后"参考书目",文内不一一另注。
③ 甘肃省博物馆等:《武威旱滩坡汉墓发掘简报》,载《文物》,1973(12);中医研究院医史文献研究室:《武威汉代医药简牍在医史学上的重要意义》,载《文物》,1973(12)。
④⑤ 《神农本草经》,卷一。
⑥ 一般认为,《神农本草经》中的朴消指硫酸钠,消石指硝酸钾;孟乃昌则认为,朴消是指硝酸钾,消石是指硫酸钠(孟乃昌:《汉唐消石名实考辨》,载《自然科学史研究》第2卷,1983(2))。本书从孟说。
⑦ 唐慎微:《证类本草》,卷三"消石"条。陶隐居,即陶弘景。
⑧ 见《本草纲目》,卷一一"石硫黄"条。

然硫磺多以硫酸盐、硫化物、游离硫等形式存在于自然界中。人们接触和认识它也很早。首先，人们常用硫磺治病。在《神农本草经》中，硫磺被列在中品药中的雄黄和雌黄之后，位居中品药中的第三位，①不少医书中说它能治十几种病，是我国古代医药中的一种重要药材。其次，人们对硫磺的化学性质也有了一定的认识，知道它能与铜、铁等金属起化合作用。《神农本草经》记载说："石硫黄……能化金、银、铜、铁，奇物。"②《参同契》记载说："河上姹女（系炼丹家的隐语，即水银），灵而最神，得火则飞，不见埃尘，鬼隐龙匿，莫知所存。将欲制之，黄牙为根。"③前面我们已经讲到，"黄牙"就是硫磺。④ 第三，炼丹家在炼丹中，经常使用硫磺，硫磺被当做重要的炼丹药物之一。例如，《三十六水法》中的"硫黄水"，就是用硫磺、白垩土、醋和尿等配成的。《抱朴子·内篇·金丹》记有："第一之丹名曰丹华。当先作玄黄，用雄黄水、矾石水、戎盐、卤盐、礜石、牡蛎、赤石胆、滑石、胡粉各数十斤，以为六一泥，火之三十六日成，服之七日仙。"⑤葛洪所说的矾石水，又叫矾石液，就是硫磺。陶弘景的《名医别录》解释说："石硫黄生东海牧牛山谷中及大行河西山，矾石液也。"⑥

炭，就是木炭。我们的祖先认识炭、使用炭的历史很悠远。远在四五十万年前北京猿人居住过的山洞里，就残存着紫荆树木炭块。这可能是迄今发现的我国最早的木炭了。⑦ 在距今约五万年前的山顶洞人居住的山洞里，同样发现了炭块。⑧到了商、周时代，随着人类历史的进化，人们逐步掌握了伐木烧炭的技术，并且广泛使用木炭冶炼金属。这不但被考古发掘所得的实物所证实，而且有文字记载为佐证。1933年，我国考古工作者在河南安阳殷墟冶炼遗址发现了很多木炭碎块，"最小的简直是很细的粉末……大块的木炭直径竟在一寸以上，或二寸左右"⑨。《吴越春秋》记载说：干将铸剑，"使童女童男三百人，鼓橐装炭"。⑩在那时，即商周时代，人们不仅明了木炭是较木材更好的燃料，而且在冶炼中还把木炭兼作还原剂，用来冶炼铜和铁等金属。

从上面可以看出，我们的祖先很早就认识和使用了硝石、硫磺和木炭，而且这三种物质在我国多有出产。恩格斯指出："在中国和印度，土壤中含有大量的硝石，因此很自然地，当地居民早就了解了它的特性。"⑪我国古籍上关于硝石的出产的记载很多。例如，《证类本草》引陶弘景《本草经集注》说：消石"……天地至神之物，能化成十二种石……生益州山谷及武都、陇西、西羌"。⑫ 又例如《正统道藏》在硝石条记载曰："本出益州、武都、陇西，今乌长国者良近。唐麟德年甲子岁，有中人婆罗门支法材负梵甲来此翻译，请往五台山巡礼。行

---

① 吴普等述，孙星衍、孙冯翼辑《神农本草经》（《丛书集成初编》本、《四部备要》本均收录）及《黄氏逸书考》所收录的《神农本草经》中，石硫黄列雄黄之后，居中品药的第二位；《本草纲目》，卷二收录的《神农本草经》，石硫黄列在雄黄、雌黄之后，居中品药的第三位。本书从后者。
② 《神农本草经》，卷二。
③ 魏伯阳：《周易参同契》。
④ 《本草纲目》，卷一一"石硫黄"条；又请参见张子高：《中国化学史稿（古代之部）》，72页。
⑤ 王明：《〈抱朴子·内篇〉校释》，卷四《金丹》，74页。
⑥ 《本草纲目》，卷一一"石硫黄"条。
⑦⑧ 郭沫若主编《中国史稿》（第一册），7页、19页。
⑨ 刘屿霞：《殷代冶铜术之研究》，载《安阳发掘报告》，1993(4)。
⑩ 《吴越春秋》，卷二《阖闾内传》。
⑪ 《马克思恩格斯全集》，第14卷，193页。
⑫ 唐慎微：《证类本草》，卷三"消石"条。

至汾州灵石县间云：'此大有硝石，何不采用？'当时有赵如珪、杜法亮等一十二人随梵僧共采试用，全不堪，不如乌长者。又行至泽州，见山茂秀。又云：'此有硝石，岂能还不堪用？'故将汉僧灵悟共采之。得而烧之，紫焰烽烟。曰：'此之灵药能变五金，众石得之尽变成水。校量与乌长，今方知泽州者堪用。'金频试炼，实表其灵。若比乌长国乃泽州者稍软。"[①]再如李时珍在《本草纲目》中指出："生消石，诸卤地皆产之，而河北庆阳诸县及蜀中尤多，秋冬间遍地生白，扫取煎炼而成货者。"[②]如此等等。这是古籍上记载我国古代产硝石的情况。目前我国不少地方还盛产硝酸钾。例如，新疆奇台县西北一公里的古唐城内，地表结有半厘米至一厘米厚的黑色壳，其含硝酸钾肥土面积达两万多平方米，当地居民采挖这种肥土，用土法制作硝酸钾，作为爆竹的原料。[③] 在云南西南部礼社江沿岸的岩穴中，盛产天然的硝酸钾，当地彝族人民称为火硝，他们常采集这种火硝制成治疗人畜皮肤病的药物。[④] 内蒙古自治区昭乌达盟喀喇沁旗盛产硝土，对这种硝土稍加提炼就可得到硝酸钾。[⑤] 四川省川西平原的芒硝矿，为我国硝酸钾的重要生产基地，是全国闻名的钾盐生产矿。硫磺的蕴藏量也很丰富，两汉时期，在现在的湖南、四川、河南、山西等地已经发现和开采了不少天然硫磺矿。云南省西南部礼社江沿岸的岩谷间，出产天然硫磺，古代彝族人民采挖硫磺配制药剂。[⑥]至于木炭，我国南北广大地区森林资源极为丰富，我们的祖先很早就知道伐薪烧炭，木炭是上好的燃料，也兼作冶炼铜铁等金属的还原剂。

总之，我们祖先对硝石、硫磺、木炭性质的认识和掌握，为日后火药的发明奠定了技术基础；而丰富的硝石、硫磺、木炭资源，为日后火药的发明奠定了物质基础。

二、炼丹家和炼丹术的发展

火药不是历史上个别人发明的，它是中国古代炼丹家在炼丹过程中通过长期的大胆探索，在有意和无意之中逐渐发明的。

所谓炼丹，就是为求长生而炼制丹药的方术。炼丹家认为，人为万物之灵，以静功和气功修炼自身的神、气、精，可以变成神仙，长生不老，这就叫"内丹"。炼丹家还认为，丹砂可化为黄金，黄金入火百炼不消，埋之毕天不朽，术士服之，寿命得长久。这种用丹砂或其它药石共炼而得到黄金或其它仙丹，就叫做"外丹"。在我国古代，炼丹的方法又可分为火法和水法两种。火法炼丹，就是用炉火烧炼金石药的方法。据晋人葛洪《抱朴子·内篇》及其他炼丹家的丹书记载，火法炼丹主要有煅、炼、炙、熔、抽（蒸馏）、飞（升华）、伏（伏火）等方法。水法炼丹，就是用水溶解金石药的方法。据汉代《三十六水法》及其它丹书的记载，水法炼丹主要有化、淋、煮、熬、酿、浇、渍等方法。

炼丹术在我国有着悠久的历史。据《战国策》记载，早在战国时期，就有方士向荆王献"不死之药"。[⑦] 在这同时，燕、齐等国的神仙说兴起。秦始皇统一六国、建立封建中央集权

---

① 《正统道藏·洞神部·众术类·金石簿五九数诀》，总第五九七册。
② 《本草纲目》，卷一一"消石"条。
③ 中华人民共和国农业部编：《土地肥志》，45～46页。
④⑥ 《中国古代科技成就》，700页。
⑤ 《土化肥制造和使用手册》，15页。
⑦ 《战国策》，卷一七。

制政权后,为求长生不老,先后几次派徐福等人"入海求神药"。① 这样,从战国末期至秦朝,炼丹术渐兴。

到汉武帝时,炼丹术在封建上层统治阶层中开始盛行。汉武帝本人深信方士之说,网罗了大批方士在宫廷里炼丹制仙药,如李少君、公孙卿、栾大、少翁、宽舒等都是当时很重要的炼丹家,特别李少君是极受汉武帝信赖的方士。据《史记》记载,李少君曾向汉武帝建议:"祠灶则致物,致物而丹砂可化为黄金,黄金成,以为饮食器则益寿,益寿而海中蓬莱仙者可见,见之以封禅则不死,黄帝是也。"②汉武帝很快采纳了李少君的建议,"亲祠灶,而遣方士入海求蓬莱安期生之属,而事化丹砂诸药剂为黄金矣"。③这是我国现存史籍关于炼丹术的最早记载,它第一次记述了炼丹家用丹砂炼黄金的基本过程。在当时,不仅汉武帝本人大兴炼丹之术,不少王侯贵族和地方豪强也广招方士炼制长生不老药,其中又以淮南王刘安为典型。据《汉书》等史籍记载,刘安是汉室宗族,"招致宾客之士数千人,作内书二十一篇,外书甚众,又中篇八卷,言神仙黄白之术,亦二十余万言"。④ 这些关于炼丹黄白之术的专著,大部分早已逸佚。不过,一般认为现存的《淮南子》21卷,可能就是那时的内书21篇;清人根据散见在《太平御览》等史籍中的资料辑录成书的《淮南万毕术》,可能就是那时的外书之一。⑤

东汉时期,随着社会经济和文化的发展,根据封建统治阶级新的需要,炼丹术开始与道教相结合。魏伯阳的《周易参同契》是当时的一部重要丹书,其主要内容是讲内丹,也有少部分涉及外丹黄白术,书中第一次出现了"丹鼎"(丹鼎即鼎炉,是炼丹升华的重要工具),还讲到了当时炼丹所使用的许多药剂如硫磺、胡粉、汞、铜、金、丹砂等,比较系统地总结了这一时期的炼丹实践经验,但夹杂有许多隐奥莫测和荒诞不经之说,它是留存至现在的我国最早也是世界上最早的一部炼丹专著。

两晋南北朝时期,炼丹术有了进一步发展,出现了很多有名的炼丹家,其中最突出的有葛洪和陶弘景。葛洪(284~364年),号稚川,自称抱朴子,丹阳句容(今江苏句容)人。少好神仙导养之法,跟随郑隐学习炼丹术。后听说交趾郡(今越南)勾漏县产丹砂,于是向朝廷要求做勾漏的县令,以便炼制仙药。但行至广州,因道路受阻,只好退隐罗浮山炼丹,积年而卒。葛洪是我国古代著名的道教理论家、炼丹家和医学家,著作甚丰,撰有《抱朴子》、《金匮药方》(后节略为《肘后备急方》)、《神仙传》等。特别《抱朴子·内篇》是一部具有丰富宗教哲学和科学技术内容的书,保存了大量有关道教和化学技术等史料,为研究我国古代的炼丹术提供了可靠的历史资料。陶弘景(456~536年),字通明,自号华阳隐居。丹阳秣陵(今江苏南京)人,我国古代著名的道教家、医药学家。自幼就有养生之志,历经南朝宋、齐、梁三个朝代,在齐曾拜左卫殿中将军。至梁,便隐居茅山,专心研修黄白之道及医术。其著述颇多,撰有《真灵位书图》、《陶氏效验方》、《药总诀》、《本草经集注》等。特别《本草经集注》,是在《神农本草经》的基础上,增收汉、魏、晋以来名医所用新药物365种,成《本草经集注》一书。该书"精初皆取,无复遗落,分别科条,区畛物类,兼注明时用土地所出,及仙经道

---

① 《史记》,卷六《秦始皇本纪第六》。
②③ 《史记》,卷一二《孝武本纪第十二》,又见《史记》,卷二八《封禅书第六》、《汉书》,卷二五《郊祀志》。
④ 《汉书》,卷四四《淮南衡山济北王传》。
⑤ 张子高:《中国化学史稿(古代之部)》,66页。

术所需"①,是《神农本草经》以后的一部著名药典。

隋唐时代,随着社会经济和封建文化的蓬勃发展,炼丹术在帝王和宗教双重势力互相结合下发展到了鼎盛时期,出现了孙思邈、陈少微、张果等一批著名炼丹家。其中尤以孙思邈和陈少微为最。孙思邈(约581~682年),京兆华阳(今陕西耀县)人,是著名的医药学家兼炼丹家。医学著作有《备急千金要方》、《千金翼方》等;炼丹术著作早已佚失,但仍可以从其医学著作中寻觅二三。陈少微生平事迹不详,可能为唐开元天宝年间人。其撰辑的《大洞炼真宝经修伏灵砂妙诀》和《大洞炼真宝经九还金丹妙诀》两部炼丹著作,对炼丹中的金石药物及炼丹方法,叙述得十分详尽周全,是难得的炼丹术专著。

物极必反。炼丹术在隋唐时代发展到了鼎盛时期,但从宋代开始,则逐渐衰落。元明时期,炼丹术走到它的尽头而在历史的长河中销声匿迹了。不过,需要指出的是,明代正统年间,在唐代道经汇集《三洞琼纲》的基础上,编纂成了《正统道藏》,明万历三十五年(1607年)又编纂《续道藏》。至此,宏幅巨著《正续道藏》正式编成。其中《洞神部·众术类》为炼丹术专著。

炼丹术的不断发展,直接导致了我国火药的发明。

三、炼丹和火药的发明

炼丹术在我国历史上经历了一千多年的漫长历程,历代的炼丹家在广大劳动人民生产实践和当时的科学技术基础上,大胆探索,广泛采药、亲自制药,在深山古洞、人迹罕至的地方,孜孜不倦地进行各种化学实验,这些方术之士,很多都是著名的医学家、科学家。长期的炼丹实践,使之在化学和医药学等方面发现了很多新东西,对人类科学文化的发展做出了不可磨灭的贡献。例如,早在秦汉时期,炼丹家对水银的来源、性质、制取等就有明确的认识。淮南王刘安认为:"丹砂为汞。"②魏伯阳说:"汞白为流珠",又说:"太阳流珠,常欲去人。"③又如,对汞和其它金属化合形成汞齐(合金)及汞齐的新作用等,炼丹家也有了明确的认识。陶弘景说:"水银……能消化金、银使成泥,人以镀物是也。"④再如,炼丹家对铅及其化合物也有确切的记载。魏伯阳说:"胡粉投火中,色坏还为铅。"⑤葛洪说:"黄丹及胡粉是化铅所作。"⑥甚至,指南针、印刷术等的发明,都和炼丹家有关;其中最大的贡献就是在炼丹过程中发明了火药。

我们在前面已经讲到,炼丹家为了炼制长生不老药,或者炼制金银,常常尝试用很多种矿物、药材配合共炼。他们常用的药石有五金(金、银、铜、铁、锡)、八石(丹砂、雄黄、雌黄、空青、硫磺、云母、戎盐、硝石)等,有时也用木炭、松脂及各种草本药物。如果炼丹家用硝石、三黄(雄黄、雌黄、硫磺)、炭、松脂等药石混合共炼时,就会导致火药的发明。从现存的古代炼丹家留下来的著作和史书记载中,我们可以推想和探寻我国古代火药发明的过程和轨迹。

1. 早在西汉末、东汉初的丹书《三十六水法》中,记载了这样几个炼丹配方:

---

① 《本草纲目》,卷一上"历代诸家本草条"引。
② 见《淮南万毕术》。
③⑤ 见魏伯阳:《周易参同契》。
④ 《本草纲目》,卷九"水银"条。
⑥ 王明:《〈抱朴子·内篇〉校释》,卷二《论仙》,22页。

"雄黄水:取雄黄一斤,纳生竹筒中,硝石四两,漆固口加上,纳华池中,三十日成水。"

"硫黄水:先以淳醋潘硫黄,溲令洇洇,纳竹筒中,加硝石二两,如上法埋地中,十五日成水。"

"雌黄水:取雌黄一斤,纳生竹筒中,加硝石四两,漆固口如上,纳华池中,三十日成水。"①

据考证,《三十六水法》是西汉末、东汉初的丹书,书中共记录了 58 个丹方,其中有 33 个丹方使用硝石和其它药料共炼,这 33 个丹方中又有 6 个是用硝石与三黄共炼,清一色地都采用水炼而没有火炼。而汉代讲火法炼丹的《黄帝九鼎神丹经》,也没有硝、黄火炼的记载。就目前所掌握的资料来看,整个汉代都找不到硝石和三黄火炼的记载。有人据此推论,认为:这不是一种偶然巧合,炼丹家所以没有考虑到硝石和三黄火炼,"应该看做是一种有意的回避"。② 回避什么呢? 东汉炼丹家魏伯阳在《周易参同契》中说:"若药物非种,各类不同,分剂参差,失其纪纲,虽黄帝临炉,太乙降坐,淮南执火……亦犹补釜,以硇涂疮,去冷加冰,除热用汤,飞龟舞蛇,愈见乖张。"③这就是说,炼丹家有意要回避在火炼中因"药物非种,各类不同,分剂参差"时所发生的"飞龟舞蛇,愈见乖张"的剧烈反应。他们认为:在西汉,"多次的着火和爆炸事故使早期炼丹家们吸取了硝石不能与某些药物混合烧炼的教训"。因此,"炼丹家已经掌握了会着火和爆炸的混合药物——原始火药",并且"应该说早在西汉时期就已经有了原始火药应用的传闻"。④ 这种推论,就某些方面看,有其一定的逻辑性和合理性。但却缺乏充分的史料依据。那么,根据上述史料和历史事实到底可以得出什么结论呢? 我们认为,结论应该是:在汉代,炼丹家使用硝石与其它药料进行了水炼,这是我国古代炼丹家在发明火药的漫长历程中所走过的第一阶段(汉朝),为我国火药的发明走出了重要的一步,铺设了到达彼岸的正确道路。

2. 在东晋炼丹家葛洪的《抱朴子·内篇》中有如下一段记载:

"又雌黄当得武都山所出者,纯而无杂,其赤如鸡冠,光明晔晔者,乃可用耳。其但纯黄似雄黄色,无赤光者,不任以作仙药,用以合理病药耳。饵服之法,或以蒸煮之,或以酒饵,或先以硝石化为水,乃凝之,或以玄胴肠裹蒸之于赤土下,或以松脂和之,或以三物炼之,引之如布,白如冰……"⑤

在这个丹方中,为我们提供了十分有价值的史料:

其一,"又雄黄……或先以硝石化为水,乃凝之",就是说,先将硝石溶化在水里,再加入雄黄,这样就制成了混拌比较均匀的硝雄混剂。这种混拌均匀的硝雄混剂,如果加热(火炼)或做机械撞击,就会发生爆炸。但是,葛洪在这里说的是水炼,而不是火炼。当时的炼丹家是否将硝、雄进行火炼呢? 有人认为:"若从炼丹家的基本理论和基本实践来考察,就会发现,'又雄黄……或先以硝石化为水,乃凝之'","是针对硝、雄混合火炼发生爆炸而采

---

① 以上丹方均见《三十六水法》,《正统道藏·洞神部·众术类》总第五九七册。
② 参看郭正谊:《火药源起的新探讨》,载《化学通报》,1986(1);《火药的发明及其早期应用史》,《光明日报》1986 年 5 月 21 日;袁成业、松全才:《我国火药发明年代考》,载《中国科技史料》第 7 卷,1986(1)。
③ 魏伯阳:《周易参同契》。
④ 郭正谊:《火药源起的新探讨》,载《化学通报》,1986(1)。
⑤ 王明:《〈抱朴子·内篇〉校释》,卷十一《仙药》,203 页。

取的安全工艺"。因此,可以看出,当时的炼丹家将"硝、雄曾进行过火炼,只是因为没能取得成功(因为肯定会发生爆炸),而未被记录下来"。① 这种结论同样缺少确切具体的文字记载,仍是一种推论。

其二,"又雄黄……或以三物炼之,引之如布,白如冰。"对于这一点,需要着重详细剖析一下。所谓"三物",就是指硝石、玄胴肠、松脂。玄胴肠,孙衍星校《抱朴子》作"猪胴"②;《玉篇》:"胴,大肠也。"③可见,玄胴肠即猪大肠。由于记载过于简单,我们无法从中看出当时炼丹家究竟怎样以三物炼雄黄。但无论怎样,方法只能有两种:一是用硝石、玄胴肠、松脂三物同时与雄黄共炼。如果是这样,那么猪大肠与松脂在火炼时,经高温后炭化。硝石是强氧化剂,猪大肠和松脂炭化后成强还原剂,而雄黄含有硫,这实际上已具备火药的成分。有模拟实验证明,"将雄黄、硝石、猪大肠和松香(加少许松节油)混合在一起,置于坩埚内,当加热到350～400°C时,即发生爆炸着火的现象"。④ 第二种方法还可以用硝石、玄胴肠、松脂三物分别与雄黄共炼。经过对这些共炼法分别进行的模拟实验,其情况和结果大致如下⑤:

(1)用硝石、玄胴肠、松脂三物分别与雄黄共炼,可以有三种共炼法:

①硝石与雄黄共炼,经模拟实验,结果得到氧化砷;

②玄胴肠与雄黄共炼,经模拟实验,结果得到单质砷;

③松脂与雄黄共炼,经模拟实验,结果得到单质砷。

(2)根据先氧化后还原的顺序,用硝石、玄胴肠、松脂三物先后与雄黄及其反应后的生成物共炼,也可以有三种共炼法:

①硝石与雄黄共炼,经模拟实验,结果得到氧化砷,即同第一组第一法;

②玄胴肠与所产生的氧化砷共炼,结果得到单质砷;

③松脂与所产生的单质砷再共炼,结果得到高纯度的单质砷。

(3)根据先还原后氧化的顺序,用硝石、玄胴肠、松脂三物先后与雄黄及其反应后生成物共炼,其方法也可以有三种:

①玄胴肠与雄黄共炼,经模拟实验,结果得到单质砷,即同第一组第二法;

②松脂与所得单质砷再共炼一次,结果得到高纯度的单质砷;

③硝石与所得单质砷共炼,结果得到氧化砷。⑥

上面列举的三组用硝石、玄胴肠、松脂分别与雄黄及其反应后生成物共炼的各法中,结果得到的都是氧化砷或单质砷。而这种氧化砷生成物在结晶之前的状态正如葛洪所说的"引之如布";当其缓慢凝结时,则成为白色的晶体,即葛洪所说的"白如冰"。由此,我们可以得出这样的结论:

---

① 袁成业、松全才:《我国火药发明年代考》,载《中国科技史料》第7卷,1986(1)。
② 王明:《〈抱朴子·内篇〉校释》,卷一一《仙药》,218页。
③ 《玉篇》,卷七。
④⑤ 郑同等:《单质砷炼制史的实验研究》,载《自然科学史研究》第1卷,1982(2)。又丁十敬等先生也做过类似的模拟实验:"当硝石量小时,三物炼雄黄能得砒霜及单质砷;而硝石量大时,猛火加热,能发生爆炸。"(《中国大百科全书·军事·中国古代兵器分册》"中国古代火药"条,67页)
⑥ 王奎克等:《砷的历史在中国》,载《自然科学史研究》第1卷,1982(2)。

到晋代,炼丹家在炼丹过程中,已经使用硝石、硫磺、炭三物进行火炼了;

而当三物火炼时,在有些情况下(如硝石含量小等),则得到氧化砷和单质砷;

而三物共炼时,在有些情况下(如果硝石量加大,并猛火加热),则会发生爆炸;但这种爆炸情况,不是炼丹家所要达到的目的,而是炼丹家需要千方百计避免的,所以在当时的炼丹史籍中是找不到这类记载的。这一结论并非由史料推演得来,而是古代丹书上确有的文字记载,从水炼到火炼。

这就是我国在发明火药的漫长历程中的第二阶段。第二阶段比起第一阶段来,已大大前进了一步。这是了不起的一步。不过,硝、磺、炭等物火炼的结果,丹书上只记载了"引之如布,白如冰"这一种结果,而当硝量增大,加猛火会发生爆炸的另一种结果,丹书中却没有记载,这是一大遗憾。因此,作为严格考稽火药发明的史料来看,还略嫌美中不足。

附:郑同、袁书玉的硝石、玄胴肠、松脂分别与雄黄共炼的模拟实验[①]:

一、硝石与雄黄共炼 将雄黄(AsS)2克与硝酸钾(KNO_3)5克混合,放入一10毫升圆底烧瓶内,瓶口用玻璃导管引出气体,到50毫升锥形瓶内。

将圆底烧瓶下端放在坩埚电炉中,加热至300°C以上,即着火并有白色烟雾生成,通过导管、接引管进入锥形瓶,在锥形瓶内壁上凝结成白色粉末(略带黄灰色)。此白色粉末经分析证明为氧化砷(分析结果见下文)。

二、松脂与雄黄共炼 称取雄黄20克和松香24克,加入少许松节油,拌和湿润,置于150毫升刚玉(Al_2O_3)坩埚内,上面倒置一个同样大小的刚玉坩埚。两个坩埚接缝处用湿的六一泥涂抹。待六一泥干后,把盖合的坩埚放在坩埚电炉中,上一坩埚露在炉腔之外,以每小时100°C的升温速度逐渐提高炉温。到750°C时保持恒温2～3小时,切断电源,使坩埚自然冷却。待冷至室温,取出坩埚,除去六一泥。打开后,发现上一坩埚的顶部和内壁上均凝结有银光闪烁的金属砷。

此现象与《太清丹经要诀》所记载的现象有相同之处。

三、猪大肠与雄黄共炼 将雄黄10克与猪大肠(切碎)混合,按前法炼之,也得到银灰色的金属砷。

分 析 鉴 定

一、松脂与雄黄共炼所得单质砷的定性分析 砷在常温下稳定存在的形式是银灰色金属状结晶,晶格类型属六方晶系,即所谓金属砷。我们选择松脂与雄黄共炼所得的银灰色结晶,进行了X射线定性分析。使用的是国产BD型X光射线仪。根据实验所得衍射图中衍射线条的位置和相对强度,计算出晶体中产生这种衍射线的θ角,再与标准卡片(ASTM)中金属砷的θ角相比,两者极为相近。由此可以断定,松脂与雄黄共炼所得的银灰色结晶(属六方晶系)确为金属砷。数据见表1。

二、两种单质砷样品的定量分析 将松脂与雄黄共炼和猪大肠与雄黄共炼所得的两种单质砷样品,各取一定的量用王水溶解,加硫酸除去过量的硝酸,移入容量瓶,用碘量法进行容量分析,结果如表2。

---

① 郑同等:《单质砷炼制史的实验研究》,载《自然科学史研究》第1卷,1982(2)。

表 1　金属砷的 ASTM 卡片数据

晶体中面网距 $d(\text{Å})$	衍射线相对强度 I/I_1	θ 理论值	θ 实验值
3.52	26	12.63	12.8
3.112	6	14.33	14
2.771	100	16.14	16.2
2.050	24	22.07	22.1
1.879	26	24.2	24.2
1.768	10	25.82	—
1.757	7	26.0	26
1.658	6	27.68	27.8
1.556	11	29.67	29.8
1.386	6	33.76	33.8
1.367	4	34.3	34.4

表 2　两种单质砷样品的定量分析结果

试　样	样品重(克)	测得 As 重(克)	As(%)
松脂 + 雄黄炼得	0.471 7	0.461 9	97.92
猪大肠 + 雄黄炼得	0.324 8	0.320 7	98.72

三、硝石与雄黄共炼所得氧化砷的定量分析　硝石与雄黄共炼所得的白色粉末,从外观来看,已可确定不是单质砷,而是砷的氧化物 As_2O_3。称取一定重量的氧化砷,用氢氧化钠溶解,再用盐酸调到中性,用碘水滴定,测得 As_2O_3 含量为 63.14%。

3. 在丹书《诸家神品丹法》中,辑录了多种"伏火之法"。其中的"伏火硫黄法"是这样的:"硫黄、硝石各二两,令研。在用销银锅或砂罐子,入上件药在内,掘一地坑,放锅子在坑内,与地平,四面却以土填实,将皂角子不蛀者三个,烧令存性,以钤(钳)逐个入之。候出尽焰,即就口上着生熟炭三斤,簇煅之,候炭消三分之一,即去余火不用,冷取之,即伏火矣。"[①]

4. 唐宪宗元和三年(808 年),炼丹家清虚子在其所著《太上圣祖金丹秘诀》中记载了"伏火矾法":"硫二两,硝二两,马兜铃三钱半,右为末拌匀,掘坑入药于罐内,与地平,将熟

[①] 引自《诸家神品丹法》,见《正统道藏·洞神部·众术类》总第五九四册。关于这条史料,即"伏火硫黄法",在学术界曾引起诸多学者的注意和探讨。《诸家神品丹法》系宋朝人孟要甫所辑录。本书卷一中,依次收录有"孙真人丹经内伏硫黄法"、"黄三官人伏硫黄法"、"伏火硫黄法"等三个伏火法。20 世纪四五十年代,冯家昇先生先后在其《火药的发明及其传播》、《火药的发明和西传》中,将"伏火硫黄法"误植于孙思邈名下,认为孙思邈是我国火药的发明人。冯家昇先生的这一观点在海内外学术界广为流传。1968 年,美国科学院院士席文教授首先著文指出了冯家昇先生的这一错误。此后,李约瑟博士、陈国符先生、郭正谊先生、刘广定先生也先后撰文发表看法。这样,遂使这一问题的探讨趋向精当,并且廓清了事实,得出了正确的结论。请参看:冯家昇:《火药的发明及其传播》,载《史学集刊》,1947(5);冯家昇:《火药的发明和西传》;Nathan Sivin, Chinese Alchemy, Preliminary Studies, P. 76～77, 1968;Joseph Needham, Science and Civilization in China, V. 5:3, P. 137, m, 1976;陈国符:《道藏经中外丹黄白术材料的整理》,载《化学通报》,1979(6);郭正谊:《火药发明史料的一点探讨》,载《化学通报》,1981(2);刘广定:《谈我国发明火药的起源》,载《科学月刊》,1982(7)(台湾)。

火一块弹子大,下放里面,烟渐起,以湿纸四五重盖,用方砖两片捺,以土塚之,候冷取出。"①

这是唐代早、中期炼丹家的丹方。早在晋代葛洪时代,炼丹家用硝、磺、炭等物火炼时,在某些情况下会发生爆炸。为了防止这类爆炸,炼丹家采取了相应的措施——伏火。所谓"伏火",就是采取一定的措施,去掉或改变金石药料某种特性的方法。例如,采取加热、烘煅等方法,可以改变金石药料的毒性(伏去火毒)、易燃易爆性(伏火)、流动性、挥发性、升华性(成伏)等等。"伏火"一词早在西汉的《黄帝九鼎神丹经》中已经出现。到了唐代,炼丹家对于金石药料的伏火已有了明确而详细的文字记载。第三条就是"伏火硫黄法"。在这个伏火方中,硝石、硫磺已有明确的数量要求且已是等量配比,即各为二两。不过,硝石、硫磺的这种等量配比,经过研磨粉碎、拌和均匀后,形成了硝、硫自供氧燃烧体系,点火后虽然可以速燃,但是由于没有加入足够的含碳物质,加之硫的熔点又太低,未燃烧的熔融硫迅速堵塞了火焰在药料内部传播的通道,因而使燃烧很快中断。②为了使燃烧不致于中断,将伏火进行到底,炼丹家采取了两条应急措施:一是在药料中加入适量的炭,即"就口上着生熟炭三斤,簇煅之";二是多次点火助燃,即"将皂角子不蛀者三个,烧令存性,以钤逐个人之"。由于这样,燃烧就会继续下去,也就是完全伏火了。由此可以看出:第一,等量的硝石、硫磺,加上适量的炭,这实际上已经是原始的火药了。第二,炼丹家在伏火时采取了防止爆炸的预防措施,即挖一地坑,将罐子放入地坑内与地平,四面用土埋实,这说明当时的火药已经有了一定的爆炸力了。这是我国古代炼丹家在发明火药的漫长历程中所走过的第三阶段(唐代早、中期);在这个阶段,火药的发明已有明确的文字记载了。"伏火硫黄法"和"伏火矾法"的配方,实际上就是我国最早的火药配方。因此,在唐代早、中期,我国已经有了含硝、硫、炭的三组分火药,这是毋庸置疑的事实。

遗憾的是,"伏火硫黄法"没有确切的年代可考。有年代可考的伏火方是第四条《铅汞甲庚至宝集成》中的"伏火矾法"。在"伏火矾法"中,我们可以清楚地看出:第一,其药料中,不但硝石、硫磺有明确的数量配比,而且马兜铃也有具体的数量记载,与"伏火硫黄法"相比,其计量观念有了进步。第二,在药料配置时,将等量的硝石和硫磺直接加入适量的含炭物质马兜铃,三物共同研细拌匀,形成了硝、硫和炭的三元自供氧燃烧体系。很明显,其药料配置和操作工艺程序与"伏火硫黄法"都有不同。第三,在安全预防措施上,除了掘地坑将罐子放入坑内外,又增加了三条预防措施:一是用四五层湿纸盖上,二是用两片方砖捺压,三是用土埋住,这说明"伏火矾法"时,硝、硫、炭燃烧后的爆炸力要比"伏火硫黄法"大多了。综上所述,可以看出,无论在药物剂量、药料配置方面,或者在操作工艺程序和安全预防措施中,"伏火矾法"比"伏火硫黄法"都向前发展了一大步,由此可以断定:"伏火硫黄法"先于"伏火矾法","伏火矾法"是从"伏火硫黄法"发展而来的。"伏火矾法"是唐宪宗元和三年(808年)记载在丹书《太上圣祖神丹诀》中的,这就是说,目前,见于正式的有确切年代记载的我国三组分火药的出现是在唐宪宗元和三年。但"伏火硫黄法"先于"伏火矾法",因此,我国三组分火药的实际发明时间就目前所掌握的资料来看,至少可以追溯到"伏火硫黄法"

---

① 《铅汞甲庚至宝集成》,卷二,见《正统道藏·洞神部·众术类》总第五九五册。
② 关于这个问题,袁成业等先生曾做过模拟实验进行过深入研究,请参见袁成业、松全才:《我国火药发明年代考》,载《中国科技史料》第7卷,1986(1)。

的时代。一般认为,它大约产生于隋末唐初。因此,我国含硝、硫、炭三组分的火药发明,最迟不晚于隋末唐初。

5. 成书于中唐以后的《真元妙道要略》在"黜假验真镜第一"中,记载了关于硝石伏火法的一些现象:"有以硫黄、雄黄合硝石并蜜烧之,焰起,烧手、面及烬屋舍者。"

"硝石,宜佐诸药,多则败药。生者,不可合三黄等烧,立见祸事。凡硝石伏火,赤炭火上试,成油入火不动者即伏矣。……不伏者才入炭上,即便成焰。"[①]

这是中唐以后炼丹家的丹方。从这两个丹方中,我们可以看出,当时炼丹家不但知道对硝、硫、炭在一起合炼会发生燃烧和爆炸现象,而且对这种现象的威力和破坏性有了较深刻的认识。这是目前所知我国最早对火药的威力、作用及破坏性进行记载的宝贵史料。这说明,从中唐以后,我国火药已进入应用阶段。

综上所述,我们可以看出,我国火药的发明,可以追溯到汉代,汉代炼丹家的炼丹实践为我国火药的发明奠定了基础;晋代已经有了火药的雏形;隋末唐初,出现了有文字记载的含硝、硫、炭三组分火药;最迟在唐宪宗元和三年(公元808年)有确切年代记载的三组分火药已经发明。

火药的发明,不仅在我国兵器发展史上是一座里程碑,具有划时代的历史意义,而且在世界文明史上具有极其重要的历史意义,是我们的祖先对世界文明的伟大贡献。

第二节　火药的早期应用

火药的早期应用即火药发明后人们首先用它来做什么。这与人们对火药性能的认识逐步深入密切相关,炼丹中被发现的"火药",首先为人所认识和了解的是它的医药性质,后来又认识和掌握了它的化学性质,这为火药的早期应用奠定了基础。

一、火药首先被应用于医药

炼丹家(同时又是医药学家)以硝、磺等金石药物共炼,其本意是为了得到长生不老药,他们甚至按照区别药物药力大小的君、臣、佐使的中医医药理论,称硝为君、硫为臣、炭为佐使,可见火药首先是被当做药物对待的。"火药"一词中的"药"字,其本意即在于此。正是这种对火药医药性能方面的认识,导致了火药在医学方面的应用。尽管目前尚无法找到炼丹家最早应用火药治病的史料记载,但是,这种用火药治病的传统却一直沿袭下来,直到明代大医学家李时珍在《本草纲目》中还有关于火药治病的明确的记载,认为火药可以治癣、杀虫,能够辟湿驱邪。[②] 以至于到今天,中国民间也还有以火药治病的遗风。笔者曾在湖南某山区见过当地农民将黑火药与其它草药拌和研细,敷贴在手脚等部位的溃疡处以消肿除疾。甚至还有人将梯恩梯(TNT)炸药内服,说是可以治心痛等病疾。可见,以火药治病遗俗一直沿袭到了现在。

二、火药被应用于军事

炼丹家在认识火药医药性能的同时,对火药的化学性质——燃烧性和爆炸性有了认识,

---

① 《真元妙道要略》,见《正统道藏·洞神部·众术类》总第五九六册。
② 《本草纲目》,卷五。

也缓慢得多。① 这是因为,初期的火药,其主要成分的硝石、硫磺等原料大多为天然物,未经人工提纯。由于原料不纯,加上初期火药成分的组配比率不尽科学合理,因此,其燃烧和爆炸的效力不会很大,还不具备利用的价值。只有当人们逐步掌握了人工提纯硝石、硫磺等原料的方法,并通过长期的实践探索,逐步掌握了火药成分的配比比率后,火药威力才真正显示出来,它所具有的燃烧性和爆炸性功能才具有了人工利用的使用价值,也只有到这个时候,才有可能将火药应用到军事上。另一方面,火药在军事上的应用也经历了一个漫长的历史时期。

火药在军事上的应用,首先是将火药的燃烧性应用于火攻战。火攻,在我国军事上具有悠久的历史。早在春秋时期,《孙子兵法》上就有:"凡火攻有五:一曰火人,二曰火积,三曰火辎,四曰火库,五曰火队。"②对这五种火攻法,历代兵家奉为典则。但在火药未发明以前,火攻所用的燃料"总不出草艾、油脂之类的东西。这些东西燃烧既不快,燃烧力也不大"。③因此,寻找更好的、效力更大的新的燃烧材料,始终是兵家的迫切需要。而火药"燃烧很快,燃烧力又大,一经点着,即不可扑灭。点着后,它还发大声,燃大火,令人害怕"。④于是,在军事上以先进的火药代替过时的草艾、油脂一类燃烧材料,就是很自然的事了。

从目前掌握的史料看,大概在唐代末年,火药被应用到了军事上。当时,藩镇割据愈演愈烈,战争十分频繁。唐昭宗天祐元年(904年),杨行密的军队围攻豫章(今江西南昌)。在这次战争中,火药兵器被应用来攻城。路振《九国志》记载曰:"以所部发机飞火,烧龙沙门,率壮士突火先登入城,焦灼被体。"⑤

关于"飞火",许洞在《虎钤经》中解释说:"飞火者,谓火炮火箭之类也。"⑥

许洞所说的这种"火箭"、"火炮"的具体形制,后来的《武经总要》作了最好的解释:"放火药箭,则加桦皮羽,以火药五两贯镞后,燔而发之。"⑦可见,这种火箭是将火药球绑缚在箭镞后面,点燃后,用弓或弩射出去。所谓"火炮"者:"以晋州硫黄、窝黄、焰硝同捣罗,砒黄、定粉、黄丹同研,干漆捣为末,竹茹、麻茹即微炒为碎末,黄蜡、松脂、清油、桐油、浓油同熬成膏,入前药末,旋旋和匀,以纸五重裹衣,以麻缚定,更别镕松脂傅之,以炮放。"⑧可见,这种"火炮"是将火药加上砒黄、定粉、黄丹等其它成分,做成球状,点燃后,用抛石机抛掷出去打击敌人。

许洞的《虎钤经》成书于宋真宗景德元年(1004年),景德二年(1005年)献于朝廷。曾公亮等人撰写的官修军事百科全书《武经总要》,成书于宋仁宗庆历四年(1044年)。两书的成书时间相距四十年。但是,《武经总要》中所收录的各种火器,其中包括火箭(或称火药箭)、火炮(一种圆形火药团)当在《武经总要》成书之前就有了。因此,实际上《虎钤经》上所说的火炮、火箭,与《武经总要》上所收录的火箭、火炮,两者相距时间要小于四十年是确

---

① 有人认为,火药发明以后,首先"用于烟火、花炮";还有人认为,火药发明后,"先用于军事";等等。见冯家昇:《火药的发明和西传》,12页。
② 《孙子今译》,106页。
③④ 冯家昇《火药的发明和西传》,15页。
⑤ 《九国志》,卷二,《吴臣·郑璠传》。
⑥ 《虎钤经》,卷六《火利第五三》。
⑦⑧ 《武经总要》,卷一二《守城》。

所说的火炮、火箭,与《武经总要》上所收录的火箭、火炮,两者相距时间要小于四十年是确定无疑的。这样看来,两书所记载的火箭、火炮实际是同一个时期的火器。所以说,《武经总要》上所收录的火箭和火炮就是《虎钤经》上的火箭、火炮的最好注脚。由此,我们可以看出,《虎钤经》上所说的火箭,是一种将火药球绑缚于箭镞后的真正火药箭,而不是绑缚草艾、松脂等的传统火箭了;《虎钤经》上所说的火炮,则是用火药和砒黄、定粉、松脂等成分做成的球状火药团,而不是用传统的易燃物制成的燃烧体了。

这是目前已知我国最早的火药兵器,也是我国火药应用于军事的最早的史料记载。也就是说,我国在9世纪末、10世纪初,即唐代末年发明了火药兵器,火药第一次被应用到了军事上。火药兵器的出现,是我国兵器发展史上又一座里程碑。从此,我国兵器的发展跨入了火药兵器的大门,一个崭新的兵器时代——古代火器时代开始了。

在这一问题上,有一种观点认为,"发机飞火"不是我国火药用于军事的最早记载,三国时期出现的"火射连石"才是"火药用于军事的更早期记载"。[①] 这是很值得商榷的。

所谓"火射连石",三国魏人鱼豢在《魏略》中有详细记载:魏明帝太和二年(228年),诸葛亮"乃进兵攻昭,起云梯冲车以临城。昭于是以火箭逆射其云梯,梯燃,梯上人皆烧死。昭又以绳连石磨压其冲车,冲车折"。[②] 二百余年后,北魏人郦道元在《水经注》中也记载了这次战争:"陈仓:魏明帝遣将军太原郝昭筑城。陈仓城成,诸葛亮围之……亮以数万人攻昭千余人,以云梯冲车地道逼射昭,昭以火射连石拒之,亮不利而还。"[③]这里,郦道元所谓"火射连石"其实也就是鱼豢所说的"火箭"、"绳连石磨",并不是什么新式火器。那么,当时郝昭使用的火箭发火物是油脂、草艾、松香等易燃物还是火药呢?笔者以为当时火箭的发火物应是油脂、草艾和松香等一类易燃物,而不可能是火药。也就是说,不是新式火器。我们在前面已经讲到,根据目前所掌握的史料,我国晋代才有了雏形火药,有确切文字记载的含硝、硫、炭三组分的火药发明应在隋末唐初。说三国时期已经有了火药,是缺乏充分的史料根据的,既然这样,新式火器即火药箭又从何而来呢?因此,仅凭这样的一种推论,就断定陈仓之战郝昭使用的火箭是用火药制成的,就是火药箭,是极不科学的了。

---

① 郭正谊:《火药源起的新探讨》,载《化学通报》,1986(1);《火药的发明及其早期应用史》,载《光明日报》,1986年5月21日。
② 《三国志》,卷三《明帝纪第三》。
③ 《水经注》,卷一七"渭水"。

第二章　宋金——火药火器发展的初始阶段

火药被应用于军事后,到了宋金时代,火药兵器便迅速发展起来。这里所说的宋金时代,是指10世纪60年代至13世纪70年代这一段历史时期,包括北宋、南宋、辽、西夏、金等五个朝代。宋金时代是我国古代火药火器发展史上的初始阶段。

第一节　最早的军用火药配方

公元10世纪60年代,赵宋王朝建立,从而结束了晚唐以来出现的长期封建割据的混战局面,给封建社会经济和科学技术的发展创造了有利条件。宋代的封建社会经济、农业发展到一个新的水平,手工业有了长足的发展,商业呈现空前的繁荣,科学技术有了很大提高,尤其是矿业开采和冶炼业的发展更为突出。据史籍记载,北宋初各地有矿冶201处,英宗时增加到271处。几种主要的矿冶金属产量增长很快,到仁宗和神宗时,铜产量为14 605 969斤,铁为7 241 001斤,铅为9 197 335斤,锡为2 321 898斤。当时,科学技术新成果层出不穷,指南针已经普遍使用于航海,活字印刷术也已发明。总之,社会经济的繁荣和科学技术的提高,为火器的发展奠定了坚实的物质基础。但同时,宋金时代的阶级矛盾和民族矛盾也十分尖锐,特别是民族矛盾和民族冲突十分频繁,宋王朝先是与辽和西夏,后来又和金、蒙古军队发生了长时期的战争,边患不断,战乱迭起。正是由于如此,宋王朝及辽、西夏和金各朝统治者都十分重视兵器、特别是火药及火药兵器的研制和生产。因此,在这样的社会环境中,宋金时代的火药及火药兵器便迅速发展起来。

一、三个军用火药配方

尽管我国在晋代已经有了火药的雏形,在隋末唐初已经发明了含硝、硫、炭的三组分火药,但是,文字记载的军用火药配方,一直到北宋初年才出现。由曾公亮、丁度等人奉宋仁宗之命,经过四年努力,于庆历四年(1044年)撰修成的《武经总要》一书中,记载了火炮火药法、蒺藜火球火药法、毒药烟球火药法三种火药配方。

火炮火药法的火药配方是[①]:

晋州硫磺十四两	窝黄七两	焰硝二斤半	麻茹一两
干漆一两	砒黄一两	定粉一两	竹茹一两
黄丹一两	黄蜡半两	清油一分	桐油半两
松脂十四两	浓油一分		

[①] 《武经总要》,卷一二《守城》。

蒺藜火球火药法的火药配方是①：

  硫磺一斤四两 焰硝二斤半 粗炭末五两 沥青二两半
  干漆二两半   竹茹一两一分 麻茹一两一分 桐油二两半
  小油二两半   蜡二两半

毒药烟球火药法的火药配方是②：

  硫磺十五两   草乌头五两 焰硝一斤十四两 芭豆五两
  狼毒五两   桐油二两半 小油二两半   木炭末五两
  沥青二两半   砒霜二两   黄蜡一两   竹茹一两一分
  麻茹一两一分

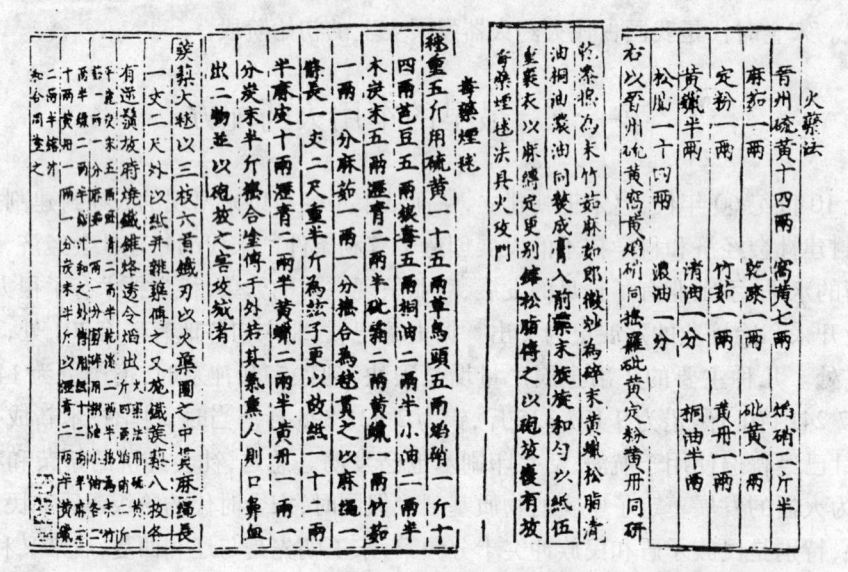

图1 《武经总要》上记载的三个军用火药配方（采自《武经总要》，卷一一、一二）

  这就是目前所见我国、也是世界上最早的三个军用火药配方。配方中提到晋州硫磺，晋州，即今山西省的临汾县。晋州硫磺就是出产于现今山西省临汾县的一种硫磺，是从硫铁矿中提炼得到的，已非天然物；焰硝，就是硝石；窝黄不可考；砒黄，又名鸡冠石，是一种砷化物；定粉，又名白粉、胡粉、铅粉、粉锡，是由铅化成的含毒物质；黄丹，又名铅华、铅丹，属铅化物；麻茹，就是芝麻茎外皮的第二层纤维质；干漆，是一味中药，性辛温，无毒；竹茹，就是竹竿上第二层竹皮；草乌头，属毛茛科，即乌头的球茎根，性辛温，有毒；巴豆，中医用做泻药，性热，味苦；清油，又名香油，就是芝麻油；松脂，又名松香、松肪、松膏；蜡，就是油脂类物质；小油、浓油不可考；沥青，可能就是松香的别称。

  需要说明的是，按上述三个火药配方做成的火药球，都有各自的外附药配方。例如，火炮的外附药配方是：以纸五层包裹，用麻绳缚定，熔松脂覆上；蒺藜火球的外附药配方：纸十二两半，麻十两，黄丹一两一分，炭末半斤，沥青二两半，黄蜡二两半，熔汁调和均匀，涂拌于球上；毒药烟球的外附药配方：麻绳长一丈二尺，重半斤，废旧纸十二两，麻皮十两，沥青二两

---

① 《武经总要》，卷一二《守城》。
② 《武经总要》，卷一一《火攻》。

半,黄蜡二两半,黄丹一两一分,炭末半斤,捣碎调和均匀,涂覆于球上。这种外附药配方,不是火药配方中的成分,它们涂覆于火药球上,其作用是:一方面将球内的物质密封起来,防潮、防杂物掺入;另一方面,施放时,用铁锥点火,可以引燃、助燃,便于火器发射。

二、宋代火药的性质和特点

作为我国、也是世界上最早、最完整的三个军用火药配方,其主要成分、次要成分、成分含量是什么?制造工艺技术又如何呢?

第一,硝石、硫磺、炭是当时火药配方中的主要成分。例如,火炮火药法的火药配方中,焰硝、硫磺、炭末(松脂),这三种成分的含量共计占83%;其它如竹茹、麻茹、清油等十种成分的含量共占17%。很明显,硝、硫、炭在火炮火药法的火药配方中是主要成分,其它的都是次要成分。又例如,蒺藜火球火药法的火药配方中,焰硝、硫磺、炭末的含量共计占82%,其它如竹茹、麻茹、小油等七种成分的含量共计占18%。再例如毒药烟球火药法的火药配方中,焰硝、硫磺、炭末的含量共计占65%,其它如竹茹、麻茹、桐油等十种成分的含量共计才占35%。以上事实充分说明,我国以硝、硫、炭为主要成分构成的三元体系火药配方,在北宋初已经形成,并且开始被人们所掌握和应用了。这种三元体系火药配方一直沿用到了现在。

第二,硝、硫、炭三种成分在各种不同的火药配方中的组配比率已经大致接近。三个火药配方中,硝、硫、炭的组配比率分别是:

火炮火药法硝、硫、炭的组配比率是:48.66%:17.03%:17.03%;

蒺藜火球火药法硝、硫、炭的组配比率是:50.19%:25.09%:6.27%;

毒药烟球火药法硝、硫、炭的组配比率是:38.61%:19.31%:6.44%。

由此可以清楚地看到,《武经总要》中三个火药配方中的硝、硫、炭的组配比率已经比较接近。这说明,从隋末唐初火药发明以来到宋初,火药中硝、硫、炭的组配比率经过人们长期的摸索和实践,已经从混乱到基本统一,这在火药史上是一个很大的发展和进步。因为在这里,不但硝、硫有具体的量化指标,而炭也有了具体的量化指标,更为重要的是,这三者之间的比率,在向明清时期成熟的火药配方中的硝、硫、炭的比率靠近。不过,在这三个火药配方的组配比率中,与明清时期成熟的火药配方相比,其中硝的含量都较低(火炮火药法火药硝占48.66%;蒺藜火球火药法火药硝占50.19%;毒药烟球火药法火药硝占38.61%),硫和炭的含量也不尽合理,因此这样的组配比率是不十分科学的,它和明清时代比较成熟的火药组配比率相比,还有一段较大的距离。① 按照这种组配比率制成的火药,主要是利用其燃烧性能;其爆炸威力较弱。在军事上主要应用于燃烧、延烧方面,并兼有爆炸作用。关于这一点,从理论分析上是这样,从模拟实验中也完全证明是这样。

第三,宋代火药除了硝、硫、炭三种主要成分外,都还掺杂有近十种或十多种次要的辅助

---

① 据《纪效新书》记载,明代鸟铳发射火药,硝、硫、炭的组配比率是:硝占75.8%,硫占10.6%,炭占13.6%。据《武备志》记载,铳炮等火器的发射火药,硝占80%,硫和炭各占10%。这样的火药组配比率,已十分接近近代黑火药硝、硫、炭的组配比率。但是,明代火药的组配比率由于火药用途不同而各异。因此,明代有些火药硝、硫、炭的组配比率离近代黑火药的组配比率还相差较远。据《武备志》记载,纸筒、纸球、梨花筒等火器的爆炸火药,硝占50%,硫和炭各占25%;水火球、烟球等火器的燃烧发烟火药,硝和硫各占50%,就充分说明这一点。到了清代,火药中硝、硫、炭的组配比率一般稳定在8:1:1左右,即硝占80%,硫占10%,炭占10%。

成分,而这些次要的辅助成分,又大多是易燃性物质。例如,火炮火药法火药掺杂有清油、桐油、浓油、黄蜡、干漆等易燃物和含毒物十一种;蒺藜火球火药法火药掺杂有小油、桐油、沥青等易燃物七种;毒药烟球火药法火药掺杂有小油、桐油、沥青、黄蜡等易燃物和含毒物十种。这说明宋代火药还十分明显地带有传统军用燃烧物的痕迹,说明当时的人们主要是利用火药燃烧或延烧敌方人、马、器械、物资等。在火药中掺入的一定量的其它辅助成分,也主要是为了增强其燃烧,而对火药的爆炸性能认识尚不足。可见,宋代初期火药确实处于初始阶段。大概到了宋金后期,管形火器发射火药中的次要辅助成分却在逐步减少。例如,金正大、天兴年间金人的火枪和飞火枪的发射火药,其辅助成分就只有铁滓、磁末、砒霜等二三种了。① 到了元代,管形火器发射火药中已没有任何一种辅助成分了②。这些充分说明,我国古代火药成分的构成随着人们对其性能认识的深入确实在逐步改进。

第四,关于火药的制造工艺过程。火炮火药法火药的制造工艺过程有如下几道工序:①将硝、硫、窝黄捣碎箩筛;②将砒黄、定粉、黄丹研细;③将干漆捣碎成末;④将竹茹、麻茹微炒,捣细成粉末;⑤将黄蜡、松脂、清油等一同煎成膏状,然后与上面各成分调和均匀。经过以上五道工序,火炮火药法火药便制成了③。蒺藜火球火药法的火药制造工艺过程是:①将硝、硫、炭、沥青、干漆等成分捣碎成粉末;②将竹茹、麻茹剪碎;③把桐油、小油、黄蜡熔成汁,然后与以上各成分调和均匀。经过以上三道工序,蒺藜火球火药法火药便制成了④。毒药烟球火药法火药的制造工艺过程如下:用硝、硫、炭、草乌头、狼毒、巴豆、砒霜等与桐油、小油、黄蜡、沥青、竹茹、麻茹各物一起捣碎调和,毒药烟球火药法火药便制成了⑤。从以上三种火药的制造工艺过程来看,宋代初期火药的制造工艺还十分原始简单,因而按照这种工艺和方法制成的火药,其成品粗糙,质量较差,因而效力较低,杀伤力不强。

三、火药配方性能的模拟实验

为了进一步探讨《武经总要》记载的三个军用火药配方的性能,我们对火炮火药法火药和蒺藜火球火药法火药做了模拟实验。

(一)火炮火药法火药模拟实验

1. 步骤:

(1)按照《武经总要》记载的配方和工艺配制好火炮火药法火药:取硫磺十四两,窝黄七两,焰硝二斤半,一同捣碎箩筛;取砒黄一两,定粉一两,黄丹一两,一块儿研细;取干漆一两捣碎成粉末;取竹茹一两,麻茹一两,微炒并研碎成粉末;取黄蜡半两,松脂十四两,清油一分,桐油半两,浓油一分,一块煎熬成膏状;然后将上述各成分加入并调和均匀,这样便制成了火炮火药法火药。这种火药刚制成时呈黑褐色胶泥状,经过十多个小时后,凝结成黑褐色坚硬固体,用锤或坚硬木棒将其捣成粉末颗粒状。

(2)取火炮火药法火药 50 克,根据《武经总要》记载的方法,用五层白纸裹住,以麻绳扎缚,上面涂上一层熔化的松脂。用木炭火和皮纸绳火点火,均不能点燃。改用烧红的铁锥点火,燃烧猛烈,呈白色光焰。经测试,燃烧中心温度达 1 300℃。燃烧完后,残留大量固体细

---

① 《金史》,卷一一六《蒲察官奴传》。
② 晁华山:《西安出土的元代铜手铳与黑火药》,载《考古与文物》,1981(3)。
③④ 《武经总要》,卷一二《守城》。
⑤ 《武经总要》,卷一一《火攻》。

微颗粒。

(3) 取壁厚 0.3 厘米、直径 10 厘米的铸铁空心圆球一个,下面开一个小孔,装入火炮火药法火药至满(100 克),用烧红的铁锥点燃,燃烧缓慢,冒黄黑色浓烟,不爆炸。经测试,铸铁球温度达 135℃。11 分钟后燃烧完毕,铁球内残留大量的固体颗粒。

(4) 取内径 3 厘米、长 20 厘米的竹筒一节,一端保留竹节,另一端去节,在距节一厘米处开一小孔,然后将竹筒装满火炮火药法火药。用烧红的铁锥从小孔处点燃火药,燃烧缓慢,冒黄黑色浓烟,7 分钟后燃烧完毕,平均燃速为 0.47mm/秒。经测试,竹筒口部温度达 130℃。

2. 分析:

从前面的介绍我们知道,火炮火药法火药与近代火药成分相比,前者硝石的含量较低,只占 48.66%,而硫磺、松脂的成分较高,竟达 51.34%。硝石是一种强氧化剂,在火炮火药法火药中占 48% 的含量,其氧化系数大约只为 30;硫磺、松脂等是低熔点燃烧物,其熔点都低于 150℃,且含量很高。因此在第二步中,当把火炮火药法火药做成球状,用木炭火、皮纸绳火等煴火去点燃时,其松脂、硫磺等低熔点物立即被熔化,并大量吸收周围热量,这样,点火物表面迅速降温,而熔化物又融布在煴火表面,空气被隔断,这样点火物很快熄灭,不能点燃。用烧红的铁锥能够点燃,是因为铁锥的热容量大,可以不断补偿硫磺、松脂等物在熔融过程中所吸收的热量,铁锥本身的温度还能够高于火炮火药法火药的燃点温度,因此,用烧红的铁锥可以点燃火炮火药法火药。当时,即宋代的人们并不懂得这些道理,但是他们通过长期的实践,逐步摸索掌握了这种方法。所以宋代早期的火炮①、火箭②、霹雳火球③等火器发射时的点火,都是使用烧红的铁锥,其原因就在这里。点燃以后,虽然火炮火药法火药的氧化系数大约为 30,只能提供硫磺、松脂等物完全燃烧时所需氧气的 30%,但是由于是开放性燃烧,所缺少的 70% 的氧气可源源不断从空气中得到补充,所以燃速快,燃烧充分,光焰呈白色,温度可达 1 300℃。

在第三步中,当把火炮火药法火药装入密闭的铸铁空球中,用烧红的铁锥点燃以后,因火炮火药法火药的氧化系数约为 30,故欲完全燃烧,本身只能提供 30% 的氧气,还缺少 70% 的氧气。但因为这种燃烧是在密闭的容器中进行,缺少的氧气不能从空气中得到补充,所以燃烧速度缓慢,且燃烧不完全,大量的硫和炭等物被游离出来,这样便产生了很多黄黑色浓烟。又因为燃烧速度慢,且燃烧不充分,故释放出来的热量少,这样铸铁球表面温度就只有 135℃,这样的温度低于木柴、艾草等可燃物的燃烧点,故不能点燃木柴、艾草等物。

在第四步中,当把火炮火药法火药装入一端有节、另一端敞口的竹筒内,用烧红的铁锥从小孔中点燃后,其发生的现象和第三步中的现象相似,其原因也相同。

3. 结论:

①火炮火药法火药刚制成时呈黑褐色胶泥状,经过一段时间后,就凝结成黑褐色坚硬固体,可加工制成粉末状和颗粒状。

②火炮火药法火药用木炭火、纸绳火等煴火不能点燃,用烧红的铁锥可以点燃。

---

①③ 《武经总要》,卷一二。
② 《三朝北盟会编》,卷六八引《避戎夜话》。

③火炮火药法火药只能在空气中(或者有充足的空气)才能充分燃烧,其燃烧性能才具有人工利用的使用价值。

④火炮火药法火药装入密封容器中或管状器中,均不能充分燃烧,不具备人工利用的使用价值。

(二)蒺藜火球火药法火药的模拟实验

1. 步骤:

(1)按照《武经总要》记载的配方和工艺,配制好蒺藜火球火药法火药:取硫磺一斤四两,焰硝二斤半,粗炭末五两,沥青二两半,干漆二两半,捣碎成粉末状;取竹茹一两一分,麻茹一两一分剪碎;取桐油二两半,小油二两半,蜡二两半熔成膏汁;然后将上面各成分加入并调和均匀,这样便配制成了蒺藜火球火药法火药。这种火药刚制成时和火炮火药法火药一样,也呈黑褐色胶泥状,经过十多个小时后,凝结成黑褐色坚硬固体,用锤或坚硬木棒可将其捣成粉末颗粒状。

(2)取蒺藜火球火药法制成的火药50克,做成球状,分别先后用木炭火、皮纸绳火和烧红的铁锥点火,其燃烧现象同火炮火药法火药模拟实验第二步中的现象和结果相似。

(3)按火炮火药法火药模拟实验中的第三步方法进行实验,其燃烧现象和结果基本和该步的燃烧现象和结果相同。

(4)按火炮火药法火药模拟实验中的第四步方法进行实验,其燃烧现象和结果基本和该步的燃烧现象和结果相同。

2. 分析:

从前面我们知道,蒺藜火球火药法火药中硝石的含量只占50.19%(略高于火炮火药法火药硝的含量),而硫磺、蜡等成分的含量占49.81%。因此,蒺藜火球火药法火药在开放条件下燃烧、密闭容器中燃烧及竹筒内燃烧所产生的现象和结果完全和火炮火药法火药相同。

3. 结论:

同火炮火药法火药的结论相同。

通过以上对火炮火药法火药和蒺藜火球火药法火药进行的模拟实验,可以推测一下第三种药方的实践结果:在毒药烟球火药法火药的配方中,硝石的含量只占38.61%,比火炮火药法火药和蒺藜火球火药法火药中硝的含量都低,而硫磺、蜡的含量占61.39%,比火炮火药法火药和蒺藜火球火药法火药中硫磺、蜡等的含量都高。因此,可以推知,毒药烟球火药法火药同火炮火药法火药和蒺藜火球火药法火药一样,一是用木炭火、纸绳火很难点燃,用烧红的铁锥可以点燃。其二,只有在空气中才能充分燃烧,其燃烧性能才具有人工利用的使用价值。其三,在密闭容器中或管状器中不能充分燃烧,不具备人工利用的使用价值。这就是当时宋代初期火药的性能和技术水平的一般状况。明白了这个道理,我们就可以读懂和理解史籍中关于宋代初期火器的一些史料记载了。例如,据《避戎夜话》记载,宋钦宗靖康元年(1126年),宋军统制姚仲友建议,防守汴京城东壁的宋军,在战阵上设置有火盆,每个火盆内烧着十个铁锥,供二十名射手发射火箭[①],其原因就在这里。又例如,《武经总要》

[①]《三朝北盟会编》,卷六八引《避戎夜话》。

记载"霹雳火球"说:"用火锥烙球"①;记载"猛火油柜"说:"注火药于中,使然(燃),发火用烙锥",②并绘出了烙锥的图形,其原因也在这里。再例如,翻遍整部《武经总要》,其记载的火器都是燃烧性火器,这类燃烧性火器的形制均具备了火药点燃后能够得到充分的氧气供给的特点,如火箭将火药绑扎在箭首③,火药鞭箭将火药绑扎在竹竿上,④等等。

综上所述,我们可以看出,一方面,《武经总要》记载的宋代初期的军用火药配方,已经形成了以硝、硫、炭为主要成分的三元体系火药,硝、硫、炭的组配比率已经从混乱到基本统一,并且初步形成了一套制造加工火药的工艺流程。这些充分说明,我国火药从隋末唐初发明以来,经过长期的摸索和实践,到了宋代初期,已经有了长足的发展。但是,另一方面,这些军用火药配方,硝、硫、炭的组配比率还不尽合理和科学,火药成分构成,除硝、硫、炭这些主要成分外,还掺杂着几种或上十种易燃有毒的辅助成分,残留着传统的以艾草、油脂为主的军用燃烧物的痕迹。同时,火药制造加工的工艺流程还十分原始和粗陋。由于这样,宋代初期火药有如下特点:

①用煴火点燃很困难,需要用烧红的铁锥点火;

②只有在空气中(或能不断得到充分的空气)才能充分燃烧;

③在密闭的容器中或管状器里燃烧缓慢,且不能充分燃烧。这说明,宋代初期的火药还处于十分原始的阶段。据此,我们可以断定,宋代初期,具体说,《武经总要》成书时期及其以前,即宋仁宗庆历四年(1004年)以前,我国不具备发明爆炸火器和管形火器的物质基础,因此,那个时候及其以前,不可能有爆炸火器和管形火器。⑤

四、火药生产的初步发展和火药性能的改进

宋初尽管火药还处于初始阶段,但是由于有了固定的火药配方,有了规范的火药制造工艺和方法,为火药生产提供了技术条件和科学依据。因此,宋、金两代火药生产很快发展起来。宋朝政府十分重视火药的制造。据《麈史》记载,北宋都城汴京建立了广备攻城作,隶属军器监,内分十目⑥,即"所谓火药、青窑、猛火油、金、火、大小木、大小炉、皮作、麻作、窑子作是也"。"火药作"就是火药制造厂,其制造火药的工艺、方法及有关规定,制造工匠"俾各诵其文",但是"禁其传",不准泄露和传授制造机密⑦。这说明,我国当时不仅有了专门生产火药的机构,火药制造已经正式列入国家兵器制造计划,并且已经制定了一套严格的火药保密措施和规定。

到南宋时,火药制造有了很大发展。主要表现在两个方面:其一,火药生产量大幅度增加。据《至大金陵新志》记载,南宋高宗时期,因为建康府的火药生产发展迅速,生产量大,必须"改筑炮药库"⑧。据《辛巳泣蕲录》记载,宋宁宗嘉定十四年(1221年),金军围攻蕲州,宋军使用火药兵器奋力抗击,一天之内就从武器库中调拨出"弩火药箭七千支,弓火药箭一

---

① ② ③ ④ 《武经总要》,卷一二《守城》。
⑤ 《武经总要》成书时期及其以前没有管形火器这一观点容易被人们所接受,但是没有爆炸火器,有些人不易接受,会举出霹雳火球为例进行反驳。其实,细考霹雳火球,其爆炸发声不是火药燃烧发生的,而是火药燃烧以后,使竹子破裂而发出的声音,在这里,人们利用的同样是火药的燃烧性能而不是其爆炸性能。
⑥ 有些史籍,如《续资治通鉴长编》,卷二九三记载的广备攻城作有十一目,影印本,2 758~2 759页,上海古籍出版社,1985年。《宋会要》"职官"三七记载广备攻城作有二十一作;如此等等。
⑦ 王得臣:《麈史》朝制条。
⑧ 《至大金陵新志》,卷三。

万支,蒺藜火炮三千支,皮大炮二万支,分五十三座战楼,准备不测"①。据《可斋续稿后集》记载,宋理宗宝祐五年(1257年),蒙古兵进攻广西。宋朝廷派大臣李曾伯去静江(今广西桂林)调查备战情况。李在向朝廷的报告中说:静江由于承平日久,军备空虚,与荆淮相比,相差极远,"荆淮之铁火炮动十数万只。臣在荆州,一月制造一二千只,如拨付襄郢,皆一二万"。② 这些都说明,南宋时期火药火器生产规模庞大,生产数量惊人。其二,火药质量显著提高。这方面虽然没有直接的史料记载可供考稽,但一些间接史料记载可以证明这一点。宋高宗绍兴三十一年(1161年),宋军和金兵在采石(今安徽当涂县)发生了激烈的水战。战争中,宋兵发射霹雳炮袭击金兵,金兵大败。据宋人杨万里记载,这种霹雳炮发射升空,"自空而下落水中","其声如雷"。③ 从这些记载看,霹雳炮实际上是一种以火药燃气的反作用力为动力的火箭了。这与《武经总要》记载的宋朝初期的火炮火药法火药、蒺藜火球火药法火药已大不一样了,其性能和质量有了很大的提高。这是因为,制造火箭的火药,从理论上讲,一般含硝量要达到70%左右,含硫量在10%左右,含炭量在20%左右。既然当时的火药已经可以发射以火药燃气的反作用力为动力的火箭,这说明:第一,最迟到宋高宗绍兴年间,火药的成分有了很大的改善;第二,火药中硝、硫、炭的组配比率逐步趋向合理和科学;第三,制造火药的工艺和方法有了很大的改进。否则是不能作为火箭的发射火药的。到了南宋后期,不仅有了以火药燃气的反作用力为动力的火箭,而且有了管形发射火器,这说明,宋代火药的发展又进入了新的阶段。

随着社会经济的发展,加之频繁的战争,宋代的火药配方、火药制造工艺和方法,也先后传到了金和西夏。因此他们也先后掌握了火药配方,学会了制造火药的方法和工艺,使金人的火药制造和生产达到了一个新的水平。关于金人的火药发展情况,目前所掌握的资料甚少。但是从《金史》关于金人火器的一些史料记载中,可以间接看出金人火药发展之一斑。据《金史·赤盏合喜传》记载,金人有一种火器名"震天雷","铁罐盛药,以火点之,炮起火发,其声如雷,闻百里外,所爇围半亩之上,火点著甲铁皆透"。④《金史·蒲察官奴传》又记载说:金人在天兴二年(1233年)攻击蒙古人使用的一种火枪,筒内"实以柳灰、铁滓末、硫黄、砒霜之属","临阵烧之,焰出枪前丈余,药尽而筒不损"。⑤通过这些史料记载,我们可以看出:第一,金人火药的杀伤威力比宋初有了很大的提高,如爆炸火器震天雷爆炸时声大如雷,杀伤有效范围达半亩以外,能够烧透铁甲,火枪能够"焰出枪前丈余,药尽而筒不损"。可见,火药的燃烧性能和爆炸性能比起宋代初期的火药已经有了很大的提高。第二,火药成分的构成进一步改善。宋初《武经总要》记载的三个火药配方中,除硫、硝、炭三种成分外,还掺杂着近十种或十多种其它次要的辅助成分,而到金正大、天兴年间,其管形火器的发射火药,其成分则主要是硝、硫、炭和铁滓、磁末、砒霜了。可见,金人火药成分的构成更合理了。第三,前面已经讲到金人管形火器的发射火药,已达到了"药尽而筒不损"的水平。据史籍记载,金人的火枪是用十六层黄纸做成的⑥,那么,"药尽而筒不损",实际上是"药尽而

---

① 赵与裦:《辛巳泣蕲录》。
② 李曾伯:《可斋续稿后集》,卷五。
③ 杨万里:《诚斋集》,卷四四。
④⑤ 各见《金史》,卷一一三《赤盏合喜传》2 496页,卷一一六《蒲察官奴传》2 548页。
⑥ 《金史》,卷一一六《蒲察官奴传》,2 548页。

纸不损"。这实在是了不起的进步,已经接近了明代管形火器如鸟铳等发射火药的技术水平。明代鸟铳发射火药已经能够做到"于单纸上燃去而纸不燃"①。我们知道,火药要达到这样高的技术标准,一是要有较佳的火药组配比率,二是加工制造火药的工艺技术要求极高。这样制成的火药,燃烧时才能处于最佳状态,即燃速快,气体生成物在高速膨胀过程中将灼热的细微固体生成物带走,而不残留在纸上,所以火药燃烧过程完成,也不会伤损纸张。金人的火药既然已经达到了"药尽而筒不损"的技术水平,那么,这有力地说明:一方面,金人火药中硝、炭、硫的组配比率有了很大改进,已接近明代鸟铳等发射火药的组配比率了;另一方面,金人加工制造火药的工艺技术有了极大提高,包括提纯硝、磺、碾细配料等加工制造技术都很发达了。由此可以看出,金人火药制造有了长足的发展,这在当时确实是一个很大的进步。

第二节 火枪、飞火枪、突火枪和霹雳炮

北宋初期,人们主要是利用火药的燃烧性能,因此,燃烧性火器大量应用于军事。《武经总要》上记载的火球、蒺藜火球、霹雳火球、毒药烟球、铁嘴火鹞、竹火鹞等都属于这一类。在燃烧性火器发展的基础上,爆炸性火器也不断涌现,例如,《金史》等史籍中记载的铁火炮、震天雷等先后问世,并被广泛应用于实战。

南宋初期,由于燃烧性火器和爆炸性火器的迅速发展,新的、先进的火器品种一个接一个被创制出来。例如:

宋绍兴二年(1132年),陈规"以火炮药,造下长竹竿火枪二十余条";②

宋绍兴三十一年(1161年),宋金采石之战,宋军发明了霹雳炮,其升空后,"炮自空而下落水中","其声如雷";③

金正大九年(1232年)和金开兴元年(1233年),金人发明了飞火枪和火枪;④

宋开庆元年(1259年),寿春府军民"以巨竹为筒,内安子窠",发明了突火枪;⑤

此外,人们还创制了火筒⑥和突火筒⑦;等等。在这诸多新创制的火器中,较为重要的是陈规发明的火枪和金人发明的飞火枪、火枪以及火炮、火箭等。

一、陈规火枪——管形火器的诞生

陈规,宋朝的军事指挥家和军事技术家,字元则,山东密州安丘(今山东诸县)人,南宋高宗建炎元年(1127年)官德安(今湖北安陆)知府。陈规在守德安时发明的火枪,从目前掌握的史料看,最早记载的要数汤璹的《德安守御录》。汤璹,湖南浏阳人,宋孝宗淳熙十四年(1187年)进士,官德安教授,他通过现场实地勘查,写成《德安守御录》,记录了五十五年

---

① 戚继光:《练兵实纪杂集》,卷五。
② 陈规:《守城录》,卷四《汤璹德安守御录下》。
③ 杨万里:《诚斋集》,卷四四。
④ 《金史》,卷一一三《赤盏合喜传》,2 496~2 497页;《金史》,卷一一六《蒲察官奴传》,2 548页。
⑤ 《宋史》,卷一九七《兵十一》,4 923页。
⑥ 《景定建康志》,卷三九。
⑦ 《永乐大典》,卷八三三九《兵》,3 874页。

前发生的德安防御战:"规即时令人……又以火炮药造下长竹竿火枪二十余条,撞枪钩镰各数条,皆用两人共持一条,准备天桥近城于战棚上下使用"①。对此战,《宋史》等史籍也有简略的记载:"会濠桥陷,规以六十人持火枪自西门出,焚天桥,以火牛助之,须臾皆尽,横拔砦去"②。关于陈规的火枪,目前所能获得的资料,大概就只有这些。

由于史料记载过于简单、笼统,因此,陈规火枪的形制和构造今人很难明了。因而学术界也有不同的认识和推测。其分歧的主要一点就是陈规的火枪到底是什么火器。现将其观点分别介绍如下:

一种观点认为,陈规火枪是把火炮药搁在长竹竿的竹筒里。我国火器史专家冯家昇先生在其四十年代完成的《火药的发现及其传播》一书中认为:陈规的火枪是"把火药搁在竹管,点着发火……它开了以管形器械操纵火药的先声"③。五十年代他又在其《火药的发明和西传》一书中写道:"公元一一三二年(宋高宗绍兴二年)陈规守德安(今湖北安陆)时,发明一种管形火器,叫'火枪'。火枪是用巨竹制成的,每支由二人拿,先把火药装在竹管里,在临阵交锋时,点着后,用它来烧敌人。这是射击性管形火器的鼻祖。"④冯家昇这一观点遂被学术界广泛接受。例如,著名化学家张子高在《中国化学史稿(古代之部)》中写道:"自十四世纪的二三十年代至六七十年代,大约有半世纪的光景,即元末明初这一时期,是我国枪炮式火器发展到相当成熟的时期。但是,达到这样的水平,曾经过一段较长的历史。从宋高宗绍兴二年陈规守德安时所发明的竹制火枪算起,足足地过了两个世纪。"⑤潘吉星、赵匡华等编著的《化学发展简史》也认为:陈规的"火枪是由长竹竿做成,先把火药装在竹竿内,作战时把点燃的火药喷射出来"⑥。许淕、杨泓、王兆春在为《中国大百科全书·军事》卷撰写的"中国古代兵器"条目中写道:"最早见于史书记载的火枪,是南宋绍兴二年(1132年)陈规守德安时使用的长竹竿火枪,以竹为筒,内装火药,临阵点燃,喷射火焰,焚毁了敌人的攻城器械'天桥'。这是最早的管形喷射火器。"⑦笔者也认同冯家昇先生的这一看法,认为陈规发明的火枪是用长竹竿制作的,每条枪由两人抬放,事先把火药装填在竹竿内,临战时点燃火线,火药点着后喷射出火焰,以此烧伤敌人。手铳和火枪就是我国最早的管形火器,也是世界上最早的管形火器⑧。

另一种观点,即袁成业等认为,陈规火枪的火炮药是不能搁在长竹竿的竹管里。因为他们认为,陈规火枪使用的"火炮药",就是《武经总要》"火炮"条所记载的"火药法"火药配方。他们按照这种火药配方,进行了模拟实验。根据模拟实验结果,"发现有两个值得讨论的燃烧现象:一是点火非常困难,用一般的木炭火、艾火绳、蚊香的煴火很难点燃;二是燃烧缓慢,在管状器内(自由装填密度)自一端点燃,燃进速度约0.5mm/秒,不能转成爆燃。燃烧表面深入管内2~3倍管径,火焰基本消失(偶有闪火),变成黄黑色浓烟,而成了'发烟

---

① 《守城录》,卷四《汤璹德安守御录下》。
② 《宋史》,卷三七七《陈规传》,11 643页。
③ 冯家昇:《火药的发现及其传播》,载《史学集刊》,1947(5)。
④ 冯家昇:《火药的发明和西传》,23页。
⑤ 张子高:《中国化学史稿(古代之部)》,128页。
⑥ 《化学发展简史》,40页。
⑦ 《中国大百科全书·军事·中国古代兵器分册》,15页。
⑧ 可参见刘旭:《中国古代火炮史》,14页;李少一、刘旭:《干戈春秋》,123页。

管'。用热电偶温度计测量,管口温度约可达131~135℃。"因此,他们的结论是:"理论和实验都证明,'火炮药'是不能装在管状器里使用的,只能在与空气接触的条件下用于纵火。"根据这种结论,他们认为:陈规的火枪"是在一个较长的竹竿的竿头装上枪头,枪头后绑缚或贯穿一个用火炮药做的球,用两个人拿着,以对靠近城墙的攻城具天桥等实施纵火的冷热复合兵器"①。

两种观点如此对立,孰是孰非?要回答这个问题,我们可以从下面两个方面进行探讨。

其一,陈规火枪用的"火炮药"到底与《武经总要》上记载的"火炮火药法"火药是不是同一种火药。袁成业等认为两者是同一种火药②。笔者认为,这是缺乏根据的,其理由是:第一,陈规火枪使用的是"火炮药",这是史籍上明明白白写着的,是没有问题的;但是《武经总要》(前集)卷十二在"火炮"条下所记载的是"火药法",也就是"火炮火药法"火药,并没有"火炮药"这一名称,很显然,两者的名称不同,因而不可能是同一种火药。第二,《武经总要》成书于宋仁宗庆历四年(1044年),而陈规发明火枪是宋高宗绍兴二年(1132年),两者相距88年,几乎近一个世纪。在这么长的历史时期里,宋代的火药有了很大的发展,陈规时代的火药应该比曾公亮时代的火药先进很多,不会仍使用88年前的《武经总要》上的"火炮火药法"火药配方。第三,根据史籍记载,在陈规发明火枪前后,火炮在实战中使用甚多,例如:宋政和五年(1115年)李新在《贺赵招讨平晏启》中记载曰:"授首万人,拓境千里,云梯火炮尽焚枭獍之栖,蒿矢木弓难御貔貅之士"③;丁特起在《靖康纪闻》中记载曰:"金人叠桥之法……矢石火炮不能入"④;《德安守御录》记载建炎元年(1127年)张世孝、张世义余部攻德安曰:"是夜五更一点,忽同时大喊,云梯、火炮、弓弩、箭凿攻城,势焰凶猛"⑤;施谔《淳祐临安志》记载宋宁宗在嘉定十五年(1222年)观潮曰:"嘉定壬午之次年六月,赵与懽奏止观潮,忽睹异物。或施强弩火炮,以绝其妖"⑥;《宋史》记载宋端宗景炎二年(1277年)马墍部将娄钤辖死守静江(今广西桂林)曰:"娄乃令所部入,拥一火炮燃之,声如雷霆震,城上皆崩,烟气涨天,外兵多惊死者。"⑦在上述所引史籍中可知,由于宋代火药是随社会经济和科学技术的不断发展而发展改进的,很显然,这些各个不同时期的火炮所使用的火药,即火炮药,应该是有所不同的,它们不可能是固定不变的一个火药配方,更不可能与《武经总要》上记载的"火炮"条下的"火药法"火药配方相同。因此,陈规火枪使用的"火炮药",不是《武经总要》所记载的"火药法"火药,而应该理解为当时的"火炮使用的火药",两者是不同的。

其二,陈规所处时代火药是否已经达到能够搁在竹管内燃烧的水平。关于这一点,目前尚无直接的史籍记载可考。但是,我们可以通过间接的史籍记载所透露的蛛丝马迹,来探讨这一问题的答案。我们的祖先很早就开始截竹为筒,利用竹筒在火中燃烧时爆裂发声,以驱鬼避邪。到了北宋末、南宋初年,人们开始用纸卷成筒,在纸筒内装进火药作为炮仗燃放,以代替用竹筒著火中爆裂发声的习俗。宋高宗绍兴元年(1131年)至绍兴三十二年(1162年)

---

①② 袁成业、王若昭:《论宋金时代的火枪》,见中国兵器科技史研究会南京学术交流会文件。
③ 李新《跨鳌集》,卷二六。
④ 《靖康纪闻》,6页。
⑤ 《德安守御录》,卷上。
⑥ 施谔:《淳祐临安志》,卷一〇。
⑦ 《宋史》,卷四五一。

任内府枢密院编修的王铚在其《杂纂续》中,就有"小儿放纸炮"的记载①。施宿在《嘉泰会稽志》(宋宁宗嘉泰元年即公元1201年成书)中更明确地记载人们以纸卷筒,内装火药燃放的情形:"徐文爆竹相闻,亦或以硫黄为爆药②,声尤震霆,谓之爆仗。"③从这里可以看出,最迟在南宋初年,民间已在纸筒内装入火药燃放,因此,我国以火药为原料的爆竹在这时出现。既然民间的火药已经发展到能够在筒内燃放的水平,而且有了将火药装在筒内燃放的先例,那么,军用火药装在竹筒内燃放,就完全没有问题并且是很自然的事了。综上所述,陈规火枪的"火炮药"应该搁在竹管内,也就是说,陈规的火枪是管形火器。

管形火器的出现,是我国火器发展史上的一件大事,具有划时代的意义。这是因为在管形火器未出现之前,远射兵器主要是弓、弩和抛石机。这类兵器发射时,弓或弩的弹力越大,箭射得越远。但是要拉开强弓劲弩,需要很大的力量,所以弓和弩这类远射兵器的杀伤力是完全靠人的体力来完成的,其威力受到人的体力的限制。而使用抛石机,一是投射不准,二是容易伤及投射者本身。管形火器的出现克服并突破了这些缺点和制约,因此,管形火器的出现,是我国火器发展史上的一座里程碑。

关于我国最早的管形火器产生的年代问题,目前学术界又出现了一些新的探讨和观点,对陈规的火枪提出了挑战。现在就手头所掌握的资料,将其分别介绍如下:

其一,世界著名科学史专家李约瑟博士等人在《关于中国文化领域内火药和火器史的新看法》一文中说,"现在都必须把火枪的发明向前推二百年,因为克莱顿·布雷特(Clayton Bredt)在巴黎的基迈博物馆(Muses Guimet)里发现了一张关于佛教的横幅画,其年代可确定为公元950年左右,上面画的显然是一支火枪。这支枪除了装有火药外,里头还塞满了金属弹丸或碎金属和碎瓷,这些随着火药一起射出"。李约瑟博士等人认为,这是中国最早的管形火器,金属弹丸和碎瓷是中国最早的弹丸④。

其二,1986年,中国科学院潘吉星先生陪同李约瑟博士等人到四川大足石窟考察,发现北山佛湾149号石窟中,有两座神佛分别手持长形瓶状物和圆形球状物。李约瑟博士和潘吉星先生等认为,其中的圆形球状物是手榴弹,而长形瓶状物就是那个时期——宋建炎二年(1128年)的手铳⑤。

其三,周纬《中国兵器史稿》一书中指出:"济南山东省立图书馆馆长王献唐氏,惠寄该馆所藏铜炮筒之写真,其器名曰'龙飞',长12.5英寸,口径上1.3、下0.7英寸。据说是唐代之器。若然,则铜炮已萌芽于唐代乎?"并在书后附有该铜炮的图版。⑥

以上说法有没有道理呢?显而易见,周纬《中国兵器史稿》关于我国唐朝已有铜炮的说法,是完全站不住脚的。我国隋末唐初才发明了火药,唐朝末年唐哀帝天祐元年(904年),火药才第一次被应用于军事,出现了火药兵器。而当时的火药兵器,只是将火药绑缚在箭镞

---

① 陶宗仪:《说郛》,卷七六《杂纂续·又爱又怕》。
② 施宿在这里只说用硫磺,没有说硝石、炭。但是,既然能够发出震霆巨响,肯定应该有硝石、炭,施宿在此漏记了。
③ 施宿:《嘉泰会稽志》,卷一三。
④ 《科学史译丛》,1982(2)。
⑤ 1986年李约瑟博士等人考察了四川大足北山佛湾149号石窟。后来,李约瑟博士、潘吉星先生等人将考察结果写成论文《最古老的火炮》,发表于美国《技术与文化》,1988(1)。
⑥ 周纬:《中国兵器史稿》,215页;第55图版6号。

后做成"火箭",或者将火药制成"火炮"(一种圆形火药团)。这都是最原始的燃烧性火药兵器。那么在这之前怎么会有更先进的管形火器铜炮呢?这样看来,在唐朝不可能有金属管形火器——铜炮出现,这是不言而喻的。至于李约瑟博士所说藏于巴黎基迈博物馆的那张绘有管状物的佛教绘画,是指从我国敦煌发现的一张绢本着彩佛画。这幅画的主题是描绘释迦牟尼得道前如何降服魔变的故事。释迦居于画面中心,结跏趺坐于山石上;女侍和天王列于释迦两侧。一群张牙舞爪的魔鬼,手持各种兵器,疯狂向释迦冲杀过来。其中画面右侧上方的一头顶上生出三条毒蛇的魔鬼,赤身裸体,仅束一条犊鼻裈,双手持一筒状物体;此物筒身上有多道隆起的箍,其前端呈展口形,后端安装有细柄,筒口内正向外喷出熊熊烈火。据专家考证,其为公元950年左右的作品。那么,画中的筒状喷火物体,到底是不是如李约瑟先生所言的火枪呢?对于这个问题,由于目前这方面所掌握的材料十分稀少,要正面论述和回答极其困难。但是,我们可以根据某些间接材料,从侧面加以分析,以期求得答案。

1044年官修的军事专著《武经总要》,全面地记载了宋初军事各个领域中的成就,其中包括宋初的各种火药和火药兵器。尽管其品种繁多,但是,它们都没有超出燃烧类火器和爆炸类火器的范围,当时的火箭也是用弓弩射出去的燃烧性火器。由此可见,在宋代初期,管形火器很可能是没有的;如果有,应当收入了《武经总要》。这幅绢画成于公元950年,先于曾公亮等人撰修《武经总要》近一百年,如果那时已有管形火器,那么经过近一个世纪的发展,在军事上应当较多地使用了。若如此,作为官修的军事专著《武经总要》应当加以记载,但事实上却没有。这说明公元950年时,中国还没有发明管形火器。另外,据李约瑟、鲁桂珍先生说,950年那张横幅画中的火枪,枪膛内已装填了火药、金属弹丸和碎瓷等物。我们知道,宋绍兴二年(1132年)陈规的火枪内还只装填了火药,并没有装填弹丸,当时只是利用火药的燃烧性能杀伤敌人,还不知道利用火药燃烧所产生的气体压力发射弹丸杀伤敌人。950年至陈规发明火枪的时代中间相距近二百年。如果画中的火枪已装填了金属弹丸,那么到陈规发明火枪时,完全应当会装填弹丸并利用火药燃烧所产生的气体压力发射弹丸杀伤敌人了,事实上,从陈规那时起,又过了一百多年,寿春府(今安徽寿县)军民才利用突火枪发射弹丸杀伤敌人。这说明,950年那个时期是不会出现弹丸的。

关于四川大足北山佛湾149窟手铳问题。据史籍记载,大足北山佛湾149号石窟建于南宋建炎二年(1128年)。窟中主像为观自在如意轮菩萨,石窟的左壁和右壁上,均为诸天神像浮雕。位于左壁外侧的第一行第一位神像,其脚踏彩云,双手横抱一凸腹长颈的物体于胸前,右手按压凸腹的后部,左手将长颈托起。所抱之物类似现在的化学实验室里的长颈凸腹玻璃烧瓶,在凸腹和长颈相接处有两道紧挨在一起的隆起的箍。长颈的出口处似有喷射物放出。

1987年初,承蒙中国科学院潘吉星先生通过书目文献出版社将李约瑟博士和他本人的考证结论赐教于笔者①。笔者认为,这是一条十分珍贵的具有极其重要学术价值的资料,于是同年7月前往四川大足实地探察。经与四川社会科学院李永翘同志及四川大足县文物保管所的同志进行多次研讨,我们对四川大足北山佛湾149号石窟浮雕中的手铳问题有如下一些看法:

第一,该神为风神,该神像双手所抱之物为风袋。据中国史籍记载,风神即风伯,又叫风师,中国古代神话中的人物,有兴疾风的本领。

从该神像的神态来看,他好似正在略施法术,右手按压风袋的后部,其按压处明显下陷,两根带绳(即长颈和凸腹相交处两道挨在一起的隆起的箍)松开,袋口张启,疾风正从袋口迅速吹出。这大概就是我国古代文献上所说的风神"兴疾风"形象的描述和刻画。这种风神,在四川大足其它石窟中也多有所见,且风、雨、雷、电四神同时出现,他们常常体现着不同的神话内容,寓意出不同的主题思想。

第二,说该神像双手所抱之物不是手铳,其理由有三:

1. 根据目前掌握资料,中国早期的管形火器如陈规的火枪(宋绍兴二年,1132年),寿春府的突火枪(宋开庆元年,1259年)等都是长竹竿或巨竹制成,即均为竹制,其形状都是管形。竹制的管形火器之形状与该神所抱之凸腹长颈的玻璃烧瓶形状相差甚远。

2. 如果说,该神所抱之凸腹长颈的物体为中国最早管形火器的另外一种类型,那么这种管形火器是坚硬物体则是肯定无疑的。但是从该神所抱物体的形象来看,其右手按压在凸腹后部,按压姿态栩栩如生,按压部位明显下陷,整体显现出柔软并富有弹性状,这种形象和风神使袋兴疾风是相吻合的,而与坚硬的管形兵器是不合的。也就是说,如果是管形兵器(即手铳),其按压处是绝不会下陷并呈柔软状的。按宋代建造的石窟,多崇尚写实,所雕刻的人物、衣饰和物体等均是当时真实器物的真实写照,因此,按压部位的明显下陷绝不会是当时工匠雕刻疏忽所致。

3. 从图形上看,该神所抱凸腹长颈的玻璃烧瓶形物体的体积相当硕大。按石刻的比例粗略测算,所抱之物的长度与神像高度几乎相等;而所抱之物的凸腹围径,还大于神像身体的胸围。这样的一个庞然大物,如果是用金属制成的或是用石头凿成的,一个人是根本无法抱起来的;如果是用木头制成的,那么在里面装满火药、弹丸以后,一个人也是难以抱起来的。但是,该神像却只用一只左手轻松自如地将其托了起来,这是该神像所抱之物为风袋的又一佐证。此外,如果真像李约瑟博士所说的那样,该神像所抱之物为手铳,那么将这样一个庞然大物抱在胸前施放,其后果是不堪设想的。这是因为一方面施放时会放出大量热量,铳体温度极高,是根本不能用双手抱持的,另一方面,施放时铳体后坐力极大,是无法抱住的。这些施放火器的常识,当时的人们是掌握了的。迟于大足北山佛湾149石窟四年的宋绍兴二年(1132年),陈规为抗击金兵坚守德安(今湖北安陆)时,施放火枪时不是一个人抱

---

① 1987年初,中国科学院研究员、巴黎国际科学史研究院通讯院士潘吉星先生,陪同美国科学院院士席文教授到北京王府井新华书店购书时,在书架上看到了拙著《中国古代兵器图册》。该书得到他们的肯定和称赞。潘吉星先生立即写信给出版社和我,希望该书尽快再版,并热情地提供他自己珍藏的宝贵资料,建议再版时将其补充进去。在提供的诸多资料中,其中有一条是关于四川大足北山佛湾149窟手铳的资料,谈及最近随李约瑟先生去四川大足。李约瑟先生认为第149窟中两个神鬼手持的是最早的手铳和手榴弹或炸弹,建议我将两神鬼所持火器临摹一下,再制成版。此窟建于1128年。西方最早的同类火器见于1327年。

着施放,而是"两人共持一条"施放,就是这个道理。

4. 根据大足文物保管所同志说,该神像处的崖石曾出现裂隙,后经过喷浆修补,所以在图中所抱之物口中喷射的类似弹丸的圆形颗粒,并不是原雕刻就有的,而是喷浆修补时造成的。

由此,我们认为,四川大足北山佛湾149窟左壁外侧第一排第一位神像为风神,其手中所抱之物为风袋。

综上所述,可以看出,尽管目前关于我国最早的管形火器问题获得了一些新的探索资料,但是,陈规火枪为我国最早的管形火器的结论,仍然是不容置疑的。

陈规的火枪,不但是我国最早的管形火器,也是世界上最早的管形火器,它的出现大大早于欧洲各国。在意大利一个古老教堂墙上保留的中古时期的壁画中,有一幅1345年(元至正五年)的壁画,画的右边有一只船,船中有一支正在发射的管形火器;同年,英国国王爱德华三世开始制造"瑞波里斗"式管形火器①;这些就是关于欧洲最早的管形火器的记载,比我国古代管形火器的出现晚了一百多年。

二、金人的飞火枪和火枪

关于金人的飞火枪和火枪,目前学术界也存在不同的看法。有的认为,飞火枪(或火枪)不是管形火器,而是火箭;②有的认为,飞火枪(或火枪)的装填物缺硝而不是火药③;如此等等。

现在,我们先看史籍对金人飞火枪和火枪的记载。

金哀宗正大九年(1232年),蒙古兵进攻金南京(宋之汴京,今河南开封市),金守将赤盏合喜所部使用飞火枪抗御蒙古兵。"其守城之具……又飞火枪,注药以火发之,辄前烧十余步,人亦不敢近。"④金天兴二年(1233年),蒙古兵围攻金归德,金守将蒲察官奴的忠孝军在王家寺用火枪抗御敌人:"五月五日,祭天。军中阴备火枪战具,率忠孝军四百五十人,自南门登舟,由东而北,夜杀外堤逻卒,遂至王家寺。……四更接近,忠孝军初小却。再进,官奴以小船分军五十七出栅外,腹背攻之。持火枪突入,北军不能支,即大溃,溺水死者三千五百余人,尽焚其栅而还。……枪制,以敕黄纸十六重为筒,长二尺许,实以柳炭、铁滓、瓷末、硫黄、砒霜之属,以绳系枪端。军士各悬小铁罐藏火,临阵烧之,焰出枪前丈余,药尽而筒不损。盖汴京被攻时亦尝得用,今复用之。"⑤

这就是《金史》对金人飞火枪和火枪的比较完整的记载。我们可以从中明白以下几点:

第一,飞火枪和火枪是同一种火器,只是名称不同,因为《金史·蒲察官奴传》中已明白告诉我们,蒲察官奴的忠孝军在归德府王家寺使用的这种火枪,"盖汴京被攻时亦尝得用",即过去在汴京时也用来抗击蒙古兵,现在只是"复用之"。

第二,这种火枪(或飞火枪)是以管形火器为主的冷热结合型兵器,其形制为用十六层

---

① 冯家昇:《火药的发明和西传》,69~70页。
② 国外著名学者如拉朗·雷诺、法韦、罗摩斯基等;国内著名学者如潘吉星等,见《论火箭的起源》,载《自然科学史研究》第4卷,1985(1)。
③ 冯家昇:《火药的发明和西传》,36页。
④ 《金史》,卷一一三《赤盏合喜传》,2 496~2 497页。
⑤ 《金史》,卷一一六《蒲察官奴传》,2 548页。

黄纸做成筒形,长二尺许,内装火药等物,将其绑扎于枪头。作战使用时,火枪"临阵烧之,焰出枪前丈余";飞火枪"以火发之,辄前烧十余步"(着重号为引者所加,下同)。火枪和飞火枪临阵发射的这种现象,就清楚地说明这种火器不是火箭而应该是管形火器。关键在"枪前"和"前烧"这四个字。发射时发生这种火焰向枪前喷射丈余许或向前烧十余步的现象,不可能是火箭。因为火箭发射时,火焰是向后喷射的,因此,将火枪和飞火枪断定为火箭是欠妥的。需要说明的是,这种以管形火器为主的冷热结合型火枪,在宋朝军队中也曾使用过。宋恭宗德祐二年(1276 年),宋将姜才与元将史弼战于扬州,当姜才"进迫围弼",双方发生肉搏时,姜才的"骑士二人挟火枪刺弼,弼挥刀御之,左右皆仆,手刃数十百人"。① 这说明火枪在短兵相接的肉搏战中,还可以用枪头刺人。还需说明的是,这种以管形火器为主的冷热结合型火枪,经宋、元,到了明代,已发展衍变出十余个品种了,如翼虎铳、夹把枪、梨花枪、飞天神火毒龙枪等等,都是这类火器。②

第三,火枪(或飞火枪)筒内的装填物主要是火药和其它粉末及有毒物等。在这里,史书的记载是很明白清楚的。"药"者,火药之简谓也。古人将火药简称为药,在史书中不乏其例。如《金史》记载说,"守城之具有火炮名'震天雷'者,铁罐盛药"③;又如《火龙经》中记载说,单飞神火箭"药发箭飞",能发射二三百步远;三只虎钺,"三条药线俱合会于中",点火后三矢齐发;④再如《练兵实纪》中记载说:"旧有大将军,发烦等器……一发之后,再不敢入药"。又记载说:"用药线一条……次下药三升",⑤等等。在这里,"药"就是"火药"的简称。可见,飞火枪和火枪的筒内装填的"药"就是火药,《金史》的记载是明白确切的。这是问题的一个方面。另一方面,飞火枪和火枪点火发射后火药的燃烧现象,《金史》也记载得具体确切。据《金史》记载,火枪点火发射后,"焰出枪前丈余,药尽而筒不损";飞火枪点火发射后,"辄前烧十余步"。我们在前面第一章中已经讲到,火药是一种自供氧燃烧体系,在密闭状态中燃烧所需要的氧,主要靠硝石分解供给,而《金史》记载火枪和飞火枪发射后的这种燃烧现象,正是火药在半密闭筒内燃烧的独特现象的具体描述。如果筒内装填的不是火药,而是其它易燃物,例如油脂、松香等,那么是绝对不会有这种现象的,这些易燃物在半密闭筒内根本就不会燃烧。由此可以看出,火枪和飞火枪筒内装填物是火药,这是确定无疑了。诚然,《金史》关于火枪的装填物还有"实以柳炭、铁滓、瓷末、硫黄、砒霜之属"一句中只说到有柳炭、硫磺,没有说有硝石,颇使人费解,在学术界引起了不少争议,正如不少学者所指出的,《金史》的作者在本句中确实是漏记了火药的重要组配成分硝石,但是该句末又有"之属"一词,因此,"之属"中应包括了硝石,⑥这样看来,也不必苛求于古人了。需要指出的是,火枪的筒内还装填有铁滓、瓷末、砒霜;铁滓、瓷末这些粉末状的细小颗粒,喷射出来后,主要用来迷蒙人眼及马眼,砒霜则有施毒的作用。由此我们可以看出,金人的飞火枪、火枪,与陈规发明的火枪一样,筒内没有弹丸,其杀伤威力不是利用火药燃烧的气体压力发射弹丸,而是靠

---

① 《元史》,卷一六二《史弼传》,3 800 ~ 3 801 页,中华书局,1976。
② 《武备志》,卷一二五。
③ 《金史》,卷一一三《赤盏合喜传》,2 496 页。
④ 《火龙经》,卷中。
⑤ 戚继光:《练兵实纪杂集》,卷五。
⑥ 潘吉星先生对这点有精辟的论述,见《论火箭的起源》,载《自然科学史研究》第 4 卷,1985(1)。

喷射火焰烧灼敌人实现的。

金人火枪、飞火枪的出现,标志着我国管形火器的一个重要分支——轻型管形火器的诞生,在火器发展史上占有重要地位,成为近代步枪的先声。

三、突火枪——火炮的发明

这里所说的火炮,是指中国古代一种口径和重量都较大的管形射击火器。明代丘浚《大学衍义补》关于炮的解释有:"今炮之制,用铜或铁为具,如筒状,中实以药,而以石子塞其口,旁通一线,用火发之。"①说明了火炮须具备的三个要素:1. 火药是装在铜或铁器中的,这样才可能利用火药在炮膛燃烧产生气体压力发射弹丸;2. "如筒状",即是管形射击火器;3. 其重量和口径都较大。不具备这三个要素而被称为"炮"的兵器,并非真正意义上的炮。例如,火药发明之前我国古代史籍中常常把抛石机以及使用抛石机抛掷的石、砖、泥弹称为"砲";而把火药发明后,使用抛石机抛射的各种爆炸物、纵火物、化学毒物称做炮或火炮;后来人们把地雷、水雷、炸弹等也称为炮或火炮;还把形体较小、重量较轻,并且可以手持发射的铳也称为炮或火炮;等等。这些都不是我们在这里探讨的对象。那么我们要探讨的这种重量和口径都较大的管形射击火器——火炮到底发明于何时呢?

关于我国古代火炮发明的时间,目前学术界说法很多,意见很不一致,其中影响较大的几种是:

1. 恩格斯在1857年给《美国新百科全书》写的《炮兵》条目中说:"据帕拉韦先生1850年在法国科学院的一个报告中所引证的中国某些编年史资料来看,在公元前618年就有了火炮。"在同一篇文章又说:"但不管怎样,火药和火炮在军事上的应用,看来在中国早期并没有得到充分的发展,因为只是到了1232年才确实第一次大量使用它们。"②恩格斯认为,中国在公元前618年就发明了火炮,1232年以后才大量使用了火炮。

2. 周纬《中国兵器史稿》说:"北宋时代,中国制造火药已有成法,所制火炮已能应敌有效……惜乎宋代火炮可闻而不可见,殊鲜实物可图也。"③周纬不但认为我国北宋已有了火炮,而且这种"火炮已能应敌有效"了。

3. 李待琛《枪炮构造及理论》中说:"我国火器之起源甚早,而火炮之使用,似自宋始,宋宁宗嘉定八年(1215年),蒙古军攻金汴梁,金人曾用火炮却之,是为火炮最古之记录。"④李待琛认为中国古代火炮最早出现在宋宁宗嘉定八年(1215年)。

4. 1979年《辞海》"火炮"一条说:"唐哀帝时,郑璠攻打豫章(今江西南昌),曾'发机飞火烧龙沙门',这种发机飞火就是当时的'火炮'。到13世纪中国制造出了发射铁弹丸的管形火铳,发射时,从点火孔装入引线,从铳口装入火药和弹丸,用火点燃引线引着火药,把弹丸射出,这已是真正的火炮。"⑤即中国在13世纪有了发射铁弹丸的管形火铳时才真正出现了火炮。

上面列举了关于火炮产生年代的几种具有一定代表性的论点,那么这些论点到底对不

---

① 丘浚:《大学衍义补》,卷一二二《器械之利下》。
② 《马克思恩格斯全集》,第14卷,193页。
③ 周纬:《中国兵器史稿》,234页。
④ 李待琛:《枪炮构造及理论》(上卷),18页,东北军区军工部沈阳兵工厂翻印,1949。
⑤ 《辞海》(缩印本)"火炮"条,1553页。

对呢?

我们知道,火炮是利用火药燃烧产生气体压力发射弹丸的。因此,火炮的出现应该在我国火药发明之后,而绝不会在火药发明之前,这是进行时间判断的一个分水岭。从目前掌握的史料来看,军事上应用火药的最早记载是唐天祐元年(904年)。宋路振《九国志》记载,郑璠围攻豫章(今江西南昌),"以所部发机飞火,烧龙沙门,率壮士突火先登入城,焦灼被体"。① 宋许洞《虎钤经》解释"飞火"就是"火炮、火箭之类"。② 这是我国军事上使用火药的最早记载。凡是说在这之前我国就发明了火炮的种种说法都是不正确的,恩格斯的说法显然也是错误的。

根据古代火炮的确切含义,古代火炮必须是大口径的大型管形射击火器。从目前掌握的史籍记载来看,关于我国最早的管形火器史料记载除了陈规火枪、金人火枪和飞火枪外,主要有以下几条③:

其一,宋开庆元年(1259年)寿春府(今安徽寿县)军民创制的"突火枪"。《宋史》记载说:"开庆元年……又造突火枪,以巨竹为筒,内安子窠,如烧放,焰绝然后子窠发出如炮声,远闻百五十步。"④

其二,宋代的《行军须知》记载的用短而粗的竹子制成的"火筒";⑤等等。

这几种管状火器中,陈规发明的火枪和金人的飞火枪、火枪,都没有安装弹丸,不是利用火药燃烧的气体压力发射弹丸杀伤敌人,而是靠喷射火焰烧灼敌人。金人枪筒内虽有铁滓、瓷末及剧毒物砒霜等,也是为了毒杀、迷目之用,并非射击火器。另外,飞火枪和火枪的筒子是用纸糊成的,纸糊成的筒子无论从口径和形体来看,都不可能是很大的,所以它们不是火炮,这是显而易见的。

寿春府军民创制的突火枪和这前后出现的火筒,是巨竹筒制成的。"巨"者,大也。这种竹筒到底多大,史书上没有确切的数字记载。不过,距南宋四百多年后的明代,史籍上记载台湾鸡笼山(今台湾基隆市港口外的基隆屿),"地多竹,大至数拱,长十丈。以竹构屋,复之以茅,广且长"。⑥ 一拱一般指两手合围之粗细,竹大到数拱,可见鸡笼山的竹的直径是相当大的了。笔者也曾在安徽、湖南见到过直径达四至五寸的毛竹,有些农户曾经用竹筒做成水桶挑水。可见,南方的毛竹或楠竹,其直径是很粗的。若果真是这样,那么,做突火枪或火筒的竹筒口径当在三四寸或四五寸之间,已是一个庞然大物了。同时,突火枪巨大的竹筒内还装填着"子窠",这种子窠发射时就像抛石机抛射的炮弹一样("发出如炮"),且其声音可远达一百五十余步外,这表明子窠是利用筒内火药燃烧产生的气体压力发射出去,以杀伤目标的。因此,无论从突火枪的口径和形体,还是从利用火药燃烧产生气体压力发射大型的弹丸来看,突火枪应该属于火炮的范畴。所以,寿春的突火枪应该是目前所知我国最早的火

---

① 路振:《九国志》,卷二《吴臣·郑璠传》。
② 许洞:《虎钤经》,卷六《火利第五十三》。
③ 关于我国最早的管形火器,请参看本章第二节。
④ 《宋史》,卷一九七《兵十一》,4 923 页。其标点断句,按有坂铅藏:《兵器考·东洋炮熕沿革》中引文标点,见该书第22页,东京雄山阁版。
⑤ 《永乐大典》,卷八三三九《兵》,3 874 页。
⑥ 《明史》,卷三二三《外国四》,8 376 页。

炮。如果这一立论成立,我国火炮发明的时间大约应在宋开庆元年,即公元1259年。

关于这个问题,我国已故著名火器史专家冯家昇先生有很深入的研究,他在《火药的发明和西传》中说:"有一种兵书叫《行军须知》,书中记载一种攻城和守城用的火器,叫'火筒'。火筒是用短而粗的竹子制作的。这是后日重型火器的原始形式。"又说:"公元1259年(宋理宗开庆元年),寿春府(今安徽寿县)新创制了一种火器,叫'突火枪'。它用巨竹为筒,里头再装上火药,安上'子窠';火药点着后,起初发出火焰,火焰尽后,子窠发出,并发出像炮一样的声音,远闻一百五十余步(冯家昇先生的断句略有不同——引者按)。""由竹制或纸制的'火枪''飞火枪'而变成金属制的火铳或手铳;由竹制或木制的'突火枪'以及'火筒'而变成金属制的大型火铳或'铜将军'。"①笔者也赞同冯家昇先生的这一结论。

明确了我国古代火炮的发明年代,前面列举的周纬、李待琛和《辞海》中关于我国古代火炮发明时间上的种种不确之处就十分明显了。

周纬《中国兵器史稿》认为我国北宋已有火炮,并且这种"火炮已能应敌有效"了②。既然我国最早的关于管形火器的史料记载是陈规的"火枪",而这种火枪是宋绍兴二年(1132年)即南宋时代的产物,那么,认为比陈规火枪更早的火炮产生在北宋这一说法显然是错误的。诚然,史书上确有我国北宋时代军队作战时使用过火炮的记载,但是,那种火炮是用抛石机抛掷的燃烧物和爆炸物,而绝不是大口径的管形射击火器。

李待琛《枪炮构造及理论》认为我国古代火炮是金人发明于宋宁宗嘉定八年,即1215年。如上所述,我国早期的管形火器主要是陈规的"火枪"、金人的"飞火枪"(火枪)、寿春府的"突火枪"及"火筒"几种。"火枪"是宋人陈规发明于宋绍兴二年(1132年),"飞火枪"和"火枪"的使用是金正大九年(1232年)和金天兴二年(1233年),"突火枪"是南宋寿春府(今安徽寿县)军民创制于宋开庆元年(1259年)。这几种管形火器,没有一种是宋宁宗嘉定八年(1215年)发明的。陈规的火枪比此时要早八十三年,金人的飞火枪使用比之又晚十七年;寿春府军民的突火枪则晚四十四年。同时,我们知道,当时制造的管形火器大都是竹制的,金人制造和使用火器的技术比宋朝落后,直到宋钦宗靖康元年(1126年),对火箭、火炮等,金人还"不善制此二物"③。而且金人统治的北方地区竹子很少,金人的飞火枪只能用纸糊成筒以代替竹筒,根据当时的科学技术水平,纸糊的筒子不可能很大,也不可能很坚固。因此,金人发明和制造火炮的基本条件也不具备。由此可以看出,金人在宋宁宗嘉定八年发明火炮的说法是缺乏根据的。

从史籍记载来看,金人在宋宁宗嘉定前后使用过一种叫"铁火炮"的火器。金宣宗兴定五年(1221年,宋宁宗嘉定十四年),金兵攻打蕲州(今湖北蕲春),用抛石机发射"铁火炮",有的炸碎了宋兵的脑袋,有的甚至落到城中知府的家中。不过,据南宋人赵与褣《辛巳泣蕲录》记载,这种铁火炮只是一种瓠瓜形的爆炸火器,并不是管形火炮。④

1979年版《辞海》"火炮"条认为,中国在13世纪有了发射铁弹丸的管形火铳,才真正出现了火炮。得出这样的结论,不知其依据是什么?是有实物为证,还是见诸史籍记载?前

---

① 冯家昇:《火药的发明和西传》,23、25、26页。
② 周纬:《中国兵器史稿》,234页。
③ 石茂良:《避戎夜话》,卷上。
④ 赵与褣:《辛巳泣蕲录》。

面已经讲过,突火枪发射的"子窠",是我国也是世界上最早的弹丸。但这种"子窠"是铁弹、石弹还是铅弹,史书没有确切记载。史籍中确切记载我国火炮发射铁弹丸,那已到14世纪中期了。元至正十九年(1359年),朱元璋的部将和张士诚的部将战于绍兴,曾用火炮发射过铁弹丸。《保越录》中有"又以火筒火箭石炮铁弹丸击射入城中"的记载,这是最早确切知道我国用火筒(即火炮)发射的铁弹丸。① 比《辞海》中提到的时间已晚了一个世纪。这样看来,说能够发射铁弹丸的火炮产生于13世纪显然并不准确。

综上所述,我国古代最早的火炮是宋理宗开庆元年寿春府军民创制的突火枪,也就是说,我国古代火炮发明于宋开庆元年,即公元1259年。火炮的发明,标志着我国管形火器的另一个重要分支——重型管形火器的问世,在我国火器发展史上占有重要地位。

四、火箭和引火线的发明

火箭,是指依靠火药燃气的反作用力发射的一种装置,亦即依靠自身体内装填的火药迅速燃烧所生成的气体向后喷射产生强大的反作用力的推动,飞向目标,并杀伤目标的一种装置。火箭的发明,经历了一个漫长的历史时期,大致可以分成三个发展阶段。

早在三国时期,就有了"火箭"一词。三国魏明帝太和二年(228年),诸葛亮出兵攻打陈仓,魏国守将郝昭"以火箭逆射其云梯,梯然(燃),梯上人皆烧死"。② 就目前所掌握的资料,这是我国史籍上出现最早的"火箭"一词。南北朝时期,史籍对火箭在战争中的使用多有记载。如《北史》在《王思政传》有:"东魏太尉高岳等率步骑十万众攻颍川,杀伤甚众,岳又筑土以临城……思政射以火箭,烧其攻具";③《宋书》记载说:"……其年春,卢循袭破合浦,径向交州。慧度乃率文武六千人拒循于石埼……慧度自登高舰合战,放火箭雉尾炬,步军夹两岸射之。循众舰俱燃,一时溃散。"④ 从这些史籍记载中可以看出,当时的火箭,都是以弓弩射向敌方,达到使敌方人和物着火、燃烧的目的。但是火箭为何物,即火箭的形制,史籍没有记载而无法考稽。到了唐代,史书对这种火箭的形制及其使用已记载得较为具体了。据史籍记载,唐代火箭有两种,一种称"火箭",李筌《神机制敌太白阴经》记有:"火箭:以小瓢盛油贯矢端,射城楼板上,瓢败油散后,以火箭射油散处,火立焚,复以油瓢续之,则楼橹尽焚。"⑤另一种称"火矢",李筌《神机制敌太白阴经》记曰:"火矢:以臂张弩射及三百步者,以瓢盛火冠矢端。以数端,候中夜齐射入敌营中,焚其积聚,火发军乱,乘便急攻。"⑥由以上记述可以看出,"火箭"和"火矢"在形制上虽有所不同,但是它们有一个共同的特点,都是在箭镞上加上可燃物,以弓弩射向敌方,达到着火、燃烧、延烧的目的。这是我国火箭发展的第一个阶段。

唐代末年,火箭有了重大发展。唐昭宗天祐年间,火药被应用到军事上以后,出现了火药箭和用火药做成的火炮。这种火药箭,箭镞上绑缚的易燃物已由传统的草艾、松香、油脂等换成了火药。北宋时期,火箭得到迅速发展。据《宋史》记载,宋太祖开宝三年(970年),

---

① 徐勉之:《保越录》。
② 《三国志》,卷三《明帝纪第三》注引《魏略》。
③ 《北史》,卷六二《王思政传》。
④ 《宋书》,卷九二《杜慧度外传》。
⑤⑥ 李筌:《神机制敌太白阴经》,卷四。又见汪宗沂辑《卫公兵法辑本》,卷下。

兵部令史冯继昇等向朝廷进献火箭法,得到朝廷的衣物、束帛奖励;①宋真宗咸平三年(1000年),神卫水军队长唐福向朝廷献出自己创制的火箭、火球、火蒺藜,朝廷以缗钱赏赐②;咸平五年(1002年),冀州团练使石普向朝廷现场表演了自制的火球、火箭,宋真宗及宰相亲临便殿观看。③ 由于宋朝政府重视火箭、火球等火器的研制,北宋的火箭、火球等火器发展迅速,并且在战争中广泛使用。据《三朝北盟会编》记载,北宋汴京被金兵攻陷时,宋皇宫内侍一次向金人献"太祖平唐火箭二万支"。④ 宋神宗元丰七年(1084年),宋朝廷为了抗击西北外族的骚扰,一次就从京城汴梁调拨火药弓箭二万支,火药火炮箭二千支,火弹二千枚,支援熙州(今甘肃临洮)、河州(今甘肃莲花),以加强两地的防御力量。⑤

从上面的史籍记载中可以看出,唐朝末年出现火药箭后,北宋时期,火箭(即火药箭)已大量制造并在战争中广泛使用了。这种在箭镞后绑缚火药团,使用弓弩发射以燃烧或延烧敌方的火箭,是我国火箭发展的第二个阶段。

南宋初期,我国火箭性质发生了根本性的变化,出现了依靠火药燃气的反作用力发射的火箭,火箭发展进入了第三个阶段。

早在北宋后期,民间娱乐时经常燃放一些叫"起轮"、"起火"或"流星"的烟火,实际上,这类民间烟火靠火药的反作用力升起或旋转,其实就是玩赏火箭。到了南宋初期,便出现了依靠火药燃气的反作用力发射的应用于军事目的的火箭。宋高宗绍兴三十一年(1161年),宋军和金兵在和州附近的采石发生了著名的水战。完颜亮率金军欲强行渡江,攻采石,取金陵。宋将虞允文整军应战。两军激战中,宋军向金兵发射霹雳炮,给金兵以沉重的打击。宋人杨万里(宋将虞允文的好友)在《海鳅赋》的后序中,详细地记载了这次水战的经过和宋军发射霹雳炮的情形:"辛巳,逆亮至江北,掠民船指麾其众欲济。我舟伏于七宝山后,令曰:'旗举则出江。'先使一骑偃旗于山之顶,伺其半济,忽山上卓立一旗,舟师自山下河中两旁突出大江,人在舟中蹋车以行船,但见船行如飞而不见有人。虏以为纸船也。舟中忽发一霹雳炮,盖以纸为之,而实之以石灰、硫黄,炮自空而下落水中,硫黄得水而火作,自水跳出,其声如雷,纸裂而石灰散为烟雾,眯其人马之目,人物不相见,吾舟驰之压贼舟,人马皆溺,遂大败之。"⑥从中可以了解到,其一,这种霹雳炮的形制是:用纸卷筒做成,内"实之以石灰、硫黄"(不过,纸筒内如果只装石灰、硫磺,点燃后是不会"其声如雷"而爆炸的,纸筒里面应该还装有硝石、木炭,即纸筒内应装有火药)。其二,这种霹雳炮点燃施放后首先腾飞升空,继而"自空而下",最后发生爆炸,"其声如雷","纸裂而石灰散"。从其发射引爆过程,可进一步推测这种霹雳炮的构造及其原理是:纸筒分为上下两部分,下半部分装发射火药,上半部分装爆炸火药,两部分相隔而通过引火线连接。点燃纸筒下半部发射火药后,纸筒依靠发射火药燃气的反作用力腾飞升空,当发射火药燃烧完后,纸筒便"自空而下",并立即通过引火线引燃上半部爆炸火药,发生爆炸,结果是"其声如雷,纸裂而石灰散为烟雾"。从杨万里的

---

① 《宋史》,卷一九七《兵十一》。
② 《宋史》,卷一九七《兵十一》;又见《宋会要》,卷一八五《兵二六》。
③ 《续资治通鉴长编》,卷五二。
④ 《三朝北盟会编》,卷九七。
⑤ 《续资治通鉴长编》,卷三四三,元丰七年二月癸巳。
⑥ 杨万里:《诚斋集》,卷四四。

描写中可知,这种霹雳炮的杀伤威力是很强的,杀伤效果很好,在水战中起了很大的作用。

以上充分说明,这种霹雳炮已是以火药燃气的反作用力为动力的真正火箭了,它是我国有籍可考的最早火箭。也就是说,我国古代以火药燃气的反作用力为动力的火箭出现于宋绍兴三十一年(1161年)。①

这种根据火药燃气反作用力原理制成的火箭的诞生,在我国火器发展史上具有重大的意义:它不仅是我国古代火器中的一个重要门类,为古代战争提供了先进的武器;同时还具有重大的科学价值,其构造和发射原理是近现代火箭的先声,近现代火箭就是根据这一原理制造出来的。

引火线,有的史书又称药线、药捻、火药线,是引燃火器使其发射的一种装置,是古代火器的重要组成部分。

唐末起我国有了最早的火器,但当时的火器如何引燃,史籍未作记载。到宋代曾公亮等人编撰的《武经总要》,不但记载了我国最早的三种军用火药配方和霹雳火球等十种火器,还详细记载了引燃这些火器的方法,这些方法归纳起来,主要有两种:其一,用铁锥引燃。这类火器有蒺藜火球、霹雳火球、猛火油柜等。例如,蒺藜火球,"烧铁锥烙透,令焰出"②;霹雳火球,"用火锥烙球开,声如霹雳"③;猛火油柜,"筒首施火楼,注火药于中,使燃,发火用烙锥"④;烟球,"以锥烙透"⑤。其二,用秆草引燃,这类火器有竹火鹞、铁嘴火鹞,它们的后尾都装有一束秆草,这束秆草就是引燃火器用的。

当时主要是使用烙锥引燃火器,而使用秆草引燃的火器仅有竹火鹞和铁嘴火鹞。书中记载的毒药烟球、火炮(一种圆形火药团)等

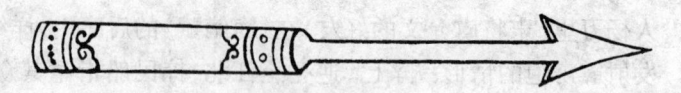

图2 引燃火器的烙锥(采自《武经总要》,卷一二)

火器虽然没有明确说明引燃的方法,但是从书中文字里间接可以看得出来,这类火器也应当是使用烙锥引燃的。因此,宋代前期发射火器时,主要使用一种叫烙锥的工具,即先将烙锥放到炭火中烧红,再用烧红的烙锥引燃火器中的火药进行发射。

北宋后期,我国火器有了较大发展和改进,但是,发射火器时,仍然使用烧红的烙锥引火,这从当时的史籍记载中可以找到根据。宋钦宗靖康元年(1126年),金兵攻打北宋都城汴京(今河南开封),战斗十分激烈,双方伤亡极大。积极主张抗战的宋军统制姚仲友,向朝廷建议:"仆尝建议于东壁欲择使臣善射者一百人,班直三百人,子弟所二百人,各授以火箭二十支,常箭五十支。每一火盆内烧锥十个,供二十人射者。"⑥可见,烙锥仍然是当时引燃火器的重要工具。大概也就在这个时期——北宋末年,最迟在南宋初期,火器引燃技术发生了一次重大的变化,引火线诞生,出现了火线引燃火器。引火线使用的前提是必须要有质地较为优良的火药作为引燃物。而北宋末到南宋初年,我国火药制造工艺和方法比以往有了

---

① 参看潘吉星:《论火箭的起源》,载《自然科学史研究》第4卷,1985(1),潘吉星先生对霹雳炮有精辟的论述;董师彦等:《固体燃料火箭发动机原理》,国防工业出版社。
②③④ 《武经总要》,卷一二《守城》。
⑤ 《武经总要》,卷一一《火攻》。
⑥ 《三朝北盟会编》,卷六八引《避戎夜话》。

较大改进,火药中的硝石、硫磺、木炭的组配比率更趋合理,火药质量有了较大提高,这就为引火线的发明创造了物质条件。随着频繁战争的需要引火线便应运而生了。引火线出现的确切年代,目前虽无直接的史籍记载可供考稽,但是间接的史籍记载证明,在这个时期确实有了引火线引燃火器。

在前面已经讲到,南宋高宗绍兴三十一年(1161年),宋金采石之战中,宋军向渡江的金兵发射霹雳炮,这种霹雳炮的纸筒下半部分装发射火药,上半部分装爆炸火药。这样,霹雳炮发射后,首先腾飞升空,然后"自空而下",再通过引火线将纸筒上半部的爆炸火药引燃,"其声如雷,纸裂而石灰散"。如果没有引火线使纸筒下半部分和上半部分相连接,绝对不会有上述这些现象发生的。

《续夷坚志》曾记载,金世宗大定(1161～1189年)末,山西阳曲一猎人以捕狐为生,他使用一种叫"火罐"的捕猎工具。当狐群来到时,他从树上点燃"火罐"上的"卷爆"掷到树下,火罐火药着火,发出猛烈的爆炸声,狐狸惊惶逃窜,被事先张好的网网住。[①] 这里所说的"卷爆"大概就是引燃"火罐"的引火线。

这说明,北宋末年,最迟在南宋初期,引燃火器已经开始使用引火线,也就是说我国在北宋末、南宋初发明了引火线。

南宋后期,已经广泛使用引火线引燃火器了。据《金史》记载,金人在金天兴二年(1233年)发射火枪的火种是由"军士各悬小铁罐藏火"[②],这说明,火枪是用引火线引燃发射的,否则是不会用小铁罐藏火种的。周密《武林旧事》(成书于宋度宗咸淳六年,1270年)在记载南宋临安宫廷中的旧事时说:"至于爆仗,有果子、人物等物不一。而殿司所进屏风,外画钟馗捕鬼之类,内藏药线,一爇而百余不绝。"[③]在这里,已经正式出现了"药线"这个词。另外,当时颇为盛行的成架烟火,就是用药线(即引火线)将单个烟花、爆仗串联起来,挂在高架上燃放的一种大型烟火爆仗组合群体,可以说,没有药线(引火线),就没有成架烟火。既然民间已经广泛使用引火线引燃烟花、爆仗,那么军事上引燃火器使用引火线也就是十分自然的了。由此看来,南宋后期,点燃火器已广泛使用引火线了。

第三节 初始阶段的主要火器

为了满足战争的需要,宋金时代火器不但生产量大,而且品种较多,门类齐全,燃烧性火器、爆炸性火器、管形火器、火箭类火器相继出现,从而奠定了我国古代火器的基本门类,而以后各朝火器的发展,都只是品种的增加及其形制和性能上的改进,其基本门类仍然没有超出这四大门类。

一、燃烧性火器

所谓燃烧性火器,就是利用火药的燃烧性能以烧灼敌人或燃烧和延烧敌目标物的一类火器,同时兼有施放毒气、烟雾等以杀伤敌人的作用。在当时,即宋金时代,这类火器的品种

---

① 《续夷坚志》,卷二。
② 《金史》,卷一一六《蒲察官奴传》,2 548 页,中华书局,1975。
③ 周密:《武林旧事》,卷三,46～47 页,杭州西湖社,1981。

最多,使用最广,见于史籍记载而又有形制可考的,主要有火箭、火炮、火药鞭箭、铁嘴火鹞、竹火鹞、毒药烟球、蒺藜火球、霹雳火球等。

火箭 宋代初期的火箭,实际上就是弓火箭和弩火箭,是将火药缚于箭首或箭镞后,用弓或弩发射出去,以达到杀伤目的的一类火器。《宋史》记载曰:宋太祖开宝三年(970年)五月,"兵部令史冯继昇等进火箭法,命试验,且赐衣物、束帛"。①《宋史》又记载曰:宋真宗咸平三年(1000年)八月,"神卫水军队长唐福献亲制火箭、火球、火蒺藜"。②《续资治通鉴长编》记载说:宋真宗咸平五年(1002年),冀州团练使石普也能制造火球、火箭。③ 冯继昇、唐福等人向朝廷制造进献的这类宋代初期的火箭的形制,在《武经总要》中有明确记载。根据《武经总要》的记载,宋代初期的这类火箭,主要有两种形制,其一是:"火箭,施火药于箭首,弓弩通用之,其缚药轻重以弓力为准。"④其二是:"火药箭,则如桦皮羽,以火药五两贯镞后,燔而发之。"⑤这两种

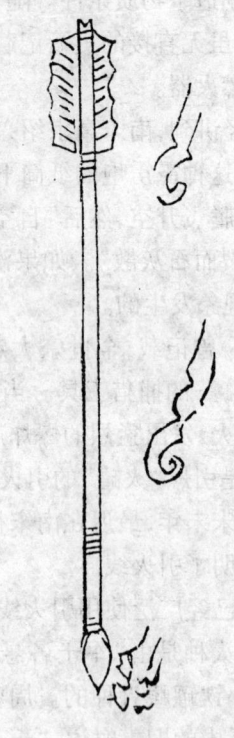

图3 火箭(采自《武经总要》,卷一三)

火箭,都是用弓或弩发射,正如《武经总要》所记载的:"凡燔积聚及应可燔之物,并用火箭射之,或弓或弩或床子弩,度远近放之。"⑥而两者的区别,主要在于火药缚于箭上的部位不同,前者将火药施于箭首,后者将火药贯于镞后。这两种火箭发射时,都用烧红的铁锥点燃火药,然后用弓弩发射出去。据《避戎夜话》记载,宋钦宗靖康元年(1126年),宋军和金兵在汴京发生激战,宋军统制姚仲友建议在汴京的城东壁布防500人,每人发火箭20支,常箭50支,每个火盆内烧铁锥10个,供20名射手发射火箭用。⑦ 当时这类火箭还没有引火线,其点火方法还十分原始。但是,这类火箭(弓火箭或弩火箭)在实战中使用最广,当时的城塞攻守战、水战、野战等战争中都大量发射火箭以达到杀伤的目的。不过,需要指出的是,不少中外学者都认为冯继昇、唐福等人向朝廷进献的宋代初期的这类火箭,是一种新型火箭,换句话说,就是利用火药燃气的反作用力原理制成的火箭。例如,19世纪的法国学者雷诺(J. T. Reinaud)、法韦(I. Favé),美国学者丁韪良(William A. P. Martin)及现代的中国学者王

---

① 《宋史》,卷一九七《兵十一》,4 909~4 910 页。
② 《宋史》,卷一九七《兵十一》,4 910 页。
③ 《续资治通鉴长编》,卷五二。
④ 《武经总要》,卷一三《器图》。
⑤ 《武经总要》,卷一二《守城》。
⑥ 《武经总要》,卷一一《火攻》。
⑦ 《三朝北盟会编》,卷六八引《避戎夜话》。

荣、李迪等都持这种观点,这是不正确的。①

火炮 宋代的火炮,是将火药同其它易燃物、有毒物如桐油、砒霜等捣碎调匀,用一层或多层纸裹上封好,上面涂覆松脂、蜡等易燃物做成球状,上有小孔便于安放引线点火(初期的火炮不用引线点火,而以烧红的铁锥烙透发火)。使用时,用抛石机发射出去,以达到燃烧或延烧的目的。这种火炮的形制很多,火药成分也不完全一致,制作方法也不尽相同。《武经总要》记载的一种火炮,其具体制作方法是:晋州硫磺十四两,窝黄七两,焰硝二斤半,麻茹一两,干漆一两,砒黄一两,定粉一两,竹茹一两,黄丹一两,黄蜡半两,清油一分,桐油半两,松脂十两,浓油一分,将以上14种成分定量称好后,首先将硫磺、窝黄、焰硝等捣碎研细,次将砒黄、定粉、黄丹一块研碎,再次将干漆捣成粉末,再次将竹茹、麻茹微炒后再研碎为粉末,再次将黄蜡、松脂、清油、桐油、浓油等熬成膏状,然后将以上各种成分拌和调匀,再用五层纸将其裹封好,并用麻绳绑缚,最后再用松脂将外表涂抹一层,这样火炮便制成了。② 使用时,用抛石机发射出去,以达到杀伤目的。这种燃烧性的火炮,在实战中常大量使用,无论城塞攻守战、水战或野战、边疆防守等都使用火炮。需要指出的是,史籍上记载的这一时期的火炮,大多数是燃烧性火器,但也有的是爆炸性火器,需要具体分析和区别开来,不能混为一类火器。还需要指出的是,不少人将宋初这类名称上叫做"火炮"实际上是燃烧性(兼有爆炸性)的一类火器当作管形火炮,这是不对的。

火药鞭箭 关于火药鞭箭,《武经总要》上只有其图形,而无文字说明。从其图形看,其形制是用长竹竿一根,一端削尖成箭镞状,然后在距镞后不远处缚上火药团。至于其作用,《武经总要》记载说:"以射焚其刍藁、桥械。"③可见,火药鞭箭发射后是用来燃烧敌人的粮草、桥梁和器械的。

图4 火药鞭箭(采自《武经总要》,卷一二)

竹火鹞 用竹篾编成,腰大口狭,微修长,外糊纸数重,涂刷成黄色,内装火药一斤,并加入若干小卵石,使其重量加大,然后扎一束三五斤重的草秆为尾。使用时,用抛石机发射,以燔烧敌人积聚,惊吓敌人马。④

铁嘴火鹞 木身铁嘴,以草秆扎成一束为尾,尾内装火药。⑤其作用大致与竹火鹞相似。

蒺藜火球 首先,按照蒺藜火球火药法将火药配制好,做成球状;其次用纸十二两半、麻十两、黄丹一两一分、炭末半斤、沥青二两半、黄蜡二两半熔汁调和,均匀地涂覆于火药球上;

---

① 见王荣:《火箭的故事》,载《科学大众》,1959(2)。李迪:《中国人民在火箭方面的发明创造》,载《力学学报》,1978(1)。
②③④⑤ 《武经总要》,卷一二《守城》。

再次用三只六首铁刃将火药球团团围裹住,中间穿一条长一丈二尺的麻绳,外面用碎纸掺拌药料覆贴一层;最后在其上面再安插八枚有逆须的铁蒺藜。使用时,用铁锥将球烙透,火药燃烧,以达到杀伤目的。①

霹雳火球 用长两三节、粗一寸半的无罅裂的干竹一根,节与节之间不要凿通,然后用铁钱大小的薄瓷三十片、火药三四斤调和好,将竹竿团团裹住,其状如球,两头各留出竹竿寸许,球外再加覆一些火药。主要用于杀伤挖地道的敌人,"若贼穿地道攻城,我则挖地迎之,用火锥烙球开,声如霹雳,然以竹扇簸其烟焰以熏灼敌人"。②

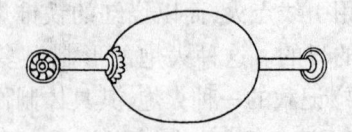

图5 霹雳火球(采自《武经总要》,卷一二)

毒药烟球 球重五斤。制作方法是:用硫磺十五两、草乌头五两、焰硝一斤十四两、巴豆五两、狼毒五两、桐油二两半、小油二两半、木炭末五两、沥青二两半、砒霜二两、黄蜡一两、竹茹一两一分、麻茹一两一分,将以上13种成分捣碎调和做成球状,用一条重半斤、长一丈二尺的麻绳贯穿球心作为弦子。然后再用纸十二两半、麻皮十两、沥青二两半、黄蜡二两半、黄丹一两一分、炭末半斤捣碎调和,涂覆于球外。这样,毒药烟球便制成了。使用时,用抛石机发射出去,以烟雾毒气熏害攻城敌人,使其口鼻流血。③

陶火罐 1947年,前北平研究院史学研究所白万玉先生在察哈尔得到一只陶罐,下粗上细,内藏火药,引线安在上面细小的口内,可能是12世纪末金代民间使用的一种燃烧性火器,现藏中国社会科学院考古研究所。④

猛火油柜 这是宋代使用简单机械装置的一种燃烧性火器——喷火器。其构造是:以熟铜为柜,下施四足,上有四个铜管,铜管上横置唧筒,均与柜中相通。每次注入猛火油(石油)三斤左右。唧筒前装有火楼,内装引火火药。使用时,以烧红的烙锥使火楼中的火药燃烧引火,然后用力抽拉唧筒,"油自火楼中出,皆成烈焰"。显然这是一种采用简单机械、利用火药和猛火油的燃烧性制成的燃烧性喷火器。使用时,"凡敌来攻城,在大壕内及傅城上颇众,势不能过,则先用藁秸为火牛缒城下,于踏空板内放猛火油,中人皆糜烂,水不能灭,若水战,则可烧浮桥战舰"。⑤

二、爆炸性火器

宋金时代,随着燃烧性火器的发展和大量使用,爆炸性火器也开始出现并用于实战。所谓爆炸性火器,就是利用火药在封闭的容器内燃烧产生强大的热量和气体,使容器爆炸而达到杀伤目的的一类火器。在《武经总要》中,真正以纯粹爆炸性为杀伤目的的火器还没有,但是,以燃烧为主要目的,兼有爆炸作用的火器,在《武经总要》中已经出现。可见,爆炸性火器的出现比燃烧性火器晚。例如,《武经总要》中记载的霹雳火球,发射时"声如霹雳"⑥;竹火鹞发射后既"燔贼积聚",又可"惊队兵"⑦;这些都兼有爆炸性作用。可以说,霹雳火球、竹火鹞等是我国古代爆炸火器的雏形。真正意义的爆炸性火器,大概在北宋末、南宋初

---

①②⑤ 《武经总要》,卷一二《守城》。
③ 《武经总要》,卷一一《火攻》。
④ 冯家昇:《火药的发明和西传》,27~28页。
⑥⑦ 《武经总要》,卷一一《水攻水战火攻》。

开始使用。需要指出的是,这时的爆炸火器,其外壳已由纸制、竹制发展到用生铁制成。铁质爆炸火器的出现,一方面说明当时火药质量的提高,另一方面说明爆炸火器威力的增强,这是我国爆炸火器史上的一个很大进步。下面分别介绍几种在实战中大量使用的爆炸性火器。

霹雳炮　宋钦宗靖康元年(1126年),金兵围汴京,宋军"夜发霹雳炮以击贼,军皆惊呼"。① 这种霹雳炮就是我国最早的真正意义上的爆炸性火器。遗憾的是,霹雳炮的形制已无法考稽。

铁火炮　宋宁宗嘉定十四年(1221年),金兵围攻蕲州,向城中大量发射铁火炮。这种铁火炮,"其形如瓠状而口小,用生铁铸成,厚有二寸,震动城壁","其声大如霹雳"。② 这种铁火炮不但金人使用,宋朝也大量生产,南宋的江陵、建康都是制造铁火炮的重要产地。③

震天雷　金哀宗天兴元年(1232年),金兵固守南京(今河南开封),向攻城的蒙古兵发射"震天雷"。《金史》记载说:"守城之具有火炮名'震天雷'者,铁罐盛药,以火点之,炮起火发,其声如雷,闻百里外,所爇围半亩之上,火点著甲铁皆透。""人有献策者,以铁绳悬'震天雷'者,顺城而下,至掘处火发,人与牛皮皆碎迸无迹。"④可见,震天雷这种爆炸火器,杀伤威力极其猛烈。

火炮　宋端宗景炎二年(1277年),宋将马塈驻守静江。静江被蒙古军攻破后,马塈部将娄钤辖率领二百余人坚守月城。后来因为城中食物缺乏,难以继续坚持,于是"娄乃令所部入拥一火炮燃之,声如雷霆,震城土皆崩,烟气涨天外,兵多惊死者,火熄入视之,灰烬无遗矣"。⑤ 这说明,娄钤辖等人抬出来的火炮是一种爆炸性火器,这种爆炸性火器爆炸时声大、火大、威力强,能将城墙炸崩,敌人全部炸死,并烧成了灰烬。从这些虽不十分详尽的记载来看,也可以判断出,这简直是一颗大型炸弹了。需要指出的是,南宋时这种被称做"火炮"的火器,实际上是爆炸性的火器,并非是今人所指称的管形火器——炮,很多人混淆了古代"炮"这个称呼上的区别。其实,今天意义上的管形火炮,发明于南宋开庆年间。而且,当时这种大型的管形火器并不称"炮"或"火炮",而是被称为"枪"(如突火枪)或者"火筒"。只是到了明代初期,这种大型管形火器才开始称"炮"或"火炮"。

火蒺藜　球形,直径约15厘米,开有一小口,球体表面有数量不等的突起的角形物。现山西大同博物馆及辽宁省博物馆收藏有宋代火蒺藜实物。⑥

三、管形火器

南宋初期,开始出现了管形火器。但是,当时的管形火器还处在初创阶段,在实战中使用较少,前面已介绍过的陈规发明的火枪、金人使用的飞火枪和火枪,以及寿春的突火枪,都属于早期的管形火器。此外,这一时期的管形火器还有南宋《行军须知》中记载的"火筒",

---

① 李纲:《靖康传信录》,卷二。
② 赵与褣:《辛巳泣蕲录》。
③ 《可斋续稿》后卷五《条具广南备御事宜奏》;《景定建康志》,卷三九。
④ 《金史》,卷一一三《赤盏合喜传》,2 496~2 497页。
⑤ 《宋史》,卷四五一《马塈传》,13 270页。
⑥ 李迪:《中国兵器科学技术史研究中的若干问题》,《中国兵器科学技术史研究会成立大会与学术讨论会论文》,北京:1984年。

建康府制造的"突火筒"。遗憾的是,因记载过于简单,其具体形制已无法考稽了。

四、火箭

大约在管形火器创制的前后,我国又诞生了一种用于军事目的的新型火器——火箭。这种军用火箭可能是在北宋末年民间"起火"等玩赏火箭的基础上发展起来的,是利用火药燃气的反作用力原理而制成的。早期火箭的基本形制是:将火药筒绑缚在普通箭杆上,引线安装于火药筒底部。发射时,点燃引线,使火药燃烧,产生与箭头方向相反的强大燃气反作用力,以推动火箭前进。

宋绍兴三十一年(1161年),宋、金采石之战使用的"霹雳炮",就是目前我们已知的利用火药燃气反作用力原理制成的这类火箭中的最早的军用火箭。

由于资料缺乏,宋金时代的以火药燃气的反作用力为动力的军用火箭,目前能够了解到的只有这些。

第四节 初始阶段火器的生产和使用

前面三节我们探讨了宋金时代火药、火器的发展概况及其主要品种。在这一节里,我们主要探讨宋金时代火器的生产和使用情况。

一、庞大的火器生产规模

宋金时代,随着火药生产的发展和新的火器不断涌现,火器的生产和制造也迅速发展起来。宋王朝十分重视火器的制造。在北宋都城汴京,广备攻城作中的"火作",实际上就是制造火器的工场。都城汴京城以外的其它一些军事重镇,也都设有制造火器的工场,如宋代的建康、荆州、蕲州等,都设有规模很大的火器制造工场。当时宋王朝在各火器制造工场组织了大批量的火器制造。下面是宋王朝制造火器的一些零碎、片断的数字:

建康府的火器制造工场,从开庆元年(1259年)四月十三日起至景定二年(1261年)七月止,在大使马光祖任期内的两年零三个月时间之内,共创造、添修火器63 754件,其中新创造火器38 359件,计有:十斤重铁炮壳4只,七斤重铁炮壳8只,六斤重铁炮壳100只,五斤重铁炮壳13 104只,三斤重铁炮壳22 044只,火弓箭1 000只,火弩箭1 000只,突火筒333个,火蒺藜333个,火药弄袴枪头333个,霹雳火炮壳100只。[①]

建康府火器制造工场除成批制造火器外,还大量修理火器,在开庆元年(1259年)四月十三日至景定二年(1261年)七月的两年零三个月时间内共添修火器25 395件,其中火弓箭9 808只,火弩箭12 980只,突火筒502个,火药弄袴枪头1 396个,火药蒺藜404个,小铁炮208只,铁火桶74只。[②]荆州府的火器制造工场,仅铁火炮一项,"一月制造一二千只",并"拨付襄、郢皆一二万"。[③]

上面是建康、荆州两地火器工场成批量地制造火器的情况。根据史籍的有关记载,可以间接推断出宋朝各代的火器制造生产情况:

据《三朝北盟会编》记载,北宋末年,开封的兵器库中还积藏着赵匡胤平定南唐时制造

---

①② 《景定建康志》,卷三九。
③ 《可斋续稿》后卷五《条具广南备御事宜奏》。

的"火箭二万支"及"金汁、火炮样"。① 由此可见，早在宋太祖时期，宋代的火器制造数量已经十分可观了。

宋神宗时，开封府调拨一批兵器增防熙州、河州等军事重镇，其中火器计有：神臂弓火箭10万只，火药弓箭2万只，火药火炮箭2 000只，火弹2 000枚。② 这些火器只是开封府调拨出去增援其它州的火器数字，而开封府自己本身库存备用的火器数量当会比这更大。

嘉定十四年(1221年)，为了抗击金兵，蕲州府一次从军火库中取出了一批火器增防五十三座战楼，其中：弩火药箭7 000只，弓火药箭1万只，蒺藜火炮3 000只，皮大炮2万只③。这只是一次从蕲州军火库调出的数量，蕲州军火库中火器的储备量肯定比这更大。

宋理宗宝祐五年(1257年)，宋臣李曾伯到静江府(今广西桂林)调查火器贮备情况，他在给朝廷的奏折中说："荆、淮之铁火炮动十数万只"，但是静江府"见在铁火炮大小止有八十五只而已，如火箭则止有九十五只，火枪则止有一百五十筒，据此不足为千百人一番出军之用"④。从李曾伯向朝廷的奏折中可以看出，宋代荆、淮等地火器贮备数量是巨大的。

由于资料的限制，目前不可能统计出宋王朝各个时期的火器制造总数量，至于辽、西夏、金等的火器制造情况，更无详细资料可供考稽。但是，仅就上面这些零碎的片断资料，可以看出：

1. 宋王朝十分重视火器制造，从北方(如汴京、开封府等地)到南方(如荆州、建康、蕲州等地)；从中央(如汴京的广备攻城作)到地方(如荆州、建康等地)，都有制造火器的工场，都能生产制造火器。可见，当时的火器制造和生产已不是个别现象，而是比较普及了。

2. 宋代火器制造工场的火器生产已初具规模，其日产量和年产量都较高，生产规模很可观，制造数量已十分庞大，并且已被列入国家兵器制造计划，在国家制式兵器生产中占有重要的位置。

3. 在宋代，火器的生产已不是单一品种，而是形成了多品种、多门类的庞大火器家族，燃烧性火器、爆炸性火器、管形火器、火箭等四个大类已初步形成。

二、实战中开始使用火器

在宋金时代，随着火器制造的迅速发展，火器已开始较多地直接应用于实战。当时，火器主要用于城塞攻守战。宋太宗淳化五年(994年)，李顺农民起义军二十余万人向梓州进发，他们使用梯冲、火车等器械乘黑夜攻城。驻守梓州的张雍命守城士卒"发机石碎之，火箭杂下"，打退了攻城的农民起义军。⑤ 宋神宗熙宁八年(1075年)，交趾八万余人进犯邕州，邕州知府苏缄招募勇士，犒劳士卒，凭城坚守。敌人以"攻具四面瞰城"。守城士卒则"发火箭焚其梯冲，前后杀伤万五千余人"，最后打退了敌人的进攻。⑥ 宋钦宗靖康元年(1126年)，金兵围攻汴京(今河南开封)，宋军统制姚仲友建议在城东壁布防兵卒，每人发火箭20支，常箭50支，到夜晚四鼓初金兵交番休息的时候，宋军击鼓为号，立即火箭俱发，数

---

① 《三朝北盟会编》，卷九七《朝野佥言》。
② 《续资治通鉴长编》，卷三四三神宗"元丰七年二月"，3 188~3 189页。
③ 赵与褒：《辛巳泣蕲录》。
④ 《可斋续稿》后卷五《条具广南备御事宜奏》。
⑤ 《续资治通鉴长编》，卷三六"太宗淳化五年五月"，301~302页。
⑥ 《续资治通鉴长编》，卷二七一"神宗熙宁八年十二月"，2 556页。

百人每人向敌人发射火箭10支,共计发射火箭数千支。发射完火箭,接着蒺藜炮、金汁炮、应炮、火炮等齐发,接着再发草炮,然后又用常箭数万支射向敌人,这样肯定可获得极好的杀伤效果。① 宋宁宗嘉定十四年(1221年),金兵围攻蕲州,赵与褒偕郡守李诚之率全城军民据城抗击金兵。守城士兵多次向金兵施放火箭,打退了敌人的进攻。后来,金兵向城中大量发射铁火炮,城中一士卒被"铁火炮所伤,头目面霹碎,不见一半",还打伤了六七名拽炮(抛石机)人,同时城中防御物损坏严重,最后蕲州城被金兵攻破。② 金哀宗正大九年(1232年),蒙古军围攻汴梁(今河南开封市),金人赤盏合喜率军士用震天雷轰炸蒙古军的牛皮洞子,"炮起火发,其声如雷","人与牛皮皆碎迸无迹",蒙古军死伤惨重。③ 宋度宗咸淳九年(1273年),蒙古兵急攻樊城,宋将牛富率领数千人力战,但终因寡不敌众,樊城最后被攻陷,牛富只得"抱炮火中自焚死"。④ 此外,据《武经总要》记载,城池防守战中,猛火油柜、霹雳火球、竹火鹞等火器都是杀伤敌人的重要战具。⑤ 可见,在宋金时期的城塞攻守战中,已经较多地使用了火器,并且火器在战争中发挥了一定的作用。

　　宋金时期,除了城塞攻守战,水战中也开始使用火器。宋高宗建炎三年(1129年),监察御史林元平为了防止敌人对福建、广东沿海的扰乱,向朝廷建议建造三种不同规格的船,"上等船面阔二丈四尺以上,中等面阔二丈以上,下等面阔一丈八尺以上……船合用望斗、箭隔、铁撞、硬弹、石炮、火炮、火箭及兵器等"。⑥ 可见,为了在水战中更有力地打击敌人,这些船都装备了火炮、火箭等火器。金太宗天会年间,金将宗弼与宋将韩世忠战于长江江宁水域。韩世忠的战舰"皆张五缏"。针对这种形势,宗弼挑选"善射者,乘轻舟,以火箭射世忠舟上五缏,五缏著火箭,皆自焚,烟焰满江",韩世忠溃败。⑦ 宋高宗绍兴三十一年(1161年),宋军和金兵在采石矶发生了激烈的水战。当金兵强行渡江时,宋军向金兵发射霹雳炮,结果金兵败北。⑧ 同年金工部尚书苏保衡率军队从海路南下攻宋,企图攻打南宋的临安。但当苏保衡军行至密州胶西县陈家岛(今胶州湾)时,遭到宋将李宝军的袭击,"宝命火箭射之,烟焰随发,延烧数百艘",结果金兵船只大半被焚,损失惨重。⑨ 宋理宗淳祐二年(1242年),蒙古兵沿淮河水陆并进,攻掠濠州,宋将刘虎率军于五河拒战,"乘风纵火枪、火炮、火箭、火蒺藜",给敌军以沉重的打击,淮水"南北两岸尸相枕藉",蒙古军大败。⑩ 宋度宗咸淳四年(1268年),蒙古兵围攻襄阳和樊城(今湖北襄阳北),死士张顺和张贵率领三千人、战船百艘援助襄阳,"各船置火枪、火炮、炽炭、巨斧、劲弩",他们沿汉水北上,与元兵英勇拼杀,转战一百二十里,最后终于抵达了襄阳。⑪ 以上材料充分说明,火器已成为宋金时

---

① 《三朝北盟会编》,卷六八引《避戎夜话》。
② 赵与褒:《辛巳泣蕲录》。
③ 《金史》,卷一一三《赤盏合喜传》,2 496~2 497页。
④ 《至大金陵新志》,卷一三《牛富传》。
⑤ 《武经总要》,卷一二。
⑥ 《宋会要辑稿》第一八六册,《兵二九》至《三一》,7 308页。
⑦ 《金史》,卷七七《宗弼传》,1 753页。
⑧ 杨万里《诚斋集》,卷四四。
⑨ 陈邦瞻《宋史纪事本末》,卷七四,"金亮南侵",782页。
⑩ 《至大金陵新志》,卷一四《刘虎传》。
⑪ 《宋史》,卷四五〇《张顺传》,13 248页。

第二章 宋金——火药火器发展的初始阶段

代水战的得力战具。

在当时，火器也被用于野战作战。宋宁宗开禧三年(1207年)，金兵攻击襄阳府。一天夜里，宋人赵淳趁天黑雨大，派一千多名士卒偷袭金营，宋军向金兵发射火箭、霹雳炮、火炮，打死打伤金兵二三千，马匹八九百。① 此外，边疆防守战中也开始使用火器。宋真宗咸平五年(1002年)，刘永锡向朝廷进献所制手炮，真宗赵恒命令"沿边造之以充用"。② 但是，在史籍中，野战和边疆防守战中使用火器的战例记载十分稀少，可能是在这两类战争中，使用火器甚少的缘故。

---

① 《襄阳守城录》。
② 《宋史》，卷一九七《兵十一》，4 910页。

第三章 元代——火药火器的发展时期

12世纪末、13世纪初,蒙古族迅速崛起,通过长期的征伐战争,他们统一了漠北,建立了国家。元朝建立以后,在当时大统一的社会环境下,社会经济迅速恢复,科学技术不断提高,为了满足战争的需要,火药火器不断发展,因此,元代是我国古代火药火器的发展时期。

第一节 蒙古军队的征伐战争和火药火器技术的掌握

一、蒙古军队的征伐战争

蒙古族是漠北一个游牧部落,以骑射为主,开始没有火器。宋宁宗开禧二年(1206年),铁木真凭借武功,扫平了草原上其它部落,结束了漠北长期分裂的局面,建立了蒙古国,铁木真被各部尊为成吉思汗。

蒙古各部落统一以后,成吉思汗东征西讨,发动了一系列大规模征服战争。宋宁宗嘉定四年(1211年),成吉思汗挥师南下,攻打金朝,浍河堡一战,"金人精锐尽没于此"。[①] 第二年,蒙古军先后陷宣德(今河北宣化)、威宁(今内蒙古兴和北),掠金西京(今山西大同)和东京(今辽宁辽阳)。宋宁宗嘉定六年,蒙古军兵分三路继续向金朝进军,第二年春(宋宁宗嘉定七年),三路军会合于金中都附近,金宣宗被迫南迁汴京。宋宁宗嘉定八年,蒙古军攻陷金中都。蒙古军攻陷金中都以后,接着又继续发动了对金的征服战争。宋理宗端平元年(1234年),蒙宋两军联合攻金蔡州(今河南汝南),金哀宗自杀,金亡。

经过历时二十多年的长期战争,蒙古军灭金。之后蒙宋矛盾尖锐起来,蒙古军不断发动征服南宋的战争。宋理宗开庆元年(1259年),蒙哥在进攻南宋合州(今四川合州)时,病死于钓鱼台。蒙哥死后,阿里不哥和忽必烈展开了激烈的汗位争夺战。经过四年的斗争,到元中统二年(1261年),忽必烈击败阿里不哥,平定了漠北,夺取了汗位。忽必烈统一漠北以后,又开始一连串的灭宋战争。到元至元八年(1271年),忽必烈建立元朝。元至元十六年,南宋被灭亡,忽必烈最终完成了全国的统一。

二、火药火器技术的掌握

蒙古军在与金、宋的长期战争中,逐渐学会了使用火器,当时他们还缴获了先进兵甲、器械和制造这些兵甲、器械的工匠、作坊,于是,蒙古军开始有了自己的能够生产制作火药、火器的工匠与作坊。《黑鞑事略》记载说:"灭回回后,始有物产,始有工匠,始有器械。……灭金房,百工之事,于是大备。"[②] 宋理宗绍定五年(1232年,金哀宗天兴元年),蒙古兵一路攻

[①] 《元圣武亲征录》,77页。
[②] 彭大雅:《黑鞑事略》,13页。

战,掠三峰山(今河南禹州境内),破钧州(今河南禹州),围攻汴京(今河南开封)。蒙古军向城中发射"火炮",烧毁城上的防御物,汴京陷落。① 汴京被攻陷后,蒙古军与宋军约定,围攻蔡州(今河南汝南一带)。蒙古军集中兵力攻打蔡州西城,发射"火炮"将城上楼橹烧掉,很快便攻下了蔡州。这些充分说明,到这个时候,蒙古军不但有了火器,而且已会使用火器了。

忽必烈建立全国统一政权后,漠北与中原地区社会逐渐安定。一方面,结束了自唐末藩镇割据以来长达三四百年之久的分裂局面,使人民得以休养生息,为社会经济和科学技术的发展,其中包括火药火器的发展,提供了良好的条件。另一方面,元朝统治者借助南宋王朝时发展起来的各类手工作坊及制造业的专门人才发展手工业,使当时的社会生产有了长足的发展,并且冶金技术也比较进步,冶铜、冶铁业很发达,冶户很多,产量很大,能冶炼各种不同类型的铁,如生黄铁、生青铁、青瓜铁、简铁等。② 同时,提炼硝、磺等火药原料的方法和工艺有了较大改进。所有这些,为火药和火器的进步发展奠定了物质和技术基础。

第二节 西安出土的火药

史籍中有关元代的火药火器记载,极为奇缺,特别是直接记载元代火药的史料,几乎是一块空白,这就给研究、探讨元代火药、火器带来极大困难。所幸的是,1974年考古工作者在西安出土了元代的火药实物,为研究元代火药提供了珍贵资料。

一、最早的火药实物

1974年8月,人们在西安东关景龙池巷南口外的建筑工地进行基建施工时,在一个用石板残砖砌筑的长方形的池内,出土了一件铜手铳。考古工作者在清除铳内的堵塞物时,在该手铳的药室里发现了黑褐色粉末的致密结块。经分析化验,这就是古代的火药。③ 这些火药总重量为10~15克,出土时其外观呈黑褐色,结块比较坚实,散成粉状的含有较大颗粒。由于年代久远,所以这种火药的一些物理化学特性已有某些改变,它们已不具备爆炸能力,但在高温下仍能燃烧,并飞出火星。这就是我国现存最早的火药实物,④经测定它是元代中晚期,即13世纪末至14世纪初的火药遗存。⑤

西安出土的元代火药,与宋代前期《武经总要》记载的火药配方的火药相比较,有了很大的改进,主要表现在:

一是火药成分的构成更为合理。根据考古工作者和化学工作者分析研究,西安出土的这种火药主要由硝石、硫磺、木炭三种成分构成,已经很少含有《武经总要》记载的火药配方中所掺杂的其它辅助成分。这就表明从北宋到元代,经过几百年的实践摸索,我们的先人已经较为了解火药各成分的功能,那些低效能的缓燃物逐步从火药配方中被淘汰,以往火药

---

① 《金史》,卷一一三《赤盏合喜传》,2 496页。
② 《元史》,卷九四《食货二》,2 381页。
③⑤ 晁华山:《西安出土的元代铜手铳与黑火药》,载《考古与文物》,1981(3)。
④ 前北平研究院史学研究所白万玉先生1947年曾于察哈尔拾得一只陶罐,其形状上细下粗,引线安于上细的口内,罐内尚存火药。藏于中国科学院考古研究所。冯家昇先生认为此罐为金代器物。参见冯家昇:《火药的发明和西传》,27~28页。

燃烧速度慢和不易点燃的缺点逐步得到克服。

二是火药的组配比率更趋科学。据分析测定,西安出土的火药中硝石、硫磺、木炭三种成分的组配比率是:硝石约占60%,硫磺约占20%,木炭约占20%。[①] 根据这种组配比率计算,硝石的含量在火药三种成分总重量中所占的比例,比《武经总要》记载的火药配方中的硝石含量有显著增加。我们知道,硝石为强氧化剂,在火药燃烧时能产生氧气。硝石含量的比例提高,为火药的燃烧过程提供了较为充足的氧气,使火药中的可燃物能充分燃烧,因而火药燃烧时产生的气体更多,从而大大增强了火药的爆炸威力;同时,也由于火药可以充分燃烧,生成的有毒气体数量也相对减少了。

从上述两个方面可以清楚地看出:西安出土的元代火药,与宋代火药相比,其质量大大提高了,其性能明显改进了。

二、从"炮祸"、烟花诗、"铜将军"诗看元代火药

尽管有关元代火药的直接记载极少,但我们还是可以根据有关的一些间接史料,进一步探讨元代火药的发展情况。

其一,关于"炮祸"。元世祖至元十七年(1280年),扬州炮库因库房管理人员碾制硫磺不慎引起炮库爆炸,周密《癸辛杂识·炮祸》详细记载了这次特大恶性爆炸事故:"维扬炮库之变为尤酷……碾硫之际,光焰倏起,大声如山崩海啸,倾城骇恐……远至百里外,屋瓦皆震……事定按视,则守兵百人皆糜碎无余,楹栋悉寸裂,或为炮风扇至十余里外。平地皆成坑谷,至深丈余。四比居民二百余家,悉罹奇祸,此亦非常之变也。"[②]

其二,关于烟花诗。元代大书画家赵孟頫(宋宝祐二年至元至治二年,1254~1322年)观看燃放的烟花后,曾写过一首著名的《赠放烟火者》的烟花诗。诗云:"人间巧艺夺天工,炼药燃灯清昼同。柳絮飞残铺地白,桃花落尽满阶红。纷纷灿烂如星陨,燡燡喧豗似火攻。后夜再翻花上锦,不愁零乱向东风。"[③]

其三,关于铁炮和"铜将军"诗。元人张宪《玉笥集》中有一首《铁炮行》诗,描述铁炮发射爆炸的情形,[④]诗曰:"黑龙随卵大如斗,卵破龙飞雷兔走。先腾阳燧电火红,霹雳一声混沌剖。"[⑤]

元末诗人杨维桢有一首《铜将军》诗,描述元末农民起义领袖张士诚的弟弟张士信被"铜将军"发射的炮弹炸死的情景,诗曰:"铜将军,无目视,有准。无耳听,有声……铜将军,天假手,疾雷一击,粉碎千金身。斩奴蔓,拔祸根,烈火三日烧碧云。"[⑥]

由以上引证的三件史料看,都是描述元代火器爆炸的威力。扬州炮库因碾制硫磺引起

---

① 这种组配比率的火药配方,已先后流传到阿拉伯国家和欧洲,并已被这些国家和地区广泛采用。例如,据拉努和法韦《希腊火攻法及火药之起源》记载,公元1285~1295年间阿拉伯国家的契丹火箭和契丹火枪的火药配方,其硝石占63.2%,硫磺占21%,木炭占15.8%(含契丹花9.5%),与西安出土火药组配比率相差无几。又例如,据波兰T·乌尔班斯基《火炸药的化学和工艺学》记载,当时欧洲火药的组配比率是:硝石占67%,硫磺占16.5%,木炭占16.5%,与西安出土的火药组配比率十分接近。
② 周密:《癸辛杂识》前集《炮祸》。
③ 见《元诗选》。
④ 铁炮,即指铁火炮,一种铁壳制成的爆炸弹,用抛石机发射。
⑤ 张宪:《玉笥集》,卷二。
⑥ 《铁崖三种》,卷二《铁崖逸编注》。

爆炸所产生的威力,作者描写十分具体,记述非常完整:爆炸声如山崩海啸,百里外均可听到;爆炸的直接杀伤力使兵士糜碎,屋瓦震毁,楹栋寸裂,平地炸成坑谷,深达丈余;爆炸形成的炮风(冲击波)裹带着被摧毁的屋瓦楹栋,吹刮了十余里。"铜将军"(即火炮)发射的"飞炮"(即炮弹)的爆炸威力也很可怕:其声如疾雷,其杀伤力使人体炸如齑粉。"铁炮"(即铁火炮)的爆炸威力也同样如此。虽然这些文人的描述,难免有些夸张,但火器的威力强大却是毋庸置疑的。由此可以推想元代的火药,应该比宋代火药有了很大发展了。否则是不会有那么大的杀伤力的。关于赵孟頫对烟花燃放时绚丽多姿的美丽图景的描述,我们可以想象,制造烟花的火药,无论其质量和性能都已达到相当高的水平了,否则是不会出现那样五彩缤纷的图景的。

以上从不同的侧面说明,元代火药(无论是军用火药,还是民用火药)与宋代火药相比,有了长足的发展,火药质量有了较大提高,火药性能有了一定改进,火药杀伤威力大大增强。元代火药发展到这样一种水平,由此进一步说明了:

第一,元代火药的成分构成更为合理,去掉了掺杂的其它辅助成分,宋代火药中掺杂多种其它成分的现象没有了,正式确定了以硝石、硫磺、木炭为成分的三元体系火药;

第二,元代火药的组配比率更趋科学,比宋代的火药组配比率有了很大的改进;

第三,元代提纯火药的主要成分——硝石、硫磺的技术和方法有了改进,硝石、硫磺的纯度有了提高;

第四,元代火药的加工制造工艺和方法已比较先进。

综上所述,无论是出土的元代火药实物还是有关元代火药的间接史料,都充分证明:元代的火药在宋代火药的基础上,发展到了一个新的水平,这就为元代火器的发展奠定了基础。因此,元代的火器便迅速发展起来。

附:陕西省化工设计研究院关于元代火药的分析报告

一、被检火药的保存历史与环境现状

火药是从古代铜手铳的药室内取出的,手铳因沉入水池而得以保存至今。手铳前膛内充满干结的沙土和从铳体上脱落的铜锈;药室内充满黑火药,总重10至15克。沙土和火药间有明显的界面。

二、分析数据

(1)物理状态:样品呈黑褐色;结块比较坚实;散成粉状的含有较大颗粒。

(2)化学性能与组分:样品已不具爆炸能力,高温下能燃烧,有火星。灼烧后留有大量残渣。

表1　火药样品主要元素含量

元素	C	H	S	N
含量(%)	13.67	1.60	2.24	0.13

表2　火药样品红外光谱分析

谱带性质	芳香环	各种硅酸盐 SiO_2	CuO	Cu_2O

| 波数(厘米$^{-1}$) | 1 600～1 570 | 1 100～900 | 730～500 | 610 |

表3　火药样品组分

物质名称	木炭	硫	硝石	氧化亚铜	水	其它(主要是硅酸盐)
含量(%)	18.24①	2.02	<1	13.8	9.09	55.56

注：

根据现代关于木炭化学组成的红外光谱研究成果分析,本样品的红外光谱图中在1 600～1 570厘米$^{-1}$处有芳香族的特征谱带,在870和800厘米$^{-1}$处却没有稠环芳香族中C—H的振动特征。所以说,被检木炭制取时的炭化温度可能在300℃至350℃之间,这种木炭的发火温度为360℃～370℃。这种木炭的含炭量约为75%,故样品中木炭的含量为18.24%。

三、结论

根据古代文献记载,我国宋代火药含有硝石、硫磺和木炭等物质。本样品所含硝石、木炭与硫磺甚少,而不燃物甚多。我们认为被检物长期以来在环境作用下发生了下述变化：硝石(主要成分是硝酸钾)溶于水后流失；硫磺(主要成分是硫)部分地氧化生成亚硫酸盐溶于水而流失；上述物质流失后形成的空间逐渐被铳体铜氧化物(指不溶于水的氧化亚铜与氧化铜)和周围的沙土(硅酸盐)所占据。所以本样品原是黑火药。

第三节　金属管形火器的出现

元代火器承袭宋制,其主要门类仍然是燃烧性火器、爆炸性火器、管形火器和火箭四个大类。燃烧性火器有火炮、火箭等；爆炸性火器有铁火炮、火炮等；管形火器有火铳、手铳等；利用火药燃气的反作用力原理制成的火箭也仍然继续使用,时称"火箭"或"火炮"。由于古籍中有关元代火器的文字记载甚少,因此很难比较详尽地从史书的文字记载中去考稽元代火器。不过,幸运的是,通过考古发掘的实物和从一些传世器物中,我们可以大致探索出元代管形火器的发展概况、形制、性能等,至于燃烧性火器、爆炸性火器、火箭等其它几类火器,则因目前资料奇缺,对它们的研究探讨只好暂付阙如了。

一、8尊管形火器实物

目前,见于报道的元代出土或传世的金属管形火器实物,主要有以下8尊：

其一,1970年7月,我国考古工作者在黑龙江省阿城县阿什河畔的半拉城子出土了一尊火铳。铜制,铳身上刻有"×"形记号,长34厘米,重3.5公斤,分前膛、药室、尾銎三部分。前膛长17.5厘米,铳口内壁直径2.6厘米,外沿铸固箍,药室外凸呈椭圆状,腹围21厘米,上有小孔安装引火线,尾銎中空,口大底小呈喇叭状。从出土物看,铳的造型比较简单；后銎口大底小,安装木柄后容易脱落；冶铸制造比较粗糙,表面凹凸不平,铳壁厚薄不一,铳筒断面圆形不规则。出土报告认为,该铳铸造时间

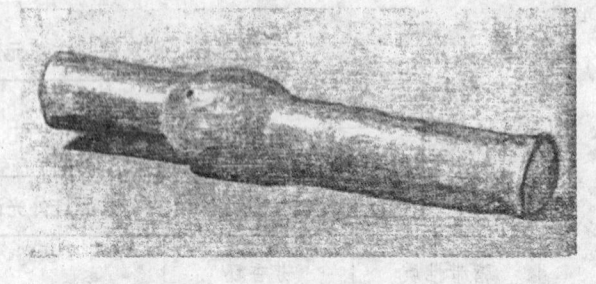

图6　阿城半拉城子出土铜铳(采自《文物》1973年第11期)

的下限可能至少不晚于公元1290年,即13世纪末、14世纪初,也就是元代中期。这是我国,也是世界上目前发现的最早的金属管形火器实物。①

其二,藏于首都博物馆的一尊火铳。北京市通州1970年挖人防工事时出土,铜制,全长36.7厘米,分前膛、药室、尾鋈三部分,口径26毫米,内径16毫米。前膛呈喇叭形,长约18厘米;药室胀大呈纺锤形,约长6厘米;尾鋈中空,口大底小,约长11厘米。铳壁厚薄不均,表面不平整,制造工艺粗糙。据考证为元代前期遗物。②

其三,1974年8月,在西安东关景龙池巷南口外的建筑工地上,出土了一尊火铳。铜制,铳长26.5厘米,重1.78公斤。铳体表面比较粗糙,由前向后可分为三个部分,即铳管、药室和尾鋈。

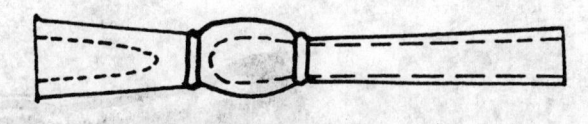

图7 通州出土铜手铳

药室前后端和铳体前后端均铸有加固的圆箍,共六道。铳管管壁厚薄不甚均匀,其断面为圆形,管长14厘米,内径2.3厘米,是装药和弹丸射出的通道。药室为椭圆形空腔,有一个小的圆形药捻孔通到外面,铳管和药室相通。尾鋈段外口稍大于里端,尾鋈和药室是不相通的。药室内并装填有火药。出土报告认为:这尊铜手铳是13世纪末、14世纪初,即元代中期的遗物。③

其四,1971年秋在内蒙古自治区托克托县黑城公社的黑城古城南墙内出土4尊铜火铳,其中3尊均有"洪武"字样的铭文,可确定为明代火铳,另一尊无铭文,但从其形体构造和制造工艺来看,与已出土的元代铜铳相近,因此,不应断定为明代铜铳,似可认定为元代铜铳,即大致为元代中期或

图8 西安出土铜手铳(采自《考古与文物》1981年第3期)

稍晚一点的遗物。全长29.5厘米,前膛长17.5厘米,药室长4厘米,尾鋈长8厘米,总重2.3公斤,铳体上有五道箍,除铳身前、后端两箍外,其余三道箍之间有一定的间隔,不像西安铜手铳三箍紧相排列。④

其五,陈列于北京中国历史博物馆内的元至顺三年(1332年)火炮。铜制,炮重6.94公斤,长35.3厘米,口径10.5厘米,炮身下部有一引火孔,尾底径7.7厘米,尾部两侧各有一个2厘米的方孔,炮筒中部盖面镌刻有"至顺三年二月吉日绥边讨寇军第三佰号马山"三行铭文。有人对其形制进行考证,认为这种火炮是装置在木架上发射的。木架的形状像一条长板凳,将炮筒嵌装上去,然后在炮身尾部的两个方孔中穿一根铁栓,使炮筒和木架牢固地结合成一体。这根铁栓既起木架和炮筒的联结作用,又起火炮的耳轴作用。发射时,根据所

---

① 魏国忠:《黑龙江阿城县半拉城子出土的铜火铳》,载《文物》,1973(11)。
② 该条资料1982年由首都博物馆刘俊琪同志提供。
③ 晁华山:《西安出土的元代铜手铳与黑火药》,载《考古与文物》,1981(3)。
④ 崔璇:《内蒙古发现的明初铜火铳》,载《文物》,1973(11)。

射击的目标距离远近,在炮筒下加垫木楔,构成不同的射角,以射击不同距离的目标。①

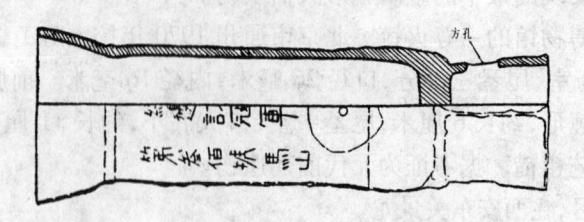

图9　元至顺三年铜炮(采自《文物》1962年第3期)

其六,元代稍晚的碗口筒炮。据报告者称,这尊铜炮是1961年从河北张家口市发现的,炮身盖面镌刻有"×"记号,通长38.5厘米,炮口内径12厘米。报告者断定为元代遗物,现藏河北省博物馆。② 因报道过于简单,无法对其做更多的分析和探讨,但从其外形上看,似乎是介于至顺三年碗口铜炮和明初大碗口筒炮之间的一类碗口筒炮。

图10　张家口碗口筒炮(采自《河北省出土文物选集》)

---

① 王荣:《元明火铳的装置复原》,载《文物》,1962(3)。
② 河北省博物馆等:《河北省出土文物选集》,416页,文物出版社,1980。

其七,清乾隆二年(1737年)在山东省益都县苏埠屯发现、现陈列于北京中国军事博物馆内的元至正十一年(1351年)火铳。铜制,铳长43.5厘米,重4.75公斤,铳口直径3厘米。铳身前端镌刻有"射穿百扎声动九天",中部镌刻有"神飞",尾部镌刻有"至正辛卯"和"天山"等铭文。铳筒后銎可以安装木柄,因其呈筒形,改变了阿城半拉城子铜铳后銎口大底小的造型,故木柄一楔入,就很难拽出。同时,在铳筒尾口缘的两侧,有两个约0.3~0.4厘米的小孔,是供装上木柄后钉铁钉固定木柄的。这种铳造型比阿城半拉城子铜铳和西安铜手铳都有进步。用这种铜铳作战时,远距离可以发射弹丸杀伤敌人,近距离可当棒棍打击敌人。①

其八,1959年在江苏镇江市南郊铁路复线工地上出土的一尊铜铳,全长38厘米,前膛及药室共长29厘米,尾銎长9厘米,重6.1公斤。铳身前膛、药室、尾銎三部分无明显分段,各部分由曲线相接,药室外凸呈弧形,尾銎中空,喇叭口外侈角度较大,药室突

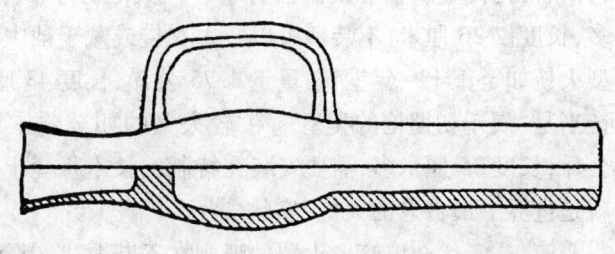

图11　镇江出土铜铳线图(采自《文物》1986年第7期)

起部分上端置有宽弧把,点火孔开在凸腹中部,制造工艺比较粗糙,出土报告认为,该铜铳可能为元代遗物。②

二、金属管形火器发展的几个特点

上述八尊③金属管形火器实物,是元代各个不同时期的制品。透过这些金属管形火器实物,我们可以看出:

第一,元代完成了由竹制(或木制、纸制)管形火器到金属管形火器的过渡,出现了我国历史上最早的金属管形火器。这之前的宋金时代的管形火器,都是由竹筒制成或纸筒制成。这类材质的炮筒,其膛内能承受的膛压小,故火药也不能装填太多,因而射程近,威力小,连续发射容易烧毁,而且不经久耐用,"一发即废绝"。④ 为了克服这些缺点,增强杀伤威力,元

---

① 王荣:《元明火铳的装置复原》,载《文物》,1962(3)。
② 史宣珍:《镇江出土的明代火器》,载《文物》,1986(7)。
③ 除上述八尊元代金属管形火器实物外,还有一些资料报道了元代的金属管形火器:一是清末金陵校场动工时,工人从地下发掘出了大小铁炮几百尊。清人张文虎最先在《舒艺室诗存》,卷二记载了这件事,并为此吟诗一首,诗曰:"……此炮志年月,轻重厘可数,得毋熊天瑞,作此拒明祖?……尔来四百载,忽复为世睹"。张文虎认为这批周炮是元末张士诚铸造的。其后,清人支伟成所编《吴王张士诚载记》在书首刊有周炮照片一张,支伟成也断定"亦张士诚物"。从此以后,即从19世纪末至今,学术界很多人都认为周炮为元末张士诚所铸。这一说法遂为很多人所接受。因此,从一些博物馆到陈列室,从一些科普小册子到专著,都据此断定周炮为元代火炮。就连火炮史专家冯家昇先生也同意这一观点(《驳斥欧美资产阶级学者的"火药是欧洲人所发明"的谬论》,1953年《科学通报》12月号)。关于周炮年代问题,马非百先生作了详尽而周到的考证,他认为周炮不是元末张士诚遗物,而是明末吴三桂铸造的。马非百先生的观点是正确的(《谈周炮的年代问题》,《文物参考资料》,1955(7);并请参看拙著《中国古代火炮史》,41~46页)。二是周纬《中国兵器史稿》记载说:"印度各地博物馆及王宫中,至今尚藏有蒙古军所用之枪炮。"(周纬:《中国兵器史稿》第255页,三联书店1957年版)但其具体情况,如这些枪炮是蒙古军还是元代时期的遗物,这些枪炮的形制如何,这些枪炮的性能如何,等等,因书中叙述极为简单,故不得而知,诚望国内外有知之者赐教。三是前《中国教育年鉴》记载说:南京古物保存所收藏有元代的一尊小铁炮(1934年教育部编《中国教育年鉴》(丙编)第1 081页)。此炮是否是元代遗物,姑且存疑。
④ 《武备志》,卷一二三。

代出现了金属管形火器,这是我国兵器发展史上的突出成就,更是火器发展史上的重大进步。金属管形火器不仅坚固耐用,连续发射不易烧毁,更重要的是这类火器能承受的膛压大,因而火药爆炸力加大也不至炸毁枪管,可加大火药装填量,增加射程,杀伤威力增大。由于金属管形火器有这么多优点,它取代其它材质的火器是很自然的了。加之随着元代科学技术特别是金属冶炼和铸造技术的发展,以及当时频繁发生的战争的需要,金属管形火器便迅速发展起来。

第二,元代金属管形火器的品种比较齐全,仅从目前见于报道的八尊金属管形火器的资料来看,元代金属管形火器已有小、中、大之分了。小型火铳如西安铜手铳,重量仅一公斤多,长度仅26厘米,不装柄可以装入衣袋或藏于袖中。"它应当算是今日手枪的始祖。"①中型火铳如至正十一年铜铳,重量4.75公斤,长度43厘米多,后銎装柄后可单兵使用,这种铜铳当是"属于初期枪的类型"。② 较大型的如至顺三年铜炮,炮口内径10.5厘米,重量约7公斤,长度35厘米多,需要安装在特制的长木板凳上才能发射,因此,或许可以说,"……它就是世界上最古老的火炮"实物。③

第三,元代金属管形火器的形制在不断改进,其铸造工艺逐步提高。从能见到的元代最早的铜火铳——阿城县半拉城子铜火铳来看,它是由前膛、药室、尾銎三部分组成。这三部分的造型,都符合一定的科学技术原理,并反映了当时人们的科学技术水平:如为了加大膛内承受的压力,铳身外沿加铸了圆箍;为了使铳体内多装火药,药室外凸成椭圆形;为了便于手持发射,尾銎中空利于装手柄。但是,元代初期生产的这个铜火铳的造型还比较简单,冶铸制造工艺还很粗糙,铳身表面凸凹不平,铳壁厚薄不均,铳筒断面圆形不规则,尾銎呈喇叭状,装柄后容易脱出,等等。稍晚于阿城半拉城子铜火铳的西安铜手铳大约是元代中期的产品,其形制比前者有了一些改进:铳身加铸了多道加固圆箍,使铳身承受的膛压加大;尾銎已不是喇叭状,其外口只稍大于里端,装柄后不易脱落。其后,金属管形火器的形制有了进一步改进。例如,至正十一年铜铳,其铳身加固箍增多,尾銎口缘两侧有两个约0.3~0.4厘米的小孔,装上柄后,可以钉上铁钉固定,使木柄更加牢固。而且此时的冶铸工艺有了明显改进,铳身表面不似以前的火铳粗糙,且镌刻了铭文。这些都充分说明,元代金属管形火器的形制在逐步改进,其铸造工艺在逐步提高。至于至顺三年铜炮,其外形是一个直筒体的长圆筒,可见这种铜炮是在竹火炮的基础上发展起来的,外形还带有巨竹筒的烙印。但是铜火炮比起竹火炮来有很大进步,如炮尾有两个方孔可以穿插铁栓,代替耳轴的作用;同时还设计有长木板凳炮架发射装置,提高了火炮火力的机动性。值得指出的是,我国古代火炮的炮架装置,大大领先于欧洲各国。恩格斯曾指出:"欧洲十四世纪的火炮是很笨重的……当时人们还不知道炮架……早在1386年,英国人就缴获了两艘装备有火炮的法国军舰。如果以'玛丽—玫瑰号'(于1545年沉没)上取下的火炮为例,那就可以看出,这些最初的舰炮架设在特制的木座上,并且固定在上面,因此不可能有不同的射角。"又说:"做了最大改进的是法国国王查理八世。他彻底取消了可拆卸的炮尾部,开始铸造完整的青铜火炮,采用了炮耳

---

① 晁华山:《西安出土的元代铜手铳与黑火药》,载《考古与文物》,1981(3)。
②③ 王荣:《元明火铳的装置复原》,载《文物》,1962(3)。

轴和带车轮的炮架。"①由此可知，欧洲在14世纪还不知道炮架，舰船上的火炮虽也固定在特制的木座上，但却不能随意调整射角；欧洲直到法国国王查理八世，也即1422~1461年间才有了炮架。而我国元至顺三年就有的这种长木板凳炮架，比欧洲的特制固定木座（没有不同的射角）大约早半个世纪，比改进后的法国国王查理八世时的炮架早了一个多世纪。

第四，关于元代金属管形火器的生产制造。迄今为止，这方面还未发现有关的史料文字记载。但从至顺三年铜炮上的铭文"第三佰号马山"来看，元代金属管形火器的生产制造量也不会太少。"第三佰号"为这种火炮的数量顺序编号，这表明，至顺三年这一种铜炮，元政府至少生产制造了三百尊。

三、"筒"、"火筒"和"火铳"名称辨析

从目前可以见到的元代的管形火器实物可知，此时管形火器已有大、中、小之分，但是，其名称却一律都称为"筒"或"火筒"。例如，元人徐勉之撰写的《保越录》记载元至正十九年（1359年），朱元璋所部胡大海与张士诚所部吕珍在越州（今浙江绍兴）交战情形："辛未，敌军攻稽山门，我军御之以炮石火筒"；"甲辰……千户马俊等人以先锋驰击，率壮士乘船沿河而进，以火筒数十应时并发"；"辛未……火筒炮石之声昼夜不绝"。② 元人张宪《玉笥集》中的《富阳行》描写元末凄惨悲壮的战争场面的诗有："铁关不启火筒焦，力屈花瑶皆自走。"③他们所说的"火筒"，都是指管形火器。从这些文字中，后人很难知道他们使用的到底是火炮还是中型火铳或手铳。有学者认为，金属管形火器出现以后，火筒、火筲这些名称逐渐不用了，管形火器不再称"火筒"，而称"火铳"了。④这种说法是不确切的。从目前掌握的资料看，自元初我国开始出现了金属铸造的管形火器，直到明初，金属管形火器也还称"筒"。例如，现藏北京中国人民革命军事博物馆的明洪武五年（1372年）铸造的一尊金属管形火器，其长36.5厘米，重15.75公斤，器身镌刻有"韩"字及"水军左卫，进字四十二号，大碗口筒，重二十六斤，洪武五年十二月吉日，宝源局造"等铭文。器身铭文中有"大碗口筒"，这就清楚地说明，"筒"、"火筒"这种称谓一直沿用到明初。不过，需要注意的是，到元末明初，"火筒"有时又被写作"火铳"。《元史·达礼麻识理传》记载有：元至正二十四年（1364年），元朝大臣达礼麻识理（任上都留守）组编了一支"丁壮苗军，火铳什伍相联"。⑤这大概是目前我所见到的"火铳"一词的最早出处。"铳"者，"筒"的谐音字也。在当时，"火筒"与"火铳"常常互用。例如，据《明实录》记载，元至正二十六年（1366年），徐达在姑苏（今江苏苏州）围攻张士诚，架起与城等高的木塔，"每层施弓弩火铳于上"，⑥但是，对这同一件事，《明史》的记载却是："架木塔与城中浮屠等。别筑台三成，瞰城中，置弓弩火筒。"⑦可见，"火筒"也即"火铳"，在当时是没有区别的。另外元代末年，人们对管形火器中比较大型的一类即火炮，又美誉为"将军"。如，元末杨维桢在《铁崖逸编注·铜将军》一诗

---

① 恩格斯：《炮兵》，见《马克思恩格斯全集》，第一四卷，195~196页。
② 徐勉之：《保越录》，4页，11页，17页。
③ 张宪：《玉笥集》，卷二。
④ 冯家昇：《火药的发明和西传》，38页。
⑤ 《元史》，卷一四五《达礼麻识理传》，3 452页。
⑥ 《明太祖实录》，卷一二。
⑦ 《明史》，卷一二五《徐达传》，3 725页。

中,描绘张士诚的弟弟张士信在平江(今江苏苏州)被"飞炮"击碎脑袋的情形时写道:"铜将军,无目视,有准。无耳听,有声……疾雷一击,粉碎千金身。"① 这里所说的"铜将军",就是指管形火器中比较大型的一类,即火炮。火炮得此美誉,说明当时人们对威力巨大的火炮的赞誉和尊崇。更有甚者,有些地方还把火炮当成战无不胜的"神"加以膜拜,造"炮神庙"进行祭祀。② 由此也可以看出在当时火药火器在战争中的地位和它对人们的影响。

综上所述,我们可以看出,13世纪末、14世纪初,元代出现了我国最早的金属管形火器。金属管形火器出现后,在元代大统一的有利社会环境下,随着社会经济和科学技术的发展,为了满足战争的需要,金属管形火器迅速发展起来,其品种已不再单一,其形制不断改进,其铸造工艺技术不断提高,其生产制造量也相当可观,其发射火药也有了较大发展,所有这些,都为明代火器鼎盛时期的出现奠定了基础。

第四节　火器部队的诞生

前面三节我们探讨了元代火药、火器的发展。在这一节里,我们将探讨元代战争中使用火器的情况以及元代火器部队的诞生问题。

一、元代火器在战争中的应用

早在宋宁宗嘉定七年(1214年),成吉思汗率军攻打挦思干城,大军驻扎于暗木河畔。当时敌人已有设防,"筑十余垒,陈船河中"。针对这种情况,成吉思汗的部将郭宝玉命令军队"发火箭射其船",敌船立刻着火燃烧。郭宝玉所部趁势乘胜追击,"破护岸兵五万,斩大将佐里,遂屠诸垒,收马里四城"。③ 这可能是蒙古军在战争中最早使用火器的记载。

元朝建立后,火器在实战中使用渐多。至元十一年(1274年),元大将张君佐(张荣之子)率军围攻沙洋(今湖北省境内),从城北面向城中发射火炮,城中民舍几乎烧尽。接着,"又以火炮攻阳逻堡(今湖北境内),破之"。④ 这种火炮,当是用抛石机发射的火球一类的燃烧性火器。同年,元将杨大渊派兵攻打牛头城(今湖北省境内),向城中发射火箭,焚烧官舍民居,取得了战争的胜利。⑤ 至元十二年(1275年),元军与宋军在焦山(今江苏省境内)发生激战。元军在阿术、阿塔海的指挥下,兵分五路从水路、陆路向宋军发起攻击,大战从早晨一直打到中午,呼声震天动地,元军"乘风以火箭射其箬篷",宋军大败。⑥ 同年,元军将领伯颜率军围攻常州,常州宋军刘师勇、张彦、王安节等凭城固守数月不下。伯颜又对宋军进行劝降,"皆不应"。面对这种局面,伯颜"亲督帐前军临城南,又多建火炮,张弓弩,昼夜攻之",最后常州被攻破。⑦ 至元二十四年(1287年),元宗王乃颜叛乱,叛军号称人数十万。元世祖忽必烈率领李庭等亲自征讨。李庭夜晚派壮士十余人,持火炮偷偷潜入敌阵,引燃火

---

① 杨维桢:《铁崖三种·铁崖逸编注》,卷二。
② 冯家昇:《火药的发明和西传》,35页。
③ 《元史》,卷一四九《郭宝玉传》,3 521页。
④ 《元史》,卷一五一《张荣传》,3 582页。
⑤ 《元史》,卷一六一《杨大渊传》,3 782页。
⑥ 《元史》,卷八,168页。
⑦ 《元史》,卷一二七《伯颜传》,3 107页。

炮后,敌人乱作一团,自相残杀,叛军大败。第二年,乃颜的余党再次发动叛乱,元世祖忽必烈又命李庭等率军征讨,但前后数十战,都告失败。在连连失败的情况下,李庭整军再战,首先挑选小股精锐兵卒"潜负火炮,夜诉上流发之",叛军马匹受惊吓而走失,然后命大军从下流渡河,天亮后与敌人遭遇,发生激战,因叛军马匹已走失,被斩俘二百余人。① 在这里,李庭两次使用的火炮,当是一种燃烧兼有爆炸作用的火器,用以惊吓敌人马。此外,元军在至元十一年(1274年)和至元十八年(1281年)曾先后两次进攻日本,战争中元军都使用了"铁火炮"。从亲自参加过这两次战争的日本画家竹崎季长所画的《蒙古袭来绘词》画册中可以看出,这种铁火炮是由两半合成的,其状如合碗。②

元代末年,火器在实战中使用更广泛了。元在建朝之前及之初,在战争中使用的多为燃烧性和爆炸性火器;金属管形火器虽有实物出土,但未见在实战中使用的记载。到了元代末年,管形火器已较多地用于实战。元至正十二年(1352年),农民起义军攻占了千秋关(今浙江省境内)。元军将领董搏霄驻军于潜,并且在城外埋伏伏兵,这些伏兵都装备有火炮。董搏霄与部下约定:"见旗动,炮即发。"不一会,山上旗动,于是火炮齐发,伏兵从城外冲杀出来,斩杀敌人数千,收复了千秋关。③ 这里说的"炮"大概就是管形火器了。至正十三年(1353年),元将纳苏喇鼎在高邮率军迎战张士诚,"发火箭、火镞射之,死者蔽流而下"。④ 火箭,又写作"火筒",就是火铳。至正二十三年(1363年),邓愈与陈友谅在抚州门发生激战,邓愈"以火铳击退其兵,随树木栅"。⑤ 以上都是元朝政府军使用火铳和其它火器作战的情况。在当时,不但元朝政府军在战争中使用了火铳和其它火器,农民起义军也使用火铳和其它火器作战。由于元朝统治者残酷压迫剥削人民,元末农民起义此起彼伏,遍及全国。农民起义军也已较多地使用火铳作战。元至正十九年(1359年),朱元璋所部胡大海与张士诚所部吕珍在越州(今浙江绍兴)发生激战。当时吕珍的军队就用火筒打死了胡大海部的蔡元帅,"敌军(指胡大海部——引者按)又攻稽山门,驰突春波桥,敌将蔡元帅著铠甲坐胡床指挥其众,我军(指吕珍部——引者按)以火筒射而仆之"。⑥"丁酉,敌军率众攻稽山门,鲍郎常禧门,军势尤盛,始交锋社坛前,我军不利,元帅颜得兴中箭伤足,总管钱保中火筒伤臂。"⑦元至正二十七年(1367年),张士诚被朱元璋围困在平江城(今江苏苏州),朱元璋的部将徐达"领四十八卫将士围城,每一卫置襄阳炮架五座,七梢炮架五千余座,大小将军筒五十余座,四十八卫营寨列于城之周遭,张士诚欲遁不能飞渡,铳炮之声昼夜不绝"。⑧ 每卫有大小将军筒50余座,四十八卫就有2400多门大小将军筒,这说明,元末农民起义军已广泛并大量使用火铳作战了。

二、火器部队的诞生

在元代,无论是官军还是农民起义军都已装备了火器,这是毫无疑问的。那么,元代是

---

① 《元史》,卷一六二《李庭传》,3 798页。
② 冯家昇:《火药的发明和西传》,33~35页。
③ 《元史》,卷一八八《董搏霄传》,4 303页。
④ 《续资治通鉴》,卷二一一"顺帝至正十三年",5 757页。
⑤ 《续资治通鉴》,卷二一一"顺帝至正二十三年",5 906页。
⑥⑦ 见《保越录》16页,8页。
⑧ 《吴王张士诚载记》,卷二。

否有专门火器部队呢？关于这个问题,有如下相关信息很值得悉心研读和探讨：

其一,现存的至顺三年铜炮上的铭文有："至顺三年二月吉日绥边讨寇军第三佰号马山。"

其二,《续资治通鉴》记载说：至正二十三年(1363年),"陈友谅围洪都凡八十有五日,丙戌,闻吴国公至,即解围,东出鄱阳湖以迎敌,公率诸军由松门入鄱阳湖,丁亥,与陈友谅师遇于康郎山。友谅列巨舟当其前。吴国公谓诸将曰：'彼巨舟首尾连接,不利进退,可破也。'乃命舟师为十一队,火器、弓弩,以次而列,戒诸将：'近寇舟,先发火器,次弓弩,及其舟则短兵击之。'戊子,命徐达、常遇春、廖永忠等进兵搏战。达身先诸将,击败其前军,杀千五百人,获一巨舰而还。俞通海复乘风发炮火,焚寇舟二十余艘,杀溺死者甚众。"①

其三,《元史》记载曰：元至正二十四年(1364年),元将达礼麻识理为守卫京城上都,曾采取很多措施,其中之一是"纠集丁壮苗军,火铳什伍相联","扬言四方勤王之师皆至",结果使围兵"帖木儿等大骇,一夕东走,其所将兵尽溃"。②

至顺三年铜炮为元宁宗时的遗物,是现在已知的世界上最早的铜火炮实物,其铭文中所说的"绥边讨寇军",指元朝政府的边防守卫部队。从铭文来看,元朝政府的这支边防守卫部队,至少装备了三百尊铜火炮,③不过,这支边防守卫部队是否就是专习火炮的部队,铭文却没有说明。因此,我们目前还不能肯定元至顺三年的这支边防守卫部队就是火器部队,但军队大量装备火器已是不争的事实了。

第二条史料记载的是朱元璋的水军与陈友谅的水军在鄱阳湖发生激战的情形。元至正二十三年,朱元璋的水师由松门进入鄱阳湖,在康郎山水域与陈友谅的水师遭遇。朱元璋针对陈友谅巨舰首尾相接的阵势,将舟师兵士分作十一队,又将执火器、弓弩的士兵依次而列。当接近敌舟时,火器士兵首先发射火器,弓弩士兵次发弓弩,结果大败陈友谅军。从这里可以看出,朱元璋的部队中似乎已有了分工明确的火器部队和弓弩部队；作战时,各司其职：火器部队用火器射击敌人,弓弩部队则发弓弩杀伤敌人。这说明,在元代后期已经有了专习火器的士兵即火器部队。

第三条史料说,达礼麻识理组织的"丁壮苗军"是按照"火铳什伍相联"的原则和方法组建起来的。何谓"什伍"？《礼记·祭义》曰："军旅什伍,同爵则尚齿。"郑玄注："什伍,士卒部曲也。"经考证,"什"是殷代军队的基本编制单位,"伍"则为周人军队的基本编制单位。④在我国古代,军队以五人为伍,二伍为什。达礼麻识理的这支"丁壮苗军",就是按照这种方法组编起来的,也是按照这种方法装备火铳的。至此,毋庸多言,这支"丁壮苗军"就是专习火铳的火器部队。

综上所述,在元末我国已经有了专习火器的火器部队。这些火器部队,应该是我国最早的火器部队,它比明朝永乐初年"专习枪炮"的火器部队⑤——神机营早了将近半个世纪。

---

① 朱元璋的水军与陈友谅的水军在鄱阳湖发生激战一事,最早见于《明太祖实录》,卷一二。本书引用见《续资治通鉴》,卷二一七"顺帝至正二十三年",5 909～5 910 页。
② 《元史》,卷一四五《达礼麻识理传》,3 452 页。
③ 也有人认为,"第三佰号马山"不表示这支边防部队装备火炮的数量,而是装备数量的顺序编号。
④ 蓝永蔚：《春秋时代的步兵》,110 页。
⑤ 赵士祯：《神器谱·进神器疏》。

关于这一点,目前学术界一般都认为我国最早的"专习枪炮"的火器部队是在明成祖永乐年间出现的,①笔者本人也曾持这种观点,②现在看来,这种看法也是很值得商榷的。

　　元末出现的专习火器的火器部队,不但是我国最早的火器部队,也是世界上最早的火器部队。恩格斯在《炮兵》一文中指出:欧洲"约在1450年出现了类似堑壕的工事,不久毕罗兄弟便建立了第一批破城炮队;法国国王查理七世依靠这些炮队在一年内就把英国人以前夺去的全部要塞夺了回来。但是作了最大改进的是法国国王查理八世。……每门火炮都固定有一组炮手,炮兵勤务有了专门的组织,这就使野战炮兵第一次成为一个特殊的兵种。"③按照法国国王查理七世在位的时间推算,法国炮兵部队产生于15世纪中叶,如果以上有关元代火器部队出现于元末,那么至正二十三年(1363年)、二十四年(1364年)组建的中国古代的火器部队比欧洲的炮兵部队早了一个多世纪。

---

① 如《中国大百科全书·军事·中国古代兵器分册》,18页。又如成东:《明代前期有铭火铳初探》,载《文物》,1988(5);等等。
② 如拙著《干戈春秋》(与人合著),131~132页。又如《中国古代火炮史》,171页。
③ 恩格斯:《炮兵》,《马克思恩格斯全集》,第14卷,196页。

第四章 明代——火药火器的鼎盛时期

公元14世纪中期,朱元璋先后打败了各个农民割据势力,赶走了元朝统治者,建立了明朝。明朝的建立,使我国封建社会发展到了一个新的历史时期。当时,社会经济十分繁荣,农业、手工业和商业极为发达,海外贸易非常活跃,新的生产力和生产关系处在萌动状态,资本主义因素开始萌芽,科学技术进步出现了明显的转机。所有这些新的进步的因素,为明代的兵器特别是火药、火器发展提供了物质技术基础。加之有明一代,北方长期受到游牧部落贵族统治者的骚扰,东南沿海经常遭受倭寇的侵掠,因此,为了巩固边防,抗击外族的进犯,明代统治者十分重视国家武备,对火药、火器尤为重视,朝野上下视火器为御敌"长技"。在这样的历史背景下,明代的火药、火器迅速发展起来,出现了我国火药火器史上的鼎盛时期。

第一节 火药理论研究

火药在唐朝末年应用于军事以后,经宋、元两朝,到了明代,军用火药有了很大发展。当时,不论是火药品种、火药组配比率,还是火药制造方法和加工工艺,在宋、元的基础上均有了显著的改进。尤为突出的是,明代开始了对火药理论的研究和探讨,在我国火药发展史上留下了光辉的篇章。

一、火药品种增多

宋代《武经总要》记载了火炮火药法火药、毒药烟球火药法火药、蒺藜火球火药法火药等三个火药品种及其配方。元代火药品种已无可考稽。到了明代,军用火药迅速发展起来,其品种繁多,配方各异,我国史籍对此多有记载。其中比较完整记载明代火药品种的要数《火龙神器阵法》、《武编》、《兵录》、《武备志》、《火龙经》、《西法神机》、《火攻挈要》等史籍,其它如《纪效新书》、《城守筹略》等也有关于火药品种的零星记载。据不完全统计,《火龙神器阵法》记载了15个火药品种及其配方,《武编》记载了23个火药品种及其配方,《兵录》记载了40余个火药品种及其配方,《武备志》记载了近50个火药品种及其配方,《火龙经》记载了22个火药品种及其配方,《西法神机》记载了27个火药品种及其配方,《火攻挈要》记载了16个火药品种及其配方。在上述几种史籍中,除去宋代、西方的火药品种和配方及记载中互相重复的外,明代军用火药品种及其配方实际已达90多种[①],其主要门类如下:

(一)化学毒剂

火药中掺杂了有毒有机物或矿物质,当火药燃烧时,产生大量毒气,以杀伤敌人,"贼闻其气,昏眩卧倒,又燎皮肉",杀伤力极大。据《武编》、《武备志》等记载,这类火药配方共有

---

① 不含硝、磺等成分的品种和配方不包括在内,如"火攻从药"、"一炷香"等。

30 余个品种,其中有代表性的品种有:

神火药:干粪　芦花　石黄　柳灰①　雄黄　雌黄　黑砒　艾肭　松香　豆末　银杏叶　巴霜　硝火　硫磺　箬灰

毒火药:川乌　草乌　南星　半夏　狼毒　蛇埋　烂骨草　金顶砒　牙皂　巴霜　铁脚砒　银锈　干漆　干粪　松香　艾肭　雄黄　金汁　石黄　硝火　硫火　杉灰　柳灰　斑蝥　断肠草　姜汁　烟膏　虾蟆油　骨灰

烈火药:银杏叶　豆末　松香　石黄　雄黄　砒信　硝火　硫火　箬灰　桦灰　柳灰　斑蝥　艾肭

飞火药:芦花　松香　豆黄　银杏叶　干粪　皂角末　硝火　硫火　箬灰　桦灰　柳灰　斑蝥　石黄

法火药:良姜　干姜　军姜　胡姜　川辛　胡辛　黑蓼　赤蓼　榆皂　大皂　白信　矿灰　人精　松香　石黄　雄黄　硝火　硫火　箬灰　桦灰　柳灰

水火药:鹏夷鱼油肝及子末半斤　砂授子一斤　邵阳鱼尾四两　土湿地生足多如蠓蝼蛊十两　予脂三两　磺净二十斤　鲇蠓鱼油二十斤　硝净三十斤　蛊蛊二斤　五色蜘蛛一斤　硇一斤　砒半斤　不灰木一斤　矿子石灰一斗　桑霜一斤　荞霜一斤　茄霜一斤　蓼霜一斤　硇砂砒一斤　川乌二斤　草乌二斤

五里雾:硝百斤　磺百斤　炭五十斤　木屑五斗　松香三十斤　鸡粪一斗　狼粪二斤　头发五斤(烧灰)　砒五斤　人粪一斤

神烟:硝火一斤　硫四两　炭三两　樟脑一两　轻粉一钱　阳起石一两　石黄一斤　砒四两

追魂雾:硝火十两　硫火一两　红砒二两　狼粪三两　石黄一两　畜蛇骨二两　孔雀尾一两

万般毒:蛇埋草十两　信十两　蛇含石十两　羊乌三两　狼毒三两　杏仁二两　竹茹三两　大蒜十两　人粪十两　皂角二十两　大戟五两　断肠草五两　钻骨草五两　红商陆五两　血见愁十两　木鳖子三两　巴豆五两　狼粪二十两　斑蝥五两　以上用硝六十五斤,硫十斤,炭十三斤,箬灰三斤及烧酒童便共制三次,最后药末一百三十四两,通共九十六斤十一两。

烂体烟药方②:砒二斤　斑蝥一斤　獐屎一斤　江豚油五斤　磺十斤　石脂二斤　硝二十斤　南星子一斤　硇二斤　茄灰五钱　瓢灰十斤　壁蟳二斤　巴豆二斤

(二)燃烧火药

火药本身是易燃物,但在火药中还掺杂有助燃、易燃的物质,"临风烈焰扬,燃人衣甲,钻人眼","破阵冲风能利害,又烧衣甲及辎粮",③主要用来烧伤敌人,焚烧敌人营寨和辎重。据《武备志》、《火攻挈要》记载,这类火药配方共计有 10 余个品种,其中有代表性的有:

天火球火药方:黑豆秸灰一斤　焰硝半斤　硫磺四两　斑蝥一两　真黄天硫一两六钱

---

① 这里的"灰",当指"存性灰","存性灰"实际上就是炭,下同。参见袁成业等:《我国火药发明年代考》,《中国科技史料》,1986 年(1)。

② 《武编》,卷六记载的烂体烟药方有三十六种成分。

③ 《武备志》,卷一二〇。

对马烧人火葫芦药方:旧文章纸灰(存性)一两　硝一分　硫磺二厘

纸炮火针药方:神惊石半斤　硝四十斤　熏黄一斤　狼筋十斤　巽羽一斤　蠼螋二斤　硇一斤　孔雀尾二斤　砒半斤　鸤鸠肉一斤　砂四两　隐飞鸟十个(鸥共煎油一斤,骨成灰)

蜂窠火药方:乌壁喜窠灰　硝十两　磺八两　灰　嫩柳枝　轻煤　瓢灰　茄秆灰

（三）爆炸火药

火药燃烧时,能够"落地喧天发火光,吐雾吐烟红满寨",主要用来"冲阵劫寨"[1],起爆炸、惊吓、摧毁作用。据《武编》、《武备志》等记载,这类火药共有十五六个品种,其中主要有:

药弹方:柳屑一斤　松香三斤　潮脑二斤　磺一斤　干漆半斤　牙皂一斤　石黄八两　硼砂八两

爆火药[2]:硝四两　硫火三钱　灰八分

炮火药:硝十两　硫六两　胡箤灰三两　石黄一两　雄黄五钱

地雷药方:硝十两　磺三两　胡箤灰二两　石黄五钱　雄黄三钱　硼砂五钱

一母十四子炮药方:焰硝一斤　磺三两二钱　杉灰四两

（四）发射火药

由硝、硫、炭三元体按一定比例组成,不含其它辅助成分,供管形火器(火炮、鸟铳等)及火箭发射使用。据《武备志》、《火攻挈要》等记载,这类火药共有十余个品种,其中主要有:

铳用常药方:硝火四两　硫火一钱　灰一钱七分

铅铳火药方:提净明硝四十两　硫六两　柳灰(或葫灰或茄秆灰)六两八钱

大铳火药方:硝一斤　磺二两　炭三两

鸟铳药方:硝一斤　磺二两四钱　炭二两七钱二分

鸟嘴铳火药方:硝一两　磺一钱四分　柳炭一钱八分

火箭药方:硝一斤　磺四钱八分　灰四两八钱

（五）火绳火药

这类火药制造十分精细,供制造火器引线、火绳使用。据《武编》、《武备志》等记载,这类火药共有8个品种,其中主要有:

药线方:硝四两　磺一两二分　灰一两二钱

埋伏走线药方:硝十两　磺一两　炭三两　斑蝥一两　白砒三钱　潮脑二钱　水马一两

（六）火门火药

这类火药的制造也十分精细,放置于管形火器的火门上,供管形火器发射引燃使用。据《武备志》、《火龙神器阵法》、《火攻挈要》等记载,这类火药共有八九个品种,其中主要有:

方一:硝一斤　磺五钱六分　炭五两二钱八分

方二:硝一斤　磺八钱　炭五两七钱六分

---

[1] 《武备志》,卷一一九。
[2] 《火攻挈要》记载的爆火药有出入。

方三：硝一斤　磺四钱八分　柳炭一两六钱

方四：硝一斤　磺四钱八分　葫芦灰四两八钱　斑蝥四两八钱（只用虫头）

（七）信号药方

供信号发射使用，据《武编》、《武备志》等记载，这类火药共有3个品种，其中主要有：

火信药方：硝一两　葫灰三钱　斑蝥三钱

（八）起火药方

供点燃火器使用，据《武备志》、《武编》、《火龙神器阵法》等记载，这类火药共有五六个品种，其中主要有：

方一：硝一两　硫三钱　密陀僧四分　炭三钱

方二：硝一两　硫三分　炭三钱五分①

当然，这样分类并不是绝对的，有的火药方，既有毒杀作用，也有燃烧作用；有的火药方，既能用来爆炸惊吓敌人，又可烧毁敌人营寨、辎重。透过这众多的火药门类和品种，我们可以看出：

第一，明代火药已形成了一个门类齐备的庞大家族群体。随着社会经济的发展，为了满足频繁战争的需要，经过几百年的发展、研制，到明代，火药已形成了一个门类齐备、用途各异、能够满足各种需要的庞大的火药家族群体。经初步分类，这个火药家族共有八大门类，近百个品种，其中仅大铳（火炮）发射火药有五个品种，鸟铳发射火药有六个品种，火门火药有四个品种，火线药方有三四个品种，而化学施毒火药品种特别发达，达到了数十种。"烟火药""著贼皮立烂，见血封喉"②，糜烂人体皮肤，伤害各部分器官；"毒火药"燃烧后，"贼闻其气，昏眩卧倒，又燎皮肉"③，伤害敌人呼吸器官，引起呼吸困难，发生肺水肿；"追魂雾"施放后，中毒者"七窍流血，其人立殪"④，发生全身中毒而死亡；如此等等。这从一个侧面说明，明代火药确确实实有了很大的发展。

第二，明代火药成分构成呈现多样性。西安出土的元代铜手铳药室里的发射火药，其成分构成中，只有硝石、硫磺、木炭三种，已经去掉了麻茹、竹茹、沥青等十余种辅助成分。到了明代，供管形火器发射用的发射火药、火箭火药以及火门火药、火线火药等，保持了西安出土的元代火药的这种三组分的特点，即只有硝石、硫磺、木炭这三种主要成分。而明代其它门类的火药，除了这些主要成分外，因其火药用途不同，又相应掺进了其它的辅助成分，如，为了向敌方施毒，在"毒火药"中加进了川乌、草乌、狼毒、烂骨草、金顶砒、铁脚砒、巴霜等致毒物；为了焚烧敌方，在"烈火药"中掺进了豆末、箬灰、桦灰、柳灰等物；如此等等。这说明，明代火药成分构成在宋、元火药的基础上，朝两个方向发展：一是保持三组分火药的特点，如火门火药、火线火药、管形火器发射火药等；二是成分构成向多样化趋势发展，如毒火药、烈火药、神火药等，以满足当时频繁战争的不同需要。

二、发射火药组配比率的改进

从上述明代军用火药的品种我们可以发现，在近百种不同的火药品种中，每个品种的成

---

① 以上火药品种及配方见《武编》，卷六，《火龙神器阵法》，《武备志》，卷一一九、一二〇，《火攻挈要》，卷中。
②③ 《武备志》，卷一一九。
④ 《火龙经》，卷上。

分含量,即其组配比率各不相同。

成书于明代初期的《火龙神器阵法》记载有 15 个由硝石、硫磺、木炭等成分组成的火药配方。但是,这些配方中,还没有一种是专供管形火器使用的发射火药。因此,明代初期管形火器发射火药的组配比率,目前尚无有关资料可供考稽。

成书于明嘉靖三十七年(1558年)的《武编》记载说:"黄居硝十分之一为中料,灰同,凡铳炮及鸟铳用之"①。这就是说,铳炮、鸟铳等发射火药的组配比率应是:硝占8/10,硫占1/10,炭占1/10。

成书于明嘉靖三十九年(1560年)的《纪效新书》记载说:"制合鸟铳药方,硝一两,磺一钱四分,柳炭一钱八分。"②这就是说,鸟铳发射火药的组配比率是:

  硝石一两 约占 75.8%
  硫磺一钱四分 约占 10.6%
  柳炭一钱八分 约占 13.6%

成书于明崇祯年间的《西法神机》记载说:"中国又方,大铳药,硝一斤,黄二两,炭三两。又方,硝一斤,黄一两,炭三两。又方,硝一斤,黄二两六钱七分。又方,硝六斤,黄、炭各一斤。又方,硝四斤,黄十二两,炭一斤。"又记载说:"中国鸟铳方五种:一、硝一斤,黄二两四钱,炭二两七钱二分。二、硝一斤,黄八钱,炭二两四钱。三、硝一斤,黄一两一钱二分,炭二两七钱二分。四、硝一斤,黄一两六钱,炭二两七钱二分。五、硝一斤,黄四钱,炭六钱八分。"③根据以上记载,明代天启崇祯年间发射火药的组配比率分别是:

大铳(火炮)发射火药的组配比率是:

方一:硝一斤,约占 76.19%;磺二两,约占 9.52%;炭三两,约占 14.29%。

方二:硝一斤,约占 80%;磺一两,约占 5%;炭三两,约占 15%。

方三:硝一斤,约占 74.98%;磺二两六钱七分,约占 12.51%;炭二两六钱七分,约占 12.51%。

鸟铳发射火药的组配比率是:

方一:硝一斤,约占 75.76%;磺二两四钱,约占 11.36%;炭二两七钱二分,约占 12.88%。

方二:硝一斤,约占 83.33%;磺八钱,约占 4.17%;炭二两四钱,约占 12.5%。

方三:硝一斤,约占 80.65%;磺一两一钱二分,约占 5.64%;炭二两七钱二分,约占 13.71%。

由以上明代各个时期大铳(火炮)、鸟铳等管形火器发射火药的组合配方,可以看出:

1. 明代的管形火器发射火药,都是由硝、硫、炭三种成分组成。因此可以说,出现在元代的三组分的发射火药,到了明代已经完全形成和确立,并一直使用到清末。直到今天,也还有其使用价值。由于发射火药组成成分的单纯(宋代火药配方除硝、硫、炭外,还杂有其它十多种成分),增强了发射火药的威力。

---

① 唐顺之:《武编》,卷六。关于这一点,成书于天启元年(1621年)的《武备志》,卷一一九有类似的记载,但更为明确:"黄居硝十分之一,灰同之为中料,凡铳炮及鸟铳用之。"
② 戚继光:《纪效新书》,卷一五《放鸟铳法式》。
③ 孙元化:《西法神机》,卷下《炼火药总说》。

2. 明代发射火药,特别是《纪效新书》记载的鸟铳发射火药的硝、硫、炭和《西法神机》记载的大铳(火炮)药方一、方三、方四以及鸟铳药方一中的硝、硫、炭三种成分的组合配比,已经比较合理和科学了,有的且已十分接近近现代标准黑火药成分配比(硝占75%,硫占10%,炭占15%),这在当时是非常不容易的,可见明代发射火药的制造水平是较高的。由于发射火药组配比率的科学和合理,这就进一步增强了发射火药的威力。

3. 明代发射火药中,大多数配方的三种成分配比虽然比较合理,但有一些配方,三种成分的组配比率相差较大,如《西法神机》记载天启崇祯年间的大铳(火炮)药方二和鸟铳药方二中的硝、硫、炭三种成分的组配比率,就不尽科学合理,这说明明代发射火药硝、硫、炭三种成分的组配比率还不够稳定,没有形成统一的标准。

由于明代火药组配比率比较科学合理,加上当时火药制造方法和加工工艺的改进,因此,明代火药质量进一步提高,火药性能大大改善,达到了"掌上燃之皮不热","单纸上燃之而纸不燃"的较高水平。①

三、对火药理论的研究和探索

明代,火药不仅在实际应用上有了很大发展,而且人们还开始了对其理论上的研究和探讨。明代的唐顺之、何汝宾、茅元仪和宋应星等曾在这方面进行过有益的尝试,对火药理论的研究和探索做出了一定的贡献。唐顺之《武编》(嘉靖三十七年即1558年刊印)中的《火》、何汝宾《兵录》(万历三十四年即1606年刊印)中的《火攻药性》、茅元仪《武备志》(天启元年即1621年刊印)中的《火药赋》、宋应星《天工开物》(崇祯十年即1637年刊印)中的《火药料》和《论气》以及焦勖《火攻挈要》(成书于崇祯十六年即1643年)中的《火药诸药性情须知》等,都是他们对火药理论研究和探索的真实记录,是关于我国火药理论研究的最早学术论文。其内容归纳起来,主要有:

(一)论述了火药中的硝、硫、炭三种成分的作用和相互关系,强调了硝在三成分中的主导作用

唐顺之在《武编》中指出:"虽则硝、硫之悍烈,亦借飞灰②而匹配……硝则为君,而硫则臣,本相须以有为……烈火之剂,一君二臣,灰硫同在臣位,灰则武而硫则文,剽疾则武收殊绩,猛炸则文策奇勋。虽文武之二途,用输力于主君。"唐顺之又指出:"灰、硝少,文虽速而发火不猛,硝、黄缺,武纵燃而力慢……弃武用文,势既偏而力弱……弃文用武,事虽济而力穷。"③茅元仪在《武备志》中提出了与唐顺之完全相同的看法。④在这里,唐顺之和茅元仪均明确提出并论述了如下观点:

其一,组成火药的成分是硝石、硫磺、木炭,它们各自处于不同的位置,发挥不同的作用,产生不同的效果;

其二,硝石、硫磺、木炭三者之间要互相"匹配",缺一不可,配比要适当。如果"匹配"不当,组配比率不协调,就会发生问题,产生弊端:硝石、木炭偏少而硫磺过多,则火药只能速

---

① 戚继光:《练兵实纪杂集》,卷五。
② 这里的"灰",当指"存性灰",下同。参见袁成业等:《我国火药发明年代考》,《中国科技史料》第七卷,1986(1)。
③④ 唐顺之:《武编》,卷六;又见茅元仪:《武备志》,卷一一九。唐顺之在《武编》,卷六中关于火药的论述,后来被茅元仪收入《武备志》中成《火药赋》。

燃,而发火不猛;硝石、硫磺偏少而木炭过多,则火药虽可以燃烧,但燃速慢且火力弱;缺少木炭或硫磺,则火药就不能充分燃烧或爆炸,失去了火药的应有作用。

其三,将硝石比为君,硫磺、木炭喻为臣,它们之间是君臣关系,反复强调硝石在火药三成分中的主导作用和地位。

宋应星指出:"凡火药,以消石、硫黄为主,草木灰为辅。消性至阴,硫性至阳,阴阳两神物相遇于无隙可容之中。"①又指出:"凡火药,硫为纯阳,消为纯阴,两精逼合,成声成变,此乾坤幻出神物也。"②在这里,一方面,宋应星直接明白地论述了火药三成分中硝、硫、炭的相互关系;另一方面,又假借阴阳学说,指出了硝、硫、炭三成分在"无隙可容"之中"成声成变"的情况,把硝、硫、炭在特定条件下进行反应的道理说得一清二楚。

(二)论述了火药"硝性竖而硫性横"的特性,明确提出了"直击"和"爆击"等新名词

唐顺之在《武编·火》中指出:"硝性竖而硫性横,亦并行而不悖。"③茅元仪后来在《武备志·火药赋》中完全重述了这一观点。④

何汝宾在《兵录·火攻药性》中指出:"硝性主直,硫性主横,灰性主火。性直者主远击,硝九而硫一;性横者主爆击,硝七而硫三。"⑤

宋应星在《天工开物》中指出:"凡消性主直,直击者消九而硫一;硫性主横,爆击者消七而硫三。"⑥

焦勖在《火攻挈要》中指出:"硝性主直,直者利于攻击;硫性主横,横者利于炸爆;炭性主燃,燃者利于喷发。"⑦

上面这四段文字充分说明:

第一,明代已对各类不同性能的火药有了认识,并在理论上作出了解释,如"硝性竖而硫性横"。

第二,在理论上探讨并解决了制造各类不同性能火药的问题,即只要酌量增减硝、磺的含量,例如发射药(直击者)"硝九而硫一",爆炸药(爆击者)"硝七而硫三",这样,便可制成性能不同、用途各异的各种火药。关于这一点,茅元仪说得更明白具体:"黄居硝三分之一或四分之一,灰居硝四分之一为上料,凡纸筒、纸球、梨花竹筒、瓦罐敞口之物,火箭头上及夷炮欲炸者用之;黄居硝三分之一,水火球、烟球用之;黄居硝十分之一,灰同之,为中料,凡铳炮及鸟铳用之。"⑧在这里,茅元仪已明确指出:正是由于硝和硫、炭多种成分的组配比率不同,所以才有纸筒、纸球、梨花竹筒等火器用的爆炸火药,水火球、烟球等火器用的燃烧发烟火药,以及铳炮等火器用的发射火药,由于认识了这一点,明代出现了门类齐备、品种繁多的火药家族群。

第三,明代已明确提出了"爆击者"和"直击者"等新名词。所谓"爆击者"(即"横"),就是爆炸火药;所谓"直击者"(即"竖"),就是管形火器的发射火药。这些新名词的出现,说

---

① ② ⑥ 宋应星:《天工开物》,卷一五《佳兵·火药料》,广东人民出版社,1976。
③ 唐顺之:《武编》,卷五《火》。
④ 茅元仪:《武备志》,卷一一九《火药赋》。
⑤ 何汝宾:《兵录》,卷十一《火攻药性》。
⑦ 汤若望、焦勖:《火攻挈要》,卷中《火攻诸药性情利用须知》,《丛书集成初编》。
⑧ 茅元仪:《武备志》,卷一一九,又见唐顺之:《武编》,卷六。

明人们对火药理论的探索进入了新的阶段。

(三)论述了火药制造方法和加工工艺的重要性。其主要观点有

一是要提纯硝、磺。唐顺之《武编》说:"硝材真正,君明则宜;硝匪其材,主暗取讥。"①茅元仪在《武备志》中重申了这一观点。② 在这里,唐顺之和茅元仪用形象的比喻,明确指出,如果硝石纯正,火药性能就会好;硝石提炼不纯,则火药性能就不佳,强调提纯硝、磺的重要性。茅元仪在《武备志》③、赵士祯在《神器谱》④、孙元化在《西法神机》⑤、焦勖在《火攻挈要》⑥等书中,还详细介绍了提纯硝、磺的具体方法和工艺流程。

二是要讲究火药制造方法和加工工艺。唐顺之说"药不精专,虽多亦少;药能精制,以少为多",高度概括了火药制造加工的重要性⑦。又说:"论其制法,须谙利弊",强调必须掌握正确的火药制造方法和加工工艺。⑧关于这一点,赵士祯进一步强调:不要因为火药制造方法和加工工艺复杂,难度大,技术要求高,"颇觉艰难",因而马虎对待,"了草从事",如果这样,将会"九仞之功亏于一篑"⑨。唐顺之指出:"硫黄粗兮灰易细,文武乖睽,硝研细而黄灰粗,煎熬失味,合药不厌精,碾药不厌细,锤打不嫌多",强调了火药制造和加工工艺中值得特别注意的几个关键问题。⑩茅元仪的《武备志》、赵士祯的《神器谱》、孙元化的《西法神机》、焦勖的《火攻挈要》还详细介绍了火药制造方法和加工工艺流程。

三是要因地制宜,调整硝、磺、炭的组配比率。赵士祯指出:在正常情况下,制造火药的方法,没有什么异同。但是,由于地区有南北之分,气候有燥湿之别,因此,在制造火药时,要因地制宜,因时制宜,斟酌损益,调配好硝、磺、炭的组配比率。一般说来,南方气候潮湿,磺、炭的组配比率要稍高;北方气候干燥,磺、炭的组配比率要稍低。为了说明这一道理,赵士祯举例说:噜密国地处西方,气候干燥,制造火药的组配比率,炭占六两,磺占二两,炭、磺的组配比率稍低;日本国地处海中,气候潮湿,制造火药的组配比率,炭占六两八钱,磺占二两八钱,磺、炭的组配比率稍高。因此,赵士祯强调:中国地区广大,"备料制药",要根据各地不同气候特点,因地制宜,因时制宜,精心调配好硝、磺、炭的组配比率,只有这样,才称得上"用兵得称"⑪。

(四)论述了火药爆炸所产生的空气冲击波及其杀伤力

冲击波,又称"激震波"、"骇波",是由于物体的高速运动或爆炸,而引起诸如水、空气等介质的强烈压缩并以超声速传播的过程。火药爆炸所产生的空气冲击波,早在元代就开始被人们所注意。元至元十七年(1280年),扬州发生炮祸,炮库爆炸,其声"如山崩海啸,倾城骇恐",爆炸产生的"炮风"将楹栋"扇至十余里外。平地皆成坑谷,至深丈余。四比居民二百余家,悉罹奇祸"⑫。这里所说的"炮风",就是爆炸引起的空气冲击波。这是目前所能见到的史籍中关于空气冲击波的最早记载。可见,在元代,我国对爆炸冲击波及其杀伤威力已经有了认识。

---

① ⑦ ⑧ ⑩ 唐顺之:《武编》,卷六。
② ③ 茅元仪:《武备志》,卷一一九。
④ ⑨ ⑪ 赵士祯:《神器谱》"神器杂说三一条"。
⑤ 孙元化:《西法神机》"炼火药总说"。
⑥ 焦勖:《火攻挈要》,卷中。
⑫ 周密:《癸辛杂识》前集《炮祸》。

到了明代，史籍对于爆炸冲击波多有记载。

郑若曾《筹海图编》记载："铜发熕……火药一爇之后，其气能毒杀乎人，其风能扇杀乎人，其声能震杀乎人。"①这里所记载的，就是铜发熕发射时，炮弹爆炸所产生的空气冲击波及其强大的杀伤威力。

明代不但认识到了火药爆炸所产生的空气冲击波及其强大的杀伤威力，而且开始探讨其产生的原因，并且试图解释这种冲击波为什么具有如此强大的杀伤威力。孙元化在他的《西法神机》一书中指出：火炮在铳台上发射产生强烈震动，其原因是"铳气"造成的。这里所说的"铳气"，就是火炮发射时产生的巨大空气冲击波。那么为什么会产生这种"铳气"即空气冲击波呢？它为什么会具有如此强大的杀伤威力呢？孙元化解释说："铳气出口，空气相激，气之动也最捷，故山谷皆答，其近而烈者，则能排墙，能撼石。"②关于这一点，宋应星的观察、认识和研究更比孙元化深入了一步。宋应星在《论气》中指出："惊声或至于杀人者，何也？曰：气从耳根一线宛曲而司听焉，此气出入其口鼻分官，窒则聋，棼则病，散绝则死。惊声之甚者，必如炸炮飞火，其时虚空静气受冲而开，逢窍则入，逼及耳根之气骤入于内，覆胆隳肝，故绝命不少待也。"③在这里，宋应星已明确论述了炸弹爆炸所发出的"惊声"(即空气冲击波)产生的原因及其为什么能够杀伤人，其认识显然比孙元化更深刻了。当然，用现代科学观点来看，孙元化、宋应星的探讨和解释在某些方面还显得比较肤浅和幼稚，还未涉及问题的本质，但在当时能有这样的认识已经是十分了不起了。

明代不但认识到火药爆炸所产生的冲击波的强大杀伤力，而且也知道了如何防备这种冲击波的杀伤。即："故欲放发熕，须掘土坑，令司火者藏身，后燃药线，火气与声但向上冲，可以免死。"④郑若曾所说的方法，就是掘一个大的深坑，人藏在深坑中，这样就可以避开冲击波的杀伤，这种方法直到现在，还有其实用价值。

综上所述，可以看出，明代已多方位、多视角研究和探索火药理论问题了。这些研究和探索，用现在的科学观点来看，对某些具体问题的认识也许是幼稚的甚至是错误的，但是从整体来看，不仅在当时具有开拓性意义，就是现在，仍然具有其科学理论价值。

第二节　火器制造机构、制造人和制造量

我国古代火器发展到明代出现了一个大的飞跃。随着社会经济的繁荣和科学技术的发展，为了满足战争的需要，明政府设立了专门的火器制造机构，负责制造、管理各种火器。明代不仅火器制造数量庞大，品种门类繁多，而且火器形制、性能不断改进，质量逐步提高，形成了我国古代火器发展史上的全盛时期。

一、火铳火炮铭文

明代的火铳火炮等火器，大多都镌刻铭文。⑤ 在火铳火炮上镌刻铭文，并非始于明代，

---

① 郑若曾：《筹海图编》，卷一三。
② 孙元化：《西法神机》"铳台图说"。
③ 宋应星：《论气》。
④ 郑若曾：《筹海图编》，卷一三。又见茅元仪：《武备志》，卷一二二。
⑤ 关于火器的铭文，成东《明代前期有铭火铳探讨》一文多有研究，可做参考。见《文物》1988(5)。

而早在元代就开始了。目前见于报道的元代有铭文的火铳火炮有两件,一件是中国历史博物馆馆藏的元至顺三年铜炮,一尊是中国革命军事博物馆馆藏的元至正十一年铜铳。明代因袭了元代对火铳火炮镌刻铭文的惯例,但比元代有了发展。

明代火炮火铳的铭文,具有重要的史料价值,其内容一般包括:火器制造时间;火器名称;火器重量;火器制造机构;火器制造人;编号;装药装弹量;等等(铭文详见本章第四节表)。

图12 蓬莱出土的碗口炮上的铭文(采自《文物》1991年第1期)

二、火器制造机构

洪武初年,由于明朝封建政权刚刚建立,百业待兴,因此,尚未建立专门的火器制造机构。当时的火器制造由宝源局承担。

宝源局原是朱元璋起兵后在元至正二十一年(1661年)建立于应天府(今南京)的一所冶铸钱币的机构,①洪武初年,兼制火器,永乐时又兼制农具,②嘉靖时还兼造克敌弩等冷兵器,由此可见宝源局是以铸钱为主的一所多功能的综合冶铸制造机构。宝源局制造的火器目前可知的有好几件,例如后面"表二"中序号1的原沈阳博物馆藏江阴卫全字叁拾捌号长铳筒、"表一"中序号1的中国军事博物馆藏的水军左卫进字四十二号大碗口筒、"表二"中序号2的1964年赤城出土的骁骑右卫胜字肆佰壹号长铳筒和序号3的天津电解铜厂拣选的水军右卫胜字肆佰肆拾伍号铳筒等,这些火铳铳身上都镌刻有"宝源局造"的铭文,因此,它们都属宝源局的制品确定无疑。

随着火器需要量的激增,为了加强对火器的制造和管理,洪武十三年(1380年),明政府设置了军器局,"专典应用军器"③,这样,就有了制造火器和管理其它兵器的专门机构。此后,明政府又设置了兵仗局,也是制造火器和其它兵器的专门机构④。除军器局和兵仗局

---

① 《续文献通考》。
② 《明太宗实录》,卷二三,420页。
③ 《明太祖实录》,卷一二九,2 055页。
④ 《明会典》,卷一九二《军器军装一》。

外,当时的鞍辔局也兼做火器。永乐年间,明成祖朱棣迁都北京,军器局(此时鞍辔局已合并于军器局)随之北迁,但兵仗局仍旧设在南京。① 弘治年间,明政府建立盔甲厂和王恭厂,隶属于军器局,王恭厂是主要制造火器的大型军工厂。至嘉靖四十三年(1564年),两厂各类工匠达九千二百余人,根据不同季节,工人分两班制造火器和其它军器。② 由此可见明代火器、兵器制造业的盛况和繁荣。

随着专门造兵机构的设置,明代火器的制造开始由军器局、兵仗局等中央造兵机构垄断,并严禁制造技术外传,严禁硝、磺等主要原材料的贩卖。边镇不准擅自制造火器。因此,明代初期,"私贩硝黄之禁固严,而火器私造之禁尤严。我太祖自平群凶之后,火器收之神机库,库曰神机,言不欲轻泄也。虽边镇总兵,亦不得私藏私置,盖谓此无敌之器,不敢轻用,亦不容人人晓其制度而私相授受也"③。宣德五年(1430年),宣宗朱瞻基敕宣府总兵官谭广:"神铳,国家所重,在边墩堡,量给以壮军威,勿轻给。"④正统六年(1441年),边将黄真、杨洪在宣府独立设立神铳局制造火器,英宗朱祁镇"以火器外造,恐传习漏泄,敕止之"。⑤弘治九年(1496年),明孝宗朱祐樘重申:"神枪神炮,在外不许擅造,遇边官奏讨,工部奏行内府兵仗局照数铸给。"⑥正德六年(1511年),明政府再次重申:"凡盔甲、旁牌、火筒、火炮、旗纛号带,不许私家制造,有故违者,在内拿送法司,在外拿送巡按御史,从重问罪。"⑦可见,明政府一直坚持火器由军器局、兵仗局等中央机构集中制造,不许私造私授,不许边镇擅自制造。

但是,情况也有例外,这里有两点需要指出:

其一,明洪武年间,除中央制造火器外,地方各卫所也可以制造火器。卫所是明代的军队编制组织,洪武元年(1368年),朱元璋"定卫、所官军及将帅将兵之法。自京师及郡县皆立卫、所"。⑧ "系一郡者设所,连郡者设卫。大率五千六百人为卫,千一百二十人为千户所,百十有二人为百户所。"⑨至洪武二十六年(1363年),全国"共计都司十有七,留守司一,内外卫三百二十九,守御千户所六十五"⑨。由于全国卫所的建立,各卫所军队相继装备火器,明政府规定,"凡军一百户,铳十,刀牌二十,弓箭三十,枪四十。"⑪因此,火器需要量大增。这样,当时除中央设置机构制造火器外,明政府还允许各卫所大量制造火器。

明代各卫所制造的火器,到目前为止,已知有铭文可以肯定是由各卫所制造的火铳火炮共计22尊,例如表二中1971年内蒙古托克托县出土的三尊有铭文铜铳,其中序号为4、5的两尊是凤阳行府于洪武十年(1377年)制造的;序号为17的一尊是袁州卫军器局于洪武十二年(1379年)制造的;序号为9的1956年山东梁山县出土的洪武十年(1377年)铜铳,是杭州护卫制造的;表一中序号为7的1977年贵州赫章县出土的碗口筒是永宁局于洪武十一年(1378年)制造的;序号为5的山西省博物馆藏的洪武十年(1377年)铁炮是平阳卫制造

---

① ② 《明会典》,卷一九二《军器军装一》。
③ 王鸣鹤:《火攻答》,载《兵鉴全编》(咸丰二年辑)。
④ ⑤ 《明史》,卷九二《兵四》,2 264 页。
⑥ ⑦ 《明会典》,卷一九三《军器军装二》。
⑧ 谷应泰,《明史纪事本末》,卷一四《开国规模》,196 页。
⑨ ⑩ 《明史》,卷九〇《兵二》,2 193 页,2 196 页。
⑪ 《明太祖实录》,卷一二九,2 055 页;又见《明会典》,卷一九二《军器军装一》。

的;等等。这些火铳火炮实物的铭文说明,洪武初年,全国从南到北,不少卫所都制造有火器。不过,到永乐年间,明政府为加强对火器的控制,收回了卫所制造火器的权力,火器又改由中央集中统一制造。

其二,明正统年间,由于中央造兵机构制造的火器很难满足边镇的不同需要,"或宜于此而不宜于彼,或可以守而不可以攻,大者质重而难于致远,生者日久而多所毁裂"[①]。针对这种情况,大约从正统年间开始,如因特殊需要,经明政府批准,边镇可以自造火器。到正德嘉靖年间,边镇自造火器逐渐增多。崇祯年间,各地制造火器就比较普遍了。例如,正统十四年(1449年),明政府允许四川自造"铜将军"、神铳等火器。[②] 弘治四年(1491年),明政府允许湖广、广西自造"铜将军"、神铳等火器。[③]弘治末年,明政府允许杨一清"市铁募工,于固原铸造如二将军式,分发边城营堡各数枚"[④]。嘉靖年间,明政府允许曾铣在山西三关铸造盏口炮、毒火飞炮等火器。[⑤]正德七年(1512年),明政府允许徐州自造"铜将军"、神铳等火器。[⑥]由边镇和地方自制的火铳火炮实物,已陆续出土或被发现。例如后面表一中序号为10的正德六年铜炮,就是由地方政府制造的。因为正德年间(1506～1521年),明武宗朱厚照不理朝政,宦官刘瑾专权,土地高度集中,农民极端贫困,阶级矛盾激化,农民起义此起彼伏,以刘六、刘七、杨虎、刘惠等为首的农民起义军从山东南下,转战安徽、河南、两湖、江西,给明朝统治者以沉重打击。为了镇压农民起义,汝宁府(今河南汝南)知府毕昭、守御所千户任伦奏请朝廷,经明政府批准,由汝宁地方自己制造火炮,这即是其中的一尊。又例如,表一中序号为48的孟县知县杨希古督造的铁炮,序号为55的总督两广军门熊、岭西道左布政王造的崇祯六年红夷铁炮,序号为57的崇祯九年制造的火炮,都是经明政府批准而由地方政府自造的火炮。不过,对火器的外传,火器私造私授,明政府一直是严格禁止的。

三、火器制造人

明代统治者视火器为"神器",将火器当作克敌制胜的"长技",对火器的制造特别重视。因此,在火器制造方面,建立健全了火器监造人、火器主造人、火器具体制造人这样一种"三位一体"的火器制造人负责制。所谓监造人,大概是指火器制造的主管与负责人;主造人,大概主要负责火器制造的技术指导以及火器制造中的日常管理;具体制造人是指火器的直接生产制造者。这样一种"三位一体"的火器制造人负责制的建立,第一,能够确保火器制造工作的顺利进行。因为火器制造是一项复杂的系统工程,质量要求高,技术要求严,需要投入大量财力、物力、人力,有了这样一种管理体制,就能保证人、财、物的及时到位和协调、调配,使得这一复杂的系统工程按时保质完成。第二,大大加强了火器制造的个人责任制。因为火器制造如果出现质量问题,不仅将危及使用者的性命,而且关系到战争胜败。设立制造人负责制,一旦发生问题,或者出现质量事故,便可直接追查当事人的责任。第三,还作为奖励火器制造人的重要依据。在战争中,如果某种火器制造质量好,性能优良,杀伤力大,击毙敌人多,国家除了奖励火器使用者即参战的官兵外,还要奖励火器制造人。"叙功之法,请于所造器械,各镌铸本人官籍姓氏,后以此器得胜,即查核功级,斟酌部斩事例,造器之人,

---

①⑤ 《明经世文编》,卷二三七,《议收复河套疏》,2 482页。
②⑥ 《明会典》,卷一九三《军器军装二》。
④ 《明经世文编》,卷一一八,《放演火器事》,1 128页。

加实级示酬。"①因此，这样一种三位一体的火器制造人负责制，确实是一种先进的火器生产管理制度，并且对以后的火器生产制造产生了重大影响。

从后面表一、表二所列出的明代火铳火炮铭文来看，洪武初年火铳火炮的铭文中尚未列出制造者，但洪武十年至洪武十八年制造的火铳火炮，其铭文不仅有制造者，有的还分别列出监造者、主造者和具体制造者。监造者多为各卫所的镇抚，主造者由教师、教匠担任，具体制造者有军匠、民匠、铜匠、习学军匠、习学军人等。例如，表二中序号4的1971年内蒙古托克托县出土的凤阳行府制造的铜铳，其铭文中有"监造镇抚刘聚、教匠陈有才、军匠崔玉"等字样，可见监造者（镇抚刘聚）、主造者（教匠陈有才）、具体制造者（军匠崔玉）均有。但有的火器铭文只有主造者和具体制造者，有的则只有监造者和具体制造者，例如表二中序号为11的内蒙古托克托县出土的洪武十年制造的水军左卫铜铳铭文，就只有"教师沈名二"、"习学军人阿德"等字样，表二中序号为16的罗振玉旧藏的洪武十一年铜铳的铭文，就只有"监造镇抚李春"、"习学军匠王直杰"等字样。火器上镌刻监造者、主造者、具体制造者姓名，可大大加强制造火器者的责任心，一旦火器出现质量事故，也可追查惩治；若因制造优良而立了战功，还可以核查奖励"造器之人"，这是确保火器质量的有力措施。

但是洪武之后，从建文、永乐年间起，直至成化、弘治年间，目前能见到的火铳火炮铭文中，却不再有制造者的名字，为什么这期间火铳火炮铭文中不再镌刻制造者的姓名，其原因尚不清楚，但这样一来，火器质量很难得到保证，对火器的生产制造肯定是不利的。因此，到嘉靖、万历年间，火器质量明显下降，严重影响到边防的镇戍。当时的王崇古在《陕西四镇军务事宜疏》中指出，固原各兵营的火器，近来"损失大半"，因此，他向朝廷建议，必须"立法追赔选匠督造"②。万历四十五年五月（1617年），兵部复广东巡按田生金等人上奏条陈中建议："仍将督造及工匠姓名刊于战船火器之上，如遇绽裂炸损，即将工匠及督造之人从重究治。"③因此，明代后期火器铭文中又恢复了镌刻制造者姓名的做法。（可参见表一、表二嘉靖年间火器铭文）

需要指出的是，明代晚期，火器铭文的制造人中，又增加了荐造人、试造人、捐助人、捐助建造人等称谓。荐造人和试造人，大概是进行火器新品种试制时责任人。例如，表一中序号51的崇祯元年铁炮铭文中，就有"抚院标下营造官拓应荐造"、"八达岭正城顺天巡抚都察院王□试造"等字样。而炮身上镌刻捐助人、捐助建造人，则是明朝弘扬忠君爱国精神的一种举措。据史籍记载，天启、崇祯年间，辽东局势极为紧张，为了抗击后金的进犯，徐光启等人出于忠君抗敌的思想，就曾"合议捐赀"，购买西洋大炮。④ 除此以外，还有人捐资铸炮。表一中序号60至63的四门红夷炮，都是崇祯年间卢象升等人捐资铸造的。在铭文中镌刻捐助人姓名，是朝廷对捐资人忠君爱国义举的褒扬和奖励。

四、火器的生产量

明以武功定天下。取得政权以后，却又内忧外患不断，战事频繁。在长期的战争中，明军主要依恃火器作战，视火器为制敌长技。因此，对火器的需求提出了迫切的要求。加之明

---

① 《徐光启集》（上），290页。
② 《明经世文编》，卷三一九，《陕西四镇军务事宜疏》，3 404页。
③ 《明神宗实录》，卷五五七，10 509～10 510页。
④ 《徐光启集》（上），180页。

代社会经济发达,科学技术进步,国库殷实,这就为火器的大量生产制造提供了物质技术保证。再之,我国最迟在明洪武初年开始使用铁制造火炮。由于铁矿比铜矿的储量大,开采容易,因此,铁炮的原料来源广泛。且铁炮的造价比铜炮低廉,一门佛郎机炮,"用铜计费十余金,用铁少亦五六金"①。铁质管形火器的出现,为我国古代火器的发展开辟了广阔的前景。因此,明代火器制造业极为发达,火器的生产量十分庞大。

据《明会典》记载,弘治以前,明中央造兵机构军器局、兵仗局、鞍辔局每三年制造一次火器,其中军器局、鞍辔局每三年生产制造的火器品种和数量是:碗口铜铳3 000个、手把铜铳3 000把、铳箭头9万个、信炮3 000个、椴木马子3万个、檀木槌子3 000个、檀木送子3 000根、檀木马子9万个。② 根据这一记载,如按"定例"每三年制造生产一次火器,那么在洪武元年至弘治十八年(1368～1505年)这137年时间内,先后已经生产制造了45次火器,共计制造生产的火器数量是:碗口铜铳13.5万个、手把铜铳13.5万把、铳箭头405万个、信炮13.5万个、椴木马子135万个、檀木槌子13.5万个、檀木送子13.5万根、檀木马子405万个。由是可知这段时间明代制造生产火器数量之巨。

据《明英宗实录》记载:"戊辰南京兵仗局奏,自宣德八年成造军器火器共244万有奇,而工部下有司所市物料今尚未完,乞令追完,庶不误军需。"③宣德八年(1433年)一年就生产制造军器火器244万余件,其数量实在大得令人难以置信,但这却是史籍记载的事实。

嘉靖二十五年(1546年),兵部侍郎曾铣向明世宗朱厚熜建议整顿军备,发兵收复被鞑靼贵族攻掠的河套地区。在向朝廷的奏折中,曾铣开列出了收复河套所需的各种火器数目:"今欲复套,须备熟铁盏口炮六千位,长管铁铳一万五千把,手把铁铳一万五千把,手把小铁枪二万根,长枪两千根,生铁炸炮十万个,焰硝十五万斤,硫黄三万斤,包铁铅子大小二十五万斤。弓矢盾架,相为表里,庶可鞭挞此胡,恢复故址。"④在《复套条议》中又指出:"欲为复套之举……其每一营共用霹雳炮三千六百杵,合用药九千斤。重八钱铅子九十万个,共重四万五千斤。大连珠炮二百杵,合用药六百七十五斤。重一两八钱铅子四万个,共重四千五百斤。二连珠炮二百杵,合用药六百七十五斤。重一两八钱铅子三万个,共重三千三百七十五斤。手把铳四百杵,合用药一千斤。重一两铅子四万个,共重二千五百斤。盏口将军一百六十位,合用药装就小炮三千二百个,共重四千八百斤。火炮该药一千六百斤。以上一营通共用药一万二千九百五十斤,用铅子一百一万个,重五万五千三百七十斤。二十营共该用火药二十五万九千斤,该用焰硝一十八万八千七百四十六斤。"⑤曾铣收复河套的建议最终虽未付诸实施,但透过曾铣的奏折,可以看出明代火器生产制造潜力之巨大、火器制造数量之庞大。

明代盛行战车,万历三年(1575年),明政府"造车一千二百辆",每辆战车配备"二号佛郎机三架,鸟铳二杆,地连珠二架,涌珠炮二位,快枪一杆"⑥。这一年共制造战车一千二百辆,按每辆战车所配备的火器数字计算,明政府在这一年制造装备战车的火器共计是:二号

---

① 《明会典》,卷六十一《兵四·火器》。
②⑥ 《明会典》,卷一九三《军器军装二》。
③ 《明英宗实录》,卷五三,1 026页。
④ 《明经世文编》,卷二三七,《议收复河套疏》,2 482页。
⑤ 《明经世文编》,卷二四〇,《复套条议》,2 504页。

佛郎机 3 600 架、鸟铳 2 400 杆、地连珠 2 400 架、涌珠炮 2 400 位、快枪 1 200 杆。

万历十四年(1586 年),明朝政府兵部检查各镇关所储备火器火药情况,核实结果是:"在延绥,实在军器火器火炸药共二百一十五万八千三百零,火箭火线药桶缸坛等项四十三万四百二十个条支,铅铁石子三百一十六万三千六百余斤个。在宁夏,实在军器火器共一百一十五万七千六百九十九件,火药火线铅铁石子药袋硫黄焰硝共一百三十六万二千七百四十一斤件。在甘肃,实在军器火器共二百二十九万八千七百一十六件,火药硝黄五万七千三百六十八斤,火线铅铁石子九十七万三千五百五十二条个。在固原、靖虏、临巩、洮岷各道,实在军器火器九十五万二千七百二件,火药料物硝黄三万三千九百一十斤,火线药袋铳子一百一十六万九千一百五件条个,布五千九百一十九丈。又河西关西平凉各道实在军器火器火药火线石子火箭等项共二百三万七千五百有零。"①明廷部分镇关所储存的这些火器火药,从另一个侧面反映出明代火药火器生产制造数量之巨大。

明万历以后,由于后金力量强大,明辽东形势逐渐吃紧。为了加强京城的防卫,明大臣李之藻在《谨循职掌议处城守军需以固根本疏》中向明廷建议:"总计都城九门,重城七门,合备粗细火药三十二万斤。此外应备滚木架六十四座,撞车架三十二座,钉板三百二十扇,生铁炸炮四千八百个,铁蒺藜六万四千个,灰瓶一万六千个。都重城楼角楼箭窗通共一千五百六十眼,上一层用佛郎机,余用鸟嘴夹靶三眼快枪等器,内外城铺舍共二百九十六处,城垛二万七百七十七口,共备大佛郎机一千六百零八架,鸟嘴等铳夹靶等枪共一万一千九百一十三件。虎蹲等炮一千一百八十四位,火箭五十九万二千支,毒弩照垛口之数。"②光京城一城就装备了这么多火药火器,这又从另一个侧面反映出明代火药火器生产制造数量之巨大。

上面通过文献记载探讨了明代火药火器生产制造数量之巨大。除了文献记载以外,我们还可以通过火器铭文来了解明代火器生产数量的情况。由于明代火铳火炮的铭文中,大多数都有编号,一般说来,其编号后面的数字,就表示该件火器的生产量。例如,从表二《明代火铳铭文一览表》中可知:

明代永乐朝的天字号铜铳编号最小的是天字五二三八号,最大的是天字六五八七六号,这说明,永乐朝天字号铜铳至少生产到了 65876 尊,实际生产数字可能不止这些。从表二中还可知,明代宣德元年(1426 年)的天字号铜铳,编号最小的是天字六七二九九,编号最大的是天字七三二九四,这说明,宣德元年天字号铜铳至少生产到了 73294 尊。

从表二中还可得知:明代正统元年(1436 年)的天字号铜铳,编号最小的是天字号九二〇八八,编号最大的是九八六一二,这说明,正统元年天字号铜铳至少生产了 98612 尊。同样,我们还可从表二中知道:嘉靖朝部分佛郎机炮子铳、母铳中子铳编号最小的为胜字二四五一号,最大的胜字六四四三号;胜字号佛郎机母铳编号最小的胜字二五〇六号,最大的胜字三三七〇号。这说明,嘉靖朝仅胜字号佛郎机中样铜铳子铳至少生产了 6443 尊,而胜字号佛郎机母铳至少生产了 3370 尊,实际生产数量可能要大于这些。

从表一铭文中,还发现一个十分有趣的现象:有部分火铳火炮,不但镌刻了该火铳或火炮的生产时间,也镌刻了其从军器库发出装备部队的时间。例如,表二中,序号为 28 的永乐

---

① 《明神宗实录》,卷一七六,3 249 ~ 3 252 页。
② 《明经世文编》,卷四八三,《谨循职掌议处城守军需以固根本疏》,5 327 页。

十二年天字铜手铳后部,镌刻有"居台子二十二号居路石峡隆庆五年领"等字样,这就是说,永乐十二年(1414年)生产的这支铜手铳,到隆庆五年(1571年)才发给兵士使用,可见这支铜手铳在军器库储放了157年。序号为38的永乐十九年天字铜手铳后部镌刻有"皇字二号隆庆三年□运"等字样,这就是说,永乐十九年(1421年)生产的这支铜手铳,到隆庆三年(1569年)才运送到军营供军士使用,在军器库储放了148年。这说明,明代火器不仅生产数量巨大,而且库存量也十分可观,火器的储放时间很长。由此从另一个侧面证实明代火器生产数量实在大得惊人。

由于已有资料有限,有明一代的全部火器生产制造数量已无法统计,但仅从上面这些片断的数字中可以看出,明代火器生产数量之巨、规模之大了。

五、铭文中的其它几个问题

从表一的火器铭文中,还有几个问题需要提及一下。

(一)火器制造时间

明代火铳火炮的铭文,绝大多数都镌刻有制造时间,包括年月,有的还刻有日期。例如,表二中序号为2的1964年河北赤城出土的长铳筒,其铭文有"洪武五年八月吉日"等字样;表一中序号为8的1972年河北宽城出土的铜铳,其铭文有"洪武十八年三月八日"等字样;等等。从明代有铭火铳火炮的时间铭文来看,洪武十年(1377年)、十一年、十二年,每年都生产制造火铳火炮。这说明当时由于战争的频繁,火器需要量大,同时也说明当时火铳火炮等火器的生产制造处于初创阶段,生产制造的随意性很大。而永乐时,只有永乐七年(1409年)、十二年、十九年、二十一年才生产制造火铳火炮等火器。这说明,从永乐年间开始,明代火铳火炮等火器生产制造的计划性已加强,是按照一定的周期性进行的,克服了初期生产制造的随意性。关于这点,《明会典》记载说:"弘治以前定例,军器、鞍辔二局三年一造,碗口铜铳三千个,手把铜铳三千把。"①《明会典》记载的火器生产制造周期时间与铭文反映的生产制造周期时间的长短虽有出入,但两者都说明,明代火铳火炮等火器的生产制造是按计划有周期性进行的。有了制造时间,就便于了解该火器制造的时代及其储存、使用时间的长短。

(二)火器的重量

从表一、表二的铭文可知,明代火器铭文中标注火器的重量,开始见于洪武年间。从建文、永乐至弘治年间,铭文中无火器重量记载。例如,表一、表二中的建文、永乐、宣德、正统、成化、弘治朝各年间的34尊有铭火铳火炮的铭文中,没有一尊的铭文中有重量记载。但是,从嘉靖、万历年间起,一直到明末,火铳火炮的铭文中又恢复了重量记载。铭文中有了重量记载,便于了解该火器的大小。但有些朝的火铳火炮铭文无重量记载,其原因待考。

(三)火器的编号

关于明代火铳火炮的编号,《明会典》有一段记载:"凡火器编号,正统十年题准,军器局造碗口铳,编胜字号。景泰元年,改编天威字。天顺元年,仍编胜字。成化四年题准,手把铜铳编列字。"②根据这一记载,明代火器似乎在正统年间才有了编号,但从传世和出土火器实物的铭文来看,早在洪武年间就开始对火器编号。洪武年间的火铳火炮,中央宝源局制造的

---

① ② 《明会典》,卷一九三,《军器军装二》。

都有编号,如表二中序号为1号的江阴卫长铳筒编为"全字叁拾捌号",表二中序号为2号的骁骑卫长铳筒编"胜字肆佰壹号",表一中序号为1号的水军左卫大碗口筒"进字四十二号",等等;而地方各卫所制造的铜铁火铳火炮,表一、表二中列出的有铭文的共22尊,一尊也没有编号。洪武年间这种中央制造的火铳火炮编号,而地方各卫所制造的火铳火炮不编号的现象,不可能是偶然的巧合,其中原因,需待新的资料获得后才能进一步探讨。表一、表二中永乐年间有铭文的火铳火炮共21尊,其中16尊编"天字"号,如表二中序号为22号的永乐七年(1409年)制造的铜铳编"天字伍仟贰佰叁拾捌号",表二中序号为28号的永乐十二年(1414年)制造的铜铳编"天字叁万肆千陆佰陆号",等等。其它五尊有编"奇字"号的,有编"武字"号的,有编"英字"号的,等等。永乐以后,宣德年间有编"天字"号的;正统年间有编"天字"号的,有编"胜字"号的;成化年间有编"烈字"号的;弘治年间有编"神字"号的;嘉靖年间有编"胜字"号的;万历年间有编"天字"号的,有编"胜字"号的,等等。因此,从明代初期一直到明代末年,火器铭文中都有编号,这种编号,由于各个时期的火器出土实物还不够多,而文献关于这方面的记载又很少,因此,有不少问题还不够明确,但有几点是可以肯定的:

1. 编号的命名,目前见到的有"全"字、"进"字、"天"字、"胜"字、"奇"字、"武"字、"英"字、"功"字、"烈"字、"神"字,等等,从这些字的字义,可以看出当时的人们对火铳火炮带有一种尊崇神秘的感情。

2. 根据文献记载和出土火铳火炮实物,可知明代是按火器品种不同而编号的,例如,正统年间的碗口铳编"胜"字号,成化四年的手把铜铳编"烈"字号,这是按火器不同的品种编不同的号。① 同一种火器,在不同时期也可以编不同的号,如碗口筒炮正统年间编"胜"字号,景泰年间则编"天威"字号,天顺年间又编"胜"字号。② 同时,不同的火器,不同时期也可以编同一种号,如表一中序号为31号的一尊嘉靖二十四年(1545年)制造的铜佛郎机炮编"胜"字号,表二中序号为51号的一尊万历十一年(1583年)铜火铳也编"胜"字号。

3. 火器编号有利于加强对火铳火炮的管理,如某一种火器,只要一看编号,就可以知道这种火器制造数量的多寡。

(四)装填火药弹丸量

在明代,火铳火炮的火药弹丸装填量已经定量化。从史籍记载来看:明嘉靖三十七年(1558年)唐顺之编撰的《武编》,对鸟铳等多种管形火器的弹药装填量,书中尚没有论及。明嘉靖三十九年(1560年)戚继光编撰的《纪效新书》,对管形火器弹药的装填量已开始有了记载,其中记载鸟铳的弹药装填量是:铳口内装几钱铅子,则事先在小竹桶内装几钱火药,铅子和火药等量装填;赛熕铳的弹药装填量是:铳内装铅子半斤,铳的粗腹内的火药"不可过铅子",即火药装填不能超过铅子。③ 看来,《纪效新书》对弹药装填量的量化概念还比较笼统。而隆庆五年(1571年)戚继光撰成的《练兵实纪》,对火铳火炮弹药装填量已有准确的量化记录。例如,无敌大将军的子铳,装火药三升,装铁子六七层;虎蹲炮装火药六七两,

---

①② 《明会典》,卷一九三,《军器军装二》。
③ 《纪效新书》,卷一五。

或装小子百个,或装大子五十个;快枪,装铅子三四钱,火药则事先用竹木筒量好封贮候用。① 到了天启元年(1621年)茅元仪的《武备志》,对火铳火炮弹药的装填量,已有严格的量化要求。例如,威远炮"用药八两,大铅子一枚,重三斤六两;小铅子一百,每重六钱";百子连珠炮,装火药一升五合,装铅弹百枚;千子雷炮,装火药六分,装药铁子二三升;等等②。再以后成书的《西法神机》《火攻挈要》等史籍,对火铳、火炮装填火药弹丸量都有严格要求。为什么火铳、火炮弹药装填量要有严格的量化要求呢? 这是因为,火铳、火炮发射时,如果"药多子轻,则未出腹而化如水;药少子重,则出腹至半途必坠地"③。因此,必须严格按要求控制弹药装填量。

装填弹药时,常使用专门的装填

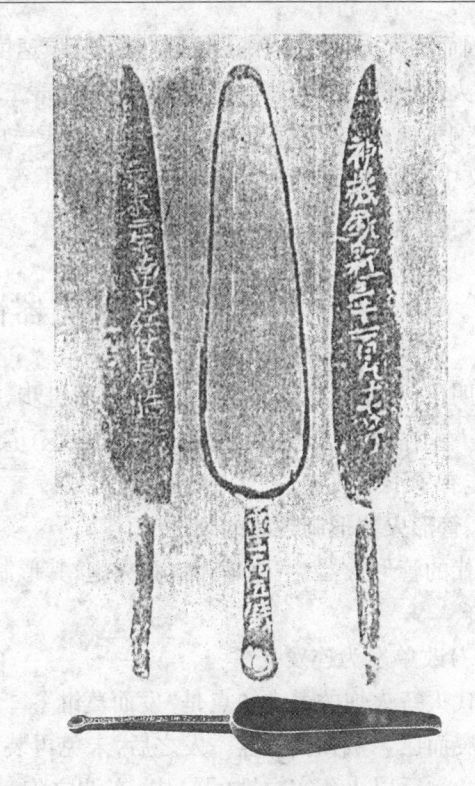

图13　装填火药的药匙(采自《火炮的起源及其流传》)

工具——药升(又称药匙),药升呈撮箕状,两侧前收,前端口部幅宽仅约5毫米,便于插入铳口内,药升柄部刻有该药升的盛装量,因此,药升既是称量火药的量具,又是装填火药的工具;装填时,使装药既方便,称量又准确。一般说来,火铳火炮均配备有装填火药的药升。例如,据《练兵实纪》记载,飞山神炮配备有铁匙子一把;虎蹲炮配备有药匙一个,等等。④ 明代药匙实物,无论传世的或出土的,目前已获得了多件。传世的药匙实物有天字号药匙、胜字号药匙、景泰二年药匙等。⑤ 其中天字号药匙为青铜质,柄部刻有"重二两五钱"、"天字二万三千二佰五十九号"等铭文,根据铭文,该药匙很可能是为永乐七年(1409年)铸造的同号铜铳配备的;景泰二年(1451年)药匙也为青铜质(见图13),药匙右外侧刻有"神机铳匙三千一百九十七号",药匙左外侧刻有"景泰二年南京兵仗局造",药匙柄部刻有"重二两五钱"等铭文,从铭文可知,该药匙是为景泰二年(1451年)南京兵仗局制造的3 197号神铳配备的。出土的药匙实物,最值得一提的是在南京东华门附近出土的"神字二十一号"手铳,该铳附有一枚药匙,药匙柄上刻有"重二两五钱"的铭文。很显然,该药匙即是为此手铳配备的。

为了更方便弹药的装填,到后来,又把弹药的装填量刻在火铳火炮身管上,由于在火铳火炮身管上镌刻了该尊火器的装药量和装弹量,这样,射手一看就可知道该火器该装填弹药

①③　《练兵实纪杂集》,卷五。
②　《武备志》,卷一二二、卷一二三、卷一二六。
④⑤　有马成甫:《火炮的起源及其流传》,134～136页。

多少,因而大大方便了射手,从而提高了装填速度。从表一、表二中可以看出,在炮身或铳身上镌刻火药、弹丸装填量的,共计有五尊,如表二中序号为55号的万历六年(1578年)制造的胜字铜手铳,铭文中有"药六钱"等字样;表一中序号为52号的崇祯元年(1628年)发熕神炮,铭文中有"用药二斤□少分打五六榔头不等木马儿一个二斤重铅子一个或再添一斤铅子亦可"等字样。

第三节 火器性能的改进

在明代,由于社会经济发达,科学技术进步,加之有一批富有求新精神和抱有经世致用思想的人士在西方火器技术的启迪下,孜孜不倦地致力于火器的研制,因此,明代火器的形制、性能有了很大改进。

一、管形火器形制性能的改进

明代的管形火器,主要是火铳和火炮,其形制性能的改进,归纳起来,主要表现在如下几个方面:

(一)改单发为连发

明代火铳火炮的最大缺点是"发而莫继"。于谦在《剿贼纳顺疏》中奏称:"贼之所恃者,弓马冲突而已。贼知我火器一发之后,未免再装迟慢。"[1]万翁达在《置造火器疏》中说:"古炮之制……后以火药实铜铁(器)中,亦谓之炮。至如神机火枪,用铁为矢镞,火以发之,可飞百步之外,皆制之巧者。然皆一发而止,仓卒无以继之。"[2]戚继光根据自己多年的实战经验,指出:"旧有大将军、发熕等器,体重千余斤,身长难移,预装则日久,必结线眼生涩,临时装则势有不及,一发之后,再不敢入药,又必直起,非数十人莫举。"[3]由于这样,敌人常常趁"一发而止,仓卒无以继之"的机会,或者"凡临战阵,必伏其身,俟我火发,闻声之后即冲突而来";[4]或者"佯挑战诱我,或驱所掳掠我中国人先尝,我火器叠发,敌叠为进退,药尽敌冲而前"。[5] 在这种情况下,明代御敌"长技"的火器便失去了优势,明军常在战争中吃败仗。为了克服这种缺点,当时从三方面进行了努力:

一是正统年间发明了两头铜铳、十眼铳一类火炮火铳。据《明英宗实录》记载,正统十四年(1449年),左副都御史杨善奏请兵仗局制造两头铜铳。[6] 这种两头铜铳,每头装填铁弹丸十枚,一头发射后,掉转头来再发射另一头,从而提高了发射速度。另外还有十眼铳,据《武备志》记载,此铳两头一次共计可装填十眼,"十眼装完,自口挨眼,番转关故(放)"[7],能连续施放十铳。此外,像三捷神机、五雷神机铳、八斗铳等,都类似这种铳,如五雷神机铳,其柄上安装有五个铳管,"一铳放后,轮对星门再放",可以连续施放五铳。[8]

---

[1] 《明经世文编》,卷三三《剿贼纳顺疏》,242页。
[2] 《明经世文编》,卷二二三《置造火器疏》,2 343页。
[3] 戚继光:《练兵实纪杂集》,卷五《军器解》。
[4] 《明经世文编》,卷七二。
[5] 《涌潼小品》,卷一二。
[6] 《明英宗实录》,卷一八五,3 691页。
[7][8] 《武备志》,卷一二五。

二是师翱发明了"有机"之铳。对此铳《明史》记载过于简单,《明英宗实录》则有比较详细的叙述:"山西应州民有师翱者,颇有智谋,且能造火铳,其铳柄上有活脱机,顷刻之间可连放三铳,第一铳放药箭七支,第二铳放铁弹子三四十个,第三铳药箭弹子随187,每铳可打三百步外。"①这种铳能"顷刻三发",关键是"有机",即"铁柄上有活脱机",这种"活脱机"的构造,因记载极为简略,无法做进一步探讨,但是,这种铳在提高射速上迈出了关键的一步,当是近代连发枪的雏形,这不但在中国火器史而且在世界火器发展史上都具有重大意义。

三是正德年间,西方的佛郎机铳传入了我国,因此明政府仿照佛郎机铳子铳和母炮分离的特点开始制造后装火铳、火炮。如百出先锋炮、飞山神炮、无敌大将军炮、提心铳等都是后装管形火器。这种后装管形火器,在药室的部位开有一个与子铳大小大约一致的"腹洞",腹洞是供装填子铳用的,腹洞部位与子铳共同起着与前装炮的药室相同的作用。子铳的加入,一来增大了火铳火炮药室抗压强力,二来可轮流装填子铳,大大加快了装填弹药的速度,提高了射速。总之,这种使用子铳和提心后装火铳火炮,是火器发展史上的一个极大进步。例如百出先锋炮,"仿佛郎机炮而损益之也。火器莫利于佛郎机,大率筒长三尺有奇,而小炮则止于五。夫筒之长以局其气,使发之迅也。小炮五,以错其用,使迭而居也。先锋之制,则损其筒十分之六,状若神机而加小炮以至于十,其气可局而用不使有余也;炮可错而用不使不足也。用则系火绳于筒外,而纳火炮于筒内,毕即倾出之,连发连纳,十炮尽则更为之循环无间断也"。② 又如提心铳,"每铳一门,提心有五,即以五卒分携之,一卒即前提之,又入一心,又一卒提之,如此循环至于五心才毕,则头一卒提心制药讫,又来入放,虽继百响不歇可也"。③ 再如无敌大将军,"用子铳三,俾轻可移动,且预为装头,临时卜大将军母体,安照高下限以木枕,入子铳发之,发毕随用一人之力可以取出,又入一子铳"。④ 这种使用子铳和提心分次连续装填弹药的方法,大大加快了火铳火炮的射速。

(二)冷热结合

所谓冷热结合,就是将火器和冷兵器的优势结合统一于一种兵器,一般是在火铳前端或尾部加添带利刃的枪头或刀头。景泰元年(1450年)二月,明兵仗局根据辽东边镇的实战经验,制造了一种手把铜铳,其"柄长七尺,上施枪头,铳尽用枪"。⑤ 这种铳既能用来射击敌人,又能用铳柄上的枪头刺杀敌人,冷热兵器的优势结合于一身,大大提高了战斗力。景泰元年(1450年)八月,真定(今河北省正定)有一种破阵火伞,"其上制枪头,环以响铃,置火药筒三,遇敌举发,其势必能警溃贼马",发射完后,又可以用枪头刺杀敌人马。⑥ 很显然,这种破阵火伞,也是将冷热兵器的优势有机地结合起来了。嘉靖二十五年(1546年),明兵仗局制造了一种百出先锋铳,这种铳"末有锐锋如戈形,无耳,长六寸,以代铁枪之用,远击近刺,其用博矣"。⑦ 这种铳在作战中,不仅能够连发射击敌人,还能当刀或枪砍杀和刺杀敌

---

① 《明英宗实录》,卷一九五,4 140~4 141页。
② 《明经世文编》,卷二二三《置造火器疏》,2 343页。
③ 《西园闻见录》,卷六九《车战》。
④ 《练兵实纪杂集》,卷五《军器解》。
⑤⑥ 《明英宗实录》,卷一八九,3 887页~3 888页;又见《明史》,卷九二《兵四》,2 264页。
⑦ 《明经世文编》,卷二二三《置造火器疏》,2 343页;又《明会典》,卷一九三《军器军装二·火器》。

人。《武备志》记载的"夹把铳",其"头安铁叉,将铳夹束两旁",既能射击敌人,又能刺杀敌人(图14)。① 总之,这类冷热结合的火铳,都是在其顶端或柄的尾部装置了在近距离可以肉搏拼刺的戈形、刀形或枪形的锐锋。这种火铳,实际上是近代带刺刀步枪的雏形。除了这种冷热结合的火铳外,还有另外一类冷热结合的兵器。例如铁棒雷飞炮,约"长尺许,上广下窄",敌远则用来射击,敌近"则挥为铁棒,连铠甲槌挞之"②。又如击贼砭铳,用铁打造,铁管长三尺,柄长二尺,其"弹能击贼,其铳又能打贼,其器械一器而两用,最利者也"③(图15)。这类冷热结合的火铳,则是一器二用了。

(三)增大抗膛压强度

所谓膛压,就是指管形火器药室里火药迅速燃烧所产生的气体对药室壁部及管身壁部的巨大压力。最迟在元代,人们就已经开始设法增大管形火器的抗膛压的强度。对于小型的铜火铳,采取加大管壁厚度,并在铳管上加铸多道加固箍的办法以增大铳管抗膛压强度。例如元至正十一年(1352年)铜铳,其铳身身管加铸了五道加固箍。对于较大型的碗口铜炮,由于炮身药室装火药较多,燃烧时所产生的膛压大,为了不使炮身炸裂,则将炮口做成喇叭状的敞口,这实际上也是控制膛压的一种方法。

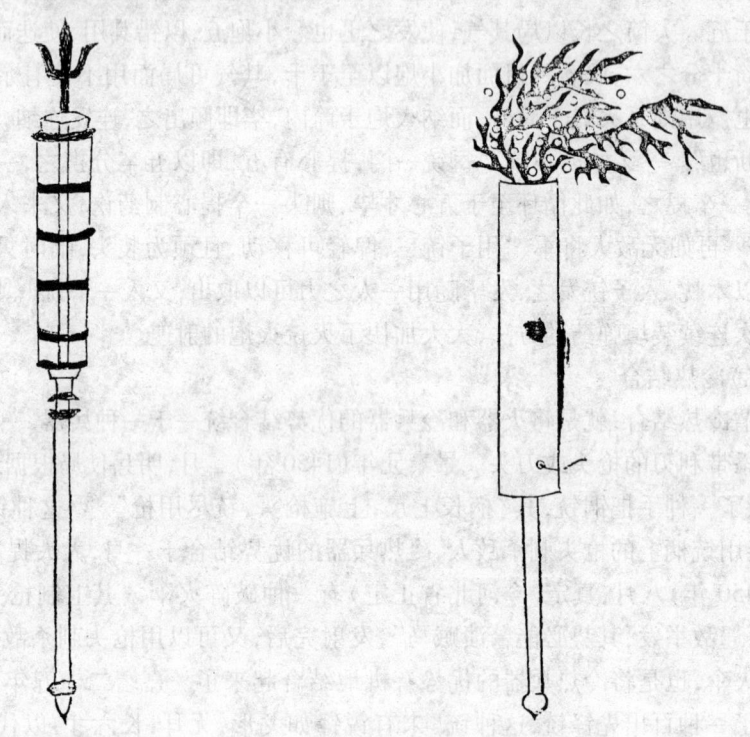

图14 夹把铳(采自《武备志》,卷一二五)　　图15 击贼砭铳(采自《武备志》,卷一二五)

---

①③ 《武备志》,卷一二五。
② 《明会典》,卷一九三《军器军装二·火器》;又《明经世文编》,卷二二三《置造火器疏》,2 344页。

图 16　四箍凸腹式铁炮实物及剖面图（采自《文物》1986 年第 7 期）

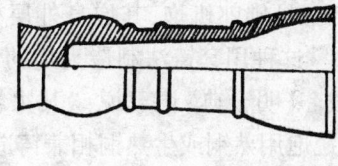

图 17　明洪武八年大炮筒实物及剖面图（采自《文物》1991 年第 1 期）

　　到了明代，人们对膛压的认识进一步深化，抗膛压的方法进一步改进，因而引起管形火器造型上的诸多变化。明代初年，小型火炮大多因袭了元代的造型，没有多少变化。但是，较大型的火炮则有了改进，其装药处稍微隆起，管壁较厚，且炮身身管加铸了加固箍，例如中国革命军事博物馆藏的洪武五年大碗口铜炮、贵州赫章县出土的洪武十一年碗口铜炮、山东冠县出土的洪武十一年"海"字碗口铜炮等，都是这种形制。洪武中后期，较大型的火炮中，出现了另一种形制，即炮身为一长形的直筒体，其身管铸有多道加固箍，炮口去掉了喇叭状的敞口，其口径内径与药室大小一样，例如山西博物馆馆藏洪武十年平阳卫制造的铁炮和 1972 年河北宽城出土的洪武十八年永平府造的铜炮，都是这种形制。从喇叭状的敞口变成直筒体，说明当时人们对火炮抗膛压强度的认识已发展到一个新的水平，因为喇叭状的碗口筒火炮，膛压小，发射时弹丸散而无力，射程近；而直筒体的火炮，则膛压相对要大，发射时弹丸相对集中，射程远。这种直筒体火炮，奠定了我国古代火炮形制的基础，以后各个时期的火炮，都是在这种直筒体形制的基础上发展起来的。

　　到天启、崇祯年间，这种直筒体火炮又吸收了西方制炮的某些优点，制造时以口径大小按比例推算出炮身各部位的大小。孙元化在《西法神机》中说："凡铸造战铳用弹一斤之上者，止论铳口空径几何。"[①] 关于这一点，汤若望、焦勖的《火攻挈要》说得较为具体：制炮时，"必依一定真传，比照度数，推例其法，不以尺寸为则，只以铳口空径为则，盖谓各铳异制，尺

---

① 《西法神机》，卷上《铸造大小战铳尺量法》。

寸不同之故也。惟铳口空径,则是就各铳论,各铳以之比例推算,则无论何铳,亦自无差误矣。"①这样,制造出来的炮,各部分比例协调科学,从而抗膛压强度等诸多方面都有进一步提高。

在明代,除了改进管形火器的形制以增大抗膛压强度外,人们还采用套铸的办法来增大火炮火铳的抗膛压强度。所谓套铸,就是在冶铸火炮时,内层铸铁,外层铸铜,从现代断裂力学的观点看,这种分层铸造结构有助于防止裂纹的传布,比整体铸造的强度要高,这样火炮的抗膛压强度就会大大增强。这种用套铸方法制成的火炮,近年已有出土。② 例如,1978 年辽宁省辽阳蓝家公社蓝家堡子村出土的六二七四号和六四四三号佛郎机炮,其炮身外层为铜,炮身内层为铁管。③ 这种用套铸法制造火炮的情况,文献中也多有记载。《明会典》记载说:"凡火器成造,永乐元年奏准,铳炮用熟铜或生熟铜相兼铸造。"④《明史》记载说:"制用生熟赤铜相间。"⑤《天工开物》记载说:"信炮、短提铳等用生熟铜兼半造。"⑥《西法神机》记载说:"铳有用铜者,有生铁者,有熟铁者,有铜铁相兼者,或铸或椎。"⑦

在注重管形火器形制上的改进的同时,在冶铸时,人们十分注意材料的选择。《明史》记载说:制造火铳火炮,"其用铁者,建铁柔为最,西铁次之"。⑧《西法神机》记载说:火炮"生铁做则易炸,非广中出矿初炼者不可。用铜铸,用红铜不用黄铜,黄铜质杂易炸也"。⑨ 由于采取了这些措施,明代火铳火炮的抗压强度大大增强了。

(四)安装瞄准装置

明代前期,火铳火炮都无瞄准装置,发射时命中率较低。为了提高火铳火炮发射的命中率,约在明中叶以后,火铳火炮身管上大多安设了瞄准装置。明代

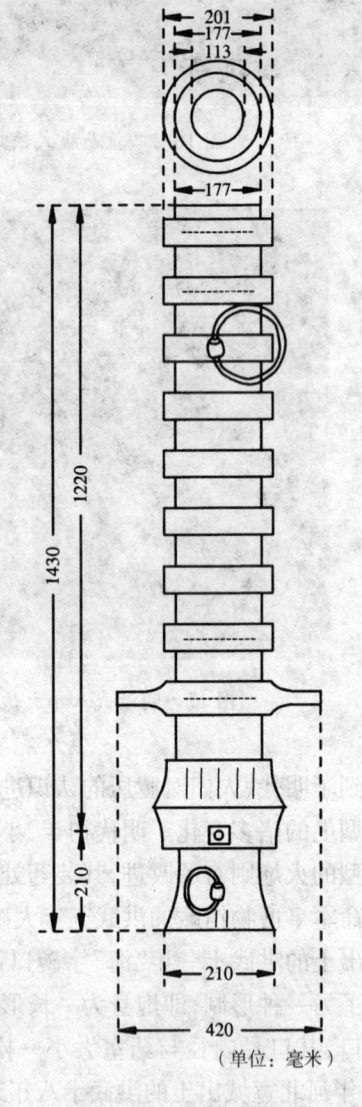

图 18　万历二十年天字铁炮剖面图
(采自《火炮的起源及其流传》)

---

① 《火攻挈要》,卷上《铸造战攻守各铳尺量比例诸法》。
② 关于套铸法,承蒙北京钢铁学院冶金史研究室丘亮辉先生赐教,深致谢意。
③ 杨豪:《辽阳发现明代佛郎机铜铳》,《文物资料丛刊》,1983(7)。
④ 《明会典》,卷一九三《军器军装二·火器》。
⑤⑧ 《明史》,卷九二《兵四》,2 264 页。
⑥ 宋应星:《天工开物》,卷一五《佳兵·火器》。
⑦⑨ 孙元化:《西法神机》,卷上。

火铳火炮的瞄准装置有两种类型。一是在火铳身上画上界线。涂宗浚在《奏报阅视条陈十事疏》中说:"将三眼枪改为单眼枪,其铁筒改长二尺余,界线测房。"①余懋衡在《敬陈边防要务疏》中说得要详细些:"若以三眼枪改为单眼枪,其铁筒旧长一尺改为二尺余,于铁筒上界一直线,凭线望房发之,所中必多。"②余懋衡对界线已讲得很清楚了,就是在火铳身管上刻画一条直线,发射时,射手凭这条直线对准所射击的目标,这样就能使命中率提高。二是在铳炮身管前加照星,后设照门,从照星孔内进行瞄准,"千步外皆可对照"。③据史籍记载,明代的鸟嘴铳、百子佛郎机、万胜佛郎机、大样铜铁佛郎机、威远炮、红夷炮、神飞炮等,都安装了瞄准装置。发射时,"用手托后尾,眼看后照星对前照星,前照星对人舟"。④这样,大大提高了铳炮的命中精度。到明末,又开始使用铳规,"无论各样大铳,一经此器量称,虽忙迫之际,不惟不致误事,且百发百中,实由此器之妙也"。⑤铳规的使用,更进一步提高了铳炮的命中精度。

（五）安装防止后坐、易跃伤人装置

火炮发射时都会产生强大的后坐力,如若把持不住,有时还会向左右乱跳,或侧翻过来,严重危害着炮手本身和自己的人马安全。戚继光指出:"国初在边,方有所谓三将军、缨子炮者,近时有所谓毒虎炮者,固亦利器,但体轻易跃,每放在二三十步外,我军当放此炮时,必出营壁前至炮所,则营墙大小炮火皆不敢发,发之适足以中放炮之人耳。"⑥《天下郡国利病书》记载说:"旧车有骡驼灭寇炮,安营拒敌,临时方入药,掘土安炮,高下无法,退坐丈余。"⑦为了克服火炮这种后坐力大、跳动厉害、容易伤及炮手安全的缺点,人们便根据不同类型的火炮进行不同的改进,有的在炮身上钉上铁爪,有的则在炮车上安装铁锚。虎蹲炮"火发易跃",因此发射时"二爪钉后,用双爪尖绊在下四箍后,将前爪上活箍与后绊俱各抵炮身实箍之肩,庶不退走,此炮只去人五寸无虑矣"。⑧攻戎炮则"上带铁锚四口……欲攻贼……炮口朝向敌,车辕向后,铁锚爬地上向前,以土覆住,卒遇紧急,只用四锚覆土中亦善"。⑨目的都在于固定炮身,这样改进后,火炮发射时就比较稳固和安全了。

（六）改进发火装置

从目前出土的洪武年间的火铳火炮来看,其药室中部都有一个小孔,这就是点火孔。永乐以后,火铳火炮的点火孔上大多铸有一个长方形火药槽,火药槽上安装有火门盖,可开可闭。看来,永乐年间的发火装置显然比洪武年间的发火装置有了进步,它能防止风吹散点火药和雨水打湿点火药。这种安装有火药槽和火门盖的火铳近年多有出土。例如1981年内蒙古克什克腾旗出土的永乐十三年"功"字号铜铳,⑩1978年辽宁省辽阳出土的嘉靖二十年铜佛郎机铳,⑪都有这种装置。史籍对这种火药槽和火门盖也有记载。例如,《武备志》记载

---

① 《明经世文编》,卷四四八《奏报阅视条陈十事疏》,4 929页。
② 《明经世文编》,卷四七一《敬陈边防要务疏》,5 175页。
③④⑧⑨ 《武备志》,卷一二二。
⑤ 《火攻挈要》,卷上《装放大铳应用诸器图说》。
⑥ 戚继光:《练兵实纪杂集》,卷五《军器解》。
⑦ 《天下郡国利病书》,卷六《北直五》。
⑩ 刘志一:《内蒙古克什克腾旗出土明代铜铳》,《文物》,1982(7)。
⑪ 杨豪:《辽阳发现明代佛郎机铜铳》,《文物资料丛刊》,1983(7)。

威远炮有:"威远炮,高二尺八寸……火门上有活盖,以防阴雨。"①

不过,这些火铳火炮的火门装置虽然有了改进,但是发射时仍使用火绳点火。嘉靖年间,鸟铳传入中国,因此,发火装置和发火方法又有了新的改进。戚继光在《练兵实纪》中说:"以指勾机,则火自然入药而铳发矣。"②关于鸟铳的发火装置,戚继光说得较简单,而赵士祯在《神器谱》中讲得比较详细具体,并对火门和龙头轨绘制了分解图形。赵士祯说:"盛药池宜稍深,多贮发药为妙……上著铜盖,以便装发药时摇入火眼。"又说:"龙头轨,机俱在床内,捏之则落,火燃复起。"③十分清楚,这种鸟铳的发火装置,已由火绳点火发展为火绳枪机发火。明代末年,鸟铳等火器的发火装置又有了进一步的改进。毕懋康《军器图说》中的"自生火铳",已不是用火绳发火,而是改用燧发枪机发火了。宋应星在《天工开物》中指出:"鸟铳……发药不用信引(岭南制度,有用引者),孔口通内处露消分厘,捶熟苎麻点火。左手握铳对敌,右手发铁机逼苎火于消上,则一发而去。"④看来,这也是燧发枪机发火。这样,一方面提高了鸟铳的射速和命中精度,另一方面也大大提高了发火装置的防风雨的能力,鸟铳的性能得到了进一步改进。

图 19 噜密鸟铳发火装置图(采自《神器谱》)

(七)改进托、架、车

《明史》记载说:神机枪炮"大小不等,大者发用车,次及小者用架、用椿、用托"。⑤ 一般说来,明代小型的管形火器如火铳等,大都是在其后尾装柄,以利于持握发射。装柄形式有两种,一种是其后尾有銎,銎口大里小,木柄装入銎内,射手手持木柄发射;另一种是后尾呈扁尖形,楔入木柄内,射手同样手持木柄发射。不过后一种装柄方式较为少见。例如1978年辽宁辽阳出土两尊明代三眼铁铳,其中一尊就是扁尖柄尾。⑥《武备志》记载的神枪也是这种装柄方式,"底后余铁打成尖钉,装上木柄"。⑦ 鸟铳传入我国后,小型管形火器如火铳等的装柄方式有了改进,"将木一条,配其长短雕成一床,后剩七寸为柄",然后将铳身嵌入床内。⑧ 这样装柄,"以有木为托,即有腹炸,不能伤手,方敢加手于木"。⑨ 可见,这种装柄方式,对射手来说,已安全方便多了。

---

① 《武备志》,卷一二二。
② 戚继光:《练兵实纪杂集》,卷五《军器解》。
③ 赵士祯:《神器谱》。
④ 宋应星:《天工开物》,卷一五《佳兵·火器》。
⑤ 《明史》,卷九二《兵四》,2 264 页。
⑥ 杨豪:《辽阳发现明代佛郎机铜铳》,《文物资料丛刊》,1983(7)。
⑦ 《武备志》,卷一二五。
⑧ 《武备志》,卷一二四。
⑨ 戚继光:《练兵实纪杂集》,卷五《军器解·鸟铳解》。

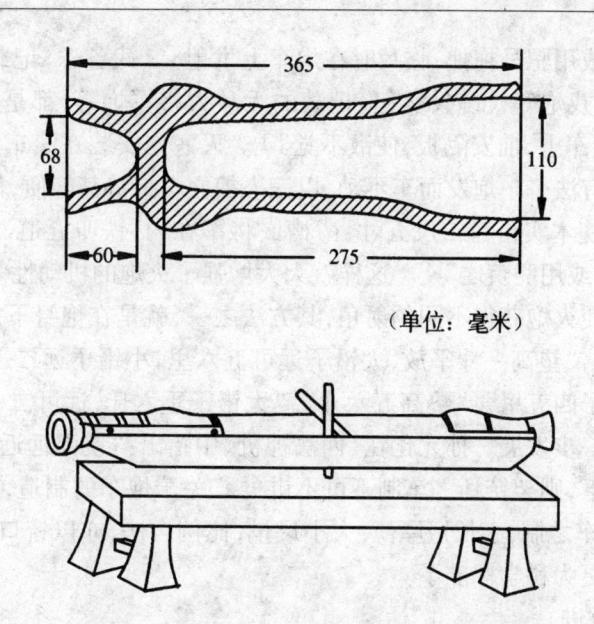

图 20　明洪武五年造大碗口筒剖面图及装置图(采自《文物》1952年第3期)

　　中型火炮一般采用架。明代初年,大碗口筒炮等一类火炮是嵌装在一条大木板上的两头,大木板又安装于长板凳上,上面装有活动轴可以旋转。发射时,发射完了一头,只要转动活动轴,又可以发射另一头。何汝宾《兵录》对此记载有:"碗口铳,用凳为架,上加活盘,以铳嵌入两头,打过一铳,又打一铳"①,说的就是这种炮架。后来,明代火炮又使用"搭木为架"的木架炮架。《武备志》记载的佛郎机炮、百子连珠炮、飞云霹雳炮、轰天霹雳猛火炮、毒雾神烟炮、八面旋风吐雾轰雷炮和《天工开物》记载的神烟炮、神威大炮、九矢钻心炮等火炮,②都是采用这种木架炮架。为了使火炮能左、右、低、高发射,炮架上都安装有"机",这种"机"可能就是活动转轴一类的装置。有了这种装置,火炮就能向左右不同方向发射了。如何解决可低可昂发射呢？这个时候火炮一般有了炮耳,如果没有炮耳,可以"垫木低昂"③或"以木枕之高下"④,这样就能构成高低不同的射角。例如百子铳,"载以木架,夹持之俾不动。然木架有机,欲东则东,欲西则西,欲仰则仰,欲俯则俯"⑤。又如明嘉靖年间制造的一种有"木架"的佛郎机炮,"其机活动,可以低,可以昂,可以左,可以右"⑥。此外,像百子连珠炮,"坚木为架,八面旋转";轰矢霹雳猛火炮,"搭木为架,四面齐发"⑦,等等,都是这种炮架。

　　明代还有一类大型火炮,其"身长难移"⑧,十分笨重,行动非常不便。为了增大这类火炮的机动性,人们又创制了比较完整的炮车炮架。这种炮架的架身像车身,下面安装有双轮、三轮或四轮,因此史书又称"双轮车"、"三轮车"、"四轮车"。将火炮安装在炮车上,行

---

① 何汝宾:《兵录》,卷一二。
② 《武备志》,卷一二二至一二三;《天工开物》,卷一五《佳兵·火器》。
③ 《天工开物》,卷一五《佳兵·火器》。
④⑧ 《练兵实纪杂集》,卷五《军器解》。
⑤ 《明经世文编》,卷四七一《敬陈边防要务疏》,5 175页。
⑥⑦ 《武备志》,卷一二二。

军时用人力推拉,或用骡马拖拽,临敌时在炮车上发射。《武备志》记载的铜发熕、叶公神铳车炮、千子雷炮、攻戎炮等,《练兵实纪》记载的无敌大将军炮等,都是炮车炮架。如千子雷炮,"用铁箍于四轮车上,前安隔板,使敌不觉"①。灭寇炮安装在滚车上,这种滚车"载灭寇炮三函,高下安置有法……炮发而车不动,以三人拽之……势甚轻便,似为火器长技"②。攻戎炮的炮车以"榆槐木实箱起二尺五寸,凿槽嵌将军在内,铁叩五道,车下安二轮……如行兵,随用骡马拽之,或用驼负之"③。这样就大大增强了火炮的机动性。这类炮车,要使火炮可低可昂发射,即使火炮获得不同的射角,其方法之一,就是在炮身下加垫"木枕"。例如威远炮安装在炮车上,"垫高一寸平放,大铅子远五六里,小铅子远二三里。垫高三寸,大铅子远十余里,小铅子四五里","垫高五六寸","大铅子重六斤,远可二十里"。④ 到天启崇祯年间,炮车有了进一步发展。孙元化在《西法神机》中指出:"铳弹远近,全赖铳口低昂;铳口低昂,复凭铳尾高下,则架铳耳之车制不可不讲矣。"关于炮车的制造,汤若望、焦勖在《火攻挈要》中指出:"铳车之制,必长短厚薄,大小尺量,比例合法,亦以铳口空径为则。"⑤可见明代末年,炮车制造更为科学标准了。

(八)炮弹的改进

我国古代火铳、火炮等管形火器发射的弹丸,按弹丸的制作材料分,有石弹、泥弹、铁弹、铅弹、铜弹等;按弹丸的形状分,有圆形、长形及箭镞形等;按炮弹的体内状态分,有实心弹和空心爆炸弹等。明代炮弹的改进,主要表现在:

第一,空心爆炸弹的使用。15世纪以前,我国古代火炮等管形火器发射的弹丸全部为实心弹。这种实心弹穿透力强,利于攻坚,但由于其横击面小,杀伤范围窄,因此威力受到一定的影响。最迟在15世纪末、16世纪初,我国部分火炮开始发射空心爆炸弹。据《明会典》等史籍记载,嘉靖四年(1525年),明政府制造了一种毒火飞炮,发射的炮弹——生铁飞炮,就是空心爆炸弹。这种空心爆炸弹,内装砒硫毒药五两,发射时,炮弹被打出二百步外,"爆碎伤人"⑥,这是目前从史籍上所能找到的我国最早发射空心爆炸弹的确切记载。除毒火飞炮外,明代还有毒雾神烟炮⑦、八面旋风吐雾轰雷炮⑧等也发射空心爆炸弹。空心弹相对实心弹而言,其横击面宽,杀伤半径大,杀伤威力加强。因此,空心爆炸弹的出现,是我国炮弹发展史上的一个重大改进,具有重要意义。

第二,"提心"、"子铳"等炮弹的问世。在此之前,我国古代火炮发射的石弹、铁弹、铅弹、空心爆炸弹等,发射火药和弹丸都是分开装填,这样费时长,射速慢,容易贻误战机。为了克服这种缺点,提高火炮射速,明代便制作了将火药和弹丸预先装填在一起的"子铳"(又称"子炮")和"提心"一类的炮弹。戚继光在《练兵实纪》记载无敌大将军炮的炮弹说:"亦用子铳三,俾轻可移动,且预为装头。"⑨《西园闻见录》记载天启年间南直巡按易应昌研制

---

① ③ ⑧ 《武备志》,卷一二三。
② 《天下郡国利病书》,卷六。
④ 《武备志》,卷一二二。引文中火炮的射程远近问题,请参阅刘旭:《中国古代火炮史》中的"射程"章,193~203页,上海人民出版社,1989。
⑤ 《火攻挈要》,卷上《制造铳车尺量比例诸法》。
⑥ 《明会典》,卷一九三《军器军装二·火器》;《续文献通考》,卷一三四《兵十四》。
⑦ 《武备志》,卷一二二。
⑨ 戚继光:《练兵实纪杂集》,卷五《军器解》。

的提心铳的炮弹有："每铳一门，提心有五。"①这种把散装的发射火药和弹丸预先联成一体的"子铳"、"提心"，实际上是近现代新式炮弹的先声和雏形，这是我国炮弹发展史上的又一重大改革。

二、爆炸火器形制性能的改进

明代除管形火器形制性能得到改进外，爆炸火器形制性能也有改进。爆炸火器门类很多，在这里，我们主要探讨一下地雷、水雷的形制性能的改进问题。

（一）地雷

地雷一般由雷壳、装药、引爆装置构成。关键部位是引爆装置。明代地雷的引爆装置，有藏伏火种和钢轮发火等几种。《渊鉴类函》引《兵略纂闻》记载说："曾铣在边，又制地雷。穴地丈许，柜药于中。以石满覆，更覆以沙，令与地平。伏火于下，可以经月。系其发机于地面。过者蹴机，则火坠药发，石飞坠杀人。敌惊以为神。"②这里所说的就是采用藏伏火种引爆地雷。这种藏伏火种引爆装置的构造，《武备志》有详细记载："火种用乌盆盛，放于炮上。药线总盘于上，相近火种。其乌盆连于枪刀杆上……提机关，火种倒在药线上，众火齐发，声若霹雷。"③但是，这种藏伏火种引爆装置的有效使用时间一般只能"经月"，不能持续很久，过了一定的时间，火种燃完，地雷便失去效力而成了废雷。如果要使地雷继续具有爆炸效力，必须重新添加"种火物料"④，十分麻烦费事。为了克服这些弱点，明代又发明了钢轮发火引爆装置。万历八年（1580年），戚继光镇守蓟州时，就制造"钢轮发火"引爆装置的地雷防守边镇。《戚少保年谱》记载说："万历八年庚辰……制自犯钢轮火。沿边台城之下，择自平坦房可集处，掘地，埋石炮于内。中置一木匣，各炮之信总贯于匣中，而匣底丛以火药。中藏钢轮，并置火石于旁，而伏于地上。虏马踏其机，则钢轮动转，火从匣中出，诸炮并举，虏不知其所自。"⑤这种钢轮发火装置的构造，《武备志》做了详细说明："匣长一尺五寸，阔七寸，匣底中出一孔，听穿坠绳石之用，将木栓二根，做架一个，镶定木匣在于地潭上，与地相平，其匣每头凿眼二个，以通发药，药线桁条之脉，匣中两旁直处爆线路二条，装放铁闸板，其闸板四块，先将二块从线路放下，闸板上锉一缺口，架上钢轮横条，又将二块板下锉一缺口，合上钢轮，下镶嵌火石轮条，中间要一个小钉，可滚石绳，匣中放妥盖好，匣底眼内透出绳头，下系千斤石一块，此石用木相抬住，衬于匣底之下，板下有潭深丈余尺，板之两头，一头用绳系牢，一头听拴铁销，销后有圈，以绳系定，引出在外，或使人扣栓，或以物诱贼自犯，扯出铁轨，木板自下，千斤石从空坠下，钢轮转动，石上火起，发药尽燃，分散各处，桁条炮石蒺藜冲飞。"⑥很显然，钢轮发火引爆装置比藏伏火种发火引爆装置要先进得多，埋雷后不受时间长短的限制，并大大提高了地雷引爆的准确性和可靠性。由此，明代中后期的地雷大多采用钢轮发火，如炸炮、自犯炮、地雷炸营、万弹地雷炮，等等。⑦

（二）水雷

所谓水雷，就是布设在水中的爆炸火器，其关键部位是发火装置。嘉靖二十八年（1549年），唐顺之辑成《武编》一书，书中记载了一种"水底雷"，其构造是："水底雷……用大木作

---

① 《西园闻见录》，卷六九。
② 《渊鉴类函》，卷二一三《武功部》八、《火攻》三。
③④⑥⑦ 《武备志》，卷一三四。
⑤ 戚国祚等：《戚少保年谱》，卷一二。

箱,油灰粘缝,内宿火,上用绳拌,下用三铁锚坠之。"①很清楚,这种水底雷的引爆装置是采用"绳拌",即用拉线由人工操纵拉发引爆的。不过,由人工拉发引爆水雷费时,很不方便,且容易暴露目标,同时还要受地域的限制,例如此雷在广阔的江面和海域中因拉线不能过长而无法布设。为了克服这些缺点,人们设法改进引爆装置,于是,比较先进的信香引爆的水雷应运而生。天启元年(1621年)辑成的《武备志》中记载了一种水雷——水底龙王炮,采用的就是信香引爆装置。关于这种装置的构造,书中记载说:"其机巧在于藏火,炮上缚香为限,香到信发","炮从水底击起,船底粉碎"。②很显然,这种信香引爆的水雷,可不用人工操作,不受地域限制。不过,用信香控制引爆时间,很难做到准确,容易贻误战机。针对这种情况,后来又发明了火石火镰引爆水雷。崇祯十年(1637年)刊刻的《天工开物》记载了一种"混江龙",其构造是:"漆固皮囊,裹炮沉于水底,岸上带索引机。囊中悬吊火石、火镰,索机一动,其中自发。"③这种"混江龙"的引爆装置就是采用火石火镰摩擦发火而引爆的,其构造大概类似地雷的钢轮发火一类装置。

三、火箭形制性能的改进

这里所说的火箭,是指依靠自身火药燃气的反作用力飞行的一种古代火器装置。火箭发展到明代,其形制和性能有了很大改进。为了增大火箭的射程和增加火箭的投送重量,明代发明了多火药筒并联火箭,即在一支火箭上同时并联两个或两个以上的火药筒,如"小一窝蜂"、"二虎追羊"箭、"神火飞鸦"等,都属这种火箭。多火药筒并联火箭的发明,是我国古代火箭技术的一大进步。同时,明代还发明了"火龙出水"一类的多级火箭,这样,火箭的射程更大了。为了加强火箭发射的稳定性,明代还发明了有翼火箭,即在火箭两旁安装风翅,如神火飞鸦、飞空击贼震天雷炮等都属这类火箭。有翼火箭除了加强火箭飞行的稳定性外,还可以使火箭具有滑行能力,这样便增大了火箭的飞行距离和高度。为了增加火箭的射击密度,明代还发明了多发齐射的火箭,即把数支或数十支火箭装入筒形器内,其药线连在一起,"总线一燃,众矢齐发"④,这样,大大增强了火箭的射击密度,从而增大了火箭的杀伤范围和杀伤威力。

此外,明代火箭形制和性能的改进还表现在火箭的火药筒、战斗部和发射装置的改进等方面。早期火箭的药筒是用油纸、麻布等做成的简单筒状,内装火药,前端密封,后端引出引火线。明代火箭火药筒的制造已十分讲究,各部位的尺寸、工艺要求十分严格。戚继光在《练兵实纪》中记载说:"制法,捲褙纸作筒,以药筑之,务要实……钻孔务要直,孔斜则放去亦斜。……所钻药线孔必三分之二,太浅则出不急或坠;太深则火突箭头之前,遂不得行;钻孔须大可容三线则出急而平,否则线少,火微出则不利。"⑤看来,戚继光对制作火箭火药筒积累了十分丰富的经验,这些经验,就是在今天也还具有很大的科学参考价值。

明代火箭的战斗部,除了早期的箭头、刀、剑等冷兵器外,还出现了以火药做战斗部的,这样就大大增强了火箭武器的杀伤威力。例如,"神火飞鸦"这种多火药筒并联火箭,其战

---

① 《武编》,卷五。
② 《武备志》,卷一三三。
③ 宋应星:《天工开物》,卷一五《佳兵·火器》。
④ 《武备志》,卷一二七。
⑤ 《练兵实纪杂集》,卷五《军器解》。

斗部已不是刀、剑等冷兵器，而是在鸦身内装满的"火炸药"。其构造是："用细竹篾为篓，细芦亦可，身如斤余鸡大，宜长不宜圆，外用绵纸封固，内用明火炸药装满，又将棉纸封好。"发射后，"飞远百余丈，将坠地，方着鸦身，火光遍野，对敌用之，在陆烧营，在水烧船，战无不胜也"。① 又如飞空击贼震天雷炮这种有翼火箭，其战斗部也不是刀、剑，而是其腹内的"发药神烟"。《武备志》对此记载说：此炮"炮径三寸五分，状类球，篾编造。中间用纸擀一筒，长二寸，内装送药，筒上安发药神烟，药线接着送药，外以纸糊数十层"，发射后，"待送药尽燃，至发药碎爆，烟飞雾降，迷目钻孔……破阵攻城甚妙"②。

明代火箭的发射装置，除了早期的发射架外，后来又出现了发射筒和槽形发射器。槽形发射器又称溜子、火箭溜，其外形似枪，为明代赵士祯所发明，是一种先进的火箭发射装置，"用此器则火箭永无斜冲逆走之患"，③因此能更好地控制飞行方向。

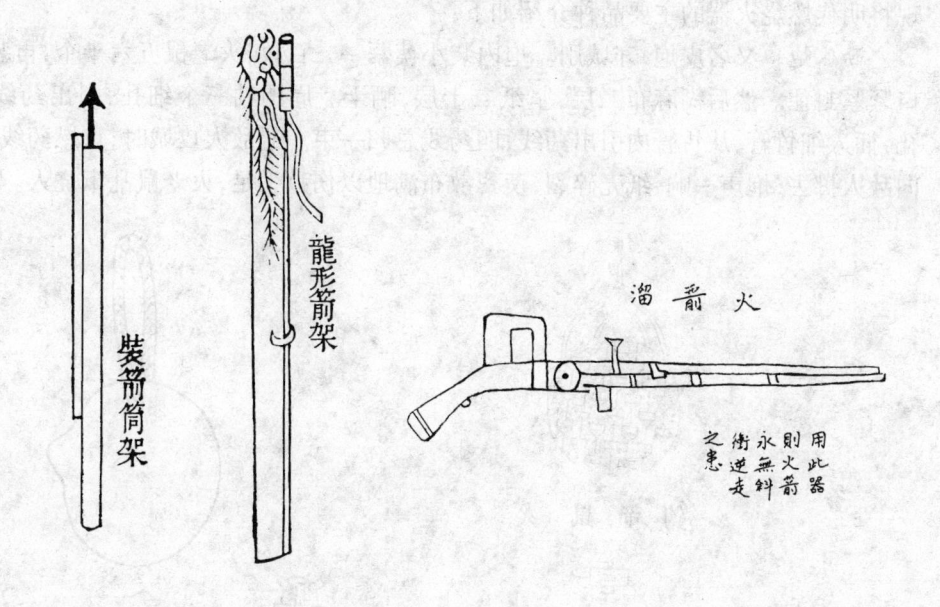

图 21　火箭发射器——装箭筒架、龙形箭架（采自《武备志》）、火箭溜（采自《神器谱》）

仅从以上火铳、火炮、地雷、水雷、火箭等火器的形制和性能的改进，足可看出明代火器确实进入了我国火器发展史上的全盛时期。

第四节　主要的火器品种

据《西园闻见录》载，明代"火器千百为种"④。《明神宗实录》指出："火器有战器，有攻器，有守器，有陆器，有水器。"⑤诚然，从整体来看，明代火器没有超出宋元以来的燃烧火器、

---

① 《武备志》，卷一三一。
② 《武备志》，卷一二三。
③ 赵士祯：《神器谱》。
④ 《西园闻见录》，卷七三。
⑤ 《明神宗实录》，卷五七〇，10 734 页。

爆炸火器、管形火器和火箭四大类,但是,在每一大类中,明代火器的品种则大大超过了宋元时代。新的火器品种不断出现,形成了明代特有的庞大火器家族群。

一、燃烧火器

明代的燃烧火器除宋元原有的火球、霹雳火球、引火球、烟球、蒺藜火球等外,又新创制出了火妖、火弹、火砖、毒龙喷火神筒、神行破阵猛火刀牌等几十个新的品种,其形制已由简单的球形发展到冷热兵器的组合和几种燃烧火器的组合,以增强其燃烧作用;其性能由主要用来焚烧敌方城垒、车船、粮草、人马,发展到有的同时兼有施毒、布障、发烟、鸣响等作用,以达到杀伤和惊扰敌军的目的。不过需要指出的是,在明代,从火器发展的总体上看,利用火药的燃烧性能制造的火器在战争舞台上已退居次要地位,而管形火器、爆炸火器等已上升到主要地位。因此,虽然明代燃烧火器的品种比宋元时代有了增多,但却呈现出式微的趋势。现将明代燃烧火器的主要品种介绍如下:

西瓜炮　又名皮炮,守城用。炮内装小蒺藜一二百枚,火老鼠五六十个,再装满炮药,将口紧紧封住。然后糊麻布二层,坚纸二十层,晒干。周围钻三个细孔,引出药线;中间钻一孔,插入细竹管,从竹管内引出药线;四药线总归一束。遇敌人攻城时,点燃药线,居高临下,向敌人掷去,炮声一响,纸壳碎裂,蒺藜散布满地以伤敌手足,火老鼠乱窜烧人。①

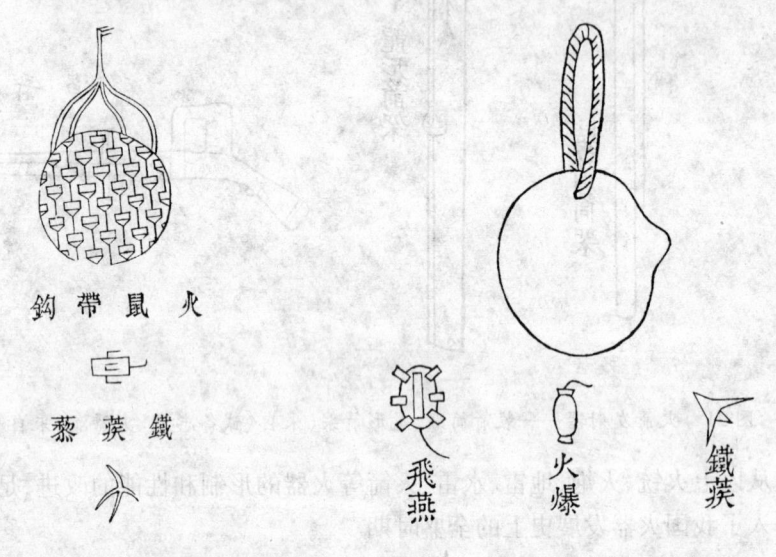

图22　西瓜炮(采自《火龙经》)　　图23　群蜂炮(采自《火龙经》)

群蜂炮　用竹篾编成圆篮,然后用纸糊四五十层,晒干后,再糊油纸十五层。糊好后,从上面开一孔,装入火药三斤,铁蒺藜半斤,飞燕、毒火纸爆各数十个。这种群蜂炮威力很大,爆炸可以伤人,飞燕可以烧人。②

夜敌竹铳　用坚厚的小竹一截,外用生牛皮条包扎,晒干,钻火眼穿入药线,内装火弹二十四个,再装满火药,然后用木板镶口。黑夜偷袭敌营时,点燃药线,竹筒爆炸,火光四起,以

---

① 《武备志》,卷一二二,又见《火龙经》,卷中。《武备志》记载较详。
② 《武备志》,卷一二三,又见《火龙经》,卷中。

惊吓敌人。①

天坠炮　其形体如斗大,内装火块数十块。使用时,升至半空,坠落于敌营,响声如雷,惊吓敌人,并能焚烧敌人营寨。②

轰雷炮　用腾沙胎晒干,再糊纸百层,间布十层,内装半毒药、半火药、地老鼠、铁蒺藜针及包有松脂硫磺的纸炮,然后封口,穿入药线。爆炸时,火光冲天,可惊吓敌人,水战陆战使用皆宜。③

纸糊圆炮　用纸糊成,内装小铁刺菱二三十枚,地火鼠一二十枚及火药等物。开药线眼四个,各引出药线。敌人攻城时,点燃药线,爆炸火起,刺菱可以伤敌足,火鼠可以烧敌身,威力很大。④

图24　轰雷炮(采自《火龙经》)

一母十四子炮　将长四寸、粗二寸的竹筒糊上纸,晒干后内装火药,下穿药线,一捆共十五个竹筒,大者居中为母,十四个竹筒作子,团团包扎住,药线联结于内,引出一根在外,黑夜点燃药线从高处向敌营投去,惊溃敌人。⑤

火妖　用纸糊成拳头大,内装松香、毒火等物,外涂松香、柏油、黄蜡,点燃抛向敌方,主要用于水战、守城战等。⑥

天火球　用黑豆秸烧成存性炭,每一斤加焰硝半斤,硫磺四两,斑蝥一两,真黄天硫一两六钱,掺和后装入鸡鸭卵壳内。装满后,另加栗子大小的石块一枚,然后用夹纸封口,用茄秆灰粘固。使用时,兵卒以绳圈投向敌人,焚烧敌人草船、人马、粮糗、辎重等。⑦

火砖(一)　用薄胎素板糊成方砖形状板匣,长一尺,宽四寸,高二寸,一头开着,用熬化的松香烊在匣内,掺上硫磺粉末,然后装入火药一斤四两,飞燕、纸爆各二十个,铁蒺藜三十个,最后用油纸四五层封固。使用时,点燃药线抛向敌船,燃烧、击杀敌人。⑧

火砖(二)　首先,用纸做成火炮,内装地鼠,两头安钩针,每个小炮都装火线。然后每砖分三节摆垒几层,用竹篾箍扎好,上面撒上火药,再用纸包成砖样,最后用夹纸包糊,中间钻开一小眼,

图25　大蜂窠(采自《武备志》)

---

① 《武备志》,卷一二四,又见《火龙经》,卷中。
②③ 《武备志》,卷一二三,又见《火龙经》,卷中。
④⑤ 《武备志》,卷一二三。
⑥⑦⑧ 《武备志》,卷一三〇。

安装火绳。使用时,点燃火线抛向敌方。

火砖(三) 在纸筒内安放地鼠、火药等物,并安上火药线,每一砖分两节排放两层,用薄篾横着扎束好,再撒上火药、松香、硫磺、毒烟,然后,用粗纸包裹成砖形,最后用绵纸涂油包糊好,并在顶端开口插入竹筒,药线从竹筒穿入。

火弹 用蒲夹纸糊成拳头大小,内涂松香,装入毒药、蒺藜等物,安好药线,外刷松香、柏油、黄蜡。使用时,点燃引线,抛入敌阵。

大蜂窠 根据《武备志》的图形和文字记载,这种燃烧火器是用纸做成球形,内装火药、箭镞、纸爆等物,陆战、水战、攻战、守城等均可使用,被戚继光称为"兵船第一火器"。

风雷火滚 用竹篾编成筒形,围一尺,长三尺,筒外糊纸四五十层,一端留口,装入毒火药和五个生铁小炮,然后将口封住,安装好药线。攻袭敌营时,点燃引线,飞向敌方,焚烧敌人粮草衣甲。

神火混元球 用竹篾编成圆形,外用纸糊褙,晒干,内装毒药和大纸炮一个,然后封口,安装好药线,并在外面画上五彩图形,用绳拴系。夜晚偷袭敌营,与神火枪、子母铳配合齐发,毒害焚烧敌人马,也可用于守城。

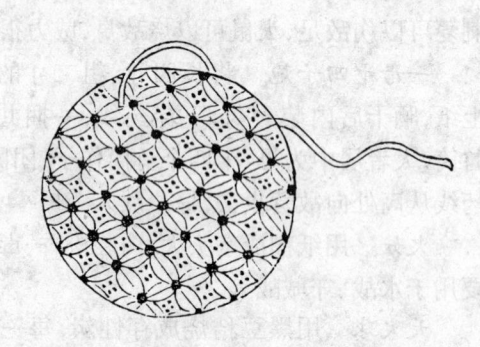

图26 神火混元球(采自《武备志》)

烧贼迷目神火球 用黄泥做成斗大的圆球晒干,用柿漆漆好,外面再用纸糊三十层,晒干后,用刀开一个拳头大小的口,从口中装入发药一层,次装铁蒺藜、地老鼠、小纸爆各十个,再次装飞砂神烟一层,法药一层,藜鼠一层,神烟一层,然后将口装满发药,用纸糊好,安装好药线,最后用红油油好待用。使用时,点燃引线,抛入敌阵,球破火燃,蒺藜刺脚,地鼠满地跳跃,惊吓敌人,杀伤威力极大。

平旷步战随地滚 用杉木作身,长三尺,径粗四寸,中间车空成圆形,外钉蘸有虎药的利刃尖钉,周围安装滚药筒六十个,腹装发药神砂。在平原作战时,列于阵前,约离敌阵十余丈,点燃引信,火发木飞,砂飞烟迷,杀伤敌方人马。

对马烧人火葫芦 用凹腰葫芦一个,外面涂上一指厚的黄泥紫土,晒干后再在其上贴一层布,然后用生漆漆好。以旧文章纸十余张点燃后,放盆下连盖闷灰存性,[①]这样得到的纸灰实际上是存性炭。然后将这种存性灰配制成火药,其组配比率是:灰一两,硝一分,硫磺二厘,研细拌匀,灌入葫芦内,再将火种烧红放入葫芦内,随即用干葛塞好葫芦口,火种在内经久不熄。用时,将其藏于袖内,遇敌或夜行遇盗,只须打开葫芦口,迎面喷出,火发三四丈,烧须燎鬓,使其面目腐烂。[②]

烧天猛火无拦炮 以纸卷成筒,内装毒火、法火、飞火、喷火等二三十种不同的神火。点发后,或飞或走,或跳或跃,扑人眼目,烧人鬓发,焚粮惊马。

万火飞砂神炮 用口小腹大的瓷罐,内装用烧酒炒制过的诸药和爆火一筒,然后再装好

---

① 《武备志》,卷一三〇。
② 以上各火器均见《武备志》,卷一三〇。

发药。作战时,掷于城下,火发罐破,烟飞雾障,以杀伤敌人马。①

飞火降魔槌 用白杨木做成棒槌状,身连柄共长八寸,围三寸,中间车空,内装火药等物。外围钉三道钉,每道再钉四个倒须钩,倒钩留在外约一寸。作战时,向敌船掷去,倒钩牢牢钉住敌船,火发烧船。②

毒药喷筒 用长二尺余、径粗二寸的圆细毛竹,将麻绳密密缠绕,下安五尺长的竹木柄。竹筒内先装慢药(灰多硝少)一层,次装喷药一层,再次装合口饼一枚。装饼时要注意方法,用力要适当,使饼不破碎;装送药时要适量,量多竹筒要爆炸,量少饼子送不远。发射时,饼飞出数十丈远,粘住敌船船帆焚烧。

满天喷筒 截中等粗的竹二节,外面用布箍好,再用硝磺、砒霜、斑蝥、卤砂、胆矾、皂角、铜绿、川椒、半夏、燕粪、烟煤、石灰、斗兰草、草乌、水胶、大蒜等物按比例配制成药,装入竹筒内,然后将筒绑扎在长枪头上,"燃火守城"。

毒龙喷火神筒 截竹筒长三尺,内装毒火、烂火药,将竹筒悬挂于高竿顶端,令壮士持至城垛口,乘风发火,烟焰满天,烧伤毒杀敌人。

神行破阵猛火刀牌 用生牛革制成牌,牌上画火龙火兽,牌中暗藏神火、毒火、飞火、法火、烂火、烈火各六筒,共计三十六筒,药信盘曲。将牌列于战阵,号炮一响,军士左手持牌,右手持刀,齐滚而进,火喷二三丈远,"此牌一面,足抵强兵十人"。③

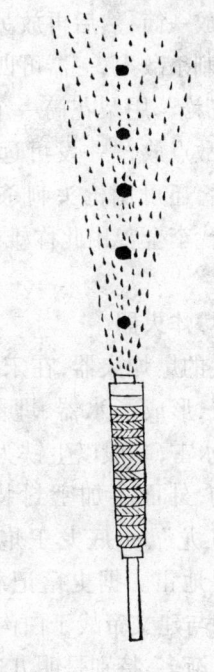

图 27 毒药喷筒(采自《武备志》)

木人活马 用木做成人形,饰以衣冠,身高三尺,头高九寸,下阔二尺,上阔一尺五寸,居中用粗径一寸五分、长与木人齐高的竹筒钻眼,每二寸为一层,共十五层,每层钻七眼,至顶共一百零五眼。孔身俱安神箭、神砂、神火,口与二目安三神砂,顶上安二大神枪起火,前安神砂,背后留门,全部安装完毕后,将木人骑于马上。木人空腹近脊处安一大西瓜炮,后手药线连络贯通全身,将马尾剪净,用没香和火药装一条铜钱粗的袋,绑缚于马尾根。再用二枪夹缚马的左右,马腹下系烟瘴云雾药枪,连人身上共一百零八矢。作战时,将马偷偷牵临敌营,先点燃木人后手药线,次点马尾火袋,再次点马腹下云雾火。马着火直冲敌营,木人、活马身上各火齐燃,层层火炮齐发,杀伤敌人人马,敌营大乱。

火牛 用弯木作架,放置牛身上,用布蒙住牛。然后再在该架上打造前后左右架三层,上安火炮药线,四周插利刃,再用红布遮盖。牛项肚尾拴劣火。作战时,将牛暗暗牵入敌营,点燃劣火,牛身火起疼痛吼跑,火药药线齐发,敌营惊乱。④

火龙卷地飞车 用双轮车一架,上刻狮、象、虎、豹诸兽等形状,腹中藏火器二十四件,两

---

① 以上各火器均见《武备志》,卷一二二。
② 《武备志》,卷一二八。
③ 以上火器均见《武备志》,卷一二九。
④ 以上火器均见《武备志》,卷一三一。

旁设飞翅神牌，车前安装蘸有虎药的利刃。每车用四军卒轮流推转。号旗一举，车转如飞，奔向敌阵，诸兽口中喷出神火、毒火、法火、飞火、烈火，万将莫挡。①

火枪　木柄长六尺，下端有铁钻，枪头长尺许，两边夹两个喷筒；两刃向上，成锐；两刃向下，成镰。作战使用时，先点放一筒，然后再放另一筒；两筒点放完以后，仍可作刀、枪刺杀敌人，一器可四用。②

梨花枪　用梨花筒一个，里面装上火药，绑系于长枪前端，临敌点放，"一发可远去数丈，人着其药即死"。喷烧完以后，还可用枪头刺杀敌人。这是一种冷热结合型兵器，宋代李全曾用此称雄山东，人称"二十年梨花枪，天下无敌手"③。

二、爆炸火器

明代的爆炸火器，在宋元爆炸火器的基础上，有了长足的发展，形成了水器、埋器、陆器等几个门类。所谓水器，就是水雷，一般以生铁为壳，壳内装填火药，壳上安装发火机构，外面再加密封装置。明代的水雷，已有既济雷、"混江龙"、水底龙王炮等好几个品种了。所谓"埋器"，就是地雷。据史籍记载，早在建文二年（1400 年），燕王朱棣与建文帝战于白沟河时，就使用了地雷。④ 以后

图 28　梨花枪（采自《武备志》）

使用地雷渐多，特别是明九边防守军和明末农民起义军常大量使用地雷。明代地雷品种很多。如果按地雷的材质分，有石雷、陶瓷雷、铸铁雷等。石雷，就是用石头做壳制成的地雷，如石炮、石炸炮等。陶瓷雷多是用瓷坛等做壳，如万弹地雷炮等。铸铁雷，就是用生铁做壳制造的地雷，如无敌地雷炮、炸炮、伏雷炮等。如果按地雷的发火装置分，明代有人工点火引爆地雷（如威远石炮、石炸炮等）、藏伏火种引爆地雷（如渡水神机、伏地冲天雷等）、钢轮发火引爆地雷（如炸炮、自犯炮、地雷炸营）等。所谓陆器，就是野战、城塞攻守战等战斗中所使用的炸弹，这类炸弹有的与燃烧火器没有严格的区别。需要指出的是，明代陆器中还有一种慢炮，实际上已是定时炸弹了。此外，爆破筒也见于史籍记载了。不过，慢炮和爆破筒在实战中使用尚不广泛。

现将明代的爆炸火器的主要品种介绍如下：

（一）水　雷

水底雷　做大木箱一只，将铁雷放入木箱内，用油灰将缝粘住，使之不渗水。木箱底下坠三只铁锚，使木箱下沉在水中定位。雷上的发火装置用绳拉牵至岸上。这种雷一般布设在港口，当敌船接近时，拉线"动其机"，水雷爆炸，"舟楫破而贼无所逃"。⑤

水底鸣雷　取大缸一只，将铁雷放入缸中，密封后将大缸沉入水底。上接绳索，一端与

---

① 《武备志》，卷一三二。
②③ 《武备志》，卷一二八。
④ 《明太宗实录》，卷六，63～64 页，又见《明史纪事本末》，卷一六《燕王起兵》。
⑤ 唐顺之：《武编》，卷五。

雷中的发火装置相连,放置于水面下一二寸处。当敌船触动绳索时,机落火发,敌船被炸毁。①

水底龙王炮 雷壳用熟铁打造,重四至六斤不等,内装发药一斗或五升。雷壳上缚信香引火,香的长短根据水雷距敌船的远近确定。将整个雷体密封在牛脬内,再用加工过的羊肠通到水面,使牛脬内与外界通气,不使火种熄灭。然后将水雷绑缚在木排上,用重石将水雷坠入水中,黑夜顺流漂去,香到火发,水雷爆炸,敌船粉碎。②

图29 水底龙王炮(采自《武备志》)　　图30 混江龙(采自《天工开物》)

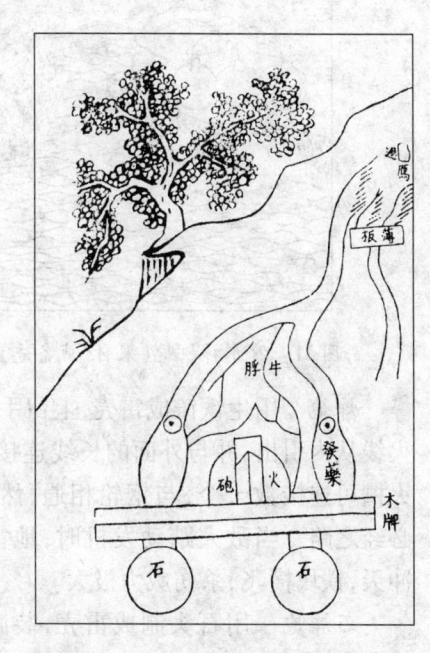

既济雷 雷壳用铸铁铸成,长一尺五寸,径四寸,内装送药二斤,大铅弹重二斤,药信盘曲于雷壳上。用狗皮缝袋,将水雷兜在袋中,再将袋钉在敌船船底,每只敌船钉八个,"香到炮发,船底粉碎"。③

混江龙 水雷用皮囊包裹,再用漆密封,然后沉入水底。岸上用绳索牵引,使皮囊里的火石火镰摩擦发火,水雷爆炸,敌船遇上即被炸坏。④

(二)地　雷

渡水神机炮 将地雷埋于险隘之处,药信放在去节的竹筒内,将竹筒埋于地槽,再将瓷盆敲开一个眼与竹筒口对接,埋放好火种,用长绳连接发火装置和药信。敌人到时,拉动长绳,机动火发,地雷爆炸,杀伤敌人马。⑤

地雷炸营 用九寸粗五尺长的竹筒,打通节,只留底下一节,竹筒内装火药八分满,再装铅子、铁子,安好药线,用蜡封口。然后挖地坑五尺,放入方木座,方木座上竖立八个竹筒,再用木板盖好。药信总合一处于坑内,药信与钢轮相连,以钢轮引爆地雷。

---

① 王鸣鹤:《火攻问答》,载《兵鉴全编》(咸丰二年辑)。
②③⑤ 《武备志》,卷一三三。
④ 宋应星:《天工开物》,卷一五《佳兵·火器》。

自犯炮 地雷外壳用铁铸，或者用石、瓷、瓦烧成，内装火药，药线通连火槽火匣，各雷"连接安置要路"，敌人触动发火装置，地雷爆炸。

图31 渡水神机炮（采自《武备志》）

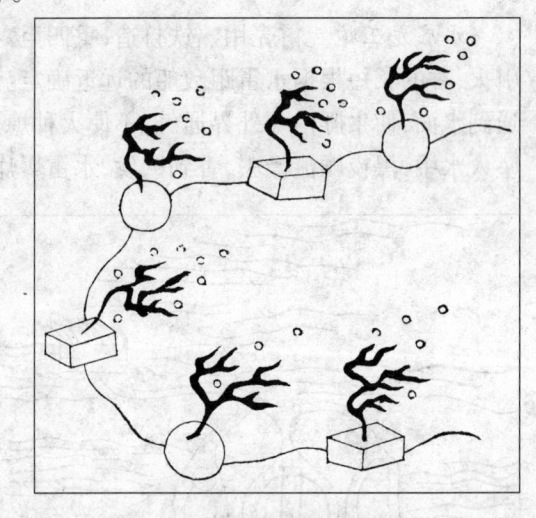

图32 自犯炮（采自《武备志》）

炸炮 用生铁铸成雷壳，上留手指大小的小口装药，火药装完后用木杵填实，用竹筒将火线从内引出，并与外面的长线连接，穿入火槽，火槽可连接数十个，与钢轮相通，然后埋于敌人必经之路。当敌人踏动发机时，地雷爆炸，火光冲天，铁块横飞，杀伤威力极大。

石炸炮 用石头制成雷壳，装满炸药后，杵实，用小竹筒将火线引出，以纸隔药，纸上覆干土，再以纸筋泥泥平，将药线盘在上面，这种地雷可久埋，一般用来守城。

图33 石炸炮（采自《武备志》）

万弹地雷炮 用大窖坛一个，装满炸药，然后凿开一小眼装药线，药线通入竹竿与钢轮相连，或者与绊索相接，埋伏于敌人出没之处，上面堆满鹅卵石加以伪装。这种地雷爆炸时，声响如雷，泥土乱石冲天，杀伤力极大。

无敌地雷炮 用生铁铸成圆形雷壳，内装神火、毒火、法火等药一斗，或五升，或三升，用坚木为法马，分别引出三根药线，三线合通火窍，然后将雷埋入地中，引诱敌人进入圈套，立即举号为令，火发雷炸，奋击如飞，势如轰雷，杀伤力极大。

伏地冲天雷 将地雷埋于敌人必经之地，火种用乌盆盛装，放到地雷上，地雷药线总盘于一处，与火种相近。乌盆与枪刀杆相连，枪刀杆直竖插地。敌人来到，必定摇拔枪刀杆，

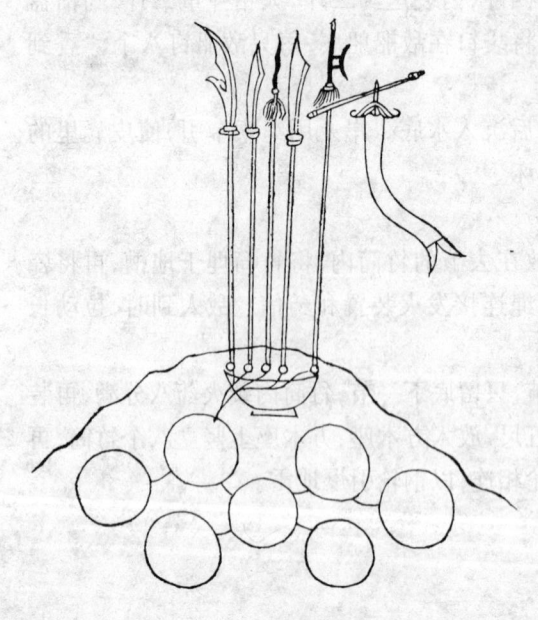

图34 伏地冲天雷（采自《武备志》）

这样乌盆中的火种倒在药线上,众火齐发,声如霹雳,火烧炮击,威力极大。

三元会合万弹神炮 这是一种群发雷。首先用坚木板做箱一个,刷好油漆,箱盖凿二孔以通法针,盖旁开六孔以通香火,底旁设六孔以引三元万弹神炮。作战时,埋于敌人必经处,触动其机,万弹齐发,杀伤敌方大批人马。

伏雷炮 这是一种群发雷。生铁铸成雷壳,装入炸药,装好药线,再用一根长木挖一条深槽,槽两边穿数十眼,槽中放上法药,将槽盖好,然后将地雷药线引入槽内,槽的一头安装钢轮一个,最后将地雷埋入敌人必经处,触动发机,地雷爆炸,敌人粉碎。

太极总炮 用熟铁或坚木做成,大小不论,上盖太极,开一小孔通火气,中桶系种火盘香,钉铁活机,周围安装八卦铳,两耳的铁针入扶中楠下,底要厚,"盛药物针拽,群炮皆发",多埋设于隘口或空营中。

隐迹火阵 这是一种群发雷。用缸或坛一个,内装铁蒺藜、铅弹、铁石、炸炮、恶烟、毒火等物,再用木板镶口,下钻小眼,引出火线,然后用纸封固好。埋伏时,底朝上,口朝下,坛上以竹篾编成人形或兽形,糊纸,画彩画加以伪装。择敌人必经处,布二三阵,或五七阵,虚实兼设。其阵一般为方阵,即中间安瓷缸一个,四角各立药坛四个,均用竹编人形或兽形罩覆。横直凿地道,以火线将各坛和瓷缸连接,并与钢轮接通。引诱敌人入阵,火机发动,霹雳轰起,烟药冲突,人马俱亡。①

(三)炸 弹

钻风神火流星炮 以生铁熔铸成圆球形状,内装神烟、神砂、飞火、法火、烂火等物,以坚木做法马,两旁烙两孔,引出四根药信,中间留空,藏一根药信,盘曲于中,药信皆用矾纸包裹,使之不潮湿。使用时,大炮用骡马驮入敌阵,中炮用母炮发射到敌阵,小炮用手掷向敌阵,爆炸伤人。②

石炮 用石制成外壳,其大小一尺至六七寸不等,内装炸药,上面盖土一层,筑实,通入芦苇筒,引信从芦苇筒内穿入,然后放置于边墙垛口。当敌人来到墙下,点燃引信,用手将石炮推下,敌人以为是抛下的石头没有击中,不再提防,但突然药燃炮炸,杀伤敌人。③

威远石炮 以石头制成外壳,内装爆药二斤,小石弹一百个,再用大石弹一个填塞其口,从火门眼引出药线,药线与走线相连。安设于沿边墩堡敌人出没之地。当敌人来到,拉动走线,火发炮炸,响若雷霆,山崩地裂,人马尽成齑粉。④

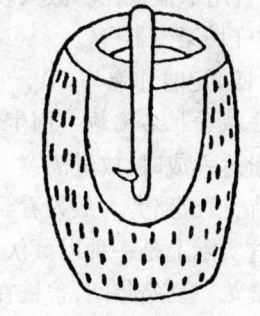

图35 石炮(采自《练兵实纪》)

荔枝炮 以细泥做成鹅卵大的圆壳,厚一寸,中空留一小孔,在窑内烧过后,装入硝石一斤,硫磺四两,杵木灰四两,然后引出药线,用纸糊好。如敌人掘墩台,点燃药线向敌人掷去,爆炸杀伤敌人。或者与敌人对阵时,点燃药线,向敌阵抛去,炮炸石碎,杀伤敌人。⑤

---

① 以上火器均见《武备志》,卷一三四。
② 《武备志》,卷一二二;又见《火龙经》,卷中。《武备志》记载较详。
③ 戚继光:《练兵实纪杂集》,卷五。
④ 《武备志》,卷一二二。
⑤ 《武备志》,卷一二三。

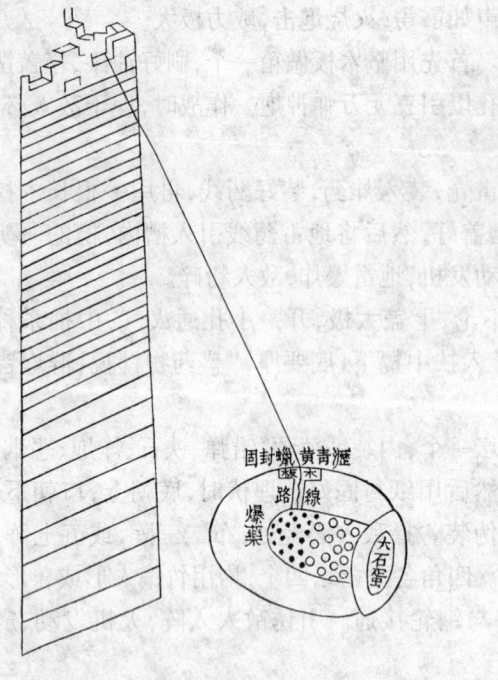

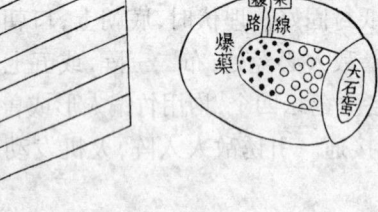

图 36　威远石炮(采自《武备志》)　　　　图 37　万人敌(采自《天工开物》)

冲阵火牛轰雷炮　炮壳以生铁做成，内装烈火、神火、神砂等药一斗，药线盘曲于炮内，以老废牛背负冲向敌人，火发炮碎，杀伤敌人。①

万人敌　将中空的泥团晾干，上留小眼，装入硝磺火药并毒火、神火，将火药压实，安上引信，再用木框框住。敌人攻城时，点燃引信，抛掷城外，火飞炮炸，杀伤敌人马，威力极大，人称"守城第一器"②。

(四)定时炸弹

击贼神机石榴炮　用生铁铸成碗大的外壳，形似石榴，上留一孔，灌入毒火神烟等药，当装入量达六成时，放进酒盏一个，盏内放入火种，以铁盖塞住其口，然后粉刷成白色并画上五彩花卉，摆放路旁。敌人看到后，以为是玩耍之物，拾起摇动，顷刻爆炸，烟雾障天，杀伤敌人。这实际上是一种以藏伏火种引爆的定时炸弹。③

慢炮　嘉靖年间，曾铣在镇守陕西边镇时，曾制造过一种慢炮，其构造是：圆形外壳，如斗大，内装火药和发火装置，外面画五彩花卉。敌人拾得，好奇聚观，突然火发炮碎，死伤甚众。④

爆破筒　崇祯十六年(1643年)，张献忠农民起义军攻打成都时，制造过一种大型爆破筒，其构造是：将一根数丈长的大木剖开，中间挖空，再用帛绳缠合，内装火药，安上引信，然后运到城下，点燃引信，火发炮碎，"木石飞蔽天"，成都城被攻破。⑤

---

① 《武备志》，卷一三一。
② 宋应星：《天工开物》，卷一五。
③ 《武备志》，卷一二三。
④ 《渊鉴类涵》，卷二一三《武功》八，《火攻》三(上)。
⑤ 《明史》，卷二六三《刘之勃传》，6 812 页。

三、管形火器

明代火器的发展,最为突出的是管形火器的发展。所谓管形火器,就是指"用铜或铁为具,如筒状,中实以药,而以石子塞其口,旁通一线,用火发之"一类的火器,"亦谓之炮,又谓之铳"。[①] 需要指出的是,其一,明代有些叫做炮或铳的火器,实际上它们都不是管形射击火器。例如,天坠炮、轰雷炮、风尘炮、石炮、威远石炮、荔枝炮、万弹地雷炮、伏雷炮、无敌地雷炮、太极总炮、水底龙王炮、流星炮、夜敌竹铳、子母铳、神仙自发排车铳等等,这些火器,有的是燃烧性火器,有的是地雷,有的是水雷,有的是炸弹,有的是火箭。其二,明代有些在名称上不叫炮或铳的火器,实际上它们却又是管形射击火器。例如,九牛瓮、雷火鞭、冲阵火葫芦、五雷神机等等。

明代管形火器,按材质分,有木质、竹质、铜质、铁质等多种。铁炮等管形火器的出现,为我国管形火器的发展开辟了广阔的前景。根据目前所掌握的资料,我国在明代洪武年间才出现铁炮,在此之前,似乎还没有铁炮等管形火器。[②] 明代管形火器按形体大小分,可分两类。一般地说,口径和重量都较大、且大多配有专用架或车等发射装置一类的管形火器,史籍中有时称铳,有时又称炮,本书统称炮;还有一类管形火器,口径和重量相对较小,且多为手持发射,史籍多称铳或枪,本书均称铳。铳和炮还可分很多小类。如炮可分前装炮、后装炮,有瞄准装置的炮、无瞄准装置的炮,等等;铳可分单管铳、多管铳、冷热结合型铳等等。明代管形火器,有的已有实物出土或传世,有的虽无实物,但有文献资料可考。现将其主要品种介绍如下:

(一)炮

迅雷炮 炮重十余斤,炮底至火门高二寸五分,火门下一寸许凿一大眼,用铁橛钉地,发射时使其不后坐。据《武备志》记载,这种炮装火药二两,装八两重的大铅子,将炮口垫高一寸,射程可以远达五六里;如果装三钱重的小铅子,射程也可以远达二三里,杀伤面积约三五十步。[③]

无敌竹将军 用大毛竹制成,长四尺许,第一节竹节保留作炮底,其余竹节均去掉凿通。底后留一尺五寸,以安装木柄。竹身四周钉上四钉,然后用苎麻绳自木柄缠绕至炮口,以加固炮身。最后在炮底上方适当位置开凿火门。装填时,先在炮尾底部放上二寸厚的黄泥,黄泥上盖一分厚的铁钱,再装上引火线,然后装上一斤发射火药(根据炮的大小可酌情增减药量),用木杵轻轻捣实,覆上纸团或干土,再盖上一个有莲房式孔眼的铁钱,最后装上一枚石弹,或者再加小量铁、铅弹子。发射时,用两根三尺长的粗柴棍捆缚成木杈,将无敌竹将军架放其上,然后用大石块抵住竹炮木柄尾部,这样便可发射了。如要射远,则将炮口稍昂;如要射近,则将炮身平架施放。[④]

两头铜铳 明正统十四年(1449年)制造,铜制。将两个发射方向相反的铜炮连接起来,安装在木凳上,两头同时装填火药和弹丸,在战争中主要配合火枪(一种短枪)使用,一

[①] 丘浚:《大学衍义补》,卷一二二《器械之利》(下)。
[②] 参见刘旭:《中国古代火炮史》。
[③] 《武备志》,卷一二二。关于火炮的射程,请参见刘旭《中国古代火炮史》第九章。本章其它火炮的射程亦同,不另注。
[④] 《武备志》,卷一二三。

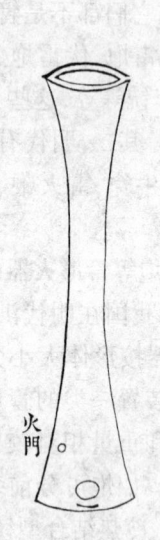

图38 迅雷炮（采自《武备志》） 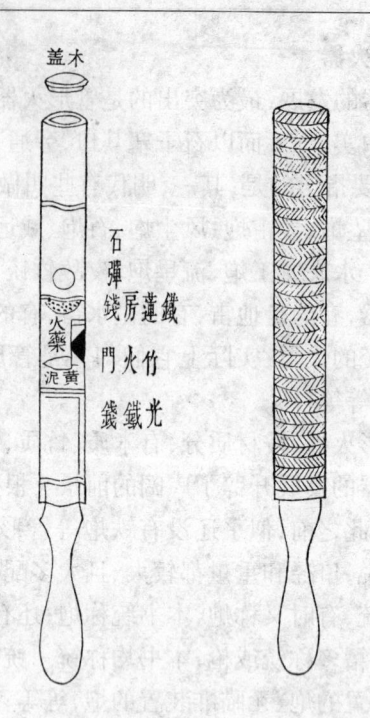　　图39 无敌竹将军（采自《武备志》）

头发射后,掉转来再发射另一头,从而大大加快了火炮的射击速度。

千子雷炮　用铜铸造,长一尺八寸,炮口直径五寸,炮身用铁箍固定在四轮炮车上,前面安装隔板,使敌人不易发觉。发射时,首先装火药六分,杵实,然后再装细土二分,药铁子二三升。临放时去掉隔板,突然向敌人发射,"势如摧枯"。①

攻戎炮　炮身安装在双轮炮车上,炮车是用榆槐木挖成的车箱,长二尺五寸,然后将炮身嵌装在车箱内,并加"铁叩五道","上带铁猫（锚）四口"。发射时,"炮口朝向敌,车辕向后,铁猫爬地上向前,以土覆住"。如果"卒遇紧急,只用四猫覆土中亦善"。

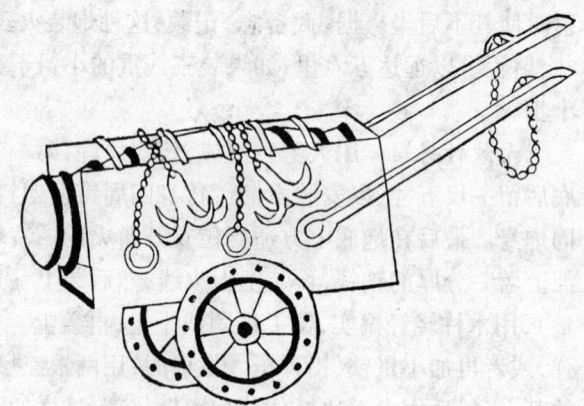

叶公神铳车炮　用净铁打造,有天、地、元三种型号。天字号重二百八十斤,

图40 攻戎炮（采自《武备志》）

长三尺五寸;地字号重二百斤,长三尺二寸;元字号重一百五六十斤,长三尺一寸。炮身安装在三轮炮车上。炮车每辆辕条长七尺九寸,后一轮高一尺三寸,轴长一尺一寸,两边用夹耳木二根,各长一尺七寸,前二轮高二尺五寸,轴长三尺五寸,横木档长二尺,前枕木档一根,长二尺,前后横档用铁绊两个,炮口提环一件,四寸粗,辕条前后铁环四个,粗二寸五分,轴钩心环高九寸,宽五寸。发射时,每发先装火药一斤半或二斤,杵紧后隔以干土,再装入火药三斤

---

① 《武备志》,卷一二三。

或四斤或五斤，铅子一个，生铁子半升，最大射程远六七里，铁子散布面约数丈。①

威远炮 威远炮是在旧制大将军炮的基础上改进而成的。旧制大将军炮炮身围有多道铁箍，"徒增斤两，无益实用"，同时"点放亦不准"，射击效果差。后对大将军炮加以改造，去掉铁箍，改为光素炮身，并"于装药发火著力处加厚，前后加照星照门，千步外皆可对照"。改制后的威远炮分一号、二号两种。其中二号威远炮炮身长二尺八寸，口径二寸二分，重一百二十斤。发射时，"每用药八两，大铅子一枚，重三斤六两，小铅子一百，每重六钱，对准星门，垫高一寸平放，大铅子远可五六里，小铅子远二三里；垫高三寸，大铅子远十余里，小铅子四五里"，弹子散布面约四十余步。一号威远炮重二百斤，其口径大小和炮身长度，比照二号炮的尺寸大小增加，"用车载

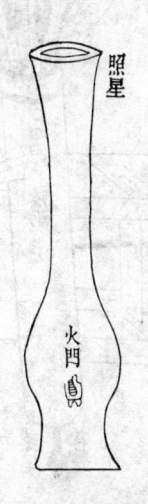

图41 威远炮（采自《武备志》）

行"，发射时将炮口垫高五六寸，据说"大铅子重六斤，远可二十里"②。

大神铳 蓟镇的大将军炮重一百五十斤至一千斤，因其"势大，人不敢放"。对这种炮进行改制，炮身加长三倍"得六尺"，重量改为二百五十斤，安装于滚车上。每发装填大铅弹七斤（公弹），次者三斤（子弹），又次者一斤（孙弹），群孙弹二三钱，共重二十斤，加上铁瓷片，并用斑蝥毒药煮过。发射时，"势如霹雳，可伤人马数百"，射程远达八百弓。③

穿山破地火雷炮 炮身用铜铸造，身长四尺，内装火药五升，发铅子三升；或用铁打造，粗细如碗大，内装火药一升，下法马一个，再装发铅子半斤。发射时，"烟飞火烈，声如巨雷，林木皆震，人马遇之击成齑粉"。④

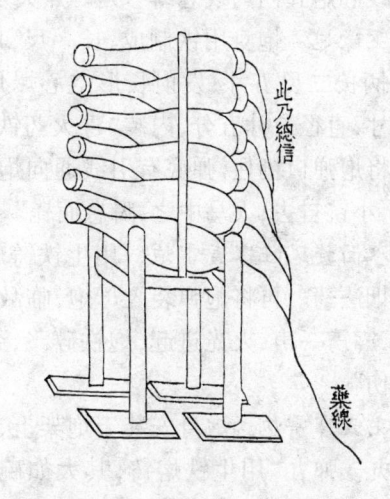

图42 九牛瓮（采自《武备志》）

九牛瓮 炮身如瓮形，用铜铸造，长五尺，径一尺，前装大石弹重二十斤，再下活马子，后面装送药。九瓮箍绑一处，安装于架上。发射时，射手匍匐在预先挖好的地坑中，以防震死。因为此炮发射时，势若霹雳，响声震天，山崩地裂，射程可达十余里。⑤

---

① 《武备志》，卷一二三。
② 《武备志》，卷一二二。
③ 王鸣鹤：《登坛必究》，卷二九。
④ 《武备志》，卷一三四。
⑤ 《武备志》，卷一三一。

百子连珠炮　用精铜制造,炮身长四尺,安装在坚木炮架上。炮身尾部有尾轴,可以使炮上下左右旋转发射。炮内装火药一升五合,炮口近处有一尺多长的装弹嘴,装铅弹百枚,分次发射。据说这种炮一门能抵强兵五十人。①

铅弹一窝蜂　用铁铸造的一种小炮,炮身比鸟铳铁杆稍短,炮口口径比鸟铳口径稍大,整个炮身"轻于鸟铳",装入皮套内,"一人可佩而行"。发射时,用铁制脚架将炮固定,炮口仰起三四寸,炮尾抵于小木桩上,装小弹一百枚,"燃药则弹齐出",射程三四里,"诚行营之利器"。②

毒火飞炮　嘉靖四年(1525年)用熟铁制造,其形状似盏口将军炮,炮膛内装火药十两,生铁空心弹一个,内装砒硫毒药五两,弹内药线和炮膛内药线总缚一处。点火发射后,将空心弹打出二百步外,"爆碎伤人"。③

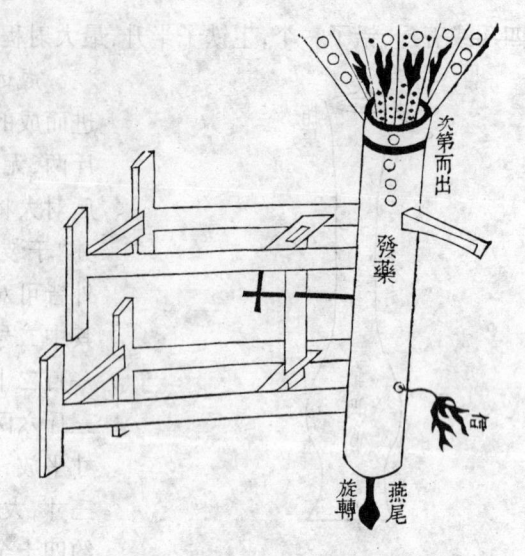

图43　百子连珠炮(采自《武备志》)

飞礞炮　炮身用铁制成,长一尺,口径三寸,下装木柄长二尺五寸,发射长形空心爆炸弹丸,弹丸长四寸,直径二寸五分,内装"毒火药铁渣为满",用夹纸将炮弹口糊住,弹底有引线通向炮筒内,"大铳一发,小铳自去,人马中之,瞬息而毙"。④

八面旋风吐雾轰雷炮　用生铁铸成小炮弹,内装神烟法药。再将炮弹装入母炮,临敌发射,"火发炮碎,霹雳一声,火光迸起,炮铁碎飞,劲如铅弹,人马俱伤"。⑤

飞云霹雳炮　炮身安装于炮架上,发射空心爆炸弹丸。弹丸"用生铁熔铸,其大如碗,其圆如球,中容神火半斤,以母炮发出,飞入贼兵营寨,霹雳一声,光火并起"。⑥

图44　飞礞炮(采自《武备志》)

飞摧炸炮　首先铸成大铁炮,内装火药,舂实。再用生铁铸成蒺藜炮弹,小口,空腹,内装炸药,杵紧满口为止,插进小竹筒,药线从竹筒内引出,然后装放于大铁炮口上。发射时,先点燃炮弹的药线,次点大铁炮药线,用大铁炮将炮弹发射出去,到达目的地爆炸。⑦

造化循环炮　炮重二十斤,炮长二尺二寸,后有铁尾,柄长二尺九寸,炮身前部安装照星,后部安装照门。用火药袋装火药二两,装大铅子一枚,重四两,小铅子三十枚,每枚重六

---

①⑥⑦　《武备志》,卷一二二。
②④⑤　《武备志》,卷一二三。
③　《明会典》,卷一九三《军器军装二·火器》;又《续文献通考》,卷一三四《兵十四》。

钱。发射时,将炮架设于闷棍上,瞄准目标,"拿炮者专看苗头高低,必照星对定敌人",然后用右手点火,射程为"大铅子五六百步,小铅子三四百步","宽二三十步"。①

图45 造化循环炮(采自《武备志》)

轰天霹雳猛火炮 炮弹用生铁熔铸,装火药三升、二升或一升,内有神火、烈火和飞火。炮身安装于木制炮架上。作战时,四面齐发,威力很大,主要用来攻城。②

毒雾神烟炮 用狼粪、艾蒳、砒霜、雄黄、石黄、皂末、姜粉蓼屑、椒沙巴油等和合调匀,装入炮弹内,然后用母炮将炮弹"攻打上城,火发炮碎,烟雾四塞,燎贼面目,钻贼孔窍,焚贼衣铠",威力很大。③

九矢钻心神毒火雷炮 炮身用精铜熔铸,长三尺八寸,安装于坚木炮架上,炮尾装有铁柄以便旋转,炮膛内装发药,再装坚马,然后再装九矢,每支矢镞上都蘸上虎药。作战时,"一发则九矢齐飞,穿心透骨,劲不可逾",杀伤威力很大,"足抵精兵九人"。④

铜发熕炮 嘉靖年间创制的一种铜炮,重五百斤,发射铅弹或石弹,铅弹每个重四斤,石弹大如小斗。主要用于攻坚夺险。据史籍记载,这种炮威力极大,发射后,"石之所击触者无能留存,墙遇之即透,屋遇之即摧,树遇之即折,人畜遇之即成血漕,山遇之即深入几尺"。由

图46 毒雾神烟炮(采自《武备志》)

---

① 《武备志》,卷一二三。
②③ 《武备志》,卷一二二。
④ 《武备志》,卷一二七。

于威力大,发射时须掘土坑,以便炮手点火后躲入坑中掩护,避免震伤。①

虎蹲炮 因其形而得名,戚继光创制于明嘉靖年间(1522~1566年)。因为毒虎炮"体轻易跃,每发必退回二三十步";而"鸟铳虽速准,而力小难御大队,难守险阻,难张威武",不能对付倭寇的密集部队;佛郎机笨重,"更难于扛行"。为了适应当时东南山地和水田的抗倭战争的需要,虎蹲炮便应运而生了。这种炮通长二尺,重三十六斤,炮身加数道铁箍,并配有大钉和铁绊。发射时,用大钉和铁绊将炮身固定起来,每发装五钱重的小铅子或小石子一百枚,上面用一个重三十两的大石子或大铅子压住,"守路截险甚妙"。②

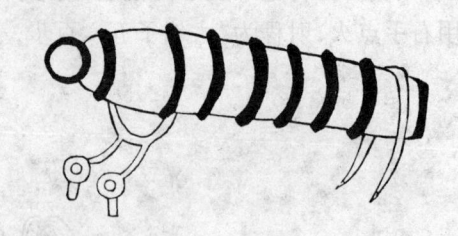

图47 虎蹲炮(采自《练兵实纪》)

佛郎机炮 明正德年间(1506~1521年)从葡萄牙传入。铜或铁制,长五六尺,重一千多斤,巨腹长颈,腹有修孔;炮身用木包裹,并加铁箍,以防炸裂;前后有照星照门,借此瞄准可以提高射击精度;炮身安装于炮架上,可以上下左右转动,以增强炮的机动性;每门有子铳五个,事先将子铳装填好弹药,然后轮流装入母铳内发射。明嘉靖年间开始仿制,计有一至五号等几种,子铳由五门增加到九门。一号佛郎机长八九尺,装火药一斤,每个铅子重一斤;二号佛郎机长六七尺,装火药十一两,每个铅子重十两;三号佛郎机长四五尺,装火药六两,每个铅子重五两;四号佛郎机长二三尺,装火药三两半,每个铅子重三两;五号佛郎机长一尺,装火药五钱,每个铅子重三钱。一至三号佛郎机主要用于水战和攻守城寨战之用,四号用于野战。其射程均达百余丈远。③

图48 佛郎机炮(采自《武备志》)

大样铜铁佛郎机炮 嘉靖二年(1523年),在南京仿照佛郎机炮制造的一种铜铁后装炮,长二尺八寸五分,重三百多斤。此外,还仿制了中样佛郎机和小样佛郎机。④

---

① 《武备志》,卷一二二。
②③ 戚继光:《练兵实纪杂集》,卷五《军器解》,又见《武备志》,卷一二二。
④ 《明会典》,卷一九三《军器军装二·火器》。

· 104 ·

第四章 明代——火药火器的鼎盛时期

百子佛郎机 对大样佛郎机加以改制后制成的一种后装铜铁炮,主要是将炮的身管加长加厚,装载于两轮炮车上。发射时将两个车轮去掉。为了防止火炮后坐,用内装棉絮的铁桶置于炮后,作为活动的横档。①

无敌大将军炮 仿照佛郎机炮制造的一种后装炮,重一千零五十斤,安装在双轮炮车上,每门炮有子铳三个。可通过炮身下垫放的木枕控制射程远近,发射前,事先将子铳装填好弹药。发射时,将子铳放入母铳内发射,"发毕随用一人之力可以取出,又入一子铳,云一发五百子,击宽二十余丈,可以洞众"。②

飞山神炮 仿照佛郎机制造的一种后装炮,炮身长二尺七寸,重二百八十斤,从戚继光《练兵实纪》画制的图形看,配有子铳一个。③

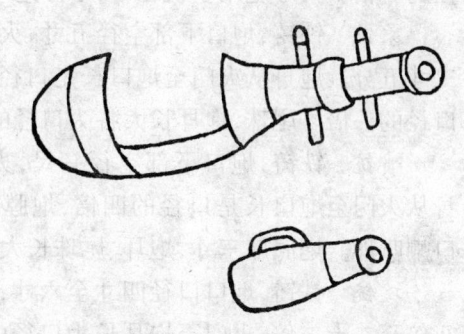

图49 飞山神炮(采自《练兵实纪杂集》)

提心铳炮 仿照佛郎机创制的一种铁制后装炮,"其身之式则大佛郎机",炮身长四尺,加上铁柄共长六尺二寸,配备提心五个,每个装铅子一百粒,射程可达二三里,威力相当于三个将军炮。④

八面神威风火炮 炮身用精铜镕铸,长三尺,"后为醮尾",安装于木架上。另铸提心五枚,内装铅弹发药。每炮用兵二人,一人装填一人施放,八面旋转,"远则攻打二百余步,近则攻打一百余步",威力很大。⑤

红夷炮 从荷兰传入我国,天启二年(1622年)开始仿制,铜或铁质,长二丈余,重者达三千余斤,发射后威力极大,"能洞裂石城,震数十里",被封为大将军。⑥

西洋炮 用生铁铸成,重七千斤,长一丈二尺,口径二尺四寸,发射大铁弹。⑦

满天星 用生铁铸成,重一千五百斤,装药的药室壁厚于前膛壁,发射大子和群子。⑧

混江龙 一种大型火炮,用熟铁或熟铜卷成筒形,长六尺,厚三寸(书中寸为尺,疑为刊刻之误),口径八寸,炮尾底部比炮身小十分之一,炮身底部开药线孔。炮内先装火药,火药上装小铁弹子,小铁弹子上装"混江龙","混江龙"上装大铅子,药线从药线孔插入炮筒内。炮身前端安装有机关,不用时锁定,使雨水不致浸湿炮内火药。⑨

战铳 铁铸,炮口口径三寸至四寸,从火门至炮口的长度为口径的三十三倍,炮底厚为口径的一倍,尾珠长大各为口径一倍,炮耳的长大也为各径的一倍,火门至炮耳的距离是口径的十三倍,炮耳至炮口的距离是口径的十九倍。炮重五百斤至一千斤,最大者达三千斤,发射的炮弹重四斤至十斤。⑩

---

① 赵士祯:《神器谱》。
②③ 戚继光:《练兵实纪杂集》,卷五《军器解》。
④ 张萱:《西园闻见录》,卷六九。
⑤ 《武备志》,卷一三三。
⑥ 《明史》,卷九二《兵四》,2 265页。
⑦⑧ 唐顺之:《武编》,卷六。
⑨⑩ 《火攻挈要》,卷上《铸造战攻守各铳尺量比例诸法》。

中国古代火药火器史

飞龙铳　铁铸,母炮口口径三寸至五寸,母炮身长为口径的五十五倍。子铳身长为母炮口径的五倍,底是母炮口径的一倍。大号炮用子铳三个,小号炮用子铳五个。①

象铳　铁铸,炮口下部空径五寸,火门前装火药处空径二寸五分。炮身从火门至炮口长是口径的八倍。炮底厚是口径的一倍。尾珠、炮耳长大各为口径的十分之六。②

喷铳　铁铸,炮口下部空径一尺,火门前空径五寸,炮身从火门至炮口长是口径的四倍,炮膛从炮底至炮口呈敞口喇叭形。炮底厚三寸,炮耳、尾珠长大各三寸。③

攻铳　铁铸,炮口口径四寸至六寸,炮身长为口径的十八倍至二十二倍,火门至炮耳长为口径的八倍,炮耳至炮口长为口径的十一倍,炮耳长为口径的一倍。发射的炮弹重十斤至五十斤。④

虎吼铳　铁铸,炮口口径六寸至一尺,炮身长为口径的二十倍,发射炮弹重五十斤至一百斤。⑤

狮吼铳　铁铸,炮口口径一尺至一尺五寸,炮身长为口径的十五倍,发射炮弹重一百斤至三百斤。⑥

飞彪铳　铁铸,炮口下部空径二尺,火门前装药处空径一尺,炮身从火门至炮口长为口径的四倍。炮底厚七分五厘,尾珠、炮耳长大各为口径的一半,火门至炮耳长为口径的一倍半,炮耳至炮口长为口径的三倍。⑦

守铳　铁铸,炮口口径三寸至五寸,炮身长是口径的八倍至十六倍,发射的炮弹重四斤至十斤。⑧

以上介绍的是史籍记载的明代火炮。除此以外,还出土了不少明代的火炮实物。下面,我们逐一介绍目前所掌握的出土(或传世)的镌刻有铭文的明代火炮实物。为了叙述方便,列表如下:

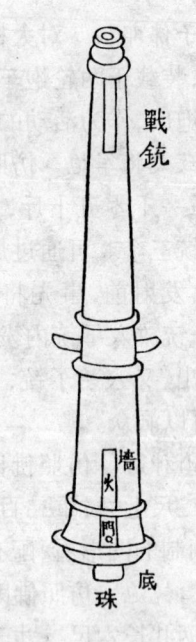

图50　战铳(采自《火攻挈要》)

表一　明代有铭火炮一览表

序号	火炮名称	制造时间	铭　文	收藏处或出土地点	资料来源
1	水军左卫进字大碗口筒	洪武五年(1372年)	水军左卫进字四十二号大碗口筒　重二十六斤　洪武五年十二月吉日宝源局造（后刻:韩）	中国革命军事博物馆藏	⑭
2	洪武八年莱州卫莱字大炮筒	洪武八年(1375年)	莱州卫莱字七号大炮筒重壹佰贰拾斤　洪武八年二月　日宝源局造	1988年山东蓬莱县出土	㉞

---

①②③④⑤⑥⑦⑧　《火攻挈要》,卷上《铸造战攻守各铳尺量比例诸法》。

· 106 ·

续表

序号	火炮名称	制造时间	铭文	收藏处或出土地点	资料来源
3	洪武八年莱州卫莱字大炮筒	洪武八年（1375年）	莱州卫莱字二十九号大炮筒重一百二十一斤 洪武八年二月 日宝源局造	1988年山东蓬莱县出土	㉞
4	洪武十年凤阳铜炮	洪武十年（1377年）	凤阳……洪武十年 月 日造	中国革命军事博物馆藏	㉝
5	洪武十年平阳卫铁炮	洪武十年（1377年）	大明洪武十年丁巳□□季月吉日平阳卫铸造	山西省博物馆藏	⑮
6	洪武十一年横海卫碗口筒炮	洪武十一年（1378年）	横海卫 教师祝官孙 习学军人王官保 铳筒重廿五斤 洪武十一年 月 日造	1964年山东冠县出土	⑯
7	洪武十一年永宁卫碗口筒炮	洪武十一年（1378年）	永宁卫局 提调镇抚赵旺监督 总旗夏两隆 作头张孝先 铜匠钱四儿成造 碗口筒一十四斤四两重 洪武十一年 月 日造	1977年贵州赫章出土	⑰
8	洪武十八年永平府铜炮	洪武十八年（1385年）	永平府 洪武十八年三月八日铸 □□□铳铜重六十斤 匠造官□□□□铸匠□保子	1972年河北宽城出土	⑱
9	永乐七年奇字铜炮	永乐七年（1409年）	奇字壹千陆佰拾壹号 永乐柒年玖月 日造	1983年甘肃张掖出土	⑩
10	正德六年铜炮	正德六年（1511年）	正德陆年拾月内 汝宁府知府毕昭 守御所千户任伦 奏准铸造	河南省博物院藏	㉕
11	嘉靖九年流星炮子铳	嘉靖九年（1530年）	子铳:胜字捌佰拾捌号流星炮 嘉靖庚寅年造	军事博物馆藏	㉝
12	嘉靖九年流星炮子铳	嘉靖九年（1530年）	子铳:胜字捌佰贰拾贰号流星炮 嘉靖庚寅年造	军事博物馆藏	㉝
13	嘉靖九年流星炮子铳	嘉靖九年（1530年）	子铳:嘉靖庚寅年造流星炮 重柒斤肆两	首都博物馆藏	㉝
14	嘉靖十年流星炮筒（母铳）	嘉靖十年（1531年）	母铳:胜字捌佰伍拾玖号流星炮筒 嘉靖辛卯年兵仗局造 子铳:重陆斤拾贰两	首都博物馆藏	㉝

续表

序号	火炮名称	制造时间	铭　　文	收藏处或出土地点	资料来源
15	嘉靖十年流星炮筒（母铳）	嘉靖十年（1531年）	母铳:胜字壹千贰拾壹号流星炮筒　嘉靖辛卯年兵仗局造	首都博物馆藏	㉝
16	嘉靖十二年佛郎机中样铳筒（子铳）	嘉靖十二年（1533年）	子铳:胜字贰千肆百伍拾壹号佛郎机中样铜铳　嘉靖癸巳年兵仗局造　重玖斤肆两	中国历史博物馆藏	㉝
17	嘉靖十二年佛郎机中样铳筒（子铳）	嘉靖十二年（1533年）	子铳:胜字贰千柒百贰拾贰号佛郎机中样铜铳　嘉靖癸巳年兵仗局造　重拾斤	中国历史博物馆藏	㉝
18	嘉靖十六年旋风炮	嘉靖十六年（1537年）	旋风炮　壹千壹百柒拾壹号　嘉靖丁酉年兵仗局造	甘肃灵武出土	㉖
19	嘉靖十六年铜炮	嘉靖十六年（1537年）	"嘉靖丁酉三月　匠金守山"等	（日）游就馆藏	①
20	嘉靖十九年旋风炮	嘉靖十九年（1540年）	旋风炮　叁千伍百伍拾肆号　嘉靖庚子年兵仗局造	（日）南条寿氏藏	①
21	嘉靖十九年马上佛郎机子铳	嘉靖十九年（1540年）	子铳:马上佛郎机铳　贰千肆百肆拾号　嘉靖庚子年兵仗局造　重壹斤拾两	1984年北京延庆出土	㉗
22	嘉靖十九年马上佛郎机子铳	嘉靖十九年（1540年）	子铳:马上佛郎机铳　贰千伍百伍拾柒号　嘉靖庚子年兵仗局造　壹斤拾贰两	1984年北京延庆出土	㉗
23	嘉靖二十年佛郎机中样铜铳子铳	嘉靖二十年（1541年）	子铳:胜字陆千贰百柒拾肆号佛郎机中样铜铳　嘉靖辛丑年兵仗局造　重捌斤捌两	1978年辽宁辽阳出土	⑨
24	嘉靖二十年佛郎机中样铜铳子铳	嘉靖二十年（1541年）	子铳:胜字陆千肆百肆拾叁号佛郎机中样铜铳　嘉靖辛丑年兵仗局造　重玖斤捌两	1978年辽宁辽阳出土	⑨
25	嘉靖二十年胜字佛郎机铳	嘉靖二十年（1541年）	嘉靖二十年造　胜字四十二号　刘桂	首都博物馆藏	㉝
26	嘉靖二十二年胜字佛郎机铳	嘉靖二十二年（1543年）	母铳:嘉靖二十二年造　年例胜字三百六号　工匠张敏　子铳:胜字十七号	首都博物馆藏	㉝

续表

序号	火炮名称	制造时间	铭　文	收藏处或出土地点	资料来源
27	嘉靖二十三年胜字佛郎机铳	嘉靖二十三年(1544年)	嘉靖二十三年　年例胜字七十五号	首都博物馆藏	㉝
28	嘉靖二十三年马上佛郎机铳	嘉靖二十三年(1544年)	母铳:柒千捌百陆拾壹号　重九斤八两　嘉靖甲辰年兵仗局	1976年北京西城区出土	㉗
29	嘉靖二十三年胜字佛郎机铳	嘉靖二十三年(1544年)	母铳:嘉靖二十三年造　胜字二千五百六号	首都博物馆藏	㉝
30	嘉靖二十三年胜字佛郎机铳	嘉靖二十三年(1544年)	母铳:嘉靖二十三年造　胜字二千六百十二号　铸匠杨动	首都博物馆藏	㉝
31	嘉靖二十四年胜字佛郎机铳	嘉靖二十四年(1545年)	母铳:嘉靖二十四年造　胜字三千三百七十号	首都博物馆藏	㉝
32	嘉靖二十四年年例胜字佛郎机铳	嘉靖二十四年(1545年)	母铳:嘉靖二十四年造　年例胜字三百七号　作头阮义	首都博物馆藏	㉝
33	抚宁佛郎机铳	嘉靖二十四年(1545年)	"嘉靖二十四年造　胜字三千二百五十八号　隆庆四年京运　铸匠刘春"等	1984年河北抚宁城子峪出土	⑳
34	抚宁佛郎机子铳	嘉靖二十四年(1545年)	"胜"字	1984年河北抚宁城子峪出土	⑳
35	嘉靖二十八年佛郎机铳	嘉靖二十八年(1549年)	"嘉靖二十八年""胜字四十二号"等	首都博物馆藏	㉑
36	天字铜炮	嘉靖三十四年(1555年)	"嘉靖乙卯十月天四百九十三斤十两匠梁内同"等	朝鲜京城劝政殿	①
37	玄字铜炮	嘉靖三十四年(1555年)	"匠梁内了同""嘉靖乙卯""玄人重四十九斤"等	(日)东浪博物馆藏	①
38	天字铜炮	嘉靖三十四年(1555年)	"嘉靖三十四年九月　日　左兵营都会铸成第四铳筒重三百二十四斤""西生浦"等	(日)东京游就馆藏	①

续表

序号	火炮名称	制造时间	铭　　文	收藏处或出土地点	资料来源
39	玄字铜炮	嘉靖三十五年（1556年）	"铁匠字文""监官康世元""昌原府造玄字""嘉靖三十五年十月　日"等	（日）东京游就馆藏	①
40	地字铜炮	嘉靖三十六年（1557年）	"地字铳筒""嘉靖丁巳三月　日""匠金守山重百六十六斤"等	（日）东京游就馆藏	①
41	玄字炮	隆庆二年（1568年）	"隆庆戊辰八月""玄字重伍拾壹斤""匠人张拾介"等	（日）东京游就馆藏	①
42	万历二年佛郎机中样铜铳子铳	万历二年（1574年）	子铳:胜字壹万柒千壹百拾肆号佛郎机中样铜铳　万历贰年兵仗局造	河北蓟县都乐寺藏	㉝
43	万历二年蓟县中样佛郎机子铳	万历二年（1574年）	"胜字壹万玖千壹百拾□号　□□中样铜佛郎机　万历二年兵仗局造"等	河北蓟县黄崖关出土	⑲
44	万历二十年天字铁炮	万历二十年（1592年）	皇图巩固　天策贰拾伍号大将军　监造通判孙兴贤　万历壬辰季夏吉日　兵部委官千总杭州陈云鸿造　教师陈胡　铁匠董世金	（日）岩国城藏	①
45	万历二十年天字铁炮	万历二十年（1592年）	皇图巩固　天字陆拾玖号大将军　监造通判孙兴贤　贰贯目玉　万历壬辰仲秋吉日　兵部委官千总杭州陈云鸿造　教师陈胡　铁匠徐玉	（日）游就馆藏	①
46	万历二十年天字铁炮	万历二十年（1592年）	皇图巩固　天字壹百叁拾伍号大将军　监造通判孙兴贤　贰贯目玉　万历壬辰孟冬吉日　兵部委官千总杭州陈云鸿造　教师陈胡　铁匠刘淮	（日）游就馆藏	①
47	万历二十年仁字铁炮	万历二十年（1592年）	保阵边疆　仁字伍号大将军　巡抚顺天都御史李颐置　整饬蓟州兵备佥事杨植立　整饬永宁兵备佥事杨镐　监造通判孙兴贤　万历壬辰孟冬吉日　兵部委官千总杭州陈云鸿造　教师陈胡　铁匠卢保	军事博物馆藏	㉝
48	万历二十二年孟县铁炮	万历二十二年（1594年）	万历甲午孟县知县杨希古督造	山西省博物馆藏	①

续表

序号	火炮名称	制造时间	铭文	收藏处或出土地点	资料来源
49	天启二年红夷铁炮	天启二年（1622年）	天启二年　总督两广军门胡　题解红夷铁铳二十二门第六门	中国历史博物馆藏	㉘
50	天启二年红夷铁炮	天启二年（1622年）	天启二年　总督两广军门胡　题解红夷铁铳二十二门第十四门	中国历史博物馆藏	㉘
51	崇祯元年铁炮	崇祯元年（1628年）	崇祯元年五月　日造　作头□信　抚院标下营造官拓应荐造　炉头刘朝丘　八达岭正城顺天巡抚都察院王□试造新□□□伍号　管理五军副总监张□督造	北京八达岭长城陈列	㉝
52	崇祯元年发烦神炮	崇祯元年（1628年）	崇祯戊辰年兵仗局铸造　捷胜飞空灭虏安边发烦神炮　头号节裹铜发烦炮一位　用药二斤□少分　打五六椰头不等　木马儿一个　二斤重铅子一个或再添一个铅子亦可	北京八达岭长城处	㉝
53	崇祯二年铁炮	崇祯二年（1629年）	"重二千斤　崇祯二年吉日　军门王造"等字	中国历史博物馆	㉒
54	崇祯四年虎蹲炮	崇祯四年（1631年）	崇祯四年十月　日铸　威匠赵士英　虎蹲炮第二十位　重四十九斤　足重四斤六两	（日）有马成甫藏	①
55	崇祯六年红夷铁炮	崇祯六年（1633年）	崇祯六年　总督两广军门熊　岭西道左布政王造　督造官万文浩　何吾巘　马继龙　广西	军事博物馆藏	㉓
56	崇祯六年红夷铁炮	崇祯六年（1633年）	崇祯六年　岭西布政王　总督两广军门□□□	原湖南省文管会藏	㉓
57	崇祯九年红夷铁炮	崇祯九年（1636年）	崇祯九年造　亳州城上炮一位　重七十斤	安徽亳州出土	㉙
58	崇祯十年红夷铁炮	崇祯十年（1637年）	"崇祯十年"等字样		㉔

续表

序号	火炮名称	制造时间	铭　文	收藏处或出土地点	资料来源
59	崇祯十年红夷铁炮	崇祯十年（1637年）	密镇捐铸天字第五号西洋炮　总监中西二协御马监太监邓希诏　总督蓟辽劳处兵部右侍郎张福臻　分监中西二协御马监太监杜勋　巡抚顺天劳处都察院御史吴阿衡　崇祯十年五月吉日　户部管饷郎中王征俊　右匦营副将刘承德　密云兵道副使刘镐　古北路副□张汝行　密云管粮通判朱朝□　振武营副将潘洪业　密云县知县王应元　奇兵营参将施承元　总督中军参将□宗文　右搪路参将古道行　制胜营尤吉郭维宁　前锋营都司杨芳　团练左尤吉赵完璧　后劲营都司王存智　团练右尤吉田禄　忠义营都司杜桂林　右翼营都司屈大利　右匦营都司周加谟　右翼营都司王国玺　督造都司守备里朝　米禄　魏弘勋	首都博物馆藏	㉝
60	崇祯十一年红夷铁炮	崇祯十一年（1638年）	崇祯戊寅岁仲夏吉日　捐助建造红夷大炮　总督军门卢象升　总督军门陈新甲　总督军门陈贵　巡抚都御史叶廷桂　分守太监牛文炳　巡按监察御史张宸极　巡按监察御史秦廷奏　镇守京左都督王朴　中监太监杨林茂　户部郎中王士章　分守冀北兵备道朱家仕　分巡冀北兵道樊师孔　整饬阳和兵备道窦可进　大同左卫兵备道聂明楷　监军屯牧兵备道郑独复　张洪　督工监造中军参游吴□　梁承爵　红夷大炮一位重五百斤　装放用药一斤四两　封口铁子一个重一斤　群子九个　如日久不放者每年须用稻糠煨润一次　试放用药一斤　垂为永式	河北石家庄市发现	㉚

续表

序号	火炮名称	制造时间	铭　文	收藏处或出土地点	资料来源
61	崇祯十一年红夷铁炮	崇祯十一年（1638年）	崇祯戊寅岁仲夏吉日　捐助建造红夷大炮　总督军门卢象升　总督军门陈新甲　总督军门陈贵　巡抚都御史叶廷桂　分守太监牛文炳　巡按监察御史张宸极　巡按监察御史秦廷奏　镇守京左都督王朴　中监太监杨林茂　户部郎中王士章　分守冀北兵备道朱家仕　分巡冀北兵道樊师孔　整饬阳和兵备道窦可进　大同左卫兵备道聂明楷　监军屯牧兵备道郑独复　张洪　督工监造中军参游吴□　梁承爵　红夷大炮一位重五百斤　装放用药一斤四两　封口铁子一个重一斤　群子九个　如日久不放者每年须用稻糠煨润一次　试放用药一斤　垂为永式	山西省博物馆藏	⑮
62	崇祯十一年红夷铁炮	崇祯十一年（1638年）	崇祯戊寅岁仲夏吉日　捐助建造红夷大炮　总督军门卢象升　总督军门陈新甲　总督军门陈贵　巡抚都御史叶廷桂　分守太监牛文炳　巡按监察御史张宸极　巡按监察御史秦廷奏　镇守京左都督王朴　中监太监杨林茂　户部郎中王士章　分守冀北兵备道朱家仕　分巡冀北兵道樊师孔　整饬阳和兵备道窦可进　大同左卫兵备道聂明楷　监军屯牧兵备道郑独复　张洪　督工监造中军参游吴□　梁承爵　红夷大炮一位重五百斤　装放用药一斤四两　封口铁子一个重一斤　群子九个　如日久不放者每年须用稻糠煨润一次　试放用药一斤　垂为永式	山西省博物馆藏	⑮

续表

序号	火炮名称	制造时间	铭　　文	收藏处或出土地点	资料来源
63	崇祯十一年红夷铁炮	崇祯十一年（1638年）	敕赐神威大将军　钦命总督宣大部院卢　总监昌宣司礼监太监魏　□□昌宣御马监太监魏　巡抚宣府都御史刘　巡按宣大御史张　昌宣中军御马监太监卢　总督□府□理储高　镇守宣大总督杨　分守□北道副使贺　督造　崇祯拾壹年叁月吉旦　镇□将军游击□勋　阁部题授赞画何良焘监制　坐营王凤鸣　效劳千总王之诚　铁匠祁登□等　铸匠张士□王□等	北京八达岭长城陈列	㉝
64	崇祯十二年红夷铁炮	崇祯十二年（1639年）	明崇祯十二年仲冬吉日铸造　重伍千四百斤　钦命总督军门洪承畴　钦命总督军门高起潜　钦差山永军门朱国栋　钦差总监中府太监刘国玉　钦差永平监军道石声和钦差总理镇总兵马科　钦差协镇副总兵黄蜚……	中国历史博物馆藏	㉝
65	崇祯十二年红夷铁炮	崇祯十二年（1639年）	崇祯十二年捐造　委官……	山西省博物馆藏	⑮
66	崇祯十二年红夷铁炮	崇祯十二年（1639年）	"钦命总督军门洪承畴中军王"等字	故宫博物院藏	㉝
67	崇祯十三年红夷铁炮	崇祯十三年（1640年）	钦命□镇昌平兵部右堂刘　钦命总监昌宣二镇军门申　总监昌宣标下中军御马监太监赵世□　总理昌平粮饷户都山西清吏司主事程之□　整饬昌平兵备山西提刑按察司主事张□　镇守居庸昌平总兵官右都督王世仁　总监昌宣标下督造□掌司刘国□　崇祯庚辰岁吉日	北京德胜门箭楼藏	㉝
68	崇祯十四年铁炮	崇祯十四年（1641年）	崇祯十四年拾月记	军事博物馆藏	㉝
69	崇祯十四年铁炮	崇祯十四年（1641年）	崇祯十四年拾月记　标右十四号　头司头队　右营　头司头队	原北京历史博物馆藏	①

续表

序号	火炮名称	制造时间	铭　　文	收藏处或出土地点	资料来源
70	崇祯十四年铁炮	崇祯十四年（1641年）	崇祯十四年十月记　神机六营贰司头队	原北京历史博物馆藏	①
71	崇祯十四年铁炮	崇祯十四年（1641年）	崇祯十四年十月记　五军四曹二司二队十六号	原北京历史博物馆藏	①
72	崇祯十六年红夷铁炮	崇祯十六年（1643年）	大明崇祯十六年二月吉日造红夷灭虏大将军　山海关	上海市发现	㉜
73	崇祯十六年红夷铁炮	崇祯十六年（1643年）	"崇祯十六年　福建军门张　都督郑造"等字	湖南长沙出土	㉓
74	崇祯十六年红夷铁炮	崇祯十六年（1643年）	"崇祯十六年□营造应天军门郑"等字	湖南长沙出土	㉓
75	崇祯十六年红夷铁炮	崇祯十六年（1643年）	大明崇祯十六年仲春吉旦铸造神威大将军一位　重五千斤……	山海关长城陈列	㉝
76	崇祯十七年红夷铁炮	崇祯十七年（1644年）	崇祯拾柒年□　布政司安奉两广军门□巡抚□史□准　南明□□□　铳重二千斤……	广州市越秀山陈列	㉝
77	崇祯十七年红夷铁炮	崇祯十七年（1644年）	"崇祯十七年重壹千斤"等字	湖南省博物馆藏	㉝

资料来源：

① （日）有马成甫：《火炮的起源及其流传》，吉川弘文馆发行，1962年。
② 河北省博物馆等：《河北省出土文物选集》，文物出版社，1980年。
③ 成东：《明代前期有铭火铳初探》，《文物》，1988(5)。
④ 崔璿：《内蒙古发现的明初铜火铳》，《文物》，1973(11)。
⑤ 《梁山县发现明初木船》，《文物参考资料》，1956(9)。
⑥ 李逸友：《内蒙古托克托城的考古发现》，《文物资料丛刊》，第4辑(1981年)。
⑦ 史宝珍：《镇江出土的明代火器》，《文物》，1986(7)。
⑧ 胡建中：《明代火铳》，《紫禁城》，第24期。
⑨ 杨豪：《辽阳发现明代佛郎机铜铳》，《文物资料丛刊》，第7辑(1983年)。
⑩ 师万林：《甘肃张掖发现明代铜铳》，《考古与文物》，1986(4)。
⑪ 李约瑟：《中国科学技术史》第五卷《军事技术：火药的史诗》第305页，英国剑桥大学出版社；1986年。Joseph Needham：*Science and Civilization in China*，Volume 5，Part 7，P. 305，Cambridge University Press，1986.

⑫刘志一:《内蒙古克什克腾旗出土的明代铜铳》,《文物》,1982(7)。
⑬吉林省博物馆:《明代扈伦四部乌拉部故址——乌拉古城调查》,《文物》,1966(2)。
⑭王荣:《元明火铳的装置复原》,《文物》,1962(3)。
⑮胡振祺:《明代铁炮》,《山西文物》,1982(1)。
⑯刘善沂:《山东冠县发现明初铜铳》,《考古》,1985(10)。
⑰殷其昌:《赫章出土的明代铜铳》,《贵州社会科学》,1982(5)。
⑱陈烈:《河北省宽城县出土明铜铳》,《考古》,1985(8)。
⑲周铮等:《佛郎机铳浅探》。(未刊稿)
⑳包贵智:《介绍一组明代子母铳》,《军事史林》,1986(6)。
㉑《中国大百科全书·军事卷》,国防科工委编辑室。
㉒刘旭:《中国古代火炮史》。
㉓马非百:《谈周炮的年代问题》,《文物参考资料》,1955(7)。
㉔《南京日报》1960年4月25日第3版。
㉕赵新来:《在株洲鉴选出一件明铜炮》,《文物》,1965(8)。
㉖朱耀山:《灵武县崇六乡小杨渠出土明代铜制"旋风炮"》,《文物参考资料》,1956年(12)。
㉗程长新:《北京延庆发现明代马上佛郎机铳》,《文物》,1986(12)。
㉘周铮:《天启二年红夷铁炮》,《中国历史博物馆馆刊》,第5期。
㉙李灿:《亳县发现明朝铁炮一门》,《安徽日报》1981年5月7日。
㉚王海航:《石家庄市发现明代铁炮》,《文物参考资料》,1957(6)。
㉛成东:《明代后期有铭火炮概述》,《文物》,1993(4)。
㉜孙桂珍:《在废铜铁中发现明清时代铜铁炮》,《文物参考资料》,1957(4)。
㉝笔者实地考察收集。
㉞袁晓春:《山东蓬莱出土明碗口炮》,《文物》,1991(1)。

上面介绍的出土(或传世)的火炮实物,均是有铭文可供考稽,可以确切断定其为明代的遗物。除此以外,还有相当一部分出土(或传世)的火炮实物,均无铭文可供考稽,但是报告者断定为明代火炮,现在将这部分火炮实物介绍如下:

一箍凸腹式铁炮 炮身圆筒形,铁质,尾部加厚,药室外壁凸腹,前膛隆起一道箍,通长约98厘米,口径约7厘米,重87公斤,1979年在江苏镇江出土两尊,报告者认为是明初火炮,藏江苏省镇江市博物馆。①

三箍凸腹式铁炮 炮身圆筒形,铁质,尾部加厚,药室外壁凸腹,前膛隆起三道箍,炮身全长约66.7厘米,炮口径约4厘米,重约30公斤,1979年在江苏省镇江出土14尊,报告者认为是明代初期火炮,藏江苏省镇江市博物馆。②

四箍凸腹式铁炮 炮身圆筒形,铁质,尾部加厚,药室外壁凸腹,前膛隆起四道箍,炮身全长约73.3厘米,炮口径约4厘米,1979年在江苏省镇江市出土,报告者认为是明代初期火炮,藏江苏省镇江市博物馆。③

七箍厚尾式铁炮 炮身圆筒形,铁质,炮口、炮尾均加厚,无凸腹,隆起七道箍,炮全长约86厘米,炮口径约5厘米,重约36公斤,1979年在江苏省镇江市出土两尊,报告者认为是明

①②③ 史宝珍:《镇江出土的明代火器》,《文物》,1986(7)。

代初期火炮,藏江苏省镇江市博物馆。①

八箍厚尾式铁炮 炮身圆筒形,铁质,炮口、炮尾均加厚,无凸腹,隆起八道箍,全长约108厘米,口径约6.5厘米,重约46公斤,1979年在江苏省镇江市出土,报告者认为是明代初期火炮,藏江苏省镇江市博物馆。②

宽箍式铁炮 炮身圆筒形,炮口、炮尾均加厚,炮身外铸三道宽箍,炮通长74厘米,炮口径7厘米,重53公斤,1979年在江苏省镇江市出土,报告者认为是明代初期火炮,藏江苏省镇江市博物馆。③

大口式铁炮 炮身铁质,铸有环箍,炮口外形似碗状,炮尾不加厚,1979年在江苏镇江市出土时仅残存炮的前后两段,残长45厘米,炮口径10厘米,报告者认为是明代初期火炮,藏江苏省镇江市博物馆。④

北京铁炮 铁质,炮身通长88.7厘米,炮口外径20厘米,内径8.5厘米,膛深71厘米,北京长城外侧墙根出土,藏首都博物馆。据有关人员考证,断定为明代初期火炮。

定边铁炮 铁质,重5公斤,通长33厘米,口径7.5厘米,炮身呈圆筒状,有固箍,无耳轴和瞄准具。1987年于陕西省定边县姬原乡发现,藏榆林地区文物管理委员会。报告者认为是明初火炮。⑤

佛郎机炮 铁质,炮身通长151厘米,炮口外径9.1厘米,内径5.2厘米,中间有炮耳一对,巨腹方形开口长27厘米,宽7.8厘米,炮尾长21厘米,藏中国历史博物馆。

燕字碗口筒炮 铜质,炮身镌刻有"燕"字,1958年于河北省卢龙县出土,据认为是明代碗口筒炮之类的火炮。⑥

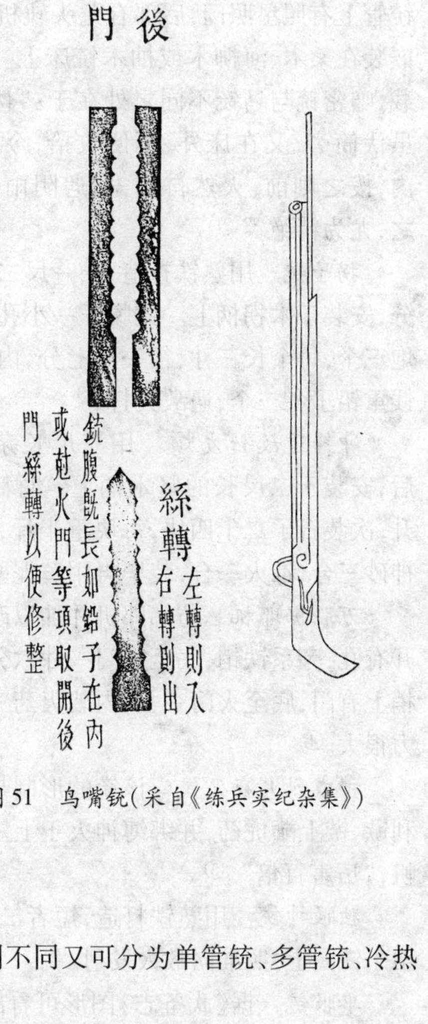

(二)铳

明代中小型管状火器——铳的种类繁多,按其形制不同又可分为单管铳、多管铳、冷热结合型铳、组合型铳等几种类型。

1. 单管铳:

图51 鸟嘴铳(采自《练兵实纪杂集》)

---

①②③④ 史宝珍:《镇江出土的明代火器》,《文物》,1986(7)。从一箍凸腹式铁炮到大口式铁炮,由于出土报告中没有详细报道各火炮每部分的具体尺寸大小,本文所引的数字,有些是从出土报告的附图上度量后,按原图比例尺折算的,不很准确,但大致可供参考。

⑤ 罗宏才:《定边县发现一件明代铁铳》,《文博》,1988(4)。

⑥ 成东:《碗口铳小考》,《文物》,1991(1)。

鸟嘴铳 即鸟铳,欧洲人发明,嘉靖年间经日本传入中国,其形制多样,但一般用熟铁打制成枪管,约三尺长,重五斤、六斤不等,上有照星、照门,后半部有发火装置,枪管嵌装在木托上以便用手握持发射。其装药量一次一般一钱二分,铅铁弹子二钱。发射时,左手托住铳身瞄准目标,右手握铳柄扣动扳机发火,十发可中八九发,射击精度较高,是近代步枪的雏形。①

噜密铳 由噜密国(今土耳其)传入,其构造与鸟铳大致相同,全长约六七尺,约重七八斤或六斤,铳管上有照星照门,后部有龙头轨机发火装置,铳管嵌装在桑木、河柳木或柚木铳床上。据《武备志》记载,噜密铳与鸟铳不同之处在于:"倭铳(即鸟铳)机虽伏筒旁,又在床外,不便收拾,今加损益,置机床内,拨之则前,火然自回,如遇阴雨,用铜片作瓦覆之,尤为精绝。"②

拐子铳 用熟铁打造,长一尺二寸,口径二寸二分,安装于木拐柄上。铳腹开一小孔,从前面装进小炮三个,每个长三寸,径一寸七分,内装火药八分,二钱重铅子各二个,遇敌夹打。③

冲锋追敌竹发熕 用三尺长茅竹筒加工处理后,安装于二尺长的坚木柄上。竹筒内先装发药五升,次装石子二十四块,每块重半斤,瓷锋一升,再装神砂三合,毒火一合,装毕再用黄泥塞其口,用铁箍箍好。用于骑兵追击敌人最为合适。

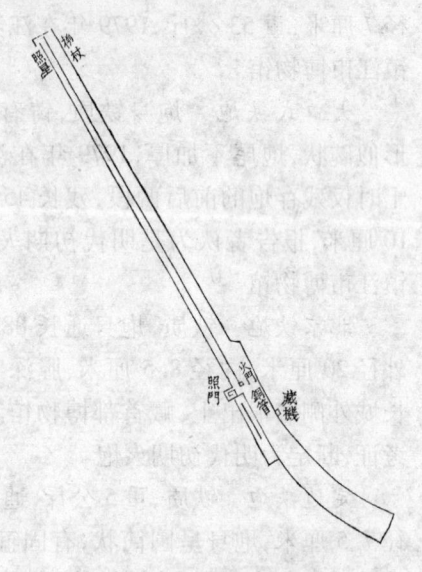

图52 噜密铳(采自《神器谱》)

万胜佛郎机 仿佛郎机并加以改进制成的一种后装铳,其母铳长一尺六寸,离底不远处开有孔,旁系铁销,底至火门一寸六分。每门母炮配子炮三套九个,每个子炮长一尺七寸,底梢上有门,底至火门一寸,内装火药三钱,铅子一枚重三钱。发射时,一装一放,循环无端,威力很大。④

神威烈火夜叉铳 该铳的形制与一般的铳相同。不同的是用坚木车成法马,法马上钉利镞,镞上蘸虎药,并绑缚神火于上。发射时,利镞可射敌人马,可焚烧辎重粮草,可延烧篷帆,"厉害百倍"。⑤

独眼神铳 用熟铁打造,短者二三尺,长者四尺,底部钻火门眼,后部安装木柄拐,前部架于铁圈上,照准向敌人发射。⑥

单眼铳 据《武备志》图形可看出,这种铳是在木柄上安装铳管,铳管后部钻火眼,安上引信。整个铳虽轻便,但因临敌来不及装药和铅铁子,故后来制造使用很少。⑦

大追风枪 枪管重十八斤,长四尺四寸,后尾五寸楔入柄内,柄长一尺九寸。枪管内装

---

① 戚继光:《练兵实纪杂集》,卷五,又见《武备志》,卷一二四、《天工开物》,卷一五《佳兵·火器》、《神器谱》等书记载较详。
②③ 《武备志》,卷一二四,又见《神器谱》。
④ 《武备志》,卷一二五。
⑤⑥⑦ 《武备志》,卷一二五,又见《火龙经》。

火药六钱,铅子一枚重六钱五分。枪架于三足铁柱上,每枪配备二人,一人执枪瞄准射击目标,一人执火绳点火发射,平发射程达二百余步,高发达十余里。①

神枪 用闽铁打造成枪管,口上用铁箍箍上,底部钻火门,座后余铁打成尖钉状,楔入木柄,木柄长三尺五寸。枪管内不装铅子,而用细铅凿碎如豆粒大,放入草乌砒霜水中浸泡数日,捞起晒干后拌上松香,再装入枪管内,每发装二十余粒。发射后,铅化如汞,人马中之即毙。②

轩辕铳 明后期赵士祯对原有鸟铳加以改进所创制的一种新的鸟铳式管形火器。因北方风大,瞄准时,风易将门药吹去。为了克服这一缺点,在铳身上安装一种自动开闭的火门装置,并在上面加上防阴雨的盖篷,因而适合北方使用。③

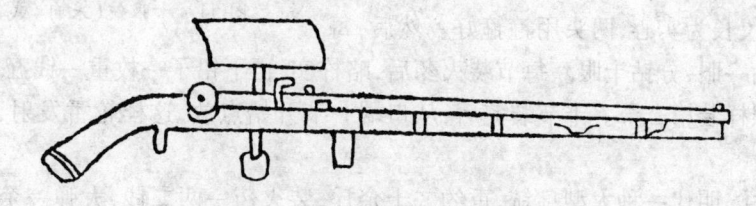

图53 轩辕铳(采自《神器谱》)

神枪 明初从安南传入。据《武备志》的文字和图形来看,其形制是:前面为发射筒,后尾安装木柄,筒内装铅弹、箭等物,箭下有木送子,射程可达三百步。④

单飞神火箭 用精铜铸成铳管,长三尺,筒内先装法药三钱,再装坚木法马和矢一支,矢镞蘸虎药。发射时,点燃引信,药发箭飞,射程可达三百步。⑤

赛贡铳 戚继光在吸收鸟铳、佛郎机炮的优点,克服其缺点的基础上,创制出这种赛贡铳,铳长三小尺,铳内容半斤铅子,火药装在粗腹内,药量不能超过铅子重。发射时,平卧地上,随其远近,加垫木垫,其威力可比发熕。⑥

竹火枪 以三尺长的毛竹,去节像鸟铳管,底部以土筑实一二寸,接近土层处钻火眼用来穿药线,竹管外用铁丝、麻线扎紧,上漆。竹管内装直性火药一钱六分,铅子一枚,既轻便,杀伤威力又大。⑦

钁铳 以七八斤铁打造成钁头状,后安五尺长的木柄。钁头内装药五钱,铅弹六七枚,以纸塞口。守城士兵在城垛口之后,对着攻城敌人射击,使敌人不敢挖扒城墙挖地道。⑧

冲阵火葫芦 其外形类似葫芦,中间为铳管,内装铅弹和毒火一升。坚木柄长六尺。作战时,与火牌相间配合使用,使猛士持之冲向敌阵,威力很大。⑨

快枪 全长六尺五寸,重五斤,腹长二尺,径内十分光圆,且可装铅子三四钱;火药用竹木筒事先装量好,封贮候用;药线每根长一寸半,十根为一束准备好。装填时,先装好药线,

---

① 《武备志》,卷一二五。其射程高发没有那么远,可参看拙著《中国古代火炮史》第193页。
② 《武备志》,卷一二五。
③ 《武备志》,卷一二四。
④⑤ 《武备志》,卷一二六。
⑥ 《纪效新书》,卷一五。
⑦⑧ 《武备志》,卷一二八。
⑨ 《武备志》,卷一三〇。

然后倒入一竹木筒火药,筑实,再下铅子一枚。施放时,屈前膝架枪,后手点燃火药,不能摇晃。①

掣电铳　赵士祯参酌佛郎机等铳创制的一种连发铳,长六尺许,重五斤,发火装置与噜密铳一样,其改进部分是配备有五门子铳,每个子铳长六寸,重十两许,装火药二钱五分,弹子二钱,前有圆小嘴,后有扁方榫,榫中有眼,用来受捎钉,以防前撞后坐。由于使用了子铳,大大提高了射速。②

十眼铳　首先用熟铁打成铳管,长五尺,重十五斤,中间一尺长为实心,两头用箍箍好。然后,每节长四寸处钻一眼,分钻十眼。每节装火药后,略杵实,再下铅子一枚重一钱五分,再以纸隔开。然后再照样装第二节。十节装完后,从口端一节开始点放,这样轮番发射,可连续发射十次。③

图54　十眼铳(采自《武备志》)

九头鸟铳　明代一种大型鸟铳,重约二十余斤,装火药一两二钱,大弹一个,小弹(铜钱般大)九个,特别适宜夜战。

2. 多管铳:

子母百弹铳　用熟铁打造,每管铳长一尺五寸,外箍小铳十个,各长五寸,嵌装在木柺柄上。每铳内装铅弹数十枚。④

图55　子母百弹铳(采自《武备志》)

---

① 戚继光:《练兵实纪杂集》,卷五。该枪从图形上看,似为冷热结合型兵器,但文字上没有说明,故归于单管铳内。
② 赵士祯:《神器谱》。
③ 《武备志》,卷一二六。
④ 《武备志》,卷一二四。

直横铳 用铁打造铳管如三眼枪式，内装将军炮药九分，再装铅子至铳腹，安装在长七八尺的木枪上，两边安装横铳，内装弹药，引入药信，遇敌发射，前、右、左均可击敌。①

七星铳 用铁打造七铳，长一尺三寸，中间一大铳，四周围旋六铳，铳内装火药、铅铁子，各铳底总合一处，外以厚铁包裹，再上三道铁箍，底钻一火眼，安装于五尺长的木柄上，木柄又安装于二轮（径一尺五寸）中轴上。作战时，可随高随低向敌发射。②

夹把铳 首先打造两个铳管，再以坚木长柄一根，前端安铁叉，两个铳管夹束两旁，并总束为一。③

图56 七星铳(采自《火龙经》，卷中)

五雷神机 仿照鸟铳并加以改进而创制的一种多管铳，共五个铳管，每铳管长一尺五寸，重五斤，底至火门高一寸，各铳管前端均有照星，柄上共一照门，铳管总装柄上，火绳含铜管内。每铳每发装药二钱，铅子一枚重一钱五分，平放时，射程远达一百二十余步。④

三捷神机 仿照鸟铳加以改进而创制的一种多管铳，共三个铳管，其它构造与五雷神机大致相同。⑤

五排枪 用铁打造五个枪管，每个枪管重一斤四五两，五管并排安装于长四尺的木柄上，每管装火药并铅子四五枚。⑥

八斗铳 先以铁打造八个铳管，其长短、大小与三眼枪铳管相同。再以木柄二条，每头装铳管两个，木柄中间钉转轴。遇敌时，收转点放，可连续发射八发。⑦

迅雷铳 赵士祯参酌三眼铳、鸟铳等创制的一种多管铳，每铳有五个铳筒，各长二尺许，共重十余斤，筒上均有照门照星；中著一木杆，末端成枪头形。发火装置与噜密铳一样，各铳筒共用一个，置之匣内。再用一斧柄，末尾成丫叉形，倒插地上，便于发射。发射时，轮流旋转，可连续发射五发。发射后，倒持铳管，可当短枪戮敌，实际上又是冷热结合的火铳。⑧

3. 冷热结合型铳：

翼虎铳 以粗五寸、长一丈五尺的竹杆一根，距杆顶端一尺五寸处安枪尖五股，倒须长四寸。竹杆顶端安木翎，三面绑缚大竹筒三节，径粗二寸，长一尺，内装火药、铁铅弹子，药线总合一处。竹筒内火药铅铁子发射光后，还可用枪尖刺人。⑨

击贼砭铳 以铁打造，铳管长三尺，柄长二尺，适合步兵使用。发射时射程远达三百步。发射完后，其铳又能打贼，"一器而两用"。⑩

飞天神火毒龙枪 首先以铜铸或用铁打造枪身，长一尺五寸，中空，内装铅弹一枚及火药。枪身前端两分开，枪锋各长二寸五分，上蘸虎药。枪身两旁绑缚毒火两筒。这种枪可一

---

① 《武备志》，卷一二四。
②③ 《武备志》，卷一二四，又见《火龙经》，卷中。
④⑤⑥⑦ 《武备志》，卷一二五。
⑧ 赵士祯：《神器谱》。
⑨⑩ 《武备志》，卷一二五，又见《火龙经》，卷中。

器三用:远距离时,发射铅弹击敌;近距离时,则点燃毒火烧敌;肉搏战时,则举枪锋刺敌。①

神机万胜火龙刀 首先用铜熔铸或者用铁打造刀身,中空,内装铅弹一枚,刀身前端分开两刃,长三寸,上蘸虎药,刀身两旁绑缚毒火药筒两个。作战时,像飞天神火毒龙枪一样,可以"一器而三用"。②

剑枪 用铁制造,长四尺八寸,重八斤,中空,内装火药三钱,铅子一枚,重三钱。后作一枪头,长九寸;枪柄长九寸,枪鞘斜柄一尺一寸。作战时,"一器而兼三器之用":远敌可发射铅弹,平射远二百余步,最远的可达二十余里;近敌可当枪使用刺杀敌人;也可当棍使用击杀敌人。③

倒马火龙神棍 其形制有两种:一种用熟铁打造,长三尺,中空,内装铅弹神火,木柄长四尺;一种用铁打造,两头如铅弹铳一样大小,中间隔断,一头装毒火神火,一头装铅铁弹。作战时,先发射铅弹射击敌人,或发毒火神火烧灼敌人;发射完后,可当棍击打敌人。④

铳棍 用铁制造,长六尺五寸,重十斤,上身如鸟铳,"下身铁连心,外用竹藤漆包裹"。装填弹药时,先装火药三钱至上火门,用㮞杖筑实,入铅子一枚,重三钱,再加少许土,与上火门齐。然后与前面一样再一次装填弹药。作战时,"一器可做二器之用":先点发火药铅子,可连续发射两发,射程可达一百余步;发射完后,缓则"再装药",急则"作闷棍"击杀敌人。⑤

荡天灭寇阴阳铲 用铜或铁制,柄长六尺六寸,柄前端二尺二寸,中空,内装铅子、毒火、神砂等。作战时,先发射铅弹射击敌人;发射完后,当作冷兵器(铲)砍杀敌人。⑥

雷火鞭 鞭身以铜铁铸造,上细下粗,长三尺二寸,前五寸中空,内装火药,三枚铅子,重一钱,柄长四寸。作战时,先当火器使用,然后当冷兵器使用。⑦

4. 组合型火铳:

车轮炮 每个车轮有辐条十八根,每根长一尺四寸。每根辐条左右各安装铳一管,其铳管用铁打造,重一斤半,长一尺,内装火药铅子。每个车轮安装铳管三十六个。每头骡驮架二轮,架中装铁转柱。作战时,将木架置地,先取一轮安装于木架上,点燃引线,随其高低转打,可连续发射三十六发。⑧

百矢弧箭 名为箭,实际上是一种多管铳,其形制是:用纸制成筒六个,长五寸,径一寸五分,内装火药半筒,将六筒捆缚于一处。然后在每个筒内装竹箭数枚,每箭长五寸,箭头经过加工处理,硬如铁,六筒的药线贯连一起,宜于近战用。⑨

木火兽 用轻木竹篾等制成一兽形,高三尺,长五尺三寸,外画彩像,四足安四轮,口中置竹喷筒,耳内藏二烟瓶,左右胸旁拴四管铳,铳内装火药铅子,以药线联络相通。用一人驾行,从后面向敌发射。⑩

太平车 用坚木制成弯月形柜,底开并悬吊石头,柜的左右安装两轮,前面开五孔,安装五个大铳管,铳管里面装铅子,引信总系一处。柜内安小钢轮发火装置,并开五小孔以通火

---

① ② ③ 《武备志》,卷一二八。关于剑枪之射程,可参看拙著《中国古代火炮史》第193页。
④ ⑤ ⑥ ⑦ 《武备志》,卷一二八。
⑧ 《武备志》,卷一二三。
⑨ 《武备志》,卷一二七。
⑩ 《武备志》,卷一三一。

气。然后用绳索将柜吊在半城间,敌人近城,"机括一动,五铳俱发",杀伤力很大。①

万胜神毒火屏风车 车用坚木制造,高与城门等,下安八轮,外蒙生牛皮,里面安装火铳、火炮、火弹、火枪、火刀、火弩等。如敌人攻城,"万火齐发,声如巨雷,人马遇之,便成齑粉"。②

破敌火风鼎 用杉木制成方柜形,高三尺,阔一尺五寸,上做盖板。四角有高二尺的柱,上做飞虎旗四面壮威严,柜内安装发药鸟铳、火箭、飞弹、大将军等,上面也安装数件。后做一木架,架前列利器十余件。下设四轮,以军士二人推向敌阵。号炮一响,火炮、火铳、火箭齐发,厉害百倍。③

联络战车 仿照轻车之制造成,每辆安装百子铳三门,百虎齐奔箭及长蛇神机箭三百枝,若干辆联合成一组,次第举发,威力无穷。④

神火万全铁围营 用坚木做柜,内分四层,分别安装神枪、神弹、神弩等十六件,下设双轮。敌人如果近攻,万火齐发,击成齑粉。⑤

上面是史籍记载的明代火铳。除了史籍记载的外,还先后出土和传世很多明代的有铭火铳实物。现在,我们逐件一一加以介绍。为了叙述方便,列表如下:

表二 明代有铭火铳一览表

序号	火铳名称	制造时间	铭 文	收藏处或出土地点	资料来源
1	江阴卫全字长铳筒	洪武五年（1372年）	江阴卫全字叁拾捌号长铳筒 重叁斤贰两 洪武五年五月吉日宝源厂造（后刻:手拿此处或下用木柄拿）	原沈阳博物馆藏	①
2	骁骑右卫胜字长铳筒	洪武五年（1372年）	骁骑右卫胜字肆佰壹号长铳筒 重贰斤拾贰两 洪武五年八月吉日宝源局造	1964年河北赤城出土	②
3	水军右卫胜字铳筒	洪武五年（1372年）	水军右卫胜字肆佰肆拾伍号铳筒 重叁斤贰两 洪武五年十二月吉日宝源局造	天津电解铜厂拣选	③
4	洪武十年凤阳行府铜手铳	洪武十年（1377年）	凤阳行府造 重三斤八两 监造镇抚刘聚 教匠陈有才 军匠崔玉 洪武十年 月 日造	1971年内蒙古托克托县出土	④
5	洪武十年凤阳行府铜手铳	洪武十年（1377年）	凤阳行府 监造官镇抚孙英 教匠谢阿佛 军匠华孝顺 重三斤半 洪武十年 月 日造	1971年内蒙古托克托县出土	④
6	洪武十年凤阳府铜手铳	洪武十年（1377年）	凤阳府 监造镇抚孙英 教匠潘茂 军匠李青 三斤七两 洪武十年 月 日造	1930年（日）黑田源次从北平购得	①

---

① 《武备志》,卷一三一。
②③④⑤ 《武备志》,卷一三二。

续表

序号	火铳名称	制造时间	铭　　文	收藏处或出土地点	资料来源
7	洪武十年南昌左卫铜手铳	洪武十年（1377年）	南昌左卫　监造镇抚李龙　中左千户所习学军匠刘善甫　教师王景名　洪武十年　月　日造	1929年（日）黑田源次从北平购得	①
8	洪武十年威武卫铜手铳	洪武十年（1377年）	威武卫　教师轩原保　习学军人陈才七　铳筒重三斤二两　洪武十年　月　日造	德国柏林兵器博物馆藏	①
9	洪武十年杭州护卫铜手铳	洪武十年（1377年）	杭州护卫　教师吴佳孙　习学军人王宦音保　铳筒重三斤七两　洪武十年　月　日造	1956年山东梁山县出土	⑤
10	洪武十年杭州护卫铜手铳	洪武十年（1377年）	杭州护卫　教师吴佳孙　习学军人□朝□　铳筒重三斤四两　洪武十年　月　日造	内蒙古托克托县出土	⑥
11	洪武十年杭州左卫铜手铳	洪武十年（1377年）	水军左卫　教师沈名二　习学军人阿德　铳筒重三斤八两　洪武十年　月　日造	内蒙古托克托县出土	⑥
12	洪武十年虎贲左卫铜手铳	洪武十年（1377年）	虎贲左卫　教师祝一　习学军人尚十三　铳筒重三斤九两　洪武十年　月　日造	内蒙古托克托县出土	⑥
13	洪武十年虎贲卫铜手铳	洪武十年（1377年）	虎贲卫　教师蔡登　习学军人应倪受　铳筒重三斤拾一两　洪武十年　月　日造	辽宁旅顺博物馆藏	㉝
14	洪武十年渡竟卫铜手铳	洪武十年（1377年）	渡竟卫　教师祭启　习学军人应□受　铳筒重三斤十三两　洪武十年　月　日造	原山西太原省立图书馆藏	①
15	洪武十年金陵卫铜手铳	洪武十年（1377年）	金陵卫　洪武十年造	1979年江苏镇江句容出土	⑦
16	洪武十一年凤阳府军司铜手铳	洪武十一年（1378年）	凤阳府军司　重三斤八两　监造镇抚李春　习学军匠王直杰　洪武十一年　月　日造	罗振玉旧藏	①
17	洪武十二年袁州卫铜手铳	洪武十二年（1379年）	袁州卫军器局提调所　镇抚何祥　民匠教师徐成远　习学军匠施署□　计三斤四两　洪武十二年　月　日造	1971年内蒙古托克托县出土	④

续表

序号	火铳名称	制造时间	铭　文	收藏处或出土地点	资料来源
18	洪武十二年袁州卫铜手铳	洪武十二年（1379年）	袁州卫军器局提调所　镇抚何祥　民匠徐成□　习学军匠王□　洪武十二年月　日造　三斤八两	内蒙古托克托县出土	⑥
19	洪武十二年吉安铜手铳	洪武十二年（1379年）	吉安守御千户所　监局镇抚李荣　军匠马舟和　计三斤八两重　洪武十二年造	故宫博物院藏	⑧
20	洪武十二年齐长铜手铳	洪武十二年（1379年）	……监造镇抚□□　习学军匠齐长……	原北京历史博物馆藏	①
21	建文二年天字铜手铳	建文二年（1400年）	留守中卫　铸造铜铳　天字九十五号（建文）二年八月吉日	1964年河北赤城县出土	②
22	永乐七年天字铜手铳	永乐七年（1409年）	天字伍千贰佰叁拾捌号　永乐柒年玖月　日造（后刻：赤城二边石门墩）	河北省文物研究所藏	③
23	永乐七年天字铜手铳	永乐七年（1409年）	天字贰万贰千伍拾捌号　永乐柒年玖月　日造	1978年辽宁辽阳出土	⑨
24	永乐七年天字铜手铳	永乐七年（1409年）	天字贰万叁千贰佰捌拾叁号　永乐柒年玖月　日造	（日）秩父宫藏	①
25	永乐七年天字铜手铳	永乐七年（1409年）	天字贰万叁千陆佰贰拾伍号　永乐柒年玖月　日造	（日）藤村贞喜氏藏	①
26	永乐七年武字铜手铳	永乐七年（1409年）	武字肆千叁佰肆拾肆号　永乐柒年玖月　日造	英国伍利芝博物馆藏	⑪
27	永乐十二年天字铜手铳	永乐十二年（1414年）	天字叁万肆千伍佰肆拾玖号　永乐拾贰年叁月　日造	首都博物馆藏	㉝
28	永乐十二年天字铜手铳	永乐十二年（1414年）	天字叁万肆千陆佰陆号　永乐拾贰年叁月　日造　（后刻：居台子二十二号居路石峡隆庆伍年领）	（日）有马成甫藏	①
29	永乐十二年天字铜手铳	永乐十二年（1414年）	天字叁万伍千伍佰贰拾伍号　永乐拾贰年叁月　日造	北京延庆县文管所藏	③

续表

序号	火铳名称	制造时间	铭 文	收藏处或出土地点	资料来源
30	永乐十二年天字铜手铳	永乐十二年（1414年）	天字肆万伍佰伍拾肆号　永乐拾贰年叁月　日造	（日）多贺宗之氏藏	①
31	永乐十二年天字铜手铳	永乐十二年（1414年）	天字肆万捌佰陆拾捌号　永乐拾贰年叁月　日造	首都博物馆藏	㉝
32	永乐十三年英字铜手铳	永乐十三年（1415年）	英字壹万伍千叁拾肆号　永乐拾叁年玖月　日造	首都博物馆藏	㉝
33	永乐十三年奇字铜手铳	永乐十三年（1415年）	奇字壹万贰千肆拾陆号　永乐拾叁年玖月　日造	河北省文物研究所藏	③
34	永乐十三年功字铜手铳	永乐十三年（1415年）	功字壹万捌千伍佰陆拾捌号　永乐拾叁年玖月　日造	1981年内蒙古出土	⑫
35	永乐十九年天字铜手铳	永乐十九年（1421年）	天字肆万壹千贰佰柒拾柒号　永乐拾玖年玖月　日造	河北省文物研究所藏	③
36	永乐十九年天字铜手铳	永乐十九年（1421年）	天字肆万肆千捌佰伍拾肆号　永乐拾玖年玖月　日造	（日）有马成甫藏	①
37	永乐十九年天字铜手铳	永乐十九年（1421年）	天字伍万壹佰拾伍号　永乐拾玖年玖月　日造	故宫博物院藏	⑧
38	永乐十九年天字铜手铳	永乐十九年（1421年）	天字伍万叁千肆拾壹号　永乐拾玖年玖月　日造（后刻：皇字二号　隆庆三年□运）	欧人藏	①
39	永乐二十一年天字铜手铳	永乐二十一年（1423年）	天字陆万贰佰叁拾壹号　永乐贰拾壹年玖月　日造	（日）有马成甫藏	①
40	永乐二十一年天字铜手铳	永乐二十一年（1423年）	天字陆万伍千陆佰贰拾叁号　永乐贰拾壹年玖月　日造	首都博物馆藏	㉝
41	永乐二十一年天字铜手铳	永乐二十一年（1423年）	天字陆万伍千捌佰柒拾陆号　永乐贰拾壹年玖月　日造	首都博物馆藏	㉝

续表

序号	火铳名称	制造时间	铭　文	收藏处或出土地点	资料来源
42	宣德元年天字铜手铳	宣德元年（1426年）	天字陆万柒千贰佰玖拾玖号　宣德元年拾壹月　日造	（日）有马成甫藏	①
43	宣德元年天字铜手铳	宣德元年（1426年）	天字陆万玖千贰佰肆拾陆号　宣德元年拾壹月　日造	1962年河北省张北县出土	②
44	宣德元年天字铜手铳	宣德元年（1426年）	天字陆万玖千玖佰伍拾捌号　宣德元年拾壹月　日造（后刻：麻峪口西大光山墩台　枪四号军人田英）	原北京历史博物馆藏	①
45	宣德元年天字铜手铳	宣德元年（1426年）	天字柒万叁千贰佰玖拾肆号　宣德元年拾壹月　日造	（日）有马成甫藏	①
46	正统元年天字铜手铳	正统元年（1436年）	天字玖万贰千捌拾捌号　正统元年叁月　日造	首都博物馆藏	㉝
47	正统元年天字铜手铳	正统元年（1436年）	天字玖万伍千肆佰陆拾肆号　正统元年叁月　日造（后刻：衣字一号　燕界八十七号台）	德国柏林民族博物馆藏	①
48	正统元年天字铜手铳	正统元年（1436年）	天字玖万柒千陆佰肆拾号　正统元年叁月　日造	首都博物馆藏	㉝
49	正统元年天字铜手铳	正统元年（1436年）	天字玖万捌千陆佰拾贰号　正统元年叁月　日造	首都博物馆藏	㉝
50	正统九年胜字铜手铳	正统九年（1444年）	胜字壹万贰千柒佰柒拾伍号　正统玖年拾月　日造	（日）鸟居龙藏氏藏	①
51	成化年间烈字铜手铳	成化年间（1465~1487年）	成化年造烈字贰千贰佰捌拾贰号	首都博物馆藏	㉝
52	弘治九年神字铜手铳	弘治九年（1496年）	神字肆号　弘治玖年捌月　日造	北京大学旧藏	①
53	弘治九年神字铜手铳	弘治九年（1496年）	神字二十一号　弘治玖年　月　日造	南京东华门左城墙出土	㉓

续表

序号	火铳名称	制造时间	铭　文	收藏处或出土地点	资料来源
54	弘治九年神字铜手铳	弘治九年（1496年）	弘治九年八月造　神字壹佰肆拾玖号	故宫博物院藏	⑧
55	万历六年胜字铜手铳	万历六年（1578年）	万历卯春五斤七两药六钱草芝	（日）福井芳郎氏藏	①
56	万历七年胜字铜手铳	万历七年（1579年）	万历巳卯四月　日造胜字七斤七两　匠捡校　□四	（日）饭冢毅氏藏	①
57	万历九年胜字铜手铳	万历九年（1581年）	万历辛巳四月　日　胜字七斤三两　匠丰年	（日）琦玉县熊谷市圣天町大泽釜右卫氏藏	①
58	万历十年佛郎机铳	万历十年（1582年）	万历十年正月　日　匠易二天五号	（日）游就馆藏	①
59	万历十一年胜字铜手铳	万历十一年（1583年）	"立匣上　万历癸未六月胜字　五斤二两匠捡加药七钱中丸八小丸则十"等	吉林永吉县乌拉古城出土	⑬
60	万历十一年胜字铜手铳	万历十一年（1583年）	万历癸未九月　日　胜字五斤三两　金海匠人中丸七钱	（日）京城大学法文学部藏	①

资料来源：

①（日）有马成甫：《火炮的起源及其流传》。
②河北省博物馆等：《河北省出土文物选集》，文物出版社，1980。
③成东：《明代前期有铭火铳初探》，《文物》，1988(5)。
④崔璿：《内蒙古发现的明初铜火铳》，《文物》，1973(11)。
⑤《梁山县发现明初木船》，《文物参考资料》，1956(9)。
⑥李逸友：《内蒙古托克托城的考古发现》，《文物资料丛刊》，1981(4)。
⑦史宝珍：《镇江出土的明代火器》，《文物》，1986(7)。
⑧胡建中：《明代火铳》，《紫禁城》，第24期。
⑨杨豪：《辽阳发现明代佛郎机铜铳》，《文物资料丛刊》，1983(7)。
⑩师万林：《甘肃张掖发现明代铜铳》，《考古与文物》，1986(4)。
⑪李约瑟：《中国科学技术史》第5卷《军事技术：火药的史诗》，305页。
⑫刘志一：《内蒙古克什克腾旗出土的明代铜铳》，《文物》，1982(7)。
⑬吉林省博物馆：《明代扈伦四部乌拉部故址——乌拉古城调查》，《文物》，1966(2)。
⑭王荣：《明代火铳的装置复原》，《文物》，1962(3)。

⑮胡振祺:《明代铁炮》,《山西文物》,1982(1)。
⑯刘善沂:《山东冠县发现明初铜铳》,《考古》,1985(1)。
⑰殷其昌:《赫山出土的明代铜铳》,《贵州社会科学》,1982(5)。
⑱陈烈:《河北省宽城县出土明铜铳》,《考古》,1985(8)。
⑲周铮等:《佛郎机铳浅探》(内部未刊稿)。
⑳包贵智:《介绍一组明代子母铳》,《军事史林》,1986(6)。
㉑《中国大百科全书·军事卷》,国防科工委编辑室提供。
㉒刘旭:《中国古代火炮史》。
㉓马非百:《谈周炮的年代问题》,《文物参考资料》,1955(7)。
㉔《南京日报》,1960年4月25日第3版。
㉕赵新来:《在株洲鉴选出一件明铜炮》,《文物》,1965(8)。
㉖朱耀山:《灵武县崇六乡小杨渠出土明代铜制"旋风炮"》,《文物参考资料》,1956(12)。
㉗程长新:《北京延庆发现明代马上佛郎机铳》,《文物》,1986(12)。
㉘周铮:《天启二年红夷铁炮》,《中国历史博物馆馆刊》,第5期。
㉙李灿:《亳县发现明朝铁炮一门》,《安徽日报》,1981年5月7日。
㉚王海航:《石家庄市发现明代铁炮》,《文物参考资料》,1957(6)。
㉛成东:《明代后期有铭火炮概述》,《文物》,1993(4)。
㉜孙桂珍:《在废铜铁中发现明清时代铜铁炮》,《文物参考资料》,1957(4)。
㉝笔者实地考察收集。
㉞袁晓春:《山东蓬莱出土明碗口炮》,《文物》,1991(1)。

以上介绍出土(或传世)的火铳实物,均是有铭文年号可供考稽,能够确切断定为明代遗物。除此以外,还有相当一部分出土(或传世)的火铳实物无铭文(个别有铭文,但铭文已残缺辨认不清或铭文无制造年号)可供考稽,而报告者断定为明代火铳,现将所掌握的这部分火铳实物逐件介绍如下:

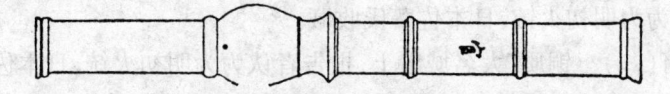

图57 高要明初铜火铳(Ⅰ式)(采自《文物资料丛刊》第7期)

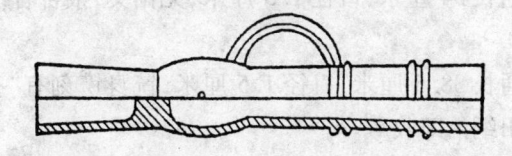

图58 丹徒明初手把铜铳(采自《文物》1986年第7期)

丹徒手把铜手铳 铜质,通长32.4厘米,内径3厘米,重2.65千克,报告者认为为明初火铳,1964年于江苏丹徒废品站拣选。①

黑城铜火铳 铜质,通长29.5厘米,内径2.5厘米,重2.3千克,1971年内蒙古托克托

---

① 史宝珍:《镇江出土的明代火器》,《文物》,1986(7)。

县黑城公社黑城大队出土,报告者认为为明初火铳。①

托克托城火铳(一) 铜质,通长38.5厘米,口径1.9厘米,铳筒细长,药膛略外凸,上有引火孔,铳尾为长条形柄,内蒙古托克托城出土,报告者认为为明初火铳。②

托克托城火铳(二) 铜质,通长42厘米,口径2.2厘米,铳筒细长,药膛稍外凸,上有引火孔,铳尾略外敞如喇叭状,内蒙古托克托城出土,报告者认为为明初火铳。③

托克托城火铳(三) 铜质,通长36厘米,口径1.9厘米,其形制和出土地点同上一尊火铳,报告者认为为明初火铳。④

托克托城火铳(四) 铜质,通长27厘米,口径2.3厘米,其形制和出土地点同上一尊火铳,报告者认为为明初火铳。⑤

高要铜火铳(Ⅰ式) 铜质,铳身细长,上有六个固箍,通长36厘米,内径2.3厘米,1978年广东高要县蚬岗公社八联大队出土两支这类铜铳,其中一支铳身上镌刻"官"字。报告者认为为明初火铳。⑥

高要铜火铳(Ⅱ式) 铜质,其形制和上面Ⅰ式基本相同,铳身五道固箍,共出土三支,其中一支铳身镌刻一个"胜"字,一支镌刻两个"胜"字。出土地点同Ⅰ式。报告者认为为明初火铳。⑦

高要铜火铳(Ⅲ式) 铜质,通长30厘米,内径2厘米,铳身较短,上铸固箍五道,共出土三支,出土地点同Ⅰ式,报告者认为为明初火铳。⑧

高要铁火铳 铁质,通长26.5厘米,内径约2厘米,共出土三支,出土地点同Ⅰ式,报告者认为为明初火铳。⑨

凉城铜铳 铜质,铳身镌刻"电字六百四十号"等铭文,内蒙古凉城出土。⑩

大名城铳筒(一) 铜质,通长32厘米,口径2.3厘米,河北省大名城出土,镌刻铭文模糊不清,报告者认为为明初火铳,日本有马成甫收藏。⑪

大名城铳筒(二) 铜质,通长31.5厘米,口径2.6厘米,重2.25千克,大名城出土,无铭文,报告者认为为明初火铳,日本佐藤氏收藏。⑫

大名城铳筒(三) 铜质,大名城出土,报告者认为为明初火铳,日本佐藤氏收藏。⑬

三眼铳 铁质,通长45厘米,无铭文,报告者认为为明代火铳,日本有马成甫收藏。⑭

三眼铳 铁质,通长34厘米,口径1.5厘米,无铭文,报告者认为为明代火铳,藏日本靖国神社。⑮

三眼铳 铜质,通长38.5厘米,口径1.5厘米,铳身镌刻有"行营上"等铭文,报告者认为为明代火铳,日本田纲治郎收藏。⑯

三品字火铳(一) 铁质,通长40.5厘米,内径1.3厘米,1978年辽宁省辽阳县蓝家堡

---

① 崔璿:《内蒙古发现的明初铜火铳》,《文物》,1973(11)。
②③④⑤ 李逸友:《内蒙古托克托城的考古发现》,《文物资料丛刊》,1981(4)。
⑥⑦⑧⑨ 古运泉:《广东高要县发现明初铜、铁铳》,《文物资料丛刊》,1983(7)。
⑩ 成东:《明代前期有铭火铳初探》,《文物》,1988(5)。
⑪⑫⑬⑮ 有马成甫:《火炮的起源及其流传》,153~155页。
⑭⑯ 有马成甫:《火炮的起源及其流传》,204~205页。

子出土,报告者认为为明代火铳。①

三品字火铳(二) 铁质,通长36.3厘米,口径1.5厘米,1978年辽宁省辽阳县蓝家堡子出土,报告者认为为明代火铳。②

从传世的明代火铳实物的形制变化中,可以更为直观地了解明代火铳发展演变的历史轨迹。

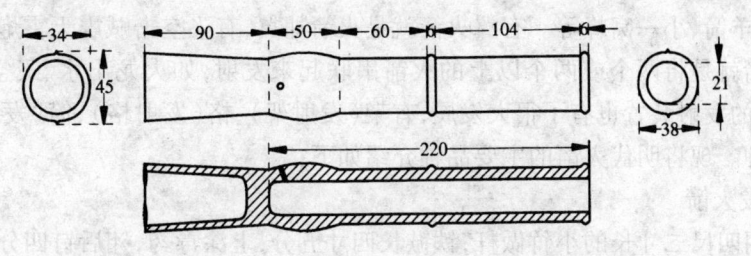

图59 南昌左卫铜手铳(洪武十年)(采自《火炮的起源及其流传》)

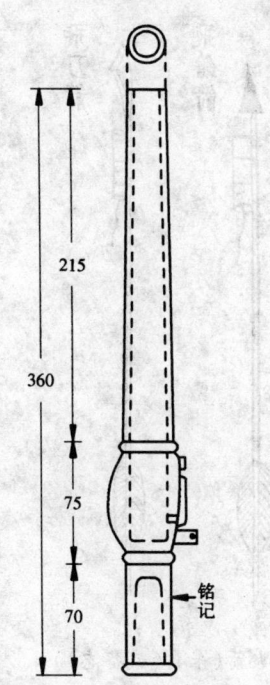

图60 永乐十二年天字铜手铳
(采自《火炮的起源及其流传》)

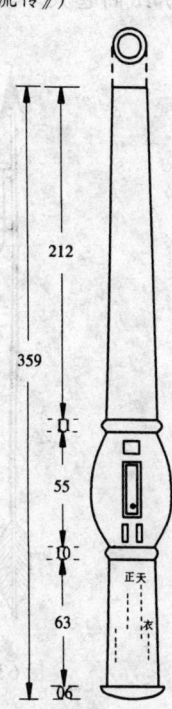

图61 正统元年天字铜手铳
(采自《火炮的起源及其流传》)

图62 宣德元年天字铜手铳(一)(采自《火炮的起源及其流传》)

---

①② 杨豪:《辽阳发现明代佛郎机铜铳》,《文物资料丛刊》,1983(7)。

四、火箭

明代火箭，其发展成就不可低估，可分单级和多级火箭两种类型。单级火箭又可分单发火箭、多发齐射火箭、多火药筒并联火箭、有翼火箭等。所谓单发火箭即一次发射一支箭，有流星箭、飞刀箭等。多发齐射火箭即一次发射几支、十几支乃至上百支箭，有五虎出穴箭、一窝蜂、百虎齐奔箭等。多火药筒并联火箭，就是装有两个或两个以上同时工作的火药筒的火箭，有二虎追羊箭、小一窝蜂等。有翼火箭就是火箭加翼，有飞空击贼震天雷炮、神火飞鸦箭等。多级火箭就是将两个或两个以上的火箭串联起来发射，如火龙出水、飞空砂筒等。同时，明代火箭的发射装置也有了很大发展，有架（发射架）、格（发射格）、筒（发射筒）和槽形发射器等数种。现将明代火箭的主要品种介绍如下：

（一）单发火箭

火箭 用四尺二寸长的小竹做杆；铁镞长四寸五分，上涂毒药，翎后钉四分长的铁坠；竹杆前端绑纸筒起火。发射时，使用龙形箭架或竹木筒等发射装置。①

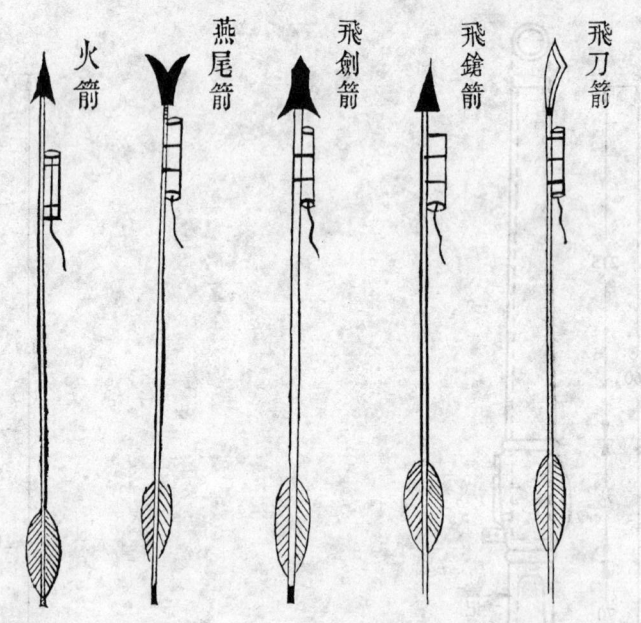

图63 飞刀箭、飞枪箭、飞剑箭、燕尾箭、火箭（采自《武备志》）

飞刀箭、飞枪箭、飞剑箭、燕尾箭 铁镞分别为刀形、枪形、剑形或燕尾形，长三寸，上蘸毒药；药筒长八寸，径粗一寸二分；箭杆用荆棍或实竹杆，长六尺（实竹杆则径粗五六分），翎长七寸，后有铁坠。发射时，射程可达五百余步，南北水、陆战皆宜。②

大筒火箭 以粗六七分、长五尺的荆木做柄，末端做成三棱形箭。前端尖头用纸筒，内装火药形状似火箭，头长七寸，粗二寸。金属锋长五寸，阔一尺，其形状似剑或刀等。全箭总重约二斤多，点火发射，射程可达三百步。③

后火药筒 这实际上是用火箭发射的燃烧弹，即送药筒后部装有燃烧体，其形制是：

---

① 《武备志》，卷一二六，又见《火龙经》，卷中。
②③ 《武备志》，卷一二六。

"送药筒长五寸,外另卷褙纸,比送药筒加长一寸五分,送药筒打满而止,留此一寸五分,少加发药一匙,即将此褙纸置药上,药线分开四路,直透筒口,即用黄土一分隔之,方入后火药,以木杵稍实之,入满到口,以四药线头俱揿伏,药口用线纸二三层封固。"作战时,点燃送药筒药线,火箭射至目标,焚燃敌人篷帆或营寨。①

流星炮　箭杆以小指粗的实竹做成,长四尺五寸,翎花长四寸五分,箭镞倒须有槽,上涂毒药,长二寸五分,脚长二寸;药筒长五寸,筒内装火药,后安放纸炮一个,长一寸八分,大小如药筒。发射后,箭可伤人,纸炮爆炸惊骇敌人(见图64)。②

(二)多发齐射火箭

神机箭　以矾纸做成筒,内装火药等物,再以油纸封好。筒后钻小孔,装入药线,绑缚于竹箭杆上。铁矢镞如燕尾状,箭竹杆末端装翎毛。一个大竹筒内装二只或三只。临敌点燃药线,射程可达百步,适宜于水、陆战。③

火弩流星箭　毛竹筒长二尺五寸,柄长二尺,筒内装火箭十支。作战时,点燃药信,众矢齐发,威力极大。④

小竹筒箭　竹筒内装短火箭十支,每只火箭药筒长一寸五分,箭长九寸,翎后有铁坠,总重约二斤。作战时,点燃药线,短箭齐发,射程可达二百余步。⑤

火笼箭　以竹篾编成筒,长四尺,口大尾小,然以纸糊好并刷上油,再留一小孔用于穿药线,药线与火箭引信相连。每筒内装火箭十七八支或二十支,钢箭头涂毒药,起火前捏明火一丸,主要用来焚烧敌人粮草、城楼、船只等物。⑥

双飞火笼箭　做竹篾筐一个,长四尺二寸,围五尺,糊上厚纸并刷上油。火箭杆长四尺,镞长一寸五分,翎上钉四寸长铁坠。笼内两头安装井字形架,火箭药线露出,总合成一条盘住。作战时,一齐点火发射,威力很大。⑦

五虎出穴箭　毛竹筒口用铁条分成井字形,内装火箭五支,每支火箭药筒长三寸,箭长二尺五寸,矢镞涂射虎毒药,翎后有铁坠。发射时,点燃引信,五支箭齐发,射程五百步。稍加变更尺寸,则成小五虎箭。⑧

七筒箭　以竹七根,长四尺,径粗八分,打通节,内外光净。火箭杆长四尺五寸,翎长四寸,药筒长四寸五分,径粗一寸二分,以黄土封后。箭镞长二寸三分,四棱有槽,涂毒药。火箭装竹筒内,七筒捆为一处,引信总为一处。发射时,射程可达二百步。⑨

四十九矢飞廉箭　以篾编成圆形竹笼,约长四尺,外糊纸帛,内装四十九矢,矢镞以薄铁做成,上蘸虎药;药筒以纸卷成,长二寸许。筒内前装烂火药、神火药,后装催火发药,绑缚于矢杆上。顺风向敌人发射,威力极大。⑩

百虎齐奔箭　匣内装百矢,每矢箭杆长一尺六寸,药筒长三寸,翎后有铁坠,矢镞涂虎药。一发百矢,射程可达三百步。⑪

群豹横奔箭　匣内装神机箭四十支,每矢箭杆长二尺三寸,药筒长五寸,翎后加铁坠。匣内的架箭上格板眼孔稀疏,下格板眼孔紧密。因此,发射时四十矢俱发,横布数十丈,远达

---

①③④⑤⑥　《武备志》,卷一二六。
②　《武备志》,卷一二八。
⑦⑧⑨⑩⑪　《武备志》,卷一二七。

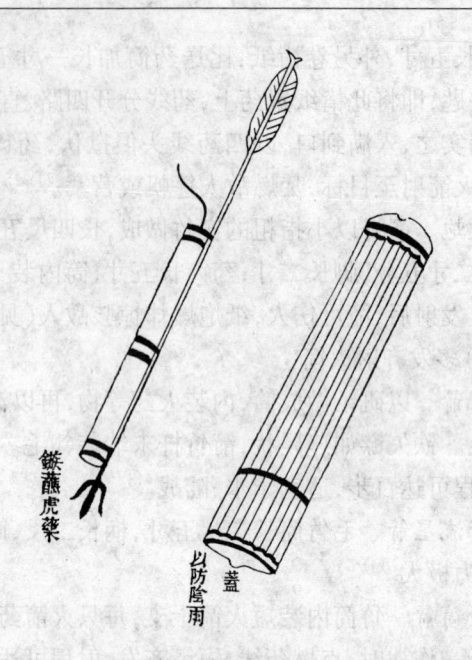

图64　流星炮(采自《武备志》)　　　图65　四十九矢飞廉箭(采自《武备志》)

四百余步,故名群豹横奔箭。①

长蛇破敌箭　木匣内装火箭三十支,每支杆长二尺九寸,药筒长四寸,铁镞涂虎药,每匣总重约五六斤。距敌二百步点发,威势毒烈,杀伤力极大(见图66)。②

群鹰逐兔箭　匣内两头各装火箭三十支,每支箭长一尺四寸,药筒长三寸,翎后有铁坠,铁镞涂射虎毒药,全匣总重五七斤。距敌百步外点火齐发。"放尽一头,忽又以一头继之",杀伤力极大。③

一窝蜂　木桶装神机箭三十二支,每支长四尺二寸,药筒长四寸,镞涂射虎毒药。这种"一窝蜂"对南北水陆战均适宜。作战时,将总线点燃,众矢齐发,势若雷霆,射程可达二百步外。④据《明太宗实录》记载,建文二年(1400年),燕王朱棣与建文帝战于白沟河,曾使用过此种火箭。⑤

虎头火牌　牌内安装火箭十支或二十支,每支火箭药筒长四寸,箭杆长二尺九寸。作战时,点燃药线,火箭齐发,水陆战皆宜。⑥

(三)多火药筒并联火箭

二虎追羊箭　箭杆长五尺,前端一股三镞,涂毒药;尾翎绑缚行火药二筒,镞后绑缚劣火药一筒;每只筒长四寸五分,径粗七分。发射时,先点燃行火药二筒。箭起飞后,劣火药又被点发。因此,箭镞既能伤人,劣火药筒点燃后又能焚烧敌营寨、房舍、船只等,射程达五百步。⑦

---

①②③④⑦　《武备志》,卷一二七。
⑤　《明太宗实录》,卷六,63～64页。
⑥　《武备志》,卷一二九。

· 134 ·

第四章　明代——火药火器的鼎盛时期

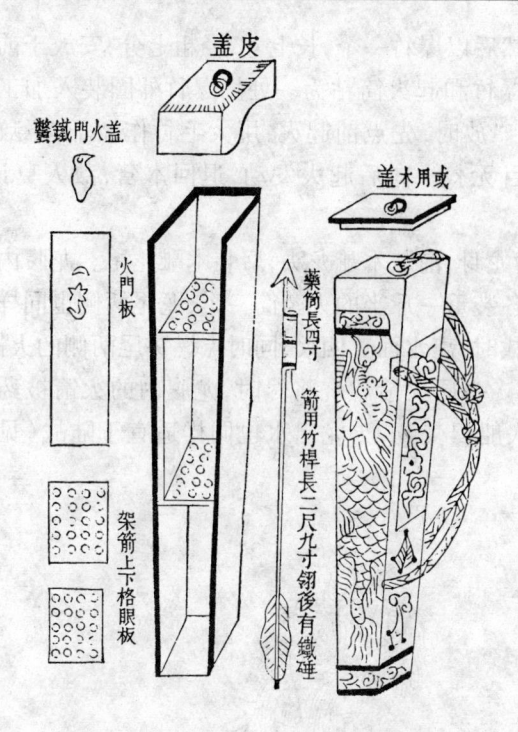

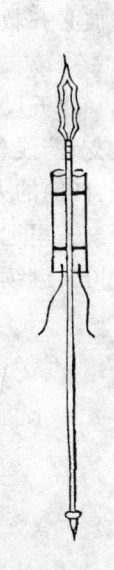

图66　长蛇破敌箭（采自《武备志》）

图67　小一窝蜂（采自《武备志》）

小一窝蜂　枪长一丈二尺，纸筒每个长一尺三寸，厚四分，以生牛革包裹好，内装预先配制好的火药、生铁子、生铁棱角、火弹子等物。将两个纸筒绑缚于枪杆上，同时点燃两个纸筒的引信，火发三四丈，威力极大（见图67）。①

（四）有翼火箭

飞空击贼震天雷炮　以竹篾编成直径为三寸五分的球状，腹内装菱角数枚及发药神烟等。中间安一纸筒，长二寸，内装送药，用引线相连；球两旁安风翅两扇。"如攻城，顺风点信，直飞入城。待送药尽燃，至发药碎爆"，以杀伤敌人。②

神火飞鸦　以细竹或细芦和绵纸等物制成一斤余重的鸦身。鸦身内装满明火炸药等物，前后装头尾，旁安两翅，如鸦飞行状。身下斜钉四支起火（火箭），以四根长尺许的药线穿入腹内炸药，药线并与起火相连，"扭总一处，临用先燃起火，飞远百余丈，将坠地，方着鸦身，火光遍野"，焚烧敌人营寨和船只（见图68）。③

（五）多级火箭

飞空砂筒　首先以薄竹片一条作身，将两个起火交口颠倒绑在竹片前端，前起火筒向后，后起火筒

图68　神火飞鸦（采自《火龙经》）

---
① 《武备志》，卷一二八。
② 《武备志》，卷一二三。
③ 《武备志》，卷一三一，又见《火龙经》，卷下。

· 135 ·

向前。起火筒连竹片长七尺,粗一寸五分。然后以爆竹一个,长七寸,径粗七分,安放于前起火筒上,并装火药,再以三五层夹纸作圈,将爆竹和起火筒粘为一处。爆竹外圈装入加工过的细砂,并封糊严密,爆竹顶上再安倒须枪。"放时,先点前起火,用大毛竹作溜子,照敌放去,刺彼篷上,彼必齐救,信至爆烈,砂落伤目无救。向后起火发动,退回本营,敌人莫识"(见图69)。①

火龙出水 将五尺长的毛竹去节削薄为龙身,前装木雕龙头,后装木雕龙尾。龙腹内安装神机火箭数支,药线总合一处。龙头两侧各装重一斤半的火药筒一个,龙尾两侧也同样各装火药筒一个,四筒的火药线总合一处。水战时,离水面三四尺,同时点燃头尾两侧的火箭,推动龙身飞行二三里远,"如火龙出于水面"。头尾火箭燃烧将尽时,龙腹内的火箭被药线引燃,从龙口冲出,继续飞向目标,使敌方"人船俱焚"。火龙出水也同样适宜于陆战(见图70)。②

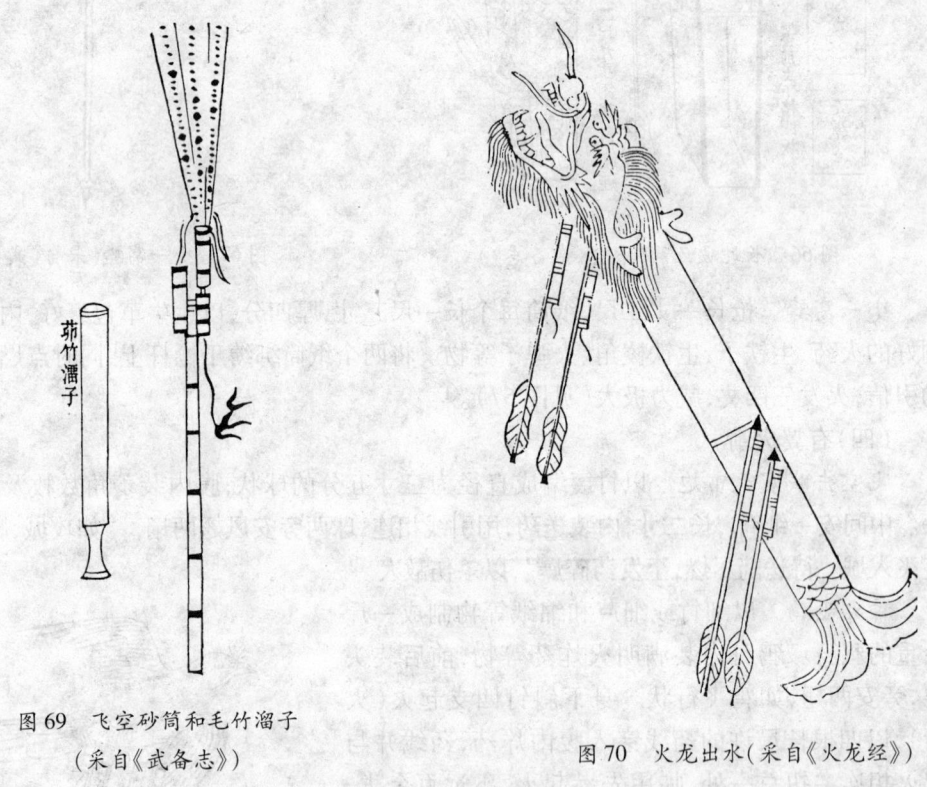

图69 飞空砂筒和毛竹溜子
(采自《武备志》)

图70 火龙出水(采自《火龙经》)

第五节 火器与明军

前面四节介绍了明代火药火器发展概况。在这一节里,我们主要探讨明军装备火器和火器在战争中的使用情况。

---

① 《武备志》,卷一二九。
② 《武备志》,卷一三三,又见《火龙经》,卷中。

一、神机营和车营

随着明代火器的迅速发展,为了适应当时战争的需要,明政府组建了专业火器部队。一般认为,京军的神机营和戚继光的车营,就是当时的专业火器部队。

神机营:早在元朝末年,朱元璋在鄱阳湖攻打陈友谅时,就组建过火器部队。不过,那只是专业火器部队的雏形,还不是成建制的独立火器部队。明朝政权建立后,为了加强京军力量,明成祖永乐年间,明王朝将京军编制为三大营,即五军营、三千营、神机营。据《明史》记载:"居常,五军肄营阵,三千肄巡哨,神机肄火器。"①神机营就是明代成建制的独立火器部队,其下辖左掖、右掖、左哨、右哨、中军五军。中军下辖四个司,其它四军也编四个司。此外,还有"五千下营",主要是掌握操演火器及随驾护卫马队,同样下辖四个司。士卒官佐最多时达7 500多人。神机营设提督内臣、武臣、掌号头官各2名。掖、哨设坐营内臣、武臣各1名。各司设监枪官、把司官各1名,把总官2名。"五千下营"每司设把司官2名,其中提督、坐营官、坐司官等职,由兵部奏请朝廷在公、侯、伯、都督、都指挥内挑选,或由内臣兼任。其它各职从指挥、都指挥中挑选。

神机营是朝廷直接指挥调遣的战略机动部队,主要"掌操演神铳、神炮诸火器","专习枪炮",②装备了盏口炮、碗口筒炮、将军炮、手把铳、单眼铳、神枪、快枪、单飞神火箭、神机箭等火器。至正统年间,明将顾兴祖"总操神机营",他认为:"神机军士为五军外围,遇敌至则当先摧敌,虑恐敌出不意,或值风雨阴霾,枪铳火器仓卒难用,无他兵器可以拒抗",因此,向明英宗建议"每队前后添设刀牌"。明英宗批准了这一建议。从这时候起,神机营也装备了刀、牌等冷兵器。③

神机营建立后,作为明政府的专业火器部队,"内卫京师,外备征战",经常跟随皇帝亲征。据史籍记载,永乐八年(1410年)及以后的几次对漠北的征讨战争中,神机营协同五军营、三千营一起,均随同明成祖朱棣出征,在战争中相互协调配合,以强大的火器优势,使用火铳齐射战术,给敌人以沉重的打击,④充分显示了专业火器部队在战争中的威力和重要性。

车营:据《戚少保年谱编》记载,隆庆二年(1568年),明政府任命戚继光总理蓟州、昌平、辽东、保定军务,节制四镇。为了抗御鞑靼等游牧民族的进犯,戚继光将蓟州镇防区划分为十二路,组建七座车营,并配以马、步兵,分别驻防于建昌、遵化、密云、三屯、昌平等地。戚继光的车营,就是明代另一支重要的专业火器部队。其编制是:

全营共128辆战车,每辆战车配备军士20名,分为奇正两队。其中正兵一队共有军士10名,2名专管骡头,6名专管佛郎机炮两架。车正1名,专在战车上披坚执旗司进止。舵工1名,专管战车的运行及其左右前后分合疏密。奇兵一队共有军士10名,挑选勇敢能服人者一人为队长。鸟铳手等4名兼使长刀,战车出战先放鸟铳,临近敌人用长刀。另外,以年少骨软者两人为藤牌手,在车内放火箭,临近敌人用藤牌。还有两名威猛的士兵充当镋耙手,临近敌人用镋耙。最后火兵1名,专管各队炊饭。

---

① 《明史》,卷九二《兵一》,2 176页。
② 赵士祯:《神器谱·进神器疏》。
③ 《明英宗实录》,卷三五五,7 097~7 098页。
④ 《明太宗实录》,卷一五二、二六二。

每两车为一联,四车为一局,设一百总;16 车为一司,设一把总;64 车为一部,设一千总。一营计有人员 2 000 名,总中军一名。

此外,每营还配备有鼓车 2 辆,以鼓手兼车正;火箭车 4 辆,大将军车 8 辆,各车以火药匠兼车正;座车 3 辆,各车正一名。以上计有车 17 辆,舵工 17 名。运车、大将军车每车配员 20 名,计有人员 159 名,百总一名。元戎鼓车、火箭车,每辆配员 10 名,计有人员 90 名,百总一名,把总一名,千总不设,以中军兼管。

以上每营共计将官一员,中军一员,千总二员,把总 9 员,百总 34 名,车正 128 名,舵工 128 名,佛郎机炮手 768 名,大棒手 256 名,大将军、火箭等车车正军兵共 234 名,奇兵队长 128 名,火兵 128 名,鸟铳手 512 名,藤牌手 256 名,镋钯手 256 名,旗鼓、爪探、架桥、开路大小将官共有军士 268 名,总计全营官军 3109 名。可见,戚继光的一个车营,共有佛郎机炮手 768 名,鸟铳手 512 名,火箭、大将军等兵卒 234 名,这四种火器手占全营人数一半以上,其他为各级军官和辅助勤杂人员。①

车营装备火器和其它兵器情况是:

佛郎机 256 架,子铳 2 304 门,铁锤铁剪各 256 把,铁闩 512 根,铁匙铁锥各 256 把,凹心送子 256 件,铁子 25 600 个,火药 7 680 斤,火绳 1 280 根,鸟铳 512 门,铳袋 512 个,药筒 15 360 个,药鳖 512 个,细火药 3 072 斤,火绳 2 560 根,铅子 15 360 个,榘杖 512 根,铅子模 34 副,火箭 15 360 支,火箭篓雨罩各 256 个,大棍 768 根,铜锅 144 口,桶 144 只。

从上面可以看出,车营的装备一是战车,二是佛郎机、鸟铳、火箭等火器。这种以机动灵活的战车和杀伤、摧毁力极强的火器相结合而组成的车营,是戚继光根据北方辽阔广袤的地理地形特点,并针对自己的作战对象为机动强悍、善骑射的蒙古兵这样一种现实,因地因时制宜而创建的一种新型的专业火器部队。

二、火器普遍装备军队

明政府不但组建了专业火器部队,而且也重视以火器装备其它兵种。洪武十三年(1380 年),明政府正式下令规定:"凡军一百户,铳十,刀牌二十,弓箭三十,枪四十"②。洪武二十六年(1393 年),明政府又规定:水军每艘海运船,装备碗口铳四门,手铳筒十六个,火枪二十只,火攻箭和神机箭各二十支,等等。③ 成化二年(1466 年),明将郭登向明政府建议,步兵"用神铳手十,弓箭手十,刀牌手各五,药弩强弩手十,司神炮及异火药者八,杂用者七"④。可见,明军大量地装备了火器。据记载,"京军十万,火器手居其六"⑤。嘉靖年间,"大率军以十人为率,八人习火器,二人习弓矢"⑥。但是,由于资料零碎,目前尚不能弄清明军装备火器的全部面目,不过,通过下面几个侧面可以得见明军装备火器之一斑。

(一)从明边看明军装备火器

明朝的北方边疆,居住着鞑靼(东蒙古)和瓦剌(西蒙古)等少数游牧民族。正统以降,

---

① 以上车营编制均见戚继光:《练兵实纪杂集》,卷六《车步骑解》。
② 《明太祖实录》,卷一二九,2 055 页。
③ 《明会典》,卷一九三,"军器军装"二。
④ 《明宪宗实录》,卷二五,500 页。
⑤ 《明经世文编》,卷四四三,《覆练火器以壮营伍疏》,4 872 页。
⑥ 《明经世文编》,卷二七六。

他们经常进犯明边。为了防止这些游牧民族的进犯,明政府"东起鸭绿,西抵嘉峪,绵亘万里,分地防御",先后设置了辽东、宣府、大同、延绥、宁夏、甘肃、蓟州、太原、固原等九个军事重镇,合称"九边"。"守边军器,惟火器最要"①。因此,这些军事重镇的军队,普遍装备了大量的火器。据《明英宗实录》记载,正统六年(1441年),辽东总兵官都督金事曹义向朝廷奏请:"原领京库铜铳已给军事,恐冬寒操备至有摧折,今各卫库所贮远年造成铁铳七万五千有奇,请令修理,给军操演,遇警仍用铜铳。"②正统九年(1444年),明英宗朱祁镇认为,原各边装备的铜铳数量太少,恐怕延误边备,于是决定"于原数外,量宜增加辽东五百三十五,延安绥德等处八百三十,永宁二十,宣府三百二十,宁夏一百,甘肃五百"③。正统十一年(1446年),明政府又规定:"给沿边火器,大同甘肃手把铜铳五百,碗口铜炮四百;宣府铳五百,炮二百;密云铳三百,炮一百;辽东炮四百;宁夏炮一百;独石炮四百"④。《明实录》记载的这些片断资料,确实充分说明明代边防军事重镇的军队大量装备了火器。但是,各边具体装备火器的数量,现在已无法考稽。不过,嘉靖年间陕西一边所装备和贮存的火器数量,倒有详细数字可考。据《明经世文编》记载,嘉靖时,曾铣镇守陕西,其军队"每一营共用霹雳炮三千六百杆,合用药九千斤,重八钱铅子九十万个,共重四万五千斤。大连珠炮二百杆,合用药六百七十五斤,重一两八钱铅子四万个,共重四千五百斤。二连珠炮二百杆,合用药六百七十五斤,重一两八钱铅子三万个,共重三千三百七十五斤。手把铳四百杆,合用药一千斤,重一两铅子四万个,共重二千五百斤。盏口将军一百六十位,合用药装就小炮三千二百个,共重四千八百斤。火炮该用药一千六百斤。已上一营通共用药一万二千九百五十斤,用铅子一百一万个,重五万五千三百七十斤。三十营共该用火药二十五万九千斤,该用焰硝一十八万八千七百四十六斤……硫黄四万八千七十六斤……该用铅子二千二十万个,重一百一十万七千五百斤"⑤。

上面仅仅是陕西一边在嘉靖年间所装备和贮存的火器数量,由此可以推知,其它各边所装备和贮存的火器数量当也是相当巨大的。由此看来,火器在明军装备中的地位和分量就十分清楚了。

(二)从战车看明军装备火器

本来,车战盛行于我国商周,西汉以后则不再采用。但是,为了对付少数民族的强劲骑兵,明政府开始制造战车装备军队。据《明史》记载,正统十二年(1447年),明政府"始从总兵官朱冕议,用火车备战,自是言车战者相继"⑥。景泰元年(1450年),明将郭登奏请朝廷制造偏箱车,这种偏箱车辕长一丈三尺,阔九尺,高七尺五寸,每车配备神枪手二人,铜炮手一人,枪手二人,强弓手一人,牌手二人,长刀手二人。"遇贼来攻,势有可乘,则开壁出战;势或未便,则坚壁固守。外用常车,载大小各样将军铳,每方五座,共二十座,每座又推挽及

---

① 《明经世文编》,卷五七《边备五事》,453页。
② 《明英宗实录》,卷八五,35页。
③ 《明英宗实录》,卷一二一,38页。
④ 《明英宗实录》,卷一四六,39页。
⑤ 《明经世文编》,卷二四〇,《复套条议》,2 504页。
⑥ 《明史》,卷九二《兵四》,2 266页,2 267页。

药匠二十人"①。成化十三年(1477年),明将王玺奏请朝廷制造雷火车,这种车"中立枢轴,旋转发炮"②。弘治十五年(1502年),明大臣秦纮奏请朝廷制造"全胜"只轮车,这种车配备"在上放铳者二人,在下推车并放铳者四人","每遇贼,先发车十辆或五辆,直冲贼阵,前有阻塞,则首车向前放铳;后有追袭,则尾车向后放铳;若入贼阵,则各车两厢放铳"③。嘉靖十五年(1536年),刘天和奏请朝廷制造全胜车,这种车"上安熟铁小佛郎机一及流星炮或一窝蜂一,箱上为架,又安铜铁神枪一及各边近年所造三眼品字铁铳一,飞火枪筒一。箱之四角,插倒马长枪开山巨斧各二,斩马刀挠钩各一,并火药铅子锹镬鹿角等器"④。《武备志》也记载了各种战车图式,其中万胜神毒火屏风车,用坚木制造,下设八轮,"内藏神器火器十二件,远用远器(火铳、火炮、火弹、火箭),近用近器(火弩、火刀、火枪)"⑤。还有火柜攻敌车,用坚木造成,上层安装火箭百支,下层安装枪五杆。另有架火战车,每辆配备百子铳三门,百虎齐奔火箭和长蛇神机火箭三百余支。⑥ 不同用途和式样的战车被大量制造出来并装备明军。天顺六年(1462年),造兵车1 230辆,"各有载大铜铳军"⑦,给京营备用。弘治十七年(1504年),造战车100辆,"送营操习"⑧。嘉靖十二年(1533年),改造载铳手车700辆。⑨ 嘉靖二十九年(1550年),造战车900辆,火车50辆。⑩ 嘉靖三十年(1551年),造单轮车1 000辆,双轮车400辆,单轮弩车40辆。⑪ 嘉靖四十三年(1564年),造兵车4 000辆,发京营教演。⑫ 万历三年(1575年),造战车1 200辆。这些仅是明政府所造战车的部分记录数字。由此可见,明军作战大量使用战车。这些战车,实际上是以火器为主、火器和冷兵器相结合、各种性能不同的火器相结合组成的火器战斗堡垒。

(三)从水军看明军装备火器

明代海疆,"自广东乐会接安南界,五千里抵闽,又二千里抵浙,又二千里抵南直隶,又千八百里抵山东,又千二百里逾宝坻、卢龙抵辽东,又千三百余里抵鸭绿江。岛寇倭夷,在在出没,故海防亦重"⑬。因此,明政府十分重视海疆的防守。洪武二十六年(1393年),明政府规定:水军每艘海运船,装备碗口铳4门,手铳筒16个,火枪20支,火攻箭和神机箭各20支。1964年,山东冠县辛集出土了一尊洪武十一年(1378年)大碗口筒炮,后座镌刻有"海"字。⑭ 这些都说明,洪武年间海防水军已装备了火器。由于明政府采取了严密的海防措施,明太祖朱元璋又"素厌日本诡谲,绝其贡使",故洪武、建文年间,倭寇则"不为患"。永乐"十七年,倭寇辽东,总兵官刘江歼之于望海埚,自是倭大惧,百余年间,海上无大侵犯"⑮。但是,到嘉靖年间,倭寇肆意骚扰我国东南沿海,为了打击倭寇的侵扰,明政府加强了海防水军

---

① 《明经世文编》,卷五七《上偏箱车式疏》,450页。
② 《明史》,卷九二《兵四》,2 266页,2 267页。
③ 《明经世文编》,卷六八《献战车疏》,575页。
④ 《明经世文编》,卷一五七《条陈战守便益以国御虏实效疏》,1 573页。
⑤ 《武备志》,卷一三二。
⑥ 《武备志》,卷一三三。
⑦ 《天下郡国利病书》,卷六。
⑧⑨⑩⑪⑫ 《明会典》,卷一九三《军器军装二·战车旗牌》。
⑬ 《明史》,卷九二《兵二》,2 242页。
⑭ 刘善沂:《山东冠县发现明初铜铳》,《考古》,1985(10)。
⑮ 《明史》,卷九二《兵三》,2 244页。

建设,其中戚继光的水军就是在抗倭斗争中成长壮大起来的。戚继光的水军,有哨、营等组织。每一哨由福船二只、海沧船一只、苍山船二只组成,立一哨官。左右二哨官为一营,立一领兵官。戚继光在松门关驻扎右、后二营,海门关驻扎前、左二营。各以指挥一员统领。据记载,每艘福船装备的火器和其它兵器是:

大发熕1门,大佛郎机6座,碗口铳3个,喷筒60个,鸟嘴铳10把,烟罐100个,弩箭500支,药弩10张,粗火药400斤,鸟铳火药100斤,弩药1瓶,大小铅弹300斤,火箭300支,火砖100块,火炮20个,钩镰10把,砍刀10把,过船钉枪20根,标枪100支,藤牌20面,宁波弓5张,铁箭300支,等等。

每艘海沧船装备的火器和其它兵器是:

大佛郎机4座,碗口铳3个,鸟嘴铳6把,喷筒50个,烟罐80个,火炮10个,火砖50块,火箭200支,粗火药200斤,鸟铳火药60斤,药弩6张,弩箭100支,弩药1瓶,大小铅弹200斤,钩镰6把,砍刀6把,过船钉枪10根,标枪80支,藤牌12面,宁波弓2张,铁箭200支,灰罐50个,铁蒺藜800个,等等。

每艘苍山船装备的火器和其它兵器是:

大佛郎机2座,碗口铳3个,鸟嘴铳4把,喷筒40个,烟罐60个,火砖50块,火箭100支,粗火药150斤,鸟铳火药40斤,药弩4张,弩箭100支,弩药1瓶,大小铅弹160斤,钩镰4把,砍刀4把,过船钉枪8根,标枪40支,灰罐30个,等等。①

从上面可以看出,明代水军,特别是戚继光水军的装备中,火器已成为主要装备。这些火器,性能构造不同,用途和杀伤威力各异,它们与冷兵器相互配合,组成了以火器为主的由远至近的不同层次的强大火力杀伤网。

(四)从戚继光蓟州马、步、辎重营看明军装备火器

隆庆二年(1586年),明政府调戚继光镇守蓟州。到任以后,为了抗御鞑靼等游牧民族的骚扰,戚继光在蓟州大练兵,组建了车营,并配以马营(骑兵)、步营(步兵)进行混合训练,另外还专门建立辎重营以确保军队的粮草。

马营,即戚继光的骑兵营,主要配合车营作战,平日在车营保护之下,紧急时作为奇兵,包抄突袭敌人,其编制是:

骑兵12名为一队,其中鸟铳手2名,快枪手2名,耙手2名,枪棍手2名,大棒手2名,火兵1名,设队总1员。三队为一旗,三旗为一局,四局为一司,二司为一部,三部为一营,全营总计2700人,其中鸟铳手432名,快枪手432名,炮手180名(按每营装备60门虎蹲炮、每炮配炮手3名计),全营计有铳炮手1044名,再加上火箭手,全部火器士兵约占骑兵营编制的一半。

每一骑兵营,装备火器和其它兵器的情况是:

虎蹲炮60位,火线900根,火绳180根,火药900斤,大铅子54 000万个,石子1 800个,药线盒、木送子、药升各60个。

鸟铳432门,药管12 960个,火药2 592斤,火绳2 160根,铅子129 600个,搠杖、药鳖、铁锥、铅子袋、油罩、铳套各432个。

---

① 以上均见戚继光:《纪效新书》,卷一八。

快枪 432 个,槊杖、药袋、药线筒、铅子袋、铁剪各 432 个,药管 12 960 个,火药 4 500 斤,铅子 129 600 个,药线 21.6 万根,等等。①

由于骑兵营装备了大量火器,特别是装备了轻型而性能优良的虎蹲炮后,骑兵的快速突击力大大增强,从而有力地提高了骑兵的战斗力。

明代的步兵也装备了一定数量的火器。配合车营作战的步兵,一方面可以以车为掩护,一方面还可出击以卫车,其编制是:

步军 12 名为一队,其中火器手队每队设队长 1 名,鸟铳手 10 名,火兵 1 名;杀手队除使用冷兵器作战的士兵外,也设有火兵 1 名。三队为一旗,三旗为一局,四局为一司,二司为一部,三司为一营,全营总计 2 700 人,其中鸟铳手 1 800 名,加上火箭手,火器士兵约占全营总人数的一半,火器手兵力是很强的。

每一步军营,其装备的火器有鸟铳、槊杖、锡鳖、铅子袋各 1 800 个,药管 33 400 个,火药 4 320 斤,铅子 21.6 万个,火绳 3 240 根,铅子模 12 副,等等。

从戚继光步兵营的装备来看,火器主要有鸟铳和火箭,冷兵器主要有长刀和长枪、弓箭等。这样,就使步兵营形成了火器与冷兵器相结合、远射兵器与近战兵器相结合的杀伤力极强的战斗队形。

辎重营:为了供应车、步、骑等军的粮草、器械及一切军需物品,戚继光又分别在密云、遵化、建昌建立辎重营三座,其编制是:

每营有大车 80 辆,每辆骡 8 头,派军士 20 名,分奇正二队,正兵一队军士 10 名,其中喂养骡、拽车、佛郎机手、大棒手等 8 人,车正 1 名,舵工 1 名;奇兵一队,队长 1 名,鸟铳手 8 名(兼习长刀、藤牌、短刀、镋钯等),火兵 1 名。加上将官、中军、千总、士卒及其他各色杂役,全营共计 1 912 人,其中鸟铳手 640 名,佛郎机手 480 名,火器士兵占全营总数的 58%。

每一辎重营,其装备的火器有佛郎机 160 架,子铳 1 840 门,火药 3 200 斤,铅子 16 000 个,火绳 800 根,鸟铳 640 门,药管 19 200 个,火药 3 840 斤,铅子 19.2 万个,火绳 3 200 根,等等。②

由此可以看出,戚继光辎重营的装备主要是火器,且远近程火器兼备。远射用重型的威力强大的佛郎机炮,近射用轻型的杀伤力强的鸟铳,其自身装备的火器足以保证运输任务的完成。

以上四个方面虽不是明军装备火器的全貌,但也可以看出,明军确实普遍和大量地装备了火器。

三、明军主要依恃火器作战

火器是明军御敌的长技,明军作战主要依恃火器。

(一)野战中大量使用火器

洪武二十一年(1388 年),西南少数民族首领思伦发发动叛乱。次年,率众三十万扰乱定边。明将沐英"选骑三万驰救,置火炮劲弩为三行"。思伦发驱动大象为前锋,"左右挟大竹为筒,筒置标枪,锐甚"。沐英则"分军为三","乘风大呼,炮弩齐发",斩敌四万余,大败思

---

①② 戚继光:《练兵实纪杂集》,卷六《车步骑解》。

伦发,"麓川始不复梗"①。永乐八年(1410年),朱棣率军北征,到回曲津时,命令柳升以神机火器为前锋,"铳发,声震数十里,每矢洞贯二人,复中傍马,皆立毙……斩其王以下百数十人"②,大败阿鲁台。景泰元年(1450年)四月,北方少数民族达延汗部进犯明边,明将朱谦率军迎战,"发火器击之,寇少却,如是数四"。六月,又有二千骑南犯,明军朱玺等前往阻击,战于南坡。朱谦"率参将纪广等驰援","自巳至午,铳炮矢石齐发,贼遂败北"③。成化二十二年(1486年),瓦剌部进犯合家圾,都指挥同知廖斌率军迎战。明军"分士马为五",追击敌人至锁黄川,毙其首领一名,敌人遂奔北,逃至野鹊沟时,事先埋伏好的明军奋起杀敌,"火箭、礌石齐发,共斩首一十八级,获马三十五匹,刀箭器械甚众,余虏号哭而去",明军获全胜。④

(二) 水战、海战中大量使用火器

洪武四年(1371年),明将廖永忠进兵瞿塘关。瞿塘关山峻水急,蜀兵设铁索飞桥横据关口,明舟不能进。廖永忠率精锐出墨叶渡,兵分二路进击,以一军攻其陆寨,一军攻其水寨。攻水寨的将士皆以铁裹船头,置火器而前。黎明,陆寨被攻破,明军从上游乘舟而下,而下游之师亦拥舟前进,发火炮火筒夹击,大败蜀兵,俘八十余人,斩首千余级,溺死者无算,廖永忠进入夔州。⑤ 永乐七年(1409年),交趾总兵官英国公张辅出师咸子关,但敌人守备森严,对岸立营栅,江中列船六百余艘。张辅趁刮西北风,向敌人发起进攻,"以战船齐进,火器迅烈,矢发如雨",斩敌三千余,溺死者不可胜计,生擒二百余人,得船二百余艘。⑥ 永乐十七年(1419年),倭寇三十余舟侵犯辽东沿海,泊马雄岛,登岸直奔望海埚。明将刘荣依山设伏,并遣将切断倭寇归路。当倭寇进入埋伏圈后,刘荣令伏兵举炮猛烈轰击,战斗从辰时打到酉时,斩敌千余级,生擒一百三十余人。⑦ 从此,"倭寇大惧,百余年间,海上无大侵犯"⑧。景泰元年(1450年),黄萧养发动起义,屯聚于广东三山及大良堡等处。明将董兴率军追击,乘顺风直捣大良。黄萧养以七八百艘船横亘海岸,立栅拒守,发射大将军、飞枪、神铳等抗拒。董兴督军水陆并进,火箭弓弩齐发,力战数十合,取得了胜利。⑨

(三) 城塞攻守战大量使用火器

永乐四年(1406年),明将张辅进击安南多邦城。多邦城土城高峻,城下设有重濠,濠内密置竹刺,城上守备森严。张辅采取分兵几路进攻的战术,趁黑夜攻入城内。但敌人继续在城内顽抗,张辅命令部将以神机铳等火器攻城,敌人及其大象"为铳、箭所伤","死者不可胜计,获象十二,器械无算"⑩。同年,明将朱荣率军至安南鸡陵关,但敌人早已在关上结寨设

---

① 《明史》,卷一二六《沐英传》,3 758 页。
② 《明太宗实录》,卷一〇五,1 360 页;又《明史》,卷一五四《柳升传》,4 236 页。
③ 《明史》,卷一七三《朱谦传》,4 622 页;又《明英宗实录》,卷一九三,4 048~4 049 页。
④ 《明宪宗实录》,卷二八六,4842 页。
⑤ 《明太祖实录》,卷六六,1 238~1 239 页;又《明史》,卷一二九《廖永忠传》,3 805~3 806 页。
⑥ 《明太宗实录》,卷九五,1 263 页。
⑦ 《明史》,卷一五五《刘荣传》,4 251 页。
⑧ 《明史》,卷九一《兵三》,2 244 页。
⑨ 《明英宗实录》,卷一九三,4 034 页。
⑩ 《明太宗实录》,卷六二,893~894 页。

置重堑,驻兵三万把守。朱荣发射火铳、镖弩打击敌人,斩首六十余,敌人望风溃逃。① 正统十四年(1449年),北方瓦剌部首领也先进犯北京。于谦派兵埋伏于德胜门两旁空房,而以数骑诱敌,也先部万余众来追,伏兵奋起迎战,"以神炮火器击之",也先败北而逃,北京城化险为夷。② 景泰元年(1450年),石彪守备威海卫,达延汗部攻围土城,石彪以铳炮击敌,打死敌人百余人,斩首四级,俘获马十余匹。③ 万历二十五年(1597年),总兵官吴广征战播州,准备分四哨进攻崖门。敌军杨应龙惊惧,"尽发关外兵"抗拒。针对这一情况,吴广在磨抢垭外南冈埋伏炮手五百人,而另派兵向杨应龙部挑战。磨抢垭夹在两山中,地形十分狭峻。挑战者佯败,杨应龙部追出垭外,吴广伏兵奋起击杀,杨应龙中炮坠马,敌军死伤惨重,失败逃走。④ 天启元年(1621年),西南少数民族首领奢崇明发动叛乱,僭伪号,设丞相五府等官,并分路进攻成都。叛军用竹牌钩梯攻城。明臣朱燮元向攻城叛军发射火器,打退了他们的进攻。⑤ 崇祯五年(1632年),农民起义军攻打内乡。知县艾毓初在城外埋设地雷"滚地龙",引线牵入城内,然后点燃引线,炸死农民起义军无算,农民起义军只得解围而去。⑥ 崇祯十四年(1641年),李自成率农民起义军攻打开封,明守将陈永福向农民军发射火器,农民军将领上天龙中弹身亡,李自成本人被箭击伤。李自成大怒,集中使用火器攻城。但是,由于开封城墙厚数丈,内坚而外疏,农民起义军"用火药放迸,火发即外击,瓴瓿飞鸣,贼骑皆糜烂",农民起义军只得"解围去"。⑦

综上所述,我们可以看出,火器已成为明军作战的主要优势;明军在战争中已普遍地使用了火器。

---

① 《明太宗实录》,卷六,872页。
② 《明英宗实录》,卷一八四,3 634页。
③ 《明英宗实录》,卷一九二,4 003~4 004页。
④ 《明史》,卷二四七《吴广传》,6 408~6 409页。
⑤ 《明史》,卷二四九《朱燮元传》,6 440页。
⑥ 《明史》,卷二九三《忠义》五,7 506页。
⑦ 《明史》,卷二六七《高名衡传》,6 884页。

第五章　清代——火药火器的衰落时期

清,原称后金,是女真族于16世纪末叶逐步征服、兼并附近各氏族部落而发展起来的,"先是未备火器"①,以骑射为主,刀矛弓矢"为行军之要器"②。努尔哈赤时,由于遭受到明军火器的强大阻击,努尔哈赤本人就因被明军红夷炮打伤而殒命。因此深知破城"非炮不克"。于是,将缴获明军的大批火器装备军队,作战中大量使用火器。皇太极嗣位后,痛感火器的巨大威力和重要性,决心自己造炮。天聪五年(1631年)正月,皇太极设立专门机构,委派官吏,铸造红衣大炮成功。从此,后金开始有了自己制造的火器。崇德年间,皇太极在锦州设置炮厂,大量制造红衣大炮。

清入主中原后,清代统治者为了巩固其封建政权,发动了一系列的讨伐战争。无论在统一全国、戡定三藩叛乱中,还是在攻打大小金川、镇压边疆少数民族起义的战争中,清军作战"皆依赖火器"。因此,清代统治者大力发展火器,加之当时经济繁荣,国库殷实,制造技术比较发达,在清代前期,火器得以继续发展。但是,嘉庆以后,清王朝政治日益腐败,经济逐步衰退,科学技术停滞不前。因此,从这时候起,清代曾一度发达的火器制造业,也随之日益衰落。到19世纪末20世纪初,我国古代火器便被近现代枪炮取代,退出了战争历史舞台。

第一节　火药、弹丸和火绳

火药、火绳、弹丸是火器的重要组成部分,清代统治者对其极为重视。清高宗弘历强调说:"各营火药,为兵丁操演之需,最关紧要。"又着重指出:"各直省制造火药、铅丸、火绳三项,为军需紧要之物。"③

一、火　药

清代火药,有军需火药、演放火药和烘药之分。军需火药,就是军队在实战中发射弹丸所使用的火药。演放火药又称常操火药或寻常火药,是军队在操练打靶演习时所使用的火药。烘药又称引药或催药,是供枪炮点火引爆用的。清代规定每百斤军需火药或演放火药一般需配烘药一斤。军需火药和演放火药的主要区别在于碾磨时间的长短不一,"每台碾三日者以备军需";"碾一日者以演放枪炮"。④但是如果军需火药贮存时间超过十年,则改作演放火药,供军队操练演习之用。

（一）清代火药制造

清代火药的制造,分中央制造和地方制造。

---

①② 《清朝文献通考》,卷一九四《兵十六·火器》。
③④ 《大清会典事例》,卷六八六《军火·火药》。

早在顺治初年,中央由工部在北京设立濯灵厂,后来又增设荡氛厂,专门制造、贮存火药。据史籍记载,濯灵厂规模很大,全厂安装石碾200盘,每盘一次可碾药30斤,分别生产军需火药、演放火药和烘药等好几个不同品种。至康熙三十一年(1692年),其年生产量为演放火药达20余万斤,烘药二三千斤;军需火药30万斤,烘药4000斤;全年总产量超过50万斤。工部制造火药的重要原料硝主要由山东、直隶、河南、山西等省供给,每省每年各要输送15万斤硝到北京,供工部制造火药之用,可见数量之巨。① 工部制造的火药,主要满足在京八旗、盛京、绥远城右卫、热河、密云、山海关、右北口、喜峰口、冷口、独石口、张家口、察哈尔及巡捕营、健锐营等军队的需要。上述军队需用火药时,可随时凭文向工部支领。② 据史籍记载,自乾隆十四年(1749年)至乾隆十八年(1753年)的四年中,盛京、绥远城右卫、热河及健锐营、八旗等每年春秋二季操练射击,工部向他们供发演放火药101 766斤,所耗火药数量大得惊人。由此可见清代军队火药需用量之大了。

清朝除中央制造火药外,各省都设火药局,自行开采硝磺或向邻省购买硝磺,大量制造、贮存火药,以满足本省的军需。据目前所掌握的资料,清代部分省自行制造火药的情况如下:

广东省"滨临海疆,军火紧要",需贮备三年所需火药量。因此,于"本省增城、阳山、南海、顺德四县开采煎土硝",制造火药。③

直隶省各营,"岁需操演火药,均系扣留公费名粮,按每年应用数目,自行设局配造"④。潮湿地区预备三年的火药量,干燥地区预备五年的火药量,"每年所用火药,即于收贮数内动支,仍照动支数目制造贮库,出陈易新,按年造册报部"⑤。

新疆阿克苏等边疆各城,乾隆时共驻防兵卒5300名,其中枪手300余名,每年所需火药约八九千斤,分派"各城回人采办":阿克苏出产硝磺,派回人开采配制火药,"供阿克苏乌什驻防兵之用";叶尔羌所需用的火药,于沙尔呼勒、托郭斯谦开采硫磺,以叶尔羌所产之硝进行配制;和阗所需用的火药,于克勒底雅开采硝,从塔克开采硫磺进行配置。因此,凡新疆边疆各城以后需用火药铅子,"停内地运送",均自行设局制造解决。⑥

四川省火药需用量大,"向在重庆设局,于川东所属南川、彭木、酉阳三厂"开采硝配制火药。后来又于江油、太平二厂,渝局南川等处及石砫厅属之岩风、琵琶二洞,广元县属之麻湾、博子、侯家、赵家等洞开采硝配制火药。此外,还从外省如云南、贵州、陕西、甘肃等地"解硝配合"制造火药。⑦

云南省制造火药,历来"各营自行差弁","径赴各州县采挖"硝、磺,由各营自己制造。

---

① 因山西省所产硝的成色不如山东、直隶、河南三省,且运输费用过高,雍正十年(1732年),清政府决定将"山西例解之硝,停其办运",改由"直隶、山东、河南各增办五万斤解部应用"(《大清会典事例》,卷六八六《军火·火药》)。
② 盛京操演枪炮所需火药,最初由工部供给,但乾隆四十三年(1778年),清政府规定,盛京及黑龙江等处所需火药改由本处自造(《大清会典事例》,卷六八六《军火·火药》)。
③ 《清高宗实录》,卷三八七;又《大清会典事例》,卷六八六《军火·火药》。
④ 《清高宗实录》,卷六二三。
⑤ 《清朝文献通考》,卷一九四《兵十六·火药》。
⑥ 《清高宗实录》,卷六〇五。
⑦ 《大清会典事例》,卷六八六《军火·火药》;又见《清高宗实录》,卷九一三。

但这样分散各自制造,弊病很多,贩卖走私,积压浪费不可避免。因此从乾隆四十二年(1777年)开始,仿照广东"召商开采"的办法,对"出产硝黄处所","召商承办",开采硝磺,制造火药,采足即封。省设火药局对火药进行验收、贮存、支放。

贵州省所需火药"仿照滇省,划一办理"①。

西藏地处西南边陲,军队所需火药,因"工布地方产黄","就地制运",这样比从内地输运"费省"。但西藏所需要的铅丸、火绳,则仍由"川省运解"②。

湖南省所产硝磺,"设厂官收,转供营匠需用",制造火药。③ 道光四年(1824年),因抚标左营在制造火药时,"舂破石臼,迸出火星",造成重大火药燃烧爆炸事故,炸死兵卒民工共计八人。④

江西省丰、沛、萧、砀、邳等州县和凤、颍二府均产硝,在这些地方设厂开采,由政府收购,"转供营匠需用",制造火药。⑤

浙江省因本省不产硝磺,只得到邻近省份购买,"每年赴豫、江二省采办硝三十六万斤"。"硝运抵浙",首先"委员秤验",然后"及时熔净,以济实用",用以制造火药。⑥

此外,像福建省"上杭县地方所产(磺)已敷各营军火之用"⑦,甘肃省在皋兰县、玉门县等地开采的硫磺,"分贮肃州、玉门二处"⑧。可见,这些省也都自行制造火药了。

(二)清代火药的配比

火药威力的大小,主要取决于火药成分组合配比的科学性。清代火药硝、磺、炭三种成分的组合配比已逐步趋向合理和科学。

据傅禹《武备志略》记载,康熙时期制造火药,硝、磺、炭的用量是:"用硝五斤,磺一斤,茄秆灰一斤"。这样看来,康熙时期,火药中硝、磺、炭的组配比率,硝为71.4%,磺和炭各为14.28%。这个时期的火药组配比率,与明代嘉靖时期的发射火药组配比率是大致相同的。

据《大清会典事例》记载,乾隆年间制造火药,"每万斤用硝八千斤,硫黄一千五斤十两",⑨炭虽然没有具体数量,但按照上面的硝、磺数量,可以推知火药中炭的含量应为九百九十四斤六两。这样看来,乾隆时期火药中硝、磺、炭的组配比率为硝占80%,磺和炭各占10%。

据《大清会典》记载,嘉庆年间制造火药,每万斤用硫磺1 000斤,硝8 000斤,木炭1 000斤。⑩ 硝、磺、炭的组配比率与乾隆年间基本上是一致的。

据《筹海初集》记载,道光十五年(1835年),关天培在给清政府的奏折中称:"制造火药,每百斤向配净硝八十斤,净黄十斤,炭粉十斤。"⑪这样看来,道光中期火药中硝、磺、炭的组配比率与乾隆、嘉庆年间也是一致的,即硝占80%,磺和炭各占10%。

鸦片战争前后,由于采用了福建水师提督陈阶平的制造火药的配方,火药中硝、磺、炭的

---

① 《清高宗实录》,卷一〇四〇。
② 《清高宗实录》,卷一四二一。
③⑤⑥⑧ 《大清会典事例》,卷六八六《军火·火药》。
④ 《清宣宗实录》,卷六五。
⑦ 《清高宗实录》,卷一三〇六。
⑨ 《大清会典事例》(乾隆)卷一三〇《工部·军器》。
⑩ 《大清会典》(嘉庆)卷四八《工部》。
⑪ 关天培:《筹海初集》,卷三《火器所以不堪久贮覆稿》。

组配比率有了较大改进。据《皇朝兵制考略》记载,道光二十二年(1842年)陈阶平在给朝廷的奏折中说,制造火药,"每臼用牙硝八斤,黄粉一斤二两,炭粉一斤六两"①,按照这个数字,当时火药中硝、磺、炭三种成分的组配比率应当是:硝约占76.2%,磺约占10.7%,炭约占13.1%。

近现代标准的黑火药的组配比率硝占75%,磺占10%,炭占15%。可见,19世纪40年代,清代火药中硝、磺、炭的组配比率与近现代标准黑火药中硝、磺、炭的组配比率相差无几,达到了最佳状态,这在我国火药发展史上是一个很大的进步。不过在西方,当时已发明了先进的无烟火药②,而我国却停留在古代火药阶段。由此可见,此时,中国火药已大大落后于西方资本主义国家了。到后来,西方的近代先进火药技术传入我国,中国传统的火药(即黑火药)开始被西方的近代先进火药所取代而逐渐退出了军事舞台,中国从火药最早的发明国家而后来落于人后,这不能不说是一个历史的悲剧。

(三)清代火药的贮藏

火药的贮存保管一向为清朝统治者所重视。清代规定,火药碾造完成后,要奏请钦点大臣对火药的质量进行检查验收,合格者才准贮存。清政府定制,工部贮存火药,军需火药以三十万斤为限;演放火药,除足支本年应用外,以四十万斤为限;出陈易新,随用随备,用去多少,随时补造多少。贮存火药原来都用油篓荆条盛装,但是容易腐朽发脆。乾隆十八年(1753年),工部在濯灵厂内建造木仓五间,用来贮存火药。贮存火药的库房,都有一套严密的防守措施,康熙三十年(1691年)规定,凡"八旗、京城各门及直省标营存贮火药,防范宜严,令该管大臣选员率兵守护"③。因此各火药贮存地方,均要派重兵把守巡逻,不准闲人接触,如有违反和发生意外事故,守护官卒都要按律治罪。

地方各省就地制造的火药,有的用木桶盛装,桶盖用棉纸糊缝;④有的用瓦缸盛装,缸口用铅裹木盖盖严。⑤ 这种盛装火药的瓦缸,广东虎门人民抗英斗争纪念馆收藏有实物。⑥

盛装火药的木桶或瓦缸均贮存于本省火药局内,其贮存的仓库十分讲究。我们仅以云南省城五华山火药局的仓库为例,足可说明这点。据《清实录》记载,云南省城五华山火药局贮存火药的仓库共有五间,均"内外墙二层,门三重,四面空地,四间分贮军器及硫黄,一间贮火药,用木桶装,桶盖棉纸糊缝。门重重封锁,开时由专管把总禀都标中军发钥,事毕即封。……局外设堆卡五所,官厅一所,分布四面,派弁兵巡护。……围墙高峻,亦非外人能越"⑦。可见,火药局贮存火药的仓库是戒备森严的,以防发生意外事故。一旦有意外事故发生,不管是弃毁事故、火灾事故或偷盗失窃事故,清政府都制订了惩罚律令,看护人员及其上司都将受到严厉处治。雍正三年(1725年),针对官贮火药发生弃毁事故,清世宗胤禛谕令曰:官贮军药,擅行弃毁者,官革职,兵丁鞭打一百。至三百斤以上者,无论官兵皆革退,交

---

① 《皇朝兵制考略》,卷五《加工制造火药单》。
② 张焞焘:《七十年来中国兵器之制造》,《东方杂志》第33卷第2号。
③ 《清朝文献通考》,卷一九六《兵十六·火药》。
④ 《清高宗实录》,卷一三五四。
⑤ 《清宣宗实录》,卷三四八。
⑥ 黄流沙等:《鸦片战争虎门战场遗迹遗物调查记》文中记载:1971年,广东虎门人民抗英斗争纪念馆征集到两个瓷缸,高38.5厘米,口径33厘米,缸身施黑釉,上有"炮台火药缸"字样。《文物》,1975(1)。
⑦ 《清高宗实录》,卷三六三。

刑部治罪。若遗失及误毁不多者,官罚俸一年,兵丁鞭打五十。至三百斤以上者,官降一级,兵丁鞭打八十。其缺少火药,全部追赔。① 乾隆三十九年(1774年),对火药局发生火药轰烧事故,清高宗弘历谕令曰:各省贮存火药局,该管各官不加紧巡防,以致被轰者,将同城专管兼统各官,俱革职留任。不同城兼统各官,降一级留任。平时防范不严的提督、总兵,罚俸一年。② 嘉庆六年(1801年),对火药局发生偷窃事故,清仁宗颙琰谕令曰:营中火药器械,均存贮火药库局内,如营兵有偷窃私卖等事,将该管员弁革职提问,失察之统辖总兵,降三级调用,提督降一级调用。③ 看来,其律令是非常严格的。乾隆五十五年(1790年),冕宁县靖远营火药局,因城外山上野火焚烧山草,火星吹入火药房,将库房及贮存火药硫磺等全部烧毁。对这起事故,清政府严加惩办,"将署游击事守备田占魁革职","并照例将烧毁药黄及房屋等项,在各上司名下分赔"④。

(四)清代火药的成本

降低火药成本,一直是清朝统治者所关心的事情。雍正三年(1725年),清世宗胤禛"特命大臣管理火药事务"。为了降低火药成本,清王朝采取了如下措施:一是注意选择廉价的原料。如工部制造火药的硝主要由直隶、山东、河南、山西四省提供。直隶、河南、山东三省每斤硝银二分五厘至二分八九厘,而山西省每斤硝银五分六厘。山西省硝的价格显然太贵,且其成色又不如河南、山东、直隶三省的硝好。因此雍正十年(1732年),工部决定将山西每年"例解之硝停其办运",而"令直隶、山东、河南各增办五万斤解部应用"。这样火药的成本必然大大降低。⑤ 二是采买原料时注意提净,不买毛硝,节省运费。例如各省原来到河南购买的硝都是毛硝,运回本省才"煎提澄净"。乾隆三十年(1765年)规定,嗣后到河南采买硝,"即饬委员督办就豫提净",以节省运费。如果采运回来的硝没有提净,"惟该员是问"⑥。三是统一划定价格。乾隆五十七年(1792年),清政府以京城为标准,统一划定了京城及各省火药、铅丸、火绳的加工银,各省硝、磺、铅斤的工料银及其运费银,并刊刻颁发各省旗营绿营,遵照执行。⑦ 由于采取了这些措施,火药成本逐步下降。例如,雍正时期,军需火药工料银每斤二分六厘,演放火药工料银每斤一分八厘;乾隆时期,演放火药工料银每斤降为一分二厘;嘉庆时期,军需火药工料银每斤降为二分一厘,演放火药工料银每斤下降为一分二厘。

二、弹丸

(一)清代弹丸的性能与品种

弹丸,主要指供鸟枪或火炮等管形火器使用的子弹和炮弹。由于资料所限,清代鸟枪弹丸的情况我们目前所知甚少。以下探讨的,主要是火炮炮弹。清代火炮炮弹,总的来看因袭明代,没有什么重大进步和创新,但是炮弹的品种已趋向单一,不像明代那样庞杂了。

从质材来看,清代炮弹主要是铁弹、铅弹和铜包铅弹。例如康熙十五年(1676年)铸造的神威无敌大将军炮,发射的是八斤重铁弹;⑧康熙十九年(1680年)铸造的镀金龙炮,发射

---

①②③ 《大清会典事例》,卷五二〇《绿营处分例·军器》。
④ 《清高宗实录》,卷一三五四。
⑤⑥⑦ 《大清会典事例》,卷六八六《军火·火药》。
⑧ 《大清会典事例》,卷六八六《军火·铸炮》。

的是重十三两至十四两的铅弹;①乾隆三十三年(1768年)攻打大金川时阿里衮制造的供九节铜炮发射的是铜包铅弹;②等等。在实战中偶尔也使用银炮弹和铜包石块炮弹,但那仅仅是极个别现象而已。③ 由于铅比铁的成本高,且铅的原料来源比铁困难得多,到后来,铁弹使用渐多,且慢慢取代了铅弹。

从外形看,清代炮弹有圆球形和长体形两种。圆球形炮弹在我国古代火炮弹丸中占绝对优势,大多数火炮如金龙炮、制胜将军炮、神威无敌大将军炮、武成永固大将军炮等发射的都是圆球形炮弹。④ 这些炮弹,大多都是实心体的,有群子和封门子之分。1975年在黑龙江省齐齐哈尔市出土的神威无敌大将军铜炮,其炮膛内还有一枚实心生铁弹,这种圆形实心生铁弹是清康熙年间铸造的。⑤ 1974年广州市文物管理处在虎门海口附近征集到了一批铁炮子——群子和封门子,这批铁炮子是鸦片战争时期中国人民打击英国侵略者的威力强大的铁弹丸,其形状大多数是实心圆球形。⑥

清代少数几种火炮如子母炮、奇炮等发射长体形炮弹——子炮。例如,子母炮,"子炮五如管";奇炮,"子炮四如管"⑦。北京故宫博物院藏有清代子炮的实物,其造型为"长体铸铁圆锥形,火门在底部,外壁左侧上下各有小铁环,为提携、装放和退出'母膛'之用。底径面中开一槽,备插铁销,以便与母炮固定。内装火药,上安铅弹头"⑧。这种明代中后期就出现了的子炮一类的炮弹,是把散装的发射火药和弹丸用子炮联成一体,节省装填火药、弹丸时间,提高发射速度,这是我国炮弹发展史上的又一重大改革,实际上是近代新式炮弹的先声和雏形。但是,直到清代末期,这种子炮始终未能向前再迈一步,总是停留在"雏形"阶段。可见清代火器确确实实是停滞落后了。

从性能看,清代炮弹有实心弹和空心爆炸弹两种。空心爆炸弹,我国早在明嘉靖年间就发明了。发展到清代,这种空心爆炸弹在吸取西方爆炸弹长处的基础上有很大改进。康熙年间制造的威远大将军炮(即冲天炮)用的空心爆炸弹,用生铁铸成,"弹重二三十斤,大如瓜,中虚,仰穴,两耳铁环。其法,先置火药于铁弹内,上留药捻六七寸于弹外,余空处亦塞满火药,以铁片盖穴口,外用蜡封固于小膛,底下火药间以木马,加土寸许,乃安铁弹于大膛,又加潮土数寸以隔火"⑨。据魏源《海国图志》记载,清道光年间的空心弹"中半装火药,杂以尖利铁棱……一经放出,其火力能到之处,弹子即必炸开,弹内之药,用黄较多,可以横击一二百步,其弹子炸成碎铁,与内贮之铁棱,皆可横冲直撞……一炮可抵十数炮之用"⑩。可见,改进了的空心爆炸弹其杀伤力更大了。北京故宫博物院藏有不少清代空心爆炸弹弹壳实物,其大小各异,造型为"弹面中留一孔,约20~40毫米,大者旁出火门,高20毫米左右,

---

① 《大清会典事例》,卷六八六《军火·铸炮》。
② 《清高宗实录》,卷八一一。
③ 《清仁宗实录》,卷二一八有"其时王得禄紧拢盗船奋击,该匪因不得铅丸接济,用番银作为炮子点放,王得禄身被炮伤"等语;《清高宗实录》,卷九三一有"放来枪炮子内,间有内裹石块外用铅包者,其铅丸缺乏可知"等语。
④⑦ 《皇朝礼器图式》,卷一六《武备四·火器》。
⑤ 《康熙十五年"神威无敌大将军"铜炮和雅克萨自卫反击战》,《文物》,1975(12)。
⑥ 黄流沙、苏乾:《鸦片战争虎门战场遗迹遗物调查记》,《文物》,1975(1)。
⑧ 胡建中:《清代火炮》(续),《故宫博物院刊》,1986(4)。
⑨ 《清朝文献通考》,卷一九四《兵十六·火器》。
⑩ 魏源:《海国图志》,卷八七《附炸炮法》。

便于穿插引线,另置铁耳环,以利提携,小者只有一孔穴"①。

明末汤若望、焦勖的《火攻挈要》中讲到的霰弹和炼弹,清代也曾制造和使用过。这在一些史料中可见记载。清顺治、康熙年间,郑成功在收复中国领土台湾的过程中,与荷兰殖民者发生了激烈的战争。清顺治十八年(1661年),郑成功的军队在热兰遮的围城战斗中与荷兰的揆一部队进行了激战。在那次战斗中,郑成功的军队就使用了霰弹。曾跟随揆一部队参加过那次围城战的阿布列特·赫波特在《爪哇、福摩萨、前印度及锡兰旅行记》中记载说:"敌人(指郑成功的军队)用许多装着霰弹的小炮射击,打伤了我们许多人,死了两个。"②由此可以看出,郑成功的军队在围城战中确实使用过霰弹。当时,不但郑成功的军队在战斗中发射过霰弹,荷兰侵略军也同样使用过霰弹。据阿布列特·赫波特回忆:"在时常载我们前往陆地的小挠船和舢舨上,有四门装好霰弹和小霰弹的野炮。我们士兵开始用此向敌人射击。敌人也用小炮还击。"③第一次鸦片战争中,清军在抗击英国侵略军时,还使用过链弹打击英国侵略军。《英军在华作战记》对此作了具体描述:"他们(指清军——引者按)的铁链弹乃是一个空球,切成两半,用约十八英寸的锁链盘在中空部分,使半球相联系,因此当半球拴系在一起,以便装进去,就像一个炮弹一样。"④这种炮弹,清代又叫蝴蝶炮子,清时已大量制造。《海国图志》对此记载说:"此次新铸三千斤以上各大炮,炮身愈重,则膛口愈宽,炮子必须加重加大,适与膛口配合,方能轰击有准。又恐炮子过重,不能及远。查夷人所用大炮子,多有通心,亦有空心者,今仿照制造,庶几模大质轻,可期攻坚致远。又将空心炮子分作两开,炼成熟铁,中系铁链,约长尺许,用时将铁链收入空心,仍旧扣合,无异寻常炮子,一经轰击出口,则两半飞舞,形如蝴蝶,击中夷船桅索,即行钓挂焚烧,名为蝴蝶炮子。"⑤可见,清代确实已经制造并使用了链弹。

(二)清代弹丸的研制

清代弹丸的制造,与鸟枪火炮等火器一样,也分中央制造和地方制造。中央制造即由工部在北京实施完成,其成品贮存于濯灵厂等处。⑥中央制造的弹丸,主要供京城各旗营使用。须用时,首先将"应操兵丁枪炮细数"报兵部核准,然后工部再根据兵部核准的数字将弹丸发给军营。此外,盛京黑龙江等处及一些要害地方,如热河、密云、山海关、绥远城右卫、张家口、赛尔乌素等处驻守部队所需火药、铅子,也"委员赴部请领"⑦。需要指出的是,像直隶河屯一协一类的地方,"因在边外,兵丁又系旗人充补",康熙年间,其所需要的火药、铅子也在"工部请领"。不过,到乾隆二十五年(1760年),"停止赴部"请领铅弹、火药,而改成"自行造药买铅备用"了。⑧

地方制造,即由各省自己制造。顺治初年规定:"各省需用……铁弹铅子等项,由各督

---

① 胡建中:《清代火炮》(续),《故宫博物院院刊》,1986(4)。
② 《郑成功收复台湾史料选编》,322页。
③ 《郑成功收复台湾史料选编》,318页。
④ 中国史学会主编:《鸦片战争》(五),183页。
⑤ 魏源:《海国图志》,卷八四《造炮工价难符例价疏》。
⑥ 《大清会典事例》,卷六八七《军火·贮存火器》。
⑦ 《大清会典事例》,卷六八六《军火·火药》。
⑧ 《清高宗实录》,卷六二三。

抚奏请,准其造备,将用过工料银报部察核。"①因此,各省因战事或操演所需用的弹丸,均由各省自己制备。例如新疆阿克苏、乌什等城共驻防军队5300名,其中枪手300余名,一年操练耗用的军火,其中叶尔羌所需"铅子于什喇布制造",和阗所需铅子"于阿克苏、叶尔羌采造",喀什噶尔所需铅子"于特尔克制造";由于自己制造铅子,停止了从"内地运送"②。又如乾隆年间,清军平定大小金川,"各山梁需用大小炮子日以数百计,而存营生铁已尽,所余炮子将次用完",而"所需炮子自不宜刻缓"。面对这种情况,决定"将南路存留生铁赶运五六万斤先为济用",又将"北路之松冈梭磨等站所存生铁通融拨解"到军营,连夜就地自行赶铸炮子。③

　　无论实战或操练演习,弹丸的耗损量都是很大的。为了节省军费开支,减小弹丸的耗损量,清代因袭明代旧例,操演部队要捡拾演习后用过的弹丸。康熙三十五年(1696年),清政府规定:"各省兵,每岁演炮铅铁子,照数捡回备用。"④康熙时清政府只规定了各省士兵操演时要拣拾弹丸,对其它兵种未作规定。雍正十二年(1734年),清政府规定:"八旗操演,营兵等演放鸟枪,所需铅子均不拾回,徒然抛弃……嗣后京师兵丁演放鸟枪之铅子,各旗委官兵用心拾取,务将实得数目注册收贮,俟岁终各营将每月由部领回铅子数目,并各营各旗每月拾回数目,合算分数汇奏,交纳工部。倘有不肖兵丁苟且塞责,拾取无几,或希图较多私行增买等情,查出将该管官题参。"⑤雍正时期,清政府规定了京师八旗兵丁操演时也要拣拾弹丸。但是,不管康熙或雍正,都未规定拣拾弹丸的具体数量。乾隆时期,清政府鉴于各地拣拾弹丸数量比率多寡各异,为了统一,规定全国"拣七销三"。乾隆五十九年(1794年),清政府发布命令:"各省满汉营演放炮位,动用铁子铅丸,拣销分数,多系拣七销三,惟贵州省所用铅丸,拣六销四,山东宁夏俱用铁子,向系全销。热河满营所用铅子,销五拣五。请一并改为拣七销三,以昭划一。"⑥道光时期,清政府又规定:盛京、江宁、杭州、广州等地铁弹全部拾回,铅弹拣七销三;天津沿海等地,因系浅滩,拾取容易,损坏少,铁弹拣九销一;贵州等山径丛杂省份,拣六销四;其余京师及外省满、汉各营,铁弹铅弹均拣七销三。⑦ 不过,清政府虽然对拣回弹丸作了详尽的规定,但是,有的地方并不认真执行。于是各种作弊行为不断发生。例如,乾隆年间,浙江省"名为销三捡七,而实系发三扣七",即每个士兵按照定例规定,一年需"给铅子四十两"作为操演,但实际"每年仅得铅子十二两,其七分实皆不发,册报皆属虚文"。这样士兵"所得既少,自不敷操演之用","浙省既有此弊,恐各省亦复相同"⑧。又例如新疆库车等地,士兵演放枪炮,弹丸"并未装入","止放空枪,仍开销铅丸",这样,"不但于事无益,反滋侵蚀之弊"⑨。从这些事例中,可见清代军备废弛之一斑。当然,在拣拾弹丸时,也有竭尽全力,执行得比较好的。例如,乾隆四十二年(1777年),汉州知州永灵率领

---

① 《大清会典事例》,卷六八七《军火·直省火器》。
② 《清高宗实录》,卷六〇五。
③ 《清高宗实录》,卷九六三。
④ 《清朝文献通考》,卷一九四《兵十六·火器》。
⑤ 《大清会典事例》,卷六八六《军火·火药》。
⑥ 《清高宗实录》,卷一四六六。
⑦ 《钦定工部则例》,卷二七《军需》;又《大清会典事例》,卷九一六《绿营简阅营伍》有类似记载。
⑧ 《清高宗实录》,卷八八七。
⑨ 《清高宗实录》,卷一四八七。

下属寻拣炮子,共拣获大小炮子32500余颗,合算共计节省银12万余两。①

三、火 绳

火绳,又称引线或引信,是发射鸟枪、火炮等火器时点燃火药的一种引燃物。清代的火炮和大多数鸟枪都是使用火绳点火发射的。

在清代,发射鸟枪或火炮时,其火绳的长度都是有定制的。例如乾隆三十二年(1767年)规定,凡健锐营、火器营、八旗前锋护军营等士兵操演枪炮,马枪每发射一发,"取用火绳二寸",步枪每发射一发,"取用火绳一寸"。并规定,"直省驻防及标镇协营",发射火炮鸟枪时,均按此标准取用火绳,"以昭划一"②。又例如,嘉庆五年(1800年)制造的铁子母炮,规定每发射一发,安装火绳长二寸。③

火绳的制取一般是将麻绳用药水熏煮而成,也有用榕树等树皮制成,但不能用纸制造。因为纸张质地脆薄,容易破损,假若用纸做火绳,"药多则过火迅速,药少则难于点引,且不耐雨水潮湿",因而容易贻误战机。④乾隆五十五年(1790年),当得知甘肃省的绿营军在镇压回族人民起义时使用纸制的火绳后,清政府再次重申:"各省所需火绳,俱遵定制,用麻绳妥为筹办。惟两广各营所用火绳,向系用榕树皮九层制造。云贵各营所用火绳,向系用椰树榕树等树皮制造,准仍照旧例办理,俱不得偷换纸张,致有贻误。"⑤

第二节 鸟枪与火炮

清代火器,虽有炮、鸟枪、火砖、火球、火箭、弩箭、喷筒、铳等不少品种,但在实战中真正大量使用的,主要是鸟枪和火炮,其它则多居次要地位或被淘汰不用了。

一、清代鸟枪火炮发展概况

(一)清代火炮制造情况

顺治初年,为了统一全国,火器需要量大增,清政府加紧大量制造鸟枪火炮。顺治年间,八旗军每旗都在北京建立了炮厂。镶黄旗、正白旗、镶白旗、正蓝旗在镶黄旗教场空地各设置炮厂35间;正黄旗、正红旗在德胜门内各设置炮厂30间;镶红旗、镶蓝旗在阜成门内各设置炮厂33间。这些炮厂,皆调拨八旗官兵看守,其火炮皆收贮于安民厂西直门内以北地方及绦儿胡同局安定门局内。⑥ 这种由中央制造的火器,由兵部定式,然后移交工部制造⑦。除了清政府在北京制造火器外,"各省需要铳、炮、火砖、火箭、喷筒、火球、铁弹、铅子"等火器,则"由各督抚奏请造备,工料银报部察核"⑧,这种就地制造的火器,须由各省督抚具题,经兵部核准,才能制造。因此,各地制造军器的权柄仍操于中央。⑨ 清代这种分中央制造和地方制造火器的制度,一直沿袭到清末。不过,从嘉庆以后,中央制造的越来越少,各省地方制造的逐步增多,到后来,则主要由地方自行制造了。

康熙十二年(1673年),吴三桂等人发动三藩之乱,几个月内,战火遍及江南和西南数

---

① 《清高宗实录》,卷一〇四〇。
②③④⑤ 《大清会典事例》,卷六八六《军火·火药》。
⑥⑧ 《清朝文献通考》,卷一九四《兵十六·火器》。
⑦ 《大清会典事例》,卷五七五。
⑨ 《大清会典事例》,卷一三〇(乾隆朝本)。

省。由于战争的需要,康熙时期,清代火器发展较快。为了平定三藩之乱,清政府先后设立三个制造枪炮的厂局:一设于紫禁城内的养心殿,制造的枪炮专供皇帝和满洲八旗之用,称为"御制";一设于景山,产品质量稍差,称为"厂制";一设于铁匠营,制造铁炮,质量更差,供汉军之用,称为"局制"。设于养心殿的枪炮厂由皇帝亲自指定专人前往监造。景山和铁匠营的两个枪炮厂,则由工部管辖。在火器研制中,布衣出身的著名火器专家戴梓受到清圣祖玄烨的器重。戴梓(1649～1726年),浙江人,博才多艺,被玄烨命以学士衔值南书房。经过多方努力,戴梓先后研制成功连珠火铳、蟠肠鸟枪、子母炮等多种新式火器,其中子母炮尤为先进,"子在母腹,母送子出,从天而下,片片碎裂,锐不可当"[1]。玄烨为了嘉奖戴梓,特将"子母炮"封为"威远将军",并在炮身上刻上戴梓的名字,以示纪念。另一方面,玄烨还注意吸收西方先进的制炮技术,启用当时西方来华耶稣会传教士南怀仁制造火炮。南怀仁(Ferdinand Verbjest 1623～1688),字勋卿,又字敦伯,比利时传教士,顺治十四年(1657年)来华。初在陕西传教,次年到北京。南怀仁精通数历,在与杨光先的历法之争中,曾当着清圣祖玄烨的面验证了西洋历法的准确,得到玄烨的信任和重用,为清政府管理钦天监监务,制造天文仪器。康熙十三年(1674年)八月玄烨曾命南怀仁"尽心竭力绎思制炮妙法,及遇高山深水轻便之用。"[2]南怀仁接旨后为清政府"依洋式铸造新炮"。从康熙十三年起,清政府开始大量制造火炮,其铸造情况是:

康熙十四年(1675年)	各种大炮	80位
康熙十五年(1676年)	神威无敌大将军炮	52位(铜炮8位、铁炮24位、木镶大炮20位)
康熙十九年(1680年)	镀金龙炮	8位
康熙二十年(1681年)	神威将军炮	240位
康熙二十四年(1685年)	铁心铜炮	85位
	铁奇炮	1位
康熙二十五年(1686年)	镀金龙炮	1位
康熙二十六年(1687年)	威远大将军炮(冲天炮)	5位
康熙二十八年(1689年)	武成永固大将军炮	61位
	改造木镶炮	80位
康熙二十九年(1690年)	铁子母炮	202位
	铜冲天炮	8位
康熙三十四年(1695年)	制胜将军炮(铜)	48位
康熙五十七年(1718年)	威远将军铜炮	10位
康熙五十八年(1719年)	威远将军铜炮	16位
康熙六十年(1721年)	铁子母炮	6位
	铁虎尾炮	2位

---

[1] 李恒:《国朝耆献类征初编》,卷一二〇。
[2] 《清朝文献通考》,卷一九四《兵十六·火器》及南怀仁:《熙朝定案》康熙十三年。

由以上可以看出,康熙十四年(1675年)到康熙六十年(1721年)的46年间,清王朝中央制造的大小铜铁炮共计985位,这个数字还未包括各省就地制造的火器,但估计各省就地制造的,其为数当亦不少。

雍正乾隆时期,清朝统治者仍然重视火器,认为"火器关系军政,甚为紧要"①,强调"兴师进剿,利于火器"②,多次重申火器是"军中最紧要之利器"。因此清王朝中央继续制造火器。据不完全统计,仅雍正五年(1727年)一年,清王朝中央制造的火炮就有44尊。

除中央制造火器外,出于战争需要,各地还大量制造火器。当时,清政府对贵州地区的苗疆,云南的东川、乌蒙、镇雄三土司和云南西南部与缅甸连界的各边地以及四川西北部的大小金川连年用兵。由于这些地方地处边陲,山陡路狭,军旅行进非常困难。从内地运送火炮火器等军火十分不便,只好因地制宜,就地制造。例如,乾隆十二年(1747年),大金川发动叛乱,清政府派兵镇压。第二年,清高宗弘历增调陕、甘、云、贵四省兵丁五万多人分路推进。但是,大小金川"万山丛蓋,中绕汹溪","各处贼碉,须炮轰击者多,而攻得一处,炮位难于移运,又须随地另铸"③。因此,只得在当地设厂,大量制造火器。仅据《清实录》记载,平定大小金川的战争中,各地就地铸造的火器就有:

乾隆十三年(1748年)六月,从滇、陕等省调取铸炮铁匠,从四川各州县调运煤炭和铁,制造大炮、铁胎木炮、九节炮等。④

乾隆十三年七月,军机大臣传谕大学士纳亲,将火箭一事详悉斟酌,在成都城内迅速制造火箭,以焚烧土司的碉楼及粮草。⑤

乾隆十三年十一月,岳钟琪在成都制造火器喷筒已有成效。⑥

乾隆三十六年(1771年)十月,为了攻打约咱,四川总督阿尔泰在军营铸造三千斤大炮成功。⑦

乾隆三十八年(1773年)一月,为了攻剿功噶尔拉等地,温福大量制造火炮等火器,因铜料不足,甚至将钱局铸铜钱的铜暂行借用,以满足铸炮的急需。⑧

乾隆三十九年六月,为了有效地轰击土司石碉,特地从北京星夜运送冲天炮到军旅前线作为样炮,以便阿桂在军营依式大量制造。⑨

据《清实录》记载,清高宗弘历平定云南西南部与缅甸连界的各边地土司的战争中,各地就地制造火器的情况是:

乾隆三十三年(1768年),清高宗弘历谕令,云南木邦、铁壁虎、踞关等地,应选调工匠,就地制造火炮,以备军营之用。⑩

---

① 《清世宗实录》,卷七八。
② 《清高宗实录》,卷四六七。
③ 《清高宗实录》,卷三一七。
④ 《清高宗实录》,卷三二〇。
⑤ 《清高宗实录》,卷三二九。
⑥ 《清高宗实录》,卷八九五。
⑦ 《清高宗实录》,卷八九六。
⑧ 《清高宗实录》,卷九二五。
⑨ 《清高宗实录》,卷九六一。
⑩ 《清高宗实录》,卷八〇三。

乾隆三十四年(1769年)正月,从福建派遣水师兵三千名,前往云南作战,随军携带火箭、火罐之类火器样品和制造这些火器的工匠,到云南后以便就地制备。①

乾隆三十四年六月,经略大学士傅恒铸造大炮成功。②

以上仅是《清实录》记载乾隆年间就地制造火器的部分情况。可以肯定,这些记载是不完全的,实际就地制火器要比《清实录》记载的多得多。

康熙、雍正、乾隆时期,清政府还对全国各省特别对京畿、盛京(今东北地区)、青海、甘肃等地的火炮、鸟枪等火器进行了清查,对其中残损破旧的火炮、鸟枪等火器或修理,或改铸,或销毁,或更换。

(二)清代对枪炮实行统一制式

为了加强对火器特别是枪炮的管理,清政府统筹规划,统一标准,统一式样,于乾隆二十一年(1756年),制定了"钦定工部则例造火器式",将85种火炮、17种鸟枪列为国家制式武器,颁行全国。

85种制式火炮是：

子母炮 威远炮 靖氛炮 决胜炮 得胜炮 行营炮 靖平炮 提行炮 铁行炮 靖海炮 靖蛮炮 灭逆炮 神威炮 荡寇炮 红衣炮 西洋炮 发贡炮 贡炮 带子贡炮 霸王鞭炮 赵公鞭炮 百子鞭炮 鞭炮 百子炮 班机炮 过山鸟炮(又名鸟机炮) 佛郎机炮 劈山炮(又名开山炮) 信炮 号炮 河塘炮 威风炮 涌珠炮 连珠炮 转轮炮(又名腰边炮) 独弹炮 车炮 喊炮 响炮 地雷炮 通开炮 扳槽炮 鲨尾炮 斗头炮 肆把连炮 大将军炮 二将军炮 将军炮 磨盘炮 漆炮 西瓜炮 千里马炮 定更炮 独子砂炮 砂炮 亘底炮 碗口炮 坐地炮 九箍炮 竹节炮 无名大炮 无名小炮 无名中炮 虎威炮 追风炮 追风独眼炮 虎尾炮 虎蹲炮 马蹄炮 马腿炮 马卵炮 牛蹄炮 牛腿炮 牛尾炮 鸡脚炮 替子炮 笔管炮 静街炮 铜沙炮 铜百子炮 大小铜炮 铜贡炮 铜马卵炮 千里马铳 扳槽铳

17种制式鸟枪是：

鸟枪 叉子鸟枪 虎枪 排枪 铰枪 盘条鸟枪 马上枪 大鸟枪 威子追风鸟枪 神枪 荡寇枪 琵琶枪 长柄叉枪 攒把鸟枪 藤牌小鸟枪 三眼枪 四眼枪③

品种众多的国家制式火炮鸟枪,说明当时清代火器兴盛发达之一斑。但是从嘉庆以后,情况就发生了变化。随着清王朝政治日益腐败,经济逐步衰退,科学技术落后,清代火器也随之停滞不前,日益衰落了。

如嘉庆四年(1799年),清政府对前朝160门神枢炮加以改造,制成新的得胜炮,经过演试,其射程不满一百步,但改造前的神枢炮,其射程远于一百步。④ 可见改造后射程不但没有增加,反而减少了。这种火炮质量、性能低劣的现象,反映出当时兵器制造业特别是火器业开始衰落的状况。

嘉庆五年(1800年),清朝政府制造铁子母炮55尊,每尊炮身长五尺六寸,全重150斤,

---

① 《清高宗实录》,卷八二六。
② 《清高宗实录》,卷八三七。
③ 《清朝文献通考》,卷一九四《兵十六·火器》。
④ 《大清会典事例》,卷一一二六《八旗都统·兵志》。

配备子炮5个。① 但是,从这年一直到道光前期,由于国内承平日久,没有发生大的战争,加之朝廷昏庸,经济每况愈下,因此,从目前所掌握的资料看,清朝政府在这一段时间内基本没有制造火炮鸟枪等火器了。这种现象,也隐约透露出清代火器停滞衰落的状况。

道光后期,以英国为首的西方资本主义国家加紧入侵我国,东南沿海形势紧张,大小战争四起,火炮鸟枪成为抵御敌人的"利器"。针对这种形势,清宣宗旻宁曾下谕:"大小炮位及各种器械,若能陆续添造,多多益善。"②为了满足当时战争对火炮鸟枪等火器的迫切需要,清朝政府一方面"即著遣员调处",从全国其它地方调运军火到东南沿海;另一方面,"须添造之处,著仍遵昨降谕旨,督匠兴造,毋稍迟误"③。全国上下,只得匆匆忙忙加紧制造火炮鸟枪等火器。但是,当时中央一级火器制造业已十分衰败,无法满足战争需要。所以,制造火器的重担主要落在地方身上。因此,道光后期,地方制造火器曾一度兴盛起来。各地自行制造火炮鸟枪的情况如下:

道光九年(1829年)七月,西安满营熔化"业已不堪应用"的鸟枪160杆,改铸抬炮40尊。④

道光十三年(1833年)十二月,哈丰阿在广东旗营筹造抬炮100尊,⑤第二年二月制造完成,销工料银1076两。⑥

道光十五年(1835年)四月,卢坤等计划添铸虎门海口炮台炮位60尊,其中六千斤大炮20位,八千斤大炮20位,"并增建炮台,修理墙垛,铸造炮子","准其募雇工匠承造,责限保固"。所费经费,除旧炮抵折外,共计约需工料银五万余两。⑦这批大炮到第二年铸造完成59位,试炮时炸裂10位,因此"所有监铸委员,推升游击留署广州协左营都司黄庭彪革去顶带,责令督匠加工提炼,如数赔造"。而承修炮台的东莞县知县李绳光,因"工程完固,著加恩交部议叙"⑧。

道光十七年(1837年),特依顺依照福州满洲营抬炮式样,为密云添铸抬炮20尊,"由京召匠,加工制造",每尊需银15两,共需银300两。⑨

道光十八年(1838年),因荆州原有抬炮重量太轻,射程太近,德楞额奏请销毁改造原来的抬炮56尊,以甘肃河州抬炮为式样,借调"熟谙匠役一二名赴楚","依样成造"抬炮30尊,共需银480两。⑩

道光二十年(1840年)九月,因江苏沿海各要塞"旧存炮位不足以资防御",需"添铸自三千斤起至八千斤止大炮数十位",铸造时"必须工坚料实"。⑪

道光二十一年(1841年)一月,由于"天津为近畿咽喉要隘,大炮务宜多设,以壮声威"。

---

① 《大清会典事例》,卷六八六《工部·军火》。
② 《清朝续文献通考》,卷二三七《兵三十六》。
③ 《清宣宗实录》,卷三四四。
④ 《清宣宗实录》,卷一五八。
⑤⑦ 《清宣宗实录》,卷二四六。
⑥ 《清宣宗实录》,卷二四九。
⑧ 《清宣宗实录》,卷二七七。
⑨ 《清宣宗实录》,卷二九五。
⑩ 《清宣宗实录》,卷三一三。
⑪ 《清宣宗实录》,卷三三九。

因此，必须"迅速督匠兴造，各按隘口布置周密"①。同月，刘韵珂从宝浙局"提铜四五万斤"，"赶紧督工铸造"铜炮，"分拨要口，以资防御"。②

同年二月，因杭嘉二府所处出海口位于"扼要处所"，因此"该管各府督同州县应确加估计，购料兴修，赶铸炮位"③。

同年三月，因"盛京最关紧要，首宜扼要防堵"，添造"抬炮一百数十杆，鸟枪九百数十杆"④。同时，耆英等人采办铁料26万斤，为盛京铸造炮位炮子，其中铸造八千斤大炮四五尊，"其余铁料，酌量分铸一二千斤，二三千斤炮位数十尊"，安设于复州、金州各海口。⑤

同年六月，纳尔经额为天津铸造八千斤铜炮4尊，万斤铜炮4尊。⑥

截至道光二十一年（1841年）六月，沿海各省铸造火炮鸟枪等火器取得了成效，已告一段落，清宣宗旻宁对这一段铸造火炮鸟枪等火器比较满意，他在给内阁的一次谕令中说："沿海各省，添铸炮位，原期施放得力，以资捍卫。现据各省陆续奏到，业已渐次铸齐"⑦。但是，由于战争的需要，在后来的两年多当中，全国各省主要是沿海各省又陆续铸造了一批火炮鸟枪。据《清实录》记载，其铸造情况如下：

道光二十一年八月，梁章钜会同陈化成在上海炮局为江苏吴淞海口"续铸四千余斤铜炮十尊，解至吴淞试演，均能致远"⑧。

同年十月，托金泰在登州创制三轮车炮，"灵便可用"。清宣宗旻宁谕令浙江按照这种炮的式样"如式制造"。并"着托浑布饬令该参将带领熟习工匠，迅速驰赴浙江军营，所候差委，毋稍迟误"⑨。在这同时，江南省会旗营添铸抬炮100尊，鸟枪800杆。浙江省铸成大炮82位，"均在一二千斤上下"，同时"于楚省购买铁斤及提宝浙局洋铜"，赴苏州添购铜锡，以便"源源制造"枪炮。⑩

同年十二月，盛京新铸炮位工竣，其中有二千五百斤者、三千斤者、五千斤者、八千斤者，"着命名巩定将军"，一千斤者，"着命名振武"。⑪

道光二十二年（1842年）一月，清宣宗旻宁谕令，福建厦岛所需炮位，"自应设厂拨铜，广加铸造"，"所铸炮位，不在重大，必须坚固如法，足以摧坚致远，方为适用"。⑫

同年二月，江宁旗营添铸抬炮20尊，鸟枪200杆，共计费工料银792两余。⑬

同年四月，湖南制成火箭筒8 000枝，大飞枪药筒2 000枝，"解赴福建备用"。⑭

同年十二月，耆英等人广购精铁，加工镕炼，并调取广东熟谙铸炮工匠，为上海宝山吴淞

---

① 《清宣宗实录》，卷三四四。
② 《清宣宗实录》，卷三四五。
③ 《清宣宗实录》，卷三四七。
④ 《清宣宗实录》，卷三四九。
⑤ 《清宣宗实录》，卷三五〇。
⑥⑦ 《清宣宗实录》，卷三五三。
⑧ 《清宣宗实录》，卷三五六。
⑨ 《清宣宗实录》，卷三五九。
⑩ 《清宣宗实录》，卷三六〇。
⑪ 《清宣宗实录》，卷三六三。
⑫ 《清宣宗实录》，卷三六六。
⑬ 《清宣宗实录》，卷三六七。
⑭ 《清宣宗实录》，卷三七一。

口"如式制造"大小炮位。同时"已咨河南巡抚,责成河北镇昌伊苏代造抬炮一千五百杆"①。

道光二十三年(1843年)一月,陕西省铸成二千斤以上大炮10尊,一千斤以上大炮10尊,其中"每样分拨二尊","择地安置"于潼关等军事要地。②

同年二月,天津省标各营铸成五百斤铜炮60尊,"添设在速战阵头层",铸成三千斤铜炮100尊,"添设在二层",这些炮配置有炮车推挽,炮架支放,轮转装药,"均可连环套打"。③

同年闰七月,闽省旗营制造抬枪120杆。④

以上事实充分说明,道光后期,为了抗击英国等西方资本主义国家的入侵,满足战争的需要,各省地方火器制造确实有了一定的发展。

但是,当时不管是清王朝中央制造的火器,或者是各省地方就地制造的火器,由于应付前方战争急需,均属匆忙赶制,加之当时军政腐败,上下贪污成风,偷工减料严重,制造出来的火器,质量低劣,性能较差。例如道光十六年(1836年)广州虎门海口炮台新铸59尊火炮,经试演,共炸裂10尊。⑤ 后来威远炮台赔造的一尊八千斤火炮,秋操演放时又炸裂了。⑥ 又如道光二十一年(1841年),清政府命令造办处制造火炮,并特意将达龄阿(当时为山东福山县知县)请来作指导。但是,制造时,他们却搬出120多年乃至170多年前的老炮,作为依据和标准,即按康熙五十七年(1718年)清圣祖玄烨制定的炮样和康熙六年(1667年)宫中旧存的西洋制造的火炮"照样铸造"。这种照抄老样铸成的火炮,其性能低劣落后是可想而知的。⑦ 所以,直到道光末年乃至咸丰年间,我国火炮鸟枪的研制一直没有任何大的进展;而与此同时,西方国家通过资产阶级革命,工业和科学技术发展较快,火器制造技术比较先进,特别是19世纪中叶以后,后膛火炮、击针式连珠炮及新式火药先后问世,并且广泛装备军队,用于实战。因此,清代晚期,我国火器已大大落后于西方资本主义国家了。我国古代鸟枪火炮逐渐被西方近代枪炮所取代,这也是历史发展的必然结果。

二、清代火器发展的几个特点

清代前期,其火器在明代的基础上有所发展;清代后期,随着清王朝政治的腐败,经济和科学技术的停滞落后,其火器则逐渐衰落了。综观有清一代前期和后期火器发展的整个情况,大致有如下几个特点:

(一)从火器的类型来看,用于实战的火器门类大为减少

明代的火器有燃烧性火器、爆炸性火器、管形火器、火箭。在这四个门类中,每个门类的火器品种繁多,广泛装备军队,在实战中被大量使用,并且各自起着不同的重要作用。但是到了清代,情况有了很大变化。据《清会典》等史籍记载,清代火器,"大者曰炮","小者曰鸟

---

① 《清宣宗实录》,卷三八六。
② 《清宣宗实录》,卷三八八。
③ 《清宣宗实录》,卷三八九。
④ 《清宣宗实录》,卷三九五。
⑤ 《清宣宗实录》,卷二七七。
⑥ 《清宣宗实录》,卷二九一。
⑦ 《清内务府养心殿造办处各作成做活计清档》"道光二十年元月",编号3 013。转引自胡建中:《清代火炮》,《故宫博物院院刊》,1986(2)。

枪、曰火砖、曰火球、曰火箭、曰弩箭、曰喷筒、曰铳"①。这些火器中,炮、鸟枪和铳等属管形火器类,其它则多为燃烧性火器(火箭也主要起燃烧作用)。它们当中真正大量装备军队用于实战的,主要是鸟枪和火炮等管形火器,其它火器则成为军队作战的辅助兵器而退居次要地位了,有的则被战争淘汰了。由此可以看出,装备清代军队而用于实战的火器门类已经大为减少了。这也从一个侧面证明清代与明代相比,火器确实是停滞衰落了。

(二)从火器的形体看,管形火器类枪炮的形体趋向单一

在明代,管形火器的形体十分庞杂。但是到了清代,经过长期实战的检验,汰除了不适应实战的火器形体和品种,因此,清代管形火器的形体趋向单一。例如火炮,其形体已基本固定为筒状的长体形,前弇后丰,明代那种凸腹炮、纺锤形炮、子弹形炮等形体都被淘汰不用了。试看《皇朝礼器图式》上有图可考的火炮形体:

金龙炮、子母炮、严威炮、神功将军炮、神威大将军炮均是"前弇后丰,底如覆笠";

制胜将军炮:"前弇后丰,底分瓜棱";

神威大将军炮:"前弇后丰,底少敛长";

神威无敌大将军炮:"前弇后丰,底如覆盂";

武成永固大将军炮:"前弇后微丰,底如竹节";

得胜炮:"前弇后丰,口如铜角";

红衣炮:"前弇后丰,底圆而浅";

台湾炮:"前弇后丰,口形如钵"。②

总之,21种火炮中,除两三种火炮是短体的臼炮外,其它火炮的形体均是前弇后丰的筒状长体形了。这种形体的改变是由于当时采用了先进的制炮技术的结果。在清代,铸造火炮时已吸取了西洋的铸炮技术,按"炮体长短大小,厚薄尺量之制",皆"比照度数,推例其法,不以寸尺为则,只以铳口空径为则"③,这样铸造出来的火炮,其"长短大小,厚薄尺量"的比例,都很科学,所以其形体也单一了。又例如,清代枪主要只有鸟枪一种,而明代的铳和枪的形体各种各样,如单眼铳、双眼铳、三眼铳、十眼铳、夹把铳、五雷神机、迅雷铳、神枪、剑枪、大追风枪、飞天神火毒龙枪等,都先后被淘汰而退出了战争舞台。

清代鸟枪的形体,也比较划一,均为长身管,小口径,嵌装于木床上。火炮、鸟枪等管形火器形体趋向单一,说明清代管形火器的制造在向标准化方向缓缓迈进,这是清代火器的进步。

(三)从火器的品种看,管形火器增加了一些新的品种

清代的火器新品种虽然不像明代那样不断涌现,但也先后创制出几种性能比较先进的新品种。例如,康熙年间戴梓创制发明了连珠铳,这种铳形状如琵琶,火药、铅丸都贮在枪脊上的特制弹仓内,用机关开闭,铳有两机相连,"扳一机则火药铅丸自落筒中,第二机随之并动",以摩擦燧石打火,点燃火药,将弹丸发射出去,一次可连续发射28发。④ 这种连珠铳,实际上类似西方近代的机关枪。西方发明机关枪是19世纪中叶的事。1851年(咸丰元

---

① 《清会典》(乾隆)卷七三《军器》。
② 《皇朝礼器图式》,卷一六《武备四·火器》。
③ 《火攻挈要》,卷上《铸造战攻各铳尺量比例诸法》。
④ 《清史稿》,卷五〇五《戴梓传》;又见《两窗消意录》。

160

年),欧洲发明了蒙体尼机关枪,多个枪管安装于枪架上,回转枪管依次发射,1862年(同治元年),美国芝加哥加托林博士(Dr. Richard Jordan Gatling)发明了加托林轮转枪,一枪有十支枪管,回转于一个固定中心轴周围,各有装填发射和退壳装置,依次装填发射,这种枪在美国南北战争中曾使用过。[1] 可见,戴梓发明的连珠铳比西方早了一个多世纪。又例如,清康熙年间,还新创制了冲天炮,又名威远将军炮,其形制是:大口径,炮身粗短,其形似"臼",又似仰钟,上装炮尺(高低瞄准具),炮膛明显分为两部分,一为前膛(又名大膛),一为药室(又名小膛),用四轮炮车装载,发射爆炸弹。康熙至雍正年间,清王朝先后制造过六种不同重量的这类火炮。这种冲天炮(或威远将军炮),其弹道弯曲,是以曲射火力杀伤目标,作用与近代迫击炮相似,是我国最早的一批曲射炮,此炮在平定大小金川、摧毁土司的碉卡中发挥过重要作用。再例如,康熙乾隆年间,又先后创制了奇炮和奇枪。所谓奇炮,其形制是:"铸铁为之,后通底,旁如牡钥,重三十斤,长五尺五寸六分","近口为照星,中加斗","子炮四如管,连火门","后加木柄,曲而俯,下为屈戍,开柄以纳子炮,从牡钥中固以铁钮"[2]。这种炮实际上是在子母炮的基础上加以改进而创制成的,其最大特点是装填弹药不像子母炮那样从炮腹中装入,而是直接从炮尾部的膛底装入;其次是发火装置安装于木柄前部,用绳索向后拉动,使火机发火。所谓奇枪,其形制是:"铸铁制成",枪膛"皆通底,旁如牡钥,连床柄处,下为屈戍,可开阖,药子皆实子枪内,开底纳之,从牡钥中固以铁钮。子枪六,长二寸四分,如管,连火门递发之"[3]。这种奇枪实际上是根据奇炮的原理创制成的,其特点是:一是枪膛一直通到枪底部,装填弹药从枪身底部的膛底装进,而不像其它鸟枪那样从枪身上部的枪口装入;二是每杆枪备有六个子枪,每个子枪各长二寸四分,可以事先将火药和弹丸装入子枪内。由于子枪的使用,鸟枪可以连续发射,从而加快射速;三是发火装置有了改进。十分明显,奇炮和奇枪又向近现代炮和枪的行列迈进了一步,实际上已具近现代枪炮的雏形了。但是,清代新火器品种与明代相比,实在是相形见绌,少得可怜了。

(四)从火器的性能看,只有一些小改小革式的创新和改进

清王朝由于处在封建社会的末期,闭关自守、固步自封、没落腐败,因此,纵观整个清代,其火器性能缺少突破性的创新,只有一些小的改进,归纳起来,主要有:

一是鸟枪火炮普遍安装了瞄准装置。例如清代的火炮,不管是过去"已成之炮",或是现在"新铸之炮",都已安装了瞄准具。对"已成之炮,不论万斤至百斤,各先度尾之径若干,于炮头制一干坚木圈,周围如炮围一样大,不容毫发之差,将木圈套附炮头,与炮口平齐,木圈勿伸出,便符勾股度数,如此则自引门后正中一线直视至炮头正中,与敌船相对,然后施放,虽使童稚,亦能中的矣"。对"新铸之炮,立令匠人于炮头外皮渐渐加厚,如花瓶口围,至与尾一样大,便合用矣。至于炮头上面正中,要起一珠为表;炮围大尾之处,上面正中亦当起一珠为表,与前表相对更为细微。如前有珠,后无珠无可相对,仅致生疑,不如前后皆无珠,较为妥。协久而精熟得其变通,制造演放动中肯綮,克敌制胜,可操掌握矣"[4]。这样一来,火炮的命中精度大大提高。

---

[1] 李待琛:《枪炮构造及理论》(下卷),1 008页。
[2][3] 《皇朝礼器图式》,卷一六《武备四·火器》。
[4] 魏源《海国图志》,卷八八《西洋用炮测量说》。

二是火炮普遍安装了炮车炮架。《皇朝礼器图式》上有图可考的火炮炮架就有：

金龙炮：双轮车炮架；　　　　　　　制胜将军炮：双轮车炮架；
威远将军炮：四轮车炮架；　　　　　神威大将军炮：四轮车炮架；
神威无敌大将军炮：三轮车炮架；　　神威将军炮：双轮车炮架；
武成永固大将军炮：四轮车炮架；　　神功将军炮：三轮车炮架；
得胜炮：双轮车炮架；[①]　　　　　　九节十成炮：四轮车炮架；
冲天炮：四轮车炮架；　　　　　　　子母炮（一）：凳形四轮车炮架；
子母炮（二）：凳形四轮车炮架；　　严威炮：双轮车炮架；
红衣炮：三轮车炮架；　　　　　　　龙炮：凳形四轮车炮架；
奇炮：三脚架炮架[②]；　　　　　　　浑铜炮：双轮车炮架。
台湾炮：四轮车炮架。

《皇朝礼器图式》上有图可考的21种清代火炮，除行营信炮不需要安装炮架（因该炮施放时坐地朝天），回炮安装于鞍座上用牲畜驮载以外，其它18种是炮车炮架，只有奇炮使用三脚架炮架，这是一种例外。到了清末，炮架又有了新的改进，即大量采用了双层炮架。所谓双层炮架，又叫磨盘炮架，是龚振麟在吸取西方先进炮架技术的基础上加以改进而创制成的，即将"炮架改为两层，下层照常安轮，下层中心，以铁椭贯之，炮耳以后仍列梯级，虽四五千斤之炮，只以一二人拨之，即可随意所向"[③]。可见，这种双层炮架既减轻了人的体力劳动，又可使炮"随意所向"，从而大大提高了火炮本身的机动性和控制火力的机动性。

三是发明并采用了铁模铸炮法。铁模铸炮法是道光年间龚振麟创制发明的，鸦片战争期间各省铸炮时都广泛采用了这种较先进的铸炮技术，从而大大缩短了铸炮的生产周期，降低了火炮的生产成本，提高了火炮质量，这不但是中国火器史上一个伟大的创举，也是世界兵器发展史上一件了不起的大事。

（五）枪与炮已有了明显的界限

管形射击火器自宋代发明以来，其枪与炮的区分界限，一直比较混乱。只有到了清代，人们才将枪与炮明显区分开来，"枪"与"炮"名称的含义才开始专一固定。据《清朝文献通考》："大者曰炮"，"小者曰鸟枪"，"曰铳"。[④] 从这里可以看出，清代枪与炮的概念已有明确的区分。因此，从清代开始，"炮"已专指形体和口径都比较大的管形射击火器了。如《皇朝礼器图式》中有金龙炮、制胜将军炮、威远将军炮、得胜炮、子母炮、九节十成炮、冲天炮、红衣炮等等，又如乾隆二十一年（1756年）清政府规定的国家制式武器装备中，其中有83种是火炮。枪，则专指口径和形体都较小的、单兵演放的管形射击火器。例如，《清朝文献通考》列举的17种鸟枪中有叉子鸟枪、排枪、虎枪、马上枪、神枪、铰枪、威子追风鸟枪、琵琶枪等。《皇朝礼器图式》中有图可考的众多鸟枪中有自来火大枪、自来火二号枪、自来火小枪、禽枪、虎神枪、花准枪等，都是指口径和形体较小的管形射击火器。

---

① 从图形上看，得胜炮为四轮车炮架，与文字记载"双轮车"炮架矛盾，本书以文字记载为准。
② 从图形上看，奇炮为凳形四轮车炮架，与文字记载的三脚架炮架矛盾，本书以文字记载为准。
③ 《海国图志》，卷九一。
④ 《清朝文献通考》，卷一九四《兵十六·火器》。

三、严禁私藏私造私贩火器

"火器关系军政,甚为重要"①。清朝统治者因袭明代,十分看重火器,但同时又极端害怕人民群众掌握和拥有火器。因此,清朝统治者颁布了一系列严禁火器的谕令,对人民群众私造私藏私贩火器作了种种苛刻规定,这一点在自10世纪火器发明以来的历代统治者之中,清朝是最为突出和典型的。

(一)规定了严禁私藏、私造、私贩火器的范围和内容

康熙十九年(1680年)五月,在平定三藩叛乱取得决定性胜利,战争行将结束时,清圣祖玄烨对各省铜铁红衣大炮作出了处理规定,并将这些规定"令议政王大臣等会议"。很快议政王大臣进行了议复。在这次议复中,清政府规定:"严禁私铸火炮。"②但当时严禁的范围仅仅只限于"火炮",没有涉及其它火器。

康熙二十一年(1682年)八月,监察御史拉塞向朝廷奏报:"天下已定,除陕西近边及沿海地方外,其别省火器,应概行禁止,毋许存留。"在拉塞看来,除了陕西近边及沿海地方外,全国其它各地的火器,不论公私(即国家和私人),都应一概加以销毁,严禁使用。对待拉塞的建议,清圣祖玄烨指出:"朕思治天下之道,在政事之得失,于火器何与?夫火器孰有多于吴三桂者乎?因其所行悖逆,即致灭亡。观此,则火器之不足恃可知矣,所奏不必行。"③由此可以看出,当时朝廷中虽然有人主张销毁、严禁使用一切火器,但康熙没有采纳拉塞的建议,不同意公私一概禁绝火器。可见,康熙时严禁火器的范围并没有扩大,还是仅限于火炮一项。

康熙四十七年(1708年)六月,兵部在对太原总兵官马见伯上疏的议复中说:"火器鸟枪,久奉明禁,近来商民尚有私用私造者,请勅该地方官,将民间见存鸟枪限期缴官入库,永行禁止……至硝黄,乃火器中所用,请严禁私卖,以杜奸宄"。④很显然,兵部的这个议复,明确提出了严禁民间私用私造鸟枪和私卖硝磺的建议。对此,清圣祖玄烨全部批准照办。至此,即康熙四十七年,清政府已明确下令,严禁民间私用私造鸟枪及贩卖硝磺。严禁火器的范围扩大了。

雍正时期,清世宗胤禛重申:"火器关系军政,甚为紧要,鸟枪硝黄,不许民间藏匿",对民间小贩,以布盐杂物零星换易硝黄也要"严行查禁"⑤。此时雍正因袭康熙成例,严禁火器的范围没有什么变化。

乾隆时期,清高宗对严禁鸟枪有了新的规定。乾隆十五年(1750年),清政府规定,围猎禁止使用鸟枪,对围猎的"现有鸟枪,每枪给银一两,概行收回";收回后,"严禁偷买自造"⑥。乾隆二十四年(1759年)福建有人"改用竹筒,外扎洋藤,加以铁箍,火门镶铁,装入火药铅子,点放杀人",对这种竹铳,清政府也禁止民间私造私藏。⑦ 乾隆四十七年(1782

---

① 《清世宗实录》,卷七八。
②③ 《清圣祖实录》,卷一〇四。
④ 《清圣祖实录》,卷二三三。
⑤ 《清世宗实录》,卷八八。
⑥ 《清高宗实录》,卷三七四。
⑦ 《清高宗实录》,卷五八〇。

年),对民间猎户用的线枪也要"实力查办,勒限收缴",严行禁止。① 在严禁硝磺方面,清高宗弘历规定:对"产硝产黄之地",严禁民间私挖私采。② 但对民间贩卖硝磺,似有所放松,在河南巡抚尹会一的上疏中有"豫省硝斤,自改听民间交易以来,殊于贫民有益"等语,便可说明这点。③ 但是,河南省这种许可民间交易硝磺的时间并不长,乾隆二年(1737年),清政府又规定,河南省"应仍令遵照定例,不许私贩出禁"④。不过,到乾隆八年(1743年),清政府允许民间只要"报官"批准,便可开办"官硝店","贫民零卖硝斤,听照时价收卖,并设印簿逐日登填,月底送州县查核"。⑤ 对于严禁火炮,乾隆二十九年(1764年),清高宗弘历规定:"地方有私铸红衣等大小炮位者,将炮入官,该犯交与刑部议罪。"⑥乾隆三十九年(1774年),弘历又规定:"佚炮火器不得擅自私用,如有私藏火炮不行送库者,将失察之专管官降一级调用。"同年弘历还规定:"私藏火炮及私造鸟枪者,系官革职,兵丁鞭一百革退,火炮鸟枪俱入官。"⑦

道光时期,清政府严禁火器的律例更为森严。清宣宗旻宁不但多次重申严禁火炮、鸟枪,并明确命令:"抬枪乃阵前应用,且为器长大","必严行查禁"。⑧ 道光十四年(1834年),清宣宗规定:民间"私煎硝黄,无论已未兴贩",均应严令禁止。⑨ 很明显,道光时期,清政府严禁火器的范围进一步扩大,措施更加严厉了。

在清代,统治者不仅禁止人民私藏私造火器,还特别严禁火器走私,即民间私自进出口火器。

早在顺治初年,清政府就规定,不准朝鲜国人私带硝磺等违禁物出境,守关口官如果一旦查获,即行报部,交与礼部察议。⑩

康熙二十三年(1684年),清政府规定,焰硝、硫磺、军器等物,违禁私载出洋,有以此接济奸匪者,照例治罪。⑪

雍正年间,清政府又规定,近洋航行的商船、渔船,也不许携带枪炮器械。但是,往贩东洋、南洋的大船,为防海盗计,允许携带火炮,但每船不得超过二位,火药不得超过三十斤。造炮时必须呈明地方官给与印票,赴官局制造。火炮制造完毕,地方官必须亲自验检,鏊凿某县某人姓名、某年某月日制造字样,并于执照内注明所携带火炮的轻重大小,以备海关及守口官弁查验,回来时交官贮库,开船再行请领。假如本船遭遇到大风,火炮沉失,即于所在地方官报明,免其治罪。如果本船安然无恙,妄称火炮沉失者,即行讯究。如若商船内买有外国的红铜炮,准其带回上交地方官,"给与时价,以充鼓铸之用"。⑫

乾隆七年(1742年),清政府又规定,硝、磺、牛角、钢铁等物及各项军器,不准卖给俄罗

---

① 《清高宗实录》,卷一一四八。
② 《清高宗实录》,卷四一九。
③④ 《清高宗实录》,卷四七。
⑤ 《大清会典事例》,卷六八六《军火·火药》。
⑥⑦ 《大清会典事例》,卷五七五《兵部·军器》。
⑧ 《清宣宗实录》,卷一七六。
⑨ 《清宣宗实录》,卷二四八。
⑩⑪ 《大清会典事例》,卷五六〇《绿营处分例·边禁》。
⑫ 《大清会典事例》,卷五七〇《绿营处分例·海禁一》。

斯、额鲁特回子。① 乾隆三十四年(1769年)，清政府停止执行禁止进口海外硫磺的规定，命令各海口："海外硫黄运至内地，并无干碍，遇有压舱所带，自可随时收买备用，于军资亦属有益。"但同时重申：商船出海时，必须切实稽查，不许私带硫磺出口。② 而对于商船在海外购买的炮位，作为在航行途中御盗自卫之用，航行结束后，必须在"进口时报明呈缴，地方官酌量给予价值，分拨各营备用"③。

嘉庆十年(1805年)，清政府取消了对内洋航行船只配带火器的禁令，允许内洋船只"照出洋商船之例，每船酌给编号，鸟枪四杆，每次酌给火药三斤"④。这些严禁民间私自进出口火器的规定，一直沿袭到清末。

至此，我们对清朝政府严禁私藏私造私贩火器的情况可以勾画出一个比较清晰的轮廓了：顺治初年，清政府仅规定严禁硝磺出口朝鲜；康熙时期，扩大到严禁私铸火炮，严禁私造鸟枪，严禁私贩硝磺，严禁硝磺"私自出洋"；雍正时期，对民间小贩"以布盐杂物零星换易"硝磺也"严行查禁"，对内洋商船、渔船配带枪炮也严行禁止，但允许东洋、南洋大船限额配带枪炮；乾隆时期，扩大到对围猎的鸟枪、竹火铳、民户打猎的"线枪"一概"实力查办"，严行禁止，对私铸的红衣炮、铁炮一概没收入官，对硝磺，虽然允许"贫民零卖硝斤"，允许"海外进口硫黄"，但却严禁私挖私采硝磺，严禁出口硫磺；道光时期，进一步扩大到严行查禁抬枪，严禁民间私煎硝磺。由此可以看出，清代的火药火器禁例确实是森严的。

（二）对特殊情况的变通处理

尽管清朝统治者严禁火药火器的律例森严，但是，一些特殊情况却不受这些律例的限制，可以变通处理。早在康熙四十七年(1708年)，清圣祖玄烨就规定："如有必用鸟枪之处，先令呈明地方官，止许长一尺五寸，刊刻地方姓名。"⑤此后，清代各朝皇帝根据康熙的这一命令，具体确定了一些特殊情况，作为变通处理的对象，有几类平民允许制造和使用鸟枪。根据目前所掌握的资料来看，可作变通处理的对象有如下几种：

其一，乡村险僻处民户。乾隆元年(1736年)，清政府规定，凡乡村险僻之处的民户，为了防虎防盗，经各省督抚调查核实，确实需要鸟枪，"可照兵丁鸟枪制造，书錾姓名，具呈地方官，编号注册备案"⑥。

其二，广东省琼州民户。雍正九年(1731年)三月，清世宗胤禛命令：琼州"孤悬海岛，外与交趾连界，内与黎人错处，居民多藉鸟枪以为防御之具，似未便照内地一例收缴，请将民间现有鸟枪，令报明地方官注册，并令地方官严饬保甲，于十家牌内，开明数目，一户只许藏枪一杆，其余交官收贮"⑦。

其三，广东粤东殷实商民。雍正九年(1731年)四月，清世宗胤禛决定："粤东山海交错，民俗刁悍，其瑶排黎峒等处，倘有殷实商民，需用鸟枪者，请照琼州定例，止令长一尺五寸，家

---

① 《大清会典事例》，卷五六〇《绿营处分例·边禁》。
② 《大清会典事例》，卷六八六《军火·火药》。
③ 《清高宗实录》，卷一二六九。
④ 《大清会典事例》，卷五八〇《绿营处分例·海禁二》。
⑤ 《清圣祖实录》，卷二三三。
⑥ 《清朝文献通考》，卷一九四《兵十六·军器》。
⑦ 《清世宗实录》，卷一〇四。

置一杆,赴官报明,凿字备用。"①

其四,西北番回地方民户。乾隆四十六年(1781年),清臣李侍尧向清政府奏报称:"番回向以打牲为业,鸟枪在所必需,既难收销,番回既不能禁绝,若将附近居民火器收禁,则番回必致恃强逞凶。请嗣后将附近番回地方,旧蓄鸟枪,报官编号者,概免收销。"②

其五,经清政府批准的州县。嘉庆六年(1801年),经清政府批准,部分省的部分厅、府、州、县的民众为了自卫,可以按照营兵鸟枪式样制造鸟枪,但须在枪身上刊刻姓名,具呈地方官编号登记。这些州县是:湖南省辰州属乾州厅、凤凰厅,永绥厅辰溪、溆浦、沅陵、泸溪,宝庆府属城步、邵阳、新化,武冈州属新宁,沅州府属芷江、黔阳、麻阳,永顺府属永顺、保靖、桑植、龙山,靖州并所属通道、绥宁、会同,衡州府属常宁、酃县,永州府属零陵、祁阳、东安、道州、宁远、永明、江华、新田,郴州并所属宜章、兴宁、桂阳、桂东,桂阳州并所属临武、蓝山;甘肃省兰州府属循化、河州,西宁府属巴燕戎格、西宁、碾伯、贵德,巩昌府属洮州、岷州,甘州府属抚彝、张掖、山丹,淳州府属平番、镇番、肃州;广东省廉州府属合浦,连州属连山;广西省桂林府属灵川、兴安、阳朔、永宁、永福、义宁、金州、灌阳,平乐府属恭成、荔浦、富川,梧川府属藤县、容县、怀县,浔州府属平南,南宁府属横州、永淳、新宁、上思,思恩府属武缘、宾州、迁江、上林、百色,泗城府属凌云、西隆、西林,镇安府属小镇安、天保、归顺、奉义;山西省太原府属岢岚州、岚县、兴县,平阳府属临汾、洪洞、浮山、岳阳、汾西、吉州、乡宁,汾州府属汾阳、孝义、石楼、永宁、宁乡,大同府属大同、浑源、灵邱、广灵、丰镇厅,朔平府属朔州、右玉、左云、宁远厅,泽州府属凤台、陵川、阳城,辽州属和顺,沁州属沁源、武乡,平定州属乐平,忻州属静乐,代州属繁峙、五台,霍州属赵城,隰州属蒲县;直隶省承德府属平泉州、滦平、建昌、丰宁、赤峰、朝阳;四川省雅州府属天全、雅安、名山、荣经、芦山、清溪,宁远府属会理州、西昌、冕宁、盐源、松潘厅、杂谷厅、茂州、汶川、保县,酉阳州并所属秀山、黔江,重庆府属璧山,叙州府属马边厅、屏山;云南省永昌府、顺宁府;山东省登州府、宁海州;河南省河南府属登封,等等。③

其六,围场附近山林村庄居民。嘉庆八年(1803年),清仁宗颙琰命令:围场附近的山林村庄,其居民可制备鸟枪,或以防猛兽,或藉御暴客,"定例报官编号,准其留用"。④

其七,蒙古族民户。嘉庆八年,清仁宗颙琰在给兵部的命令中指出:"蒙古等皆以鸟枪打牲为业,万一居民向其借用,又安能将蒙古所用鸟枪逐一查禁乎?"⑤道光十七年(1837年),清宣宗旻宁在批示直隶总督琦善的奏折时指出:"至口北道所属之张家口等三厅,多系蒙古,着毋庸查禁。"⑥从清仁宗颙琰和清宣宗旻宁两人的这两段话中可以看出,蒙古民户以鸟枪打牲、防暴,清政府是不加禁止的。

其八,近山滨海地方民户。道光二年(1822年),清宣宗旻宁命令各省:"近山滨海地方,必应存留鸟枪守御者,报明地方官,于枪械上鏊刻姓名,编号立册存案。"⑦道光十七年(1837年),直隶总督琦善在给清宣宗旻宁的奏折中说:"直隶环山滨海,或所必需,惟每户止许一

---

① 《清世宗实录》,卷一〇五。
② 《清高宗实录》,卷一一四六。
③ 《大清会典事例》,卷五七五《军器·军械禁令》。
④⑤ 《清仁宗实录》,卷一二四。
⑥ 《清仁宗实录》,卷二九三。
⑦ 《清宣宗实录》,卷二九。

杆，报官呈验，鏊刻姓名，编号立册，以便稽查。"①清宣宗旻宁的命令和直隶总督琦善的奏折，充分说明清代近山滨海地方民户的鸟枪是不予禁止的。

其九，旗民操练守御所用鸟枪。道光七年（1827年），清宣宗旻宁命令："奉天旗民……其应备守御鸟枪，报明地方官，发给执照，编号注册。"②道光八年，清宣宗旻宁又命令："至旗人操练技艺，藉资得力，岂得因流民有偷打牲畜之事，并将旗人所用鸟枪，一概禁止？"③道光十五年（1835年），清宣宗旻宁再次命令："界内正次旗人家，有无字号鸟枪者，报明该管官给予执照，鏊刻旗分佐领花名。"④这些都说明，旗民守御和操练技艺的鸟枪不在禁止之列。

其十，"其各边门额设兵丁，如有自备鸟枪守御者，亦可酌留"⑤，不予禁止没收。

（三）对违犯者的处罚

尽管清朝统治者严禁私藏私造私贩火器的律例森严，但是，由于朝廷政治日益腐败，民风日趋恶化，一些地方官视律例为纸上空谈，并不认真执行。因此，民间私藏私造私贩鸟枪、采挖贩卖硝磺等情况时有发生。对待这些违犯行为，清政府采取强硬措施，课以苛刻条件，分别情况进行处罚，归纳起来，主要是：

一是限期上交，作价收买。道光二年（1822年），清宣宗旻宁命令各省，凡是民间拥有抬枪鸟枪等火器的，限定半年之内"赴官呈缴给价"⑥。道光七年（1827年），清宣宗旻宁规定，奉天旗民私造私藏的鸟枪，必须在半年之内上交当地官府，"核给例价，勿使隐匿"。并指示，折价收买鸟枪所需的银两，"即由参余项下动支，核实报销"⑦。道光八年（1828年），清宣宗旻宁在批阅奕颢等人的奏折时命令：凡盛京、吉林等地的土著流民及杂次壮丁等私藏的鸟枪，"自奉旨之日为始"，半年之内，上交官府，"给予例价银两"。作价收买鸟枪的这笔经费，"盛京由参余银内动支，吉林于税银内发给，核实报销"⑧。道光十七年（1837年），直隶总督琦善等人关于《查禁畿辅私藏鸟枪章程》四条中的第一条是："发价收买，每杆给银二两，令民间按限缴呈。"清宣宗旻宁阅完奏折后批示："着照所议办理遵行。"⑨

二是处以打板、加枷号、杖徒充军乃至处斩等极刑。雍正九年（1731年），清政府规定，广东琼州居民凡超过规定违禁私藏鸟枪者，一经检查发现，"照例治罪"。凡用鸟枪抢窃、斗殴者，"本罪应拟绞监候。不可再行加等者，仍照例定拟外，其徒罪以下，俱于各本罪上加二等发落"⑩。乾隆元年（1736年），清政府规定，凡是不许私造私用鸟枪的地方，而发现有私造私藏私自售卖者，均打"四十板"，鸟枪没收归公。⑪道光二年（1822年），清宣宗旻宁命令全国各省，凡私造私藏鸟枪又逾期（期限为六个月——引者按）不交者，一经查获，"着于按律拟杖之外，私造者加枷号两个月，私造者加枷号一个月，以示惩儆"⑫。道光十年（1830年），御史慕维德在给朝廷的奏折中指出：江南凤、颍、淮、徐一带私造私藏鸟枪抬枪之风盛行。清宣宗旻宁阅后批示：凡私藏火器而又逾期不交者，日后一旦发觉，"照旧例加等治

---

①⑨ 《清宣宗实录》，卷二九三。
②⑦ 《清宣宗实录》，卷一三〇。
③⑤⑧ 《清宣宗实录》，卷一三三。
④ 《清宣宗实录》，卷二六九。
⑥⑫ 《清宣宗实录》，卷二九。
⑩ 《清世宗实录》，卷一〇四。
⑪ 《清朝文献通考》，卷一九四《兵十六·军器》。

罪"。而抬枪更非民间所应有,如有私造私藏,"照私铸私藏炮位例治罪"(即处以斩刑等——引者按)。① 道光十四年(1834年),闽浙总督程祖洛在《台湾善后事宜二十条》的奏折中指出:台湾居民凡是私煎硝磺,"无论已未兴贩,照附近苗疆五百里以内煎挖窝顿兴贩硝黄例,分别杖徒充军";凡是私煎硝磺三百斤以上及合成火药十斤以上者,"照私铸红衣大小炮位例处斩,妻子缘坐,财产入官";凡是用硝磺"与生番交易货物及偷漏出海者,均以通贼论,知情不举者连坐"②。

三是追查地方官责任,包括罚俸、调离、降级、革职等。在清代,人民如果触犯火器禁止律例,清朝统治者不但要惩罚违犯者本人,还要追查地方官的责任。顺治初年,清政府禁止朝鲜人私带硝磺等违禁物出境。如果政府官员纵令私带者,革职提问;失察者革职;该管上司降五级调用。③ 康熙二十三年(1684年),清政府禁止硝磺军器樟板等物"私载出洋"。如果管汛口文武官员对此盘查不实者革职,知情贿纵者革职提问,兼辖官降四级调用,统辖官降二级留任,提督降一级留任。④ 雍正九年(1731年),清政府规定广东琼州居民每户只许藏鸟枪一杆,对违禁多藏者,该地方官如"失于觉察及讳饰等情,照例降调",即降级调职。乾隆十七年(1752年),清政府规定,如果发现民间私采私挖硝黄等,即"将地方官弁参处"⑤。乾隆二十四年(1759年),福建发生多起私造竹火铳点放杀人案。对此,清政府规定:嗣后如有私造私藏竹火铳点放伤人者,"地方官亦照失察私造鸟枪例议处"⑥。嘉庆四年(1799年),在河南内黄盗犯家搜出鸟枪,对此,清政府重申:嗣后如果民间再有私藏鸟枪火器者,一经发现,"惟该督抚及地方官是问"⑦。嘉庆六年(1801年),清政府规定:各省不许存留鸟枪的地方,如有私藏鸟枪,一年内失察者,该管官降一级留任,兼辖上司罚俸一年;失察二次者,该管官降一级调用,兼辖上司降一级留任。允许留存鸟枪的地方,如不报官编号,私自收藏者,将没有查出之管官随案查参,并罚俸一年。⑧ 道光十年(1830年),清宣宗旻宁对江南凤、颍、淮、徐等地私造私藏鸟枪、抬枪事件,再次"出示晓谕"各省,对失职的地方官,"照失查私铸私藏炮位例议处"⑨。

当然,在查禁民间私藏私造火器中,如果地方官忠于职守,做得好的,可以免于追查责任;成绩卓著者,还可以得到奖励。道光二年(1822年),清宣宗旻宁在批阅孙玉庭关于"立限收缴私造鸟枪并申明禁例酌宽处分"的奏折时,命令各省:对民间私造私藏抬枪鸟枪等火器者,地方官虽平时失察,但只要能遇案认真查拿,"连械起获惩办,着即免其议处"。又指出:"地方官能于半年限内收缴尽净,并着各该督抚核实,记功注册,着予鼓励"⑩。道光十七年(1837年),直隶总督琦善关于"查禁畿辅私藏鸟枪章程四条"的奏折中,第四条就是"明定功过,以昭劝惩。"琦善在该条中指出:"州县收缴鸟枪,以多寡定功过,限内收存三十杆以

---

① ⑨《清宣宗实录》,卷一七六。
②《清宣宗实录》,卷二四八。
③《大清会典事例》,卷五六〇《绿营处分例·边禁》。
④《大清会典事例》,卷五七〇《绿营处分例·海禁》。
⑤《清高宗实录》,卷四一九。
⑥《清高宗实录》,卷五八〇。
⑦《清仁宗实录》,卷五四。
⑧《清会典事例》,卷五〇二《绿营处分例·军器》。
⑩《清宣宗实录》,卷二九。

上者,记功一次,不及十杆者,记过二次。"清宣宗旻宁阅后批示:"着照所议办理遵行。"①

清朝统治者严禁民间私造私藏私贩火器的这一做法,在当时是有其积极意义的,归纳起来,主要是:

第一,防止民间使用鸟枪等火器进行械斗。在清代,汉族与少数民族之间、少数民族与少数民族之间以及甲地与乙地之间,不时使用刀矛甚至鸟枪等火器进行械斗,常常造成重大财产损失和人员伤亡。例如,道光十年(1830年),安徽霍邱县汉族与回族发生械斗,双方皆用抬枪对放轰打,连礼拜寺房屋也被抬枪、鸟枪连环轰击焚烧。② 因此,民间禁枪对防止械斗、维护地方社会安定有其积极一面。

第二,防止不法分子为非作歹。在清代,有的不法之徒,执鸟枪进行抢劫;有的不法分子"将鸟枪资助盗贼"③。因此,严禁民间制造使用鸟枪,对保护民众的生命财产安全是有重要作用的。

第三,防止"流寓民人"偷打牲畜。"奉天所属地方,近年流寓民人甚多,往往私藏鸟枪,越边偷打牲畜,肆无忌惮。"④因此,严禁民间制造使用鸟枪,对于保护这些地方牲畜免遭偷猎残杀具有一定的作用。

第四,对打击走私贩私、防止国家重要资材外流,保护国家军事机密,捍卫国家民族利益等方面也有积极意义。

当然,严禁火器的消极影响也是显而易见的,客观上严重阻碍了火器特别是鸟枪、火炮的发展,清代火器特别是清代后期火器的停滞衰落与此也有一定的关系。

第三节 清代火器的主要品种

据《清会典》记载,清代的火器,"大者曰炮","小者曰鸟枪,曰火砖,曰火球,曰火箭,曰弩箭,曰喷筒,曰铳"。⑤ 这些火器中,炮、鸟枪、铳等为管形射击火器,火砖、火球、喷筒等则都是燃烧性火器。在清代,主要盛行的是火炮和鸟枪,其它火器则退居次要地位或逐渐被淘汰了。

一、火炮

清代火炮,按炮的材质分,有铜炮、铁炮、铁心铜体、铜质木镶等几种;按炮体重量分,有重炮和轻炮两种,"自五百六十斤至六千斤"者为重炮,"自三百九十斤至二十七斤"者为轻炮;⑥按弹药装填方式分,有前装炮和后装炮两种;按近代火炮分类法,有长筒形加农炮和短管臼炮两种。

神威大将军炮 清崇德年间制造,铜铸,"前夆后丰,底少敛",炮身长八尺五寸,前后留有长方形浅槽,以备临时安放照星照门。该炮重约三千八百斤,上刻"神威大将军"等字样。

---

① 《清宣宗实录》,卷二四〇。
② 《清宣宗实录》,卷一七六。
③ 《清世祖实录》,卷一〇四。
④ 《清宣宗实录》,卷一三〇。
⑤⑥ 《清会典》(乾隆朝本)卷七三《军器》。

炮身隆起四道箍,安装于四轮炮车上。发射时,装火药五斤,铁弹重十斤。① 这种炮是皇太极在锦州铸造的,现北京紫禁城午门外左掖门前安放有一门清崇德年间生产的这种神威大将军炮,②这是目前所能见到的清代最早的火炮实物。③

神威无敌大将军炮 康熙十五年(1676年)制造,有三种形制:一种是用铜铸,炮身前弇后丰,底如覆盂,隆起五道箍。长七尺七寸,炮口外径一尺,内径三寸七分,底径一尺二寸,重二千二百七十四斤,安装于三轮炮车上。发射时装火药四斤,铁弹重八斤。另一种是用铁铸,重一千六百十三斤,长七尺六寸,炮口外径八寸五分,内径三寸三分,底径一尺一寸,安装于炮车上。发射时装火药三斤,铁弹重六斤。还有一种木镶炮,重八百十七斤,也安装于炮车上。④(见图71)1975年5月在黑龙江省齐齐哈尔市出土了一门神威无敌大将军炮。⑤

图71 神威无敌大将军炮(采自《皇朝礼器图式》)

金龙炮 清代皇帝亲征时使用的一种火炮。前弇后丰,底如覆笠,炮身通鋄花纹,安装于双轮炮车上。其形制有三种:康熙十九年(1680年)铸造的金龙炮,炮身长五尺七寸,重二百五十斤至三百斤,发射铅弹,每发弹丸重十三两至十四两;康熙二十年制造的铜金龙炮,炮身长五尺八寸至六尺,重二百八十斤至三百七十斤,发射铁弹,每发弹丸重十三两至十六两,装火药六两五钱至八两;康熙二十五年(1686年)制造的金龙炮,炮身长四尺五寸,重八十斤,发射铅弹,每发弹丸重五两二钱。⑥

浑铜炮 康熙二十年(1681年)清政府平定吴三桂叛乱所缴获的一种铜炮。前弇后微丰,底如覆笠。炮重一千二百斤至二千一百斤,炮身通长六尺至六尺一寸,不鋄花纹,隆起九道箍,双耳轴,安装于双轮炮车上。发射时,装火药一斤十二两至二斤八两,铁弹丸三斤八两至五斤。⑦

神威将军炮 康熙二十年(1681年)制造。铜质,炮身前弇后丰,底如覆笠。长六尺七寸,重四百斤,⑧不鋄花纹,隆起五道箍,近口为照星,中部有一对耳轴,炮身镌刻汉文铭文,安装于双轮炮车上。⑨发射时,装"火药八两,中的至一百弓";装"火药九两,中的至百五十弓"。⑩(见图72)北京故宫博物院藏有一门道光二十二年(1842年)制造的神威将军炮。(见图73)

---

① ④ ⑦ ⑨ 《皇朝礼器图式》,卷一六《武备四·火器》。
② 《清朝文献通考》,卷一九四《兵十六》记载神威大将军炮为"崇德七年"制造。
③ 胡建中:《清代火炮》,《故宫博物院院刊》,1986(2)。
⑤ 参看《康熙十五年"神威无敌大将军"铜炮和雅克萨自卫反击战》,《文物》,1975(12)。
⑥ 《清朝文献通考》,卷一九四《兵十六·火器》及《皇朝礼器图式》,卷一六《武备四·火器》。
⑧ 《清朝文献通考》,卷一九四《兵十六·火器》记载神威将军炮"重三百九十斤,长六尺六寸",稍有出入。
⑩ 《钦定大清会典事例》,卷八九四《工部·铸炮》。

· 170 ·

台湾炮　康熙二十二年(1683年)清政府平定台湾所缴获的一种炮。铜铸,前奓后微丰,口形如钵。重三百斤至七千斤,长四尺三寸至一丈二寸,隆起五道箍,装火药一斤一两至十斤,铁丸二斤二两至二十斤,安装于四轮炮车上。①

图72　神威将军炮(采自《皇朝礼器图式》)

图73　道光年间铸造的神威将军炮(采自《故宫博物院院刊》)

铁心铜炮　康熙二十四年(1685年)制造,铁心铜体,长五尺八寸,重一百斤至一百二十斤,发射四两五钱至五两重的铅弹。②

奇炮　康熙二十四年(1685年)独创的一种铁炮,这种炮无论在弹药的装填方式,开柄的活动机关和发火装置等方面都比子母炮先进。其炮身长五尺五寸六分,重三十斤,不镌花纹。后通底,旁加牡钥;近口为照星;中加斗;素铁火机,旁为双耳轴。安装于木制三脚架上(或四足炮车上),其尾部装有木柄,并稍向下弯曲。每门火炮配备四门子炮,每门子炮装药九钱至一两,铁子二两六钱。③

威远大将军　又名冲天炮,是我国古代一种曲射炮。炮身"前侈后敛,形如仰钟",发射空心爆炸弹。康熙二十六年(1687年)制造的威远大将军炮,铁铸,炮身长二尺一寸,重二百八十五斤至三百三十斤。空心爆炸铁弹重二三十斤,"大如瓜,中虚仰穴,两耳铁环",弹内装满火药等物。发射时,先从炮口点燃弹丸上的引线,再立即点燃火门上的引线,将弹丸

---

①③　《皇朝礼器图式》,卷一六《武备四·火器》。
②　《清朝文献通考》,卷一九四《兵十六·火器》。

射至敌阵爆炸。其射程远近，由装药量多少和炮尺高低度数决定。"如放二百步至二百五十步，用药一斤；三百步增二两；如放二三里，用药三斤" 射角在45°时，射程最远，高或低于45°时，射程相应缩短。康熙二十九年（1690年）制造的铜冲天炮，长二尺三寸，重五百六十斤，发射重三十斤的生铁弹丸。① 北京故宫博物院藏有一门康熙二十九年（1690年）制造的铜冲天炮。

武成永固大将军炮 康熙二十八年（1689年）铸造的铜炮。其形体为筒状，前弇后微丰，底如竹节。通长九尺六寸至一丈一尺一寸，重自三千六百斤至七千斤，炮身镌刻"大清康熙二十八年铸造武成永固大将军"等满汉铭文，隆起十道箍，安装于四轮炮车上。发射时，装火药五斤至十斤，铁弹重十斤至二十斤。② 中国历史博物馆收藏有武成永固大将军炮的实物。经实测，其炮身通长362厘米，膛深330厘米，炮口内径15.5厘米，外径46.1厘米，炮尾底径52.87厘米，炮身估计重约4吨。炮车残存部分为炮车的后半部，其轮径120厘米，轮宽15厘米。炮身镌刻有"大清康熙二十八年铸造武成永固大将军用药十斤生铁炮子二十斤星高六分三厘制法官南怀仁监造官佛保硕思泰作官王之臣匠役李文德颜四"等铭文。该炮1946年由前中央历史博物馆从北京东交民巷德国大使馆运回。③

图74 武成永固大将军炮（采自《大清会典图》）

神功将军炮 康熙二十八年（1689年）对木镶炮加以改造而制成的一种铜炮。其形体"前弇后微丰，底如覆笠"。重一千斤，长七尺一寸，炮口内径二寸七分，隆起五道箍。炮身中部镌刻"大清康熙二十八年铸造神功将军用药一斤十二两生铁炮子三斤八两星高四分制法官南怀仁监造官佛保硕思泰作官王之臣匠役李文德颜四"等满汉铭文。安装于三轮炮车

---

① 《清朝文献通考》，卷一九四《兵十六·火器》。《皇朝礼器图式》记载康熙年间制造的威远将军炮，其规格大小稍有不同："重七百五十斤，长二尺五寸"；《皇朝礼器图式》记载的冲天炮，其规格大小也与此不同："重自三百斤至三百八十斤，长一尺九寸五分"。

② 《钦定大清会典图》，卷一〇〇《武备》及《皇朝礼器图式》，卷一六《武备四·火器》。其中炮身长度和重量数字二者记载有所不同。

③ 参见舒理广等：《南怀仁与中国清代铸造的大炮》，《故宫博物院院刊》，1989(1)。

上。①

子母炮 清代仿照佛郎机炮制造的一种铁炮,前弇后丰,后腹开口"以纳子炮",底如覆笠,身管隆起五道箍,前后装照星照门。每门母炮,配备子炮五枚,发射时点燃子炮,弹丸从母炮飞出。清代子母炮的大小规格各个时期不同:康熙二十九年(1690年)制造的铁子母炮,长五尺八寸,重八十斤至一百斤,子炮装铅弹重四两至六两。康熙六十年(1721年)制造的铁子母炮,炮身长五尺,重一百斤,子炮装铅弹重五两。雍正五年(1727年)制造的子母炮,其大小规格有七种:第一种镀金子母炮,重四十八斤,长五尺二寸,子炮装铅弹重四两,装火药二两;第二种镀金子母炮,重四十斤,长五尺五寸,子炮装铅弹重二两六钱,装火药一两三钱;第三种镀金子母炮,重三十六斤,长五尺五分,子炮装铅弹重二两五六钱,装火药一两三钱;第四种镀银子母炮,重四十八斤,长与镀金子母炮相同;第五种镀银子母炮,重三十六斤,长与镀金子母炮相同;第六种铁子母炮,重四十八斤,长与镀金子母炮相同;第七种铁子母炮,重三十六斤,长与镀金子母炮相同。② 这类子母炮,其形体越来越小,实际上是火绳枪的扩大,重量多介于枪与炮之间,故又叫"鸟枪炮",俗名"二人抬"(两名炮手就可抬动使用)。北京故宫博物院收藏的雍正五年(1727年)制造的木把子母炮,是目前能见到的这类子母炮的实物。其身管细长达221.5厘米,口径2.6厘米,其尾镶一木柄,下曲而俯,上开槽施火机,翘端夹一火绳。发射时,以手握柄,食指扣动扳机,火绳向下触到子炮火门,从而点燃子炮,将弹丸发射出去。③ 嘉庆五年(1800年)制造的铁子母炮,炮身长五尺六寸,重(包括子炮、插销、朝天镫等)一百五十斤,每门配子炮五个,每个长八寸五分,口径一寸,内装火药一两五钱,铅子重三两,烘药二分,火绳二寸,这种子母炮当时共制造了55尊。④ 此外,根据《皇朝礼器图式》记载,清代还有两种大小规格不同的子母炮,其一,炮身长五尺三寸,炮重九十五斤,子炮装火药二两二钱,铁子五两,安装于四轮炮车上;其二,炮身长五尺八寸,重八十五斤,炮的尾部装有木柄,柄的后部向下弯曲,以铁索连结于四轮炮车上。⑤

制胜将军炮 康熙三十四年(1695年)制造的一种铜炮。前弇后丰,底分瓜棱,隆起四道箍,近口加照星。炮身镌刻有"大清康熙三十四年景山内御制制胜将军,用药一斤八两,生铁子三斤,星高五分,远放酌量加药移与斗上眼用之。总管监造御前一等侍卫海清,监造官员外郎巴福寿,笔帖式硕思泰、噶尔图,匠役李文德、袁四"等汉文铭文,安放于双轮炮车上,有两种不同规格的型号:一种炮身长五尺一寸,炮口内径三寸四分,发射铁弹,每发弹丸重三斤,装火药一斤八两;另一种炮身长五尺,重三百六十斤,发射铁弹,每发弹丸重二斤,装火药一斤。⑥

威远将军炮 清康熙年间制造的威远将军铜炮,其大小规格有两种型号:康熙五十七年(1718年)制造的铜威远将军,炮身长三尺一寸,重一百七十斤,发射铅弹,每发弹丸重十九两;康熙五十八年(1719年)制造的铜威远将军炮,炮身长三尺,重一百四十斤,发射铅弹,

---

① 《钦定大清会典图》,卷一〇〇《武备》及《清朝文献通考》,卷一九四《兵十六·火器》。
② 《清朝文献通考》,卷一九四《兵十六·火器》。
③ 胡建中:《清代火炮》,《故宫博物院院刊》,1986(2)。
④ 《清朝续文献通考》,卷二三七《兵考三十六·军器》。
⑤ 《皇朝礼器图式》,卷一六《武备四·火器》。
⑥ 《清朝文献通考》,卷一九四《兵十六·火器》及《皇朝礼器图式》,卷一六《武备四·火器》。

每发弹丸重十五两。雍正五年(1727年)制造的威远将军铜炮,其形体越来越小,炮身长仅一尺七寸七分,重仅四十五斤,发射铅弹,弹丸每发重二十八两,装火药十四两。① 北京故宫博物院、秦皇岛山海关城楼等处均藏有康熙五十七年制造的铜威远将军炮实物。

铁虎尾炮 康熙六十年(1721年)制造的一种火炮。铁质,炮身长三尺,重二十七斤,发射铅弹,每发弹丸重二两。②

得胜炮 清代制造的一种铜炮。炮身前弇后丰,口如铜角,重三百六十五斤,长六尺三寸,不锲花纹,隆起三道箍,双耳轴。发射铁弹,弹丸每发重十二两,装火药六两。安装于炮车上。③

九节十成炮 清代制造。炮身为铜铸,分成九节,加上后部炮尾共十个部分,各部分之间以螺旋相互连结成一体,这样,远涉时可以分开载行,战争中使用时便可合成为一尊整炮。炮身重七百九十斤至七百九十八斤,通长五尺一寸至六尺九寸,配以四轮炮车。发射铁弹,弹丸重二斤八两,装火药一斤四两至一斤八两。④

严威炮 清代制造,铸铁制成。炮身为前弇后丰的筒体,底如覆笠,重一百一十斤,长五尺,不锲花纹,隆起五道箍。炮身中部有一对耳轴,安装于双轮炮车上。发射铁弹,弹丸重一斤四两,装火药十两。⑤

龙炮 清代制造,铸铁制成,其形制似金龙炮。炮身长四尺五寸,重一百斤,隆起六道箍,有照星照门,中部为双耳轴。配以四轮车。发射铁弹,弹丸重五两二钱,装火药二两四钱。⑥

红衣炮 清代用铸铁制成。炮身前弇后丰,底圆而浅,重一千五百斤至五千斤,长六尺六寸至一丈五寸,隆起八道箍,旁为双耳轴,配以三轮炮车。发射铁弹,弹丸重五斤至十五斤,装火药重二斤六两至七斤八两。⑦

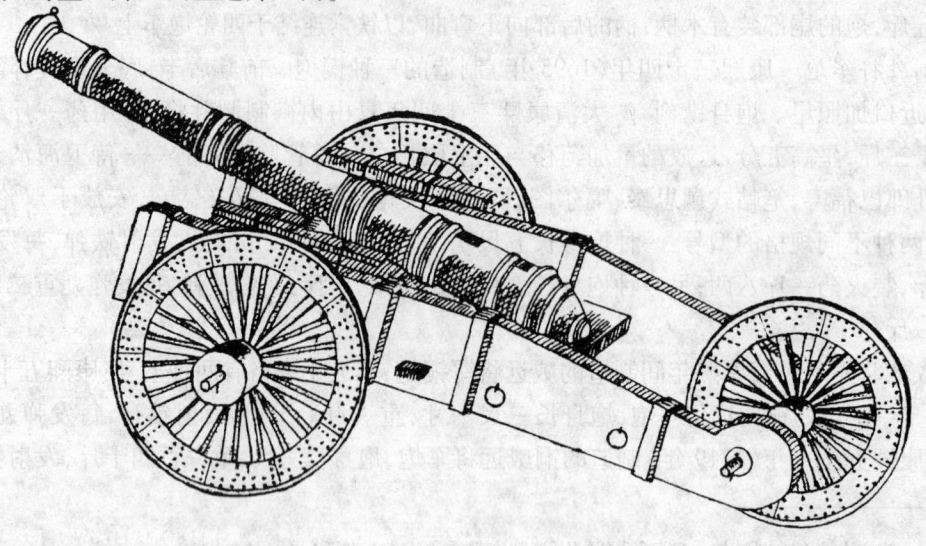

图75 红衣炮(采自《皇朝礼器图式》)

---

①② 《清朝文献通考》,卷一九四《兵十六·火器》。
③④⑤⑥⑦ 《皇朝礼器图式》,卷一六《武备四·火器》。

行营信炮　清代用铸铁制成,炮身为上下大小一致的直筒体,隆起四道箍,长一尺六寸至一尺八寸,重四十斤至八十斤,不装弹丸,每发装火药八两,仰天置地发射。①

武成回炮　乾隆二十四年(1759年)清政府平定西域所缴获的一种铁炮。炮身前杀后丰,长五尺,隆起七道箍,素铁火机,配以蒙有皮革的木质鞍,可用牲畜驮负。②

以上介绍的火炮品种是有文献资料记载的。还有一些出土或传世的火炮,从炮身上的铭文中可以断定是清代制品,现逐一介绍如下:

永历元年铜炮　永历元年(1647年)制造,铜质,炮身镌刻有"永历元年二月造总制郭院堵"等铭文,湖南长沙市出土,藏原湖南省文物管理委员会。③

永历乙未年铜炮　永历乙未年(1655年)制造,铜质,通长210厘米,口径11厘米。炮身前细后粗,有五道固箍,中部两侧各有一炮轴,均高12厘米,耳轴间有嘉禾瑞草图形;后部铸有"钦命招讨大将军总统使世子大明永历乙未仲秋吉日造藩前督造守备曾懋德"等铭文。"招讨大将军"、"总统使"、"世子"是明末清初著名的民族英雄郑成功的名号,该炮是郑成功所部制造和使用的大型火炮。④

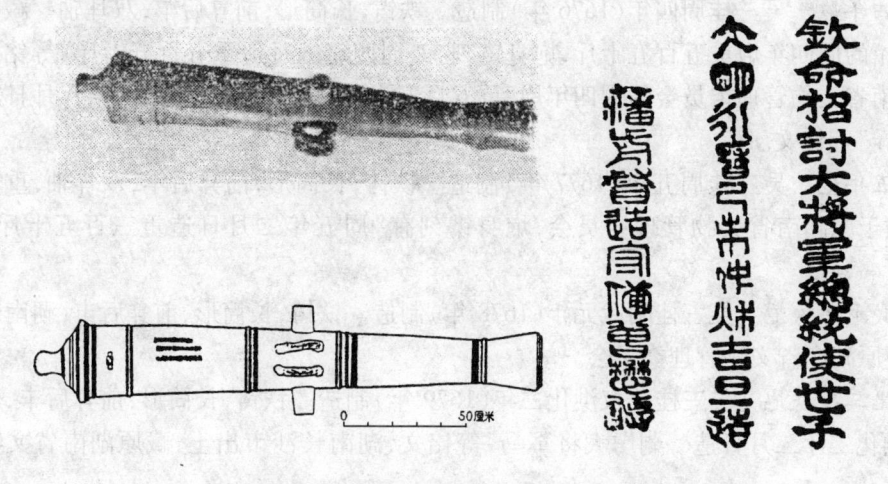

图76　永历乙未年铜炮及其铭文(采自《文物》1981年第1期)

顺治十三年铁炮　清顺治十三年(1656年)制造。铁铸,长筒形,前杀后丰,双耳轴,炮身镌刻有"顺治十三年月奉总督湖广太子少保祖督造把总董国凤□□□□□□"等铭文,湖南长沙市水塘中出土,存原湖南省文物管理委员会。⑤

四环铁炮　清代早期制造。炮身通长190厘米,口径8.9厘米,前端炮口外壁加厚呈喇叭状,长7.2厘米,底径约20厘米。通体无装饰,有铁箍十一道,前后各有二铁环,以利搬动和运输。制造工艺粗糙。⑥

---

① ②　《皇朝礼器图式》,卷一六《武备四·火器》。
③　马非百:《谈周炮的年代问题》,《文物参考资料》,1955(7)。
④　陕西省博物馆:《郑成功铸造的永历乙未年铜炮考》,《厦门大学》,1979(3);朱捷元:《明末郑成功所造铜炮》,《文物》,1981(1)。
⑤　马非百:《谈周炮的年代问题》,《文物参考资料》,1955(7)。
⑥　胡建中:《清代火炮》,《故宫博物院院刊》,1986(2)。

周元年炮　吴三桂周元年(1673年)制造。铁铸,长筒形,前拿后丰,双耳轴。藏于江苏省博物馆内的周元年炮重三百五十斤,炮身上镌刻有"周一年二月造　重三百五十斤"等铭文。藏于原湖南省文物管理委员会的周元年炮,重一千斤,炮身上镌刻有"周元年十一月造　重壹千"等铭文,两耳轴已残缺。①

周二年炮　吴三桂周二年(1674年)制造。铁质,长筒形,前拿后丰,双耳轴。藏于江苏省博物馆内的周二年炮重三百五十斤,炮身镌刻有"周二年二月造重三百五十斤"等铭文。藏于湖南省文物管理委员会的周二年炮,重五百三十斤,炮身镌刻有"周二年正月造重五百三十斤"等铭文,两耳轴已残缺。②

周三年炮　吴三桂周三年(1675年)制造。铁铸,长筒形,前拿后丰,双耳轴。藏于江苏省博物馆的周三年炮,一尊重五百五十斤,炮身镌刻有"周三年三月造重五百五十斤"等铭文,另一尊重六百五十斤,炮身镌刻有"周三年七月造重六百五十斤"等铭文。藏于原湖南省文物管理委员会的周三年炮,重五百五十斤,炮身镌刻有"周三年六月日造重五百五十斤"等铭文。③

周四年炮　吴三桂周四年(1676年)制造。铁铸,长筒形,前拿后丰,双耳轴。藏于江苏省博物馆的周四年炮重五百五十斤,炮身镌刻有"周四年六月造重五百五十斤"等铭文。藏于原湖南省文物管理委员会的周四年炮,重五百五十斤,炮身镌刻有"周四年八月日造重五百五十斤"等铭文。④

周五年炮　吴三桂周五年(1677年)制造。铁铸,长筒形,前拿后丰,双耳轴,重三百五十斤,藏于原湖南省文物管理委员会,炮身镌刻有"周五年二月日造重三百五十斤"等铭文。⑤

昭武元年铁炮　吴三桂昭武元年(1678年)制造。铁铸,长筒形,前拿后丰,湖南长沙市出土,藏原湖南省文物管理委员会。⑥

洪化二年铁炮　吴三桂政权洪化二年(1679年)制造。铁铸,长筒形,前拿后丰,炮身镌刻有"洪化二年二月日造　剿房大将军马"等铭文,湖南长沙市出土,藏原湖南省文物管理委员会。⑦

嘉庆元年铜炮　嘉庆元年(1796年)制造。铜质,通长149.5厘米,口径19.7厘米,炮身镌刻有"嘉庆元年歼除苗氛委员监铸"、"边疆永镇"、"奉委监造炮位署(?)云南龙兴(?)胁右营"、"三司把总胡杰"、"四川炮匠韩怀锦尚登榜"等铭文,1956年在有色金属回收局上海仓库的废铜中拣选出,藏原北京历史博物馆。⑧

嘉庆十一年铁炮　嘉庆十一年(1806年)制造。铁质,炮身通长235厘米,口径28厘米,镌刻有"嘉庆十一年夏奉闽浙总督郭堂阿福建巡抚郭院温铸造大炮一位重一千五百斤"等铭文,是重型海岸炮,藏厦门市郑成功纪念馆。

嘉庆十四年铁炮(一)　嘉庆十四年(1809年)制造。铁质,炮身粗短,圆形尾珠,有七道固箍,通长121厘米,口径18.5厘米,重360公斤,炮身镌刻有"嘉庆十四年五月置重六百斤炮匠关明正利隆盛麦万聚梁万盛"等铭文,陈列于广西桂平县城公园内。

---

①②③④⑤⑥⑦　马非百:《谈周炮的年代问题》,《文物参考资料》,1955(7)。
⑧　孙桂珍:《在废铜铁中发现明清时代铜铁炮》,《文物参考资料》,1957(4)。

嘉靖十四年铁炮（二） 嘉庆十四年制造。铁质,炮身呈锥状长条圆筒形,八道固箍,通长262.5厘米,口径12厘米,重1200公斤,炮身镌刻有"嘉庆十四年五月置重二千斤炮匠关明正利隆盛麦万聚梁万盛"等铭文,藏广西桂平县城公园内。

道光三年铁炮 道光三年(1823年)制造。铁铸,炮身直筒形,长47.5厘米,口径6厘米,前端外径13.5厘米,后部外径15厘米,炮身镌刻有"道光三年九月制造"等铭文,藏北京宣武门内前北京历史博物馆。①

虎门炮台抗英大炮 道光十六年(1836年)制造。铁铸,重1500公斤,通长250厘米。炮身为筒形,前窄后丰,两侧有耳轴,炮身镌刻有"道光十六年七月兵部尚书两广总督部堂邓广东全省水师提督军门关制督标中协达广州协镇郭监署增城营参将洪发科署广州协镇左营中军都司侯题游击黄廷彪监造炮重三千斤禅山炉户李陈霍等制造"等铭文。该炮曾经历过1841年抗击英国侵略军侵犯广东虎门海口的战斗,原藏广州博物馆,1959年由该馆拨交中国历史博物馆。②

六千斤铁炮 道光十六年制造。铁铸,通长230厘米,炮膛口径14.2厘米,炮身前窄后丰,两侧耳轴已被打折,火眼被铁钉堵死。炮身脊背镌刻有"道光十六年囗月兵部尚书两广总督部堂邓广东全省水师提督军门关制督标中协达广州协镇郭监制署增城营参将洪发科署广州协镇左营中军都囗侯题游击黄廷彪监造炮重六千斤禅山炉户李陈霍等制造"等铭文。该炮曾经历过1841年抗击英国侵略军侵犯广东虎门海口的战斗,藏广州博物馆。③

振远将军铜炮 道光二十年(1840年)制造。铜铸,炮身通长3米,重3000公斤。炮身上镌刻有"振远将军"、"两江总督陈化成"、"大清道光廿年间"等铭文。该炮鸦片战争期间在吴淞抗击英国侵略军的激战中使用过,1984年在吴淞蕰藻浜码头附近疏浚港湾时挖出,藏上海博物馆。④

蓬莱大铁炮 道光二十一年(1841年)制造。铁铸,光绪年间设置于山东蓬莱县老北山上,曾在甲午战争期间轰击过日本侵略者的军舰,藏北京中国军事博物馆。

金州大铁炮 道光二十一年制造。铁铸,安装于金州镇城垣上,第二次鸦片战争时期,中国人民曾用这门铁炮抗击过英国侵略军,藏北京中国人民革命军事博物馆。

"平夷靖寇将军"大炮 道光二十一年制造。炮身残长2.3米,炮口外径30厘米,内径11.5厘米,炮身中部有一对耳轴,炮尾有残损。炮身镌刻有"道光二十一年十月日提督江南全省军门陈化成兵部尚书两江总督牛鉴兵部侍郎江苏巡抚梁章臣营造苏松太兵备道巫宜楔督同"等铭文,1975年出土,藏上海博物馆。

道光二十一年铁炮 道光二十一年制造。铁质,通长290厘米,口径30厘米,重3000公斤。炮身镌刻有"炮重伍千斤钦命靖逆将军参赞大臣太子少保两广总督郑学部郎兵部侍郎广东巡抚郭院梁江广西侯囗囗知颜代理佛山囗知囗囗江囗知县囗囗囗西囗补府囗庭囗囗囗囗道光二十一年八月囗日囗囗辉囗囗囗 囗囗盛"等铭文,原藏广西桂平县港务所,后移置桂平县城公园内。

---

① 见有马成甫:《火炮的起源及其流传》。
② 杜永镇:《对虎门炮台抗英大炮和虎门海口各炮台的初步考查》,《文物》,1963(10)。
③ 黄流沙等:《鸦片战争虎门战场遗迹遗物调查记》,《文物》,1975(1)。
④ 《上海发现一门大古炮》,《光明日报》1984年12月16日。

"靖夷"大炮 道光二十二年(1842年)制造。炮身通长181厘米,炮口外径21厘米,内径9厘米,炮身中部有一对耳轴,炮身阳文铭文:"道光二十二年二月□日靖夷"。1972年出土,藏上海博物馆。

龚振麟铁炮 道光二十二年制造。铁铸,是按龚振麟铸炮法铸造的一种火炮,炮身前杀后丰,火门长方隆起,炮口收拢,通长140厘米,炮口外径22.5厘米,内径12厘米,底径约42厘米。一对耳轴被打掉,炮口、照门、尾球冠已损坏。炮身镌刻有"大清道光二十二年岁次壬寅仲春吉日浙江嘉兴县县丞龚振麟两浙玉泉场大使刘景雯监造试放……"等铭文。藏首都博物馆。

石嘴火炮 铁质,炮身呈圆筒形,前细后粗,残长77厘米,内径4.5厘米,外径7.5厘米,铸有已残阳文铭文,原置于广西桂平县石嘴镇,1970年征集至该县城。资料收集者认为是清代火炮,现藏该县博物馆。

图77 石嘴火炮(广西桂平博物馆黄婉玲供稿)

太平圣炮 太平天国乙荣五年(咸丰五年,1855年)由太平军铸造的火炮。铁质,炮身圆筒形,前细后粗,上有隆起的箍,炮身脊背镌刻有"乙荣五年安徽省造太平圣炮"等铭文,1972年在安徽省安庆市城墙下出土。[1]

太平军铜炮 1855年(咸丰五年,太平天国乙荣五年)太平天国农民起义军制造。铜铸,炮身前杀后丰,上有隆起的箍,炮身脊背镌刻有"太平天国乙荣五年置造重三百五十斤"等铭文,藏湖南省博物馆。[2]

太平军千斤铜炮 1862年(同治元年,太平天国壬戌十二年)制造。铜铸,炮身前杀后丰,通长178.5厘米,炮口内径12厘米,外径16.6厘米,炮身双钩阴刻22字铭文,1978年江苏省苏州市出土。[3]

上面介绍的出土或传世的火炮,根据铭文能够断定为清代火炮。不过,还有一部分出土或传世的火炮,既没有文字资料记载,其炮身也没有铭文,无法确定其确切的制造年代,但其报告者断定为清代火炮,[4]现将这部分火炮逐一介绍如下:

西山火炮 铁质,炮身圆筒形,前细后粗,有五道固箍,残长70厘米,内径5厘米,外径8厘米,资料收集者认为是清代火炮。1984年于广西桂平县西山乡西山村出土,藏该县博物馆。

---

[1] 安徽省博物馆:《遵循毛主席的指示,做好文物博物馆工作》,《文物》,1978(8)。
[2] 笔者实地考察收集。
[3] 苏州市博物馆:《苏州新发现太平天国千斤铜炮》,《文物》,1977(6)。
[4] 以下资料均由广西博物馆陈小波及广西桂平县博物馆黄婉玲两位先生收集整理提供。

罗泊湾火炮　铁质,炮身圆筒形,前细后粗,有五道固箍,通长81厘米,内径5.2厘米,外径8.1厘米,资料收集者认为是清代火炮。1984年于广西桂平县罗泊湾郁江河中出土,藏该县博物馆。

沙州湾火炮　铁质,炮身圆筒形,前细后粗,有四道固箍。通长180厘米,内径7.3厘米,外径10厘米,资料收集者认为是清代火炮。1986年于广西桂平县寻旺乡南津村郁江河中的沙州湾出土,藏该县博物馆。

上渡火炮　铁质,炮身圆筒形,前细后粗,有四道固箍。通长140厘米,内径9厘米,外径15厘米,资料收集者认为是清代火炮。1986年于广西桂平县寻旺乡先锋村郁江上渡河中出土,藏该县博物馆。

犸猫滩火炮　铁质,炮身圆筒形,前细后粗,有二道箍。通长151厘米,内径8.5厘米,外径14厘米,资料收集者认为是清代火炮。1986年于广西桂平县郁江犸猫滩出土,藏该县博物馆。

大成国火炮　铁质,炮身圆筒形,前细后粗。残长67厘米,内径5.3厘米,外径8.5厘米,资料收集者认为是清代火炮。1970年于广西桂平县桂平镇中心学校(大成国王府旧址)出土。同时出土的还有37颗铁弹丸,其中大铁弹丸直径为6.3厘米,19颗;中铁弹丸直径为4.5厘米,2颗;小铁弹丸直径为2.8厘米,16颗。火炮及铁弹丸均藏该县博物馆。

大水村火炮　铁质,炮身圆筒形,前细后粗。残长93厘米,外径16厘米,内径9厘米,资料收集者认为是清代火炮。置于广西桂平县石龙乡大水村刘家祠堂前晒场上。

公园火炮　铁质,炮身圆筒形,前细后粗。通长150.5厘米,内径10厘米,外径25.5厘米,资料收集者认为是清代火炮。藏广西桂平县城公园内。

铁炮　炮身圆筒形,前细后粗。通长132.5厘米,内径9厘米,外径11厘米,资料收集者认为是清代火炮。藏广西桂平县博物馆。

二、鸟枪

清代鸟枪,品种繁多。据《清会典》和《皇朝礼器图式》等史籍记载,光有图可考者,共计达49种之多。按发火装置分,有火绳鸟枪和燧石鸟枪两类,其中火绳鸟枪46种,燧石鸟枪3种;按瞄准装置分,可分有瞄准装具和无瞄准装具两类,其中有瞄准装具的35种,无瞄准装具的14种;按使用者身份分,仅兵丁鸟枪1种是供士兵使用而装备军队的,其它48种是供皇帝和王公贵族自卫或行围打猎专用,其中御制、御用鸟枪16种,花枪、交枪16种,线枪13种,奇枪3种。现将其形制大小等分别介绍如下:

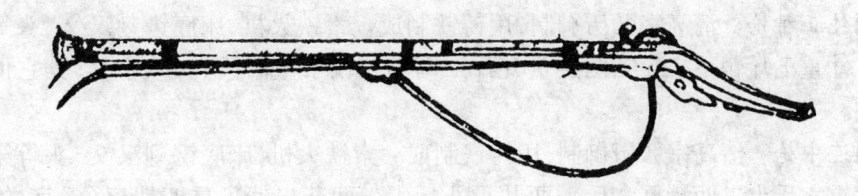

图78　御制自来火大枪(采自《皇朝礼器图式》)

御制自来火大枪　清圣祖玄烨御制,用铸铁制成。重五斤九两,长三尺三寸六分。口如莲瓣微凹,近口镀金,枪身前起脊,中面分四棱,后圆均镀金。镀金素铁火机,含火石,旁施轮,装火药八分,铁子六分五厘。芸香木床,床下装木叉。清代的交枪,其枪口均加照星,中加斗或近火门处加斗。以木床为托,内藏槊杖,床下装木叉。发射时,从斗中视照星及所击之物,击石发火。

御制自来火二号枪　清圣祖玄烨御制,用铸铁制成。重三斤,长二尺八寸,枪身前起脊,后分四棱,装火药一钱二分,铁子一钱八分五厘,鸂鶒木床,其它均如自来火大枪之制。

御制自来火小枪　清圣祖玄烨御制,铸铁制成。重二斤十二两,长二尺四寸九分。枪身前起脊,中分四棱,后圆。装火药七分,铁子一钱。乌拉松木床,其它均如自来火大枪。

御制禽枪　清圣祖玄烨御制,用铸铁制成。重六斤,长三尺五寸。枪身前起脊,中分四棱,后圆,均有星和斗,装火药二钱,铁子三钱四分,高丽木床,床下装木叉。

御制小禽枪　清圣祖玄烨御制,用铸铁制成。重五斤七两,长三尺三寸八分,装火药一钱五分,铁子二钱七分,鸂鶒木床。其它均如御制禽枪之制。

皇帝御用虎神枪　乾隆时制造,用铸铁制成。全长四尺八寸,枪身前圆起脊,后分四棱,镀金花火机,加星斗,云楸木床,床下装羚羊角叉。装火药二钱五分,弹丸七钱。枪重八斤十两,鞘重三斤十两,共重十二斤四两。

皇帝御用旧神枪　乾隆时制造,用铸铁制成。全长三尺九寸,枪身通体起脊,重六斤二两,鞘重二斤六两,共重八斤八两。云楸木床,床下装羚羊角叉。装火药重一钱六分,弹丸重三钱三分。

皇帝御用花准枪　乾隆时制造,用铸铁制成,因枪身表面"冶铁皱起为花纹"状而得名。全长四尺三寸,枪身前起脊,中分四棱,后圆,重六斤八两,鞘重二斤十二两,共重九斤四两。装火药重二钱,弹丸重四分。其它俱如皇帝御用旧神枪之制。

皇帝御用大准枪　乾隆时制造,用铸铁制成。全长四尺三寸六分,床底镌刻汉文"大准枪药用二钱子用三钱八分铁六斤六两鞘二斤十四两共重九斤四两"字样,其它均如皇帝御用旧神枪之制。

御制奇准神枪　清高宗弘历御制,用铸铁制成。枪身前起脊,中分四棱,后圆,加星斗,素火机,云楸木床。床底镌刻汉文"特等第二长四尺五寸重七斤鞘重二斤二两共重九斤二两药重二钱子重五钱"字样。床下装桦木叉。

御制准正神枪　清高宗弘历御制,用铸铁制成。素铁火机,床底镌刻汉文"头等第二枪长四尺三寸重六斤八两鞘重二斤共重八斤八两药二钱子重四钱"字样,其它均如奇准神枪之制。

御制纯正神枪　清高宗弘历御制,用铸铁制成。素铁火机,床底镌刻汉文"头等第三枪长四尺五寸重七斤鞘重二斤二两共重九斤二两药二钱子重四钱五分"字样,其它俱如奇准神枪之制。

御制连中枪　清高宗弘历御制,用铸铁制成。素铁火机,床底镌刻汉文"头等第四枪长四尺四寸重六斤十二两鞘重二斤一两共重八斤十三两药二钱子重四钱五分"字样,其它俱如奇准神枪之制。

御制应手枪　清高宗弘历御制,用铸铁制成。素铁火机,高丽木床,床底镌刻汉文"头等第五枪长四尺五寸重七斤鞘重三斤二两共重十斤二两药二钱子重五钱"字样,其它俱如奇准神枪之制。

御制威赫枪　清高宗弘历御制,用铸铁制成。枪身前起脊,后分四棱,素铁火机,高丽木床,床底镌刻汉文"头等第六枪长四尺五寸重七斤鞘重三斤二两药二钱子重五钱"字样,其它俱如奇准神枪之制。

御制威捷枪　清高宗弘历御制,用铸铁制成。素铁火机,高丽木床,床底镌刻汉文"头等第七枪长四尺四寸重六斤十二两鞘重三斤一两共重九斤十三两药二钱子重四钱五分"字样,其它俱如奇准神枪之制。

旧神花枪　乾隆时制造,用铸铁制成。长三尺六寸二分,枪身前起脊,中分六棱,近火门微凹三道,加星斗,镀金花火机,云楸木床。床底镌刻汉文"神花枪药用二钱子用二钱八分铁五斤九两鞘二斤二两共重七斤十一两"字样,床下安装羚羊角叉。

素铁大交枪　乾隆时制造,用铸铁制成。重八斤,长三尺七寸五分,枪身通体起脊,素铁火机,装火药重二钱,铁子重三钱六分,桦木床,床末装鹿角叉。

金口交枪　乾隆时制造,用铸铁制成。重六斤十四两,长三尺四寸六分,枪身前起脊,后分八棱,素铁火机,装火药重二钱,铁子重三钱,榆木床,下装桦木叉。

素口花交枪　乾隆时制造,用铸铁制成。重五斤八两,长三尺三寸二分,枪身前起脊,中分四棱,素铁火机,装火药重二钱,铁子重四钱,乌拉松木床,床下装桦木叉。

八棱口花枪　乾隆时制造,铸铁制成。枪身通体八棱,重五斤十两,长三尺二寸,装火药重二钱,铁子重三钱四分,其它俱如素口花交枪。(见图79)

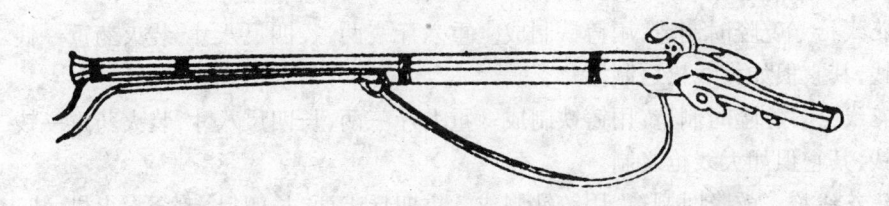

图79　八棱口花枪(采自《皇朝礼器图式》)

仿神花大交枪　乾隆时制造,铸铁制成。重七斤十二两,长三尺六寸二分,枪身前起脊,后分四棱,素铁火机,装火药重二钱,铁子重三钱四分,床如素铁大交枪之制。

仿神花小交枪　乾隆时制造,铸铁制成。长三尺六寸,装火药重二钱,铁子重三钱,其它俱如仿神花大交枪之制,床如素铁大交枪之制。

仿神花枪　乾隆时制造,用铸铁制成。云楸木床,床底镌刻汉文"仿神花枪子重三钱六分药重二钱长二尺六寸铁重五斤八两鞘重一斤十二两共重七斤四两"字样,床下装桦木叉,其它俱如仿神花大交枪之制。

摺花交枪　乾隆时制造,铸铁制成。重七斤十二两,长三尺七寸,枪身前起脊,后分四棱,装火药重二钱,铁子重三钱六分,镀金素火机,乌拉松木床,桦木叉,其它俱如金口交枪之制。

花口小交枪　乾隆时制造,用铸铁制成。重五斤八两,长三尺五寸,装火药重二钱,铁子重三钱一分,枪身前起脊,中分四棱,后圆,素铁火机,桦木叉,下装角叉,其它俱如金口交枪之制。

蒙古花大交枪(一)　乾隆时制造,用铸铁制成。重七斤十二两,长三尺七寸,枪身通体八棱,素铁火机,装火药重二钱,铁子重三钱九分,床如素铁大交枪之制。

蒙古花大交枪(二)　乾隆时制造,用铸铁制成。重八斤,长三尺六寸,枪身前起脊,中分四棱,后圆,装火药重二钱,铁子重四钱七分,床如素铁大交枪之制。

蒙古花小交枪(一)　乾隆时制造,用铸铁制成。重八斤,长三尺六寸,枪身前后八棱,中起脊,装火药重二钱,铁子重四钱二分,床如素铁大交枪之制。

蒙古花小交枪(二)　乾隆时制造,用铸铁制成。枪身前起脊,八棱,后圆,素铁火机,高丽木床,床底镌刻汉文"蒙古花枪子重三钱三分药重二钱长三尺五寸四分铁重五斤四两鞘重二斤四两共重七斤八两"字样。

回部花套枪　乾隆时制造,用铸铁制成。重八斤二两,长三尺四寸二分,枪身前起脊,后六棱,加星斗,素铁火机,装火药重一钱五分,铁子重二钱,云楸木床,叉末饰以角。

新回部花套枪　乾隆时制造,用铸铁制成。重六斤十两,长三尺五寸七分,枪身中起脊,后四棱,加星斗,素铁火机,装火药重一钱五分,铁子重一钱八分,床如摺花交枪之制。

大线枪　乾隆时制造,用铸铁制成。重八斤十四两,长五尺八寸,素铁火机,装火药重一钱五分,砂子重八钱,云楸木床,煖木托。清代的线枪,枪身皆八棱,不加星斗,床长只及枪的一半,无槊杖,床下无叉而有托,托上束铜环二道或镀金。

小线枪　乾隆时制造,用铸铁制成。重七斤十两,装火药重一钱五分,砂子重八钱,其它俱如大线枪之制。

旧神花线枪　乾隆时制造,用铸铁制成。重七斤十五两,长五尺七寸,装火药重一钱五分,砂子重八钱,其它俱如大线枪之制。

丽花线枪　乾隆时制造,用铸铁制成。重六斤三两,长四尺八寸,装火药重一钱二分,砂子重五钱,其它俱如大线枪之制。

秀花线枪　乾隆时制造,用铸铁制成。重七斤三两,长四尺八寸,装火药重一钱二分,砂子重五钱,其它俱如大线枪之制。

轻锐花线枪　乾隆时制造,用铸铁制成。重四斤十二两,长四尺,镀金素火机,装火药重一钱,砂子重四钱,云楸木床,煖木托。

轻捷花线枪　乾隆时制造,用铸铁制成。装火药重一钱,砂子重四钱,素铁火机,床末饰铜,其它俱如轻锐花线枪之制。

轻花线枪　乾隆时制造,用铸铁制成。装火药重一钱,砂子重四钱,其它俱如轻锐花线枪之制。

落禽花线枪　乾隆时制造,用铸铁制成。重七斤十四两,长五尺七寸,通体起棱,素铁火机,装火药重一钱五分,砂子重八钱,鸂鶒木床,其长只及枪的一半,煖木托。

神海青花线枪　乾隆时制造,用铸铁制成。重七斤十二两,长五尺七寸,装火药重一钱五分,砂子重八钱,其它俱如大线枪之制。

雁神花线枪　乾隆时制造,用铸铁制成。重八斤一两,装火药重一钱五分,砂子重八钱,其它俱如落禽花线枪之制。

兔神花线枪　乾隆时制造,用铸铁制成。重七斤十三两,装火药重一钱五分,砂子重八钱,其它俱如落禽花线枪之制。

孤顶花线枪　乾隆时制造,用铸铁制成。重八斤八两,长五尺五寸,装火药重一钱五分,砂子重八钱,云楸木床,其它俱如落禽花线枪之制。

树鸡神花奇枪　乾隆时制造,用铸铁制成。重六斤,长三尺五分,前起脊,后八棱,加星斗,镀金素火机,装火药重二钱,铁子重三钱八分,核桃木床,榆木叉。清代奇枪,其枪膛直通底部,"旁如牡钥,连床柄处,下为屈戍,可开阖"。火药、弹丸事先装入长二寸四分的管形子枪内,子枪共六个。然后开底将子枪装入枪内,与火门相连,再从牡钥中用铁钮将子枪固定,这样可相继连续发射,加快射速。奇枪均不用槊杖,其制或如交枪,或如线枪。

花奇枪　乾隆时制造,用铸铁制成。重五斤十二两,长三尺五分,前起脊,中四棱,后圆,镀金素火机,装火药重二钱,铁子重三钱八分,乌拉松木床,桦木叉,其它俱如树鸡神花奇枪之制。

花线奇枪　乾隆时制造,用铸铁制成。重四斤十二两,长三尺三寸五分,通体八棱,镀金素火机,装火药重二钱,砂子重三钱二分,乌拉松木床,末饰以金媛木托。

兵丁鸟枪　乾隆时制造,用铸铁制成。重六斤,长六尺一寸,素铁火机,装火药重三钱,铁子重一钱,床下装一只长铁叉。木床髹漆的颜色各不相同,满蒙八旗漆黄色,汉军八旗漆黑色,绿营漆红色。①

图80　兵丁鸟枪(采自《皇朝礼器图式》)

上面介绍的仅是清代国家典籍上刊载的有图可考的鸟枪。除此以外,清代国家典籍上仅有其名而无图可考的鸟枪、线枪类还有轻便花线枪(其形制同轻锐花线枪)、赛海青花线枪、鹲神花线枪、连坠花线枪、胜鸦鹘花线枪(以上四种其形制均同落禽花线机)、山鸡花线枪(其形制同雁神花线枪)、水扎子花线枪(其形制同凫神花线枪)等②;兵丁鸟枪类还有叉子鸟枪、排枪、铰枪、盘条鸟枪(又名盘丝鸟枪)、马上枪、大鸟枪、威子追风鸟枪、荡寇枪、琵琶枪、长柄叉枪、攒把鸟枪、藤牌小鸟枪、三眼枪、四眼枪等;③清末的抬枪也是一种重型兵丁鸟枪:这些,或其形制相同,或因资料的限制,就不一一详细介绍了。

三、火弹、火球及其它火器

除了火炮、鸟枪这些管形射击火器外,清代还有燃烧性火器、爆炸性火器、火箭等。不过,这些火器此时已呈衰落之势,有的在实战中退居次要地位,有的则已自行消亡。因此,这几类火器的品种十分稀少。由于史籍关于这些火器的记载极为零碎和奇缺,目前我们还无法对它们的形制、性能等进行探讨,仅能简单介绍一下它们在实战中的使用情况了。

清代的燃烧性火器,主要有火弹、火罐、火球、火砖、火斗、喷筒等。乾隆三年(1738年),为了镇压湖广苗族人民的反抗,清政府命令湖南总督德沛等多制火筒、火弹等火器,用来焚

---

① 以上鸟枪均见《皇朝礼器图式》,卷一六《武备四·火器》。
② 见《皇朝礼器图式》,卷一六《武备四·火器》。
③ 《清朝文献通考》,卷一九四《兵十六·火器》。

烧苗族村寨的茅屋及储蓄的资粮。① 乾隆三十七年(1772年),川陕总督张广泗等督率清军攻打大金川,四千余名士兵"齐集卡撒",用"大炮火球轰焚单碉",敌人大败,"弃碉奔窜"②。在这里,火球是用来焚毁碉卡的。乾隆四十一年(1776年),清军已平定了大小金川,但是各路军营所贮存的军火甚多,其中火弹尚存6239个,喷筒2650杆。这说明,清军使用火弹、喷筒的数量是很大的。这些火弹、喷筒是"专为攻碉摧卡而设"③的,这表明火弹还兼有爆炸的作用。嘉庆十四年(1809年),王得禄率清军水师在鱼山外洋围歼蔡牵,"喝令千总吴兴邦等连抛火斗、火罐烧坏逆船舵边尾楼"④。这说明,火斗、火罐是装备战船的燃烧火器。

清代的爆炸性火器,似乎只有地雷,另外,火弹、火罐等燃烧性火器也可能兼有爆炸作用。乾隆十二年(1747年),清高宗弘历在张广泗率军平定大金川的战争中接连失败的情况下指出:"现在征剿金川,不过与前此办理瞻对相仿,并无善策。如所奏攻击碉楼,惟开挖地道,施放地雷,已为众番所熟悉"⑤。在这里,地雷主要是用来炸毁碉卡的。乾隆十三年(1748年),当清高宗弘历得知征战大金川的军队已攻占江边的木扎寨、申达一带道路俱已畅通时,命令班弟、傅尔丹、岳钟琪等:"……其申达路径,既已疏通,即当熟筹良策,激励将士,鼓勇前进,以收犁庭扫穴之功,并将作何筹办之处,具折奏闻。"而班弟等立即奏报说:"地雷、火罐诸器,各路俱已预备。"⑥可见,清军攻占木扎、申达等地后,已准备了大量的地雷等火器,作为下一阶段的攻战武器。

清代的火箭,似乎仅当作燃烧火器在使用。乾隆三年(1738年),清政府命令湖广清军大量制造火箭、火枪等火器,用来焚烧苗寨的茅屋和储积的资粮。⑦乾隆十三年(1748年),在大小金川的战争中,清高宗弘历命令军机大臣以火箭焚烧敌方的粮食及木碉等:"闻贼酋粮食,俱安置碉楼之上,火箭一著,即可焚烧无遗,贼人亦素畏我军此项火器。即其木碉或为火箭射中,亦可令其焚毁。"⑧乾隆四十六年(1781年),在平定西北回民起义时,清军获知黄河岸边的八腊庙内,有楼房九间,上下多贮积粮草,坟园内有屋六间,也都堆藏着粮食。清高宗弘历曾令阿桂"因思贼营楼房本高,且楼屋皆系木植构成,易于引火,何不于夜间,令沿河防卡官兵,以火箭火弹等,向准抛射,将所蓄口食,尽行烧毁"⑨。从以上战例可以看出,清代的火箭主要做燃烧火器使用了。此外,清代火箭也是装备水师的必备武器。《清朝文献通考》记载说:"水师则有排枪、钩镰枪、标枪、火箭之属。"⑩又记载有,福建水师战船除装备排枪外,还装备"火药、弹子、火罐、火箭之属"⑪。不过,这些火箭也主要是用来焚烧敌船的帆篷和粮草的,也是做燃烧火器使用的。

---

① ⑦ 《清高宗实录》,卷六九。
② 《清高宗实录》,卷三二三。
③ 《清高宗实录》,卷一〇〇五。
④ 《清仁宗实录》,卷二一八。
⑤ 《清高宗实录》,卷二九八。
⑥ 《清高宗实录》,卷三二五。
⑧ 《清高宗实录》,卷三二〇。
⑨ 《清高宗实录》,卷一一三三。
⑩⑪ 《清朝文献通考》,卷一九四《兵十六·军器》。

第四节 火器与清军

一、八旗的专业火器部队

清朝的经制兵(正规军)在咸丰以前,有八旗兵和绿营兵。八旗兵由满洲八旗、蒙古八旗和汉军八旗组成,分京营和驻防两种。京营主要保卫京城;驻防兵分驻各省要冲。绿营建制分京师绿营、行省绿营、边区绿营三部分。在清代,绿营是不设专业火器部队的;①专业火器部队均设于八旗。据史籍记载,八旗的火器部队主要有汉军八旗火器部队、满蒙八旗火器营及鸟枪营等。

(一)汉军八旗火器部队

清军入关以前,为了加强军事实力,后金统治者编成了一支炮兵部队。这支炮兵部队的来源主要有二:一是将被俘的明军火器手编入炮队。开初,后金统治者把在历次战争中俘获的明军火器手一律分给八旗官兵为奴,从事耕稼。后来,他们在与明军的多次战争中领略到了火器的强大威力,便把汉兵编入军队,专管火器,"验放火炮、鸟枪"。② 大凌河之役以后,后金军缴获了大小3500多门火炮,后金将领佟养性便向皇太极上疏:"目今所编汉兵马步仅三千余,兵力似少,火器不能多拿",建议将各项汉人编入军籍,"有事出门全拿火器",建立一支专业火器部队。③ 天聪七年(1633年)六月,皇太极命八旗满洲各户有汉人十丁者授绵甲一户,共计1580户,以旧汉军额真马光远等为统帅,以补旧汉兵甲喇之缺。④ 这样,乌真超哈(满语意为"重兵")便成为清军一支强大的炮兵部队。二是孔有德、耿仲明投降的部队。孔、耿原为明朝将领,天聪七年(1633年)四月,他们率领13 000余人投降后金。这支部队"火炮火器俱全"。⑤ 同年十月,携带有大量火炮、火器的明朝副将尚可喜也投降后金。天聪八年(1634年)五月,清太宗(皇太极)谕旨:"朕仰蒙天眷,抚有满洲蒙古汉人兵众,前此骑步守哨等兵,虽各有营伍,未分名色,故止以该管将领姓名,称为某将领之兵,令宜分辨名色,永为定制。……驻守盛京炮兵,为守兵。……旧汉兵,为乌真超哈。元帅孔有德兵,为天佑兵。总兵尚可喜兵,为天助兵。……天佑兵、天助兵,仍归入乌真超哈,汉人改为汉军。"⑥至此,以汉兵组成的炮兵火器部队最终形成。这样,清军在入关之前,便建成了一支强大的炮兵火器部队,从而大大加强了清军的战斗力。此后,清朝统治者不断加强和扩大汉军组织。崇德二年(1637年)七月,皇太极分汉军为八旗,并将孔有德、耿仲明、尚可喜所辖的"天佑兵"、"天助兵"的炮兵部队并入八旗,共有兵卒24 500人,八旗汉军最后形成。在八旗汉军中,清政府设置了专业火器部队——炮营。

八旗汉军炮兵营成立后,康熙十二年(1673年),清圣祖玄烨谕令:"汉军不能骑马者甚

---

① 据目前掌握的资料,惟一例外的是,乾隆年间,陕甘军区兼辖新疆,为了加强边防,清政府在川陕总督标设立火器营,领兵一千名(见王先谦《乾隆东华录》,卷四)。
② 《清太宗实录》,卷八。
③ 《史料丛刊·天聪朝臣奏议》,卷上。
④ 《清太宗实录》,卷一四。
⑤ 转引自肖一山:《清代道史》,卷上。
⑥ 《八旗通志》,卷二六《兵志一》。

多，每旗应设一营操练火器，议政大臣等集议以闻。"经议政大臣等会议决定："八旗汉军鸟枪骁骑，每佐领下增十八名，共二十名，演习鸟枪。"就这样，八旗汉军又设立了一支专业鸟枪部队——鸟枪营。①

汉军八旗炮营装备的火器，从《军器则例》关于该营更换修理火器的有关规定来看，可以间接得知炮营装备的火炮有：神威无敌大将军炮、无敌铜炮、九节十成铜炮、神功将军铜炮、制胜将军铜炮、神威将军铜炮、神机炮、神枢炮、得胜铜炮、浑铜炮、木镶炮、红衣铁炮、发熕铁炮、台湾炮等。其中镶黄旗装备火炮69位，正黄旗装备火炮79位，正白旗装备火炮69位，正红旗装备火炮74位，镶白旗装备火炮62位，镶红旗装备火炮68位，正蓝旗装备火炮65位，镶蓝旗装备火炮72位，全营共计装备火炮558位。②

汉军八旗鸟枪营装备的火器，根据康熙十二年（1673年）关于"八旗汉军鸟枪骁骑每佐领下增设十八名，共二十名演习鸟枪"的谕令计算，康熙年间，鸟枪营装备的鸟枪大约共4000杆。③

（二）满蒙八旗火器营

清军入关以后，为了巩固政权，强化战争手段，清朝统治者挑选"八旗满洲蒙古之习火器者别为营"，④于康熙三十年（1691年）正式建立了满蒙八旗的专业火器部队——火器营，其公署设于朝阳门内隆福寺前官房。火器营以公侯大臣为总统，无定员，专理营务，训练官军。其下所属设鸟枪护军参领16名，每旗各2人。鸟枪骁骑参领24名，其中满洲每旗各2人，蒙古每旗各1人。管鸟枪散秩官56名，其中满洲每旗各5人，蒙古每旗各2人。管炮散秩官40名，其中满洲每旗各4人，蒙古每旗各1人。鸟枪护军校112名，其中满洲每旗各10人，蒙古每旗各4人。鸟枪骁骑校112名，其中满洲每旗各10人，蒙古每旗各4人。以上各职，除鸟枪护军参领为专设外，其余均以护军营、骁骑营官兼任。清政府规定，如果管理枪炮散秩官、骁骑校员额缺，则由该旗都统于本旗满洲蒙古散秩官骁骑校内拣选；如果鸟枪护军校员额缺，则由护军统领于本旗护军校内挑选。⑤但康熙以后，其编制常有变动。

火器营的士兵，开初规定，"八旗满洲蒙古每佐领下鸟枪护军三名，鸟枪马甲四名，炮甲一名"，共计火器营士兵7395名。⑥以后各个时期其兵额数常有增减，无固定常数。后来，清王朝又将火器营分为"内火器营"和"外火器营"。内火器营设于北京城内，分枪炮两营，设管营长官2名，正翼长、委翼长各1名，营总4名，正参领4名，副参领8名，委参领16名，护军校112名，共计148人。鸟枪护军2 512名，炮甲528名，养育兵890名，全营总计官佐士卒3 920人。外火器营设于北京城外蓝靛厂后，专习鸟枪，全营翼长1名，营总3名，正参领4名，副参领8名，委参领16名，护军校112名，共计145人。鸟枪护军2 530名，枪甲352名，养育兵818名，全营总计官佐士卒3 700人。⑦

火器营装备的火器，计有鸟枪、子母炮和其它各种大小铜铁火炮等。康熙三十年（1691年），火器营刚建立时，规定"每佐领下设鸟枪前锋一名，鸟枪护军三名，鸟枪骁骑校四名，每

---

①③《清朝文献通考》，卷一九二《兵十四·京营教阅》。
②《军器则例》，卷三；《大清会典事例》，卷六九《八旗都统》（嘉庆本）。
④《清会典》（光绪本）卷八八。
⑤⑥《大清会典事例》，卷八八一《火器营》。
⑦《大清会典事例》，卷八八一《火器营》；《清史稿》，卷一三〇《志》一五〇。

名给鸟枪一,满洲八旗每旗各设子母炮五位,其余大小铜铁炮位均贮汉军八旗炮局内",①按康熙三十年规定计算,当时满洲八旗火器营共装备鸟枪1 600杆,子母炮40位及大小铜铁炮等。据《清会典》记载,乾隆时期,内火器营装备鸟枪2 516杆,其中镶黄旗321杆,正黄旗330杆,正白旗329杆,正红旗272杆,镶白旗308杆,镶红旗309杆,正黄旗325杆,镶蓝旗322杆;装备子母炮40尊,每旗5尊;此外还有炮甲鸟枪880杆。外火器营的装备与之相同。

（三）鸟枪营

除了汉军八旗的鸟枪营和满蒙八旗火器营的鸟枪营外,清王朝还在驻防各省要冲的八旗兵中设立了一些火器专业部队——鸟枪营。雍正十一年(1733年),清政府在驻吉林的八旗兵中建立鸟枪营,设参领1人,佐领骁骑校各8人,领鸟枪兵1 000名。②继吉林鸟枪营后,清政府又先后在广州、福州、宁夏、绥远等地建立鸟枪营。这些鸟枪营,是专门以鸟枪为主装备的火器部队。

二、绿营的火器编制

绿营,因其使用绿旗而得名,清朝统治者入主中原后所建立,是清朝咸丰以前的主要经制兵,其兵额常在60万人左右。我们前面已经讲到,清代的专业火器部队都设在八旗兵中,绿营没有专业火器部队。但是,绿营兵却普遍装备了火器。清朝前期,即顺治康熙年间,各省绿营所装备的火器及其它军器,没有统一的规定。雍正五年(1727年),清世宗胤禛为了使军器装备整齐划一,谕令各省应因地制宜,制定统一的火器及其它军器的装备编制制度。遵照这一谕令,各省根据各自地势险夷有差,水陆情形有别的不同情况,先后制定了本省绿营装备火器及其它军器的规章制度,报兵部议准,然后遵照执行。此后各朝根据实际需要,某些火器的装备编制又多有变动增减。

绿营官兵装备火器及其它军器的总原则是:火炮、鸟枪及弓矢、藤牌为军队的主要装备兵器;大刀、长枪、挑刀等为军队次要的兼习兵器;水师则另装备火箭、火罐、排枪、钩镰等。装备的总情况是:火炮,每兵千名,设火炮10位;鸟枪,凡腹内省份,地势平坦,利用弓矢,每兵千名设鸟枪300杆;沿边沿海省份,山深林密,利用鸟枪,每兵千名设鸟枪400杆。但是,具体到每个省,其装备火炮、鸟枪的情况又各有不同。根据史籍记载,清朝各省绿营装备火器及其它军器的情况如下③:

山东省　雍正五年(1727年),"议准山东省各营军器,如弓箭、鸟枪、炮、藤牌、长枪、大刀均系通设之械,每兵百名分作十分,弓箭三分,鸟枪五分,藤牌一分,长枪一分。此外,别设炮手,专演发炮,不得擅为更换"。④可见,山东省各镇协营,每百名兵中,鸟枪兵占50%;弓箭手占30%;藤牌、长枪兵各占10%;此外另设炮手,专演发炮。总计装备火器的士兵已超过装备冷兵器的士兵。

河南省　雍正五年(1727年),"议准河南省各营军器……督标左右两营设马步弓箭兵、鸟枪兵、炮兵、藤牌兵、大刀兵;河北镇标九营,各设马步弓箭兵、鸟枪兵、炮兵、护炮片刀兵;南阳镇七营,各设马步弓箭兵、鸟枪兵、炮兵、护炮片刀兵、藤牌兵,各营军器虽不同,而紧要

---

① 《清朝文献通考》,卷一九四《兵十六·军器》。
② 《清世宗实录》,卷一三一。
③④ 雍正五年(1727年)及其以后的雍正六年(1728年)、雍正七年(1729年),兵部议准各省火器及其它军器的编制原案,载于《大清会典事例》(乾隆本)卷一二二。本书所引均见《清朝文献通考》,卷一九四《兵十六·军器》。

通行者已无不备"。① 可见，河南省各营普遍配备了鸟枪手、火炮手、弓箭手、藤牌手等，鸟枪、火炮、弓箭、藤牌是其"紧要通行"的主要军器。

直隶省　雍正六年（1728年），"议准直隶省各营军器有弓箭、鸟枪、炮及三眼枪、藤牌、长枪、大刀之属，均随时演习，但地势之险夷不同，兵器之利用各别。除骑射、鸟枪、炮永远划一操练外，至藤牌于宣化镇平阳之地最利，应以该镇向设之三眼枪、长枪、大刀改换藤牌兵。紫荆关鸟枪甚少，应以该镇向设之大刀改换鸟枪兵"。②可见，直隶省各营鸟枪、炮位、弓箭永远划一设立，成为该省军队的主要装备，且个别地方如紫荆关等地装备鸟枪过少，将大刀改换成鸟枪，增大装备鸟枪的比例。

山西省　雍正六年（1728年），"议准山西省各营地属沿边，每兵百名，分作十分，弓箭六分，鸟枪四分，别设炮兵，专演大炮。惟杀虎协旧有藤牌兵三百名，仍令演习，其余长枪、剐刀之属，悉令改为弓箭鸟枪兵"。③可见，山西省各营，每兵百名中，四分兵丁装备了鸟枪，六分兵丁装备弓箭，弓箭多于鸟枪，这可算一个例外。此外另设炮手，专演火炮。

江南、江西省　雍正六年（1728年），"议准江南、江西省水师各营军器，除弓箭、鸟枪、炮外，如藤牌、大刀、钩镰枪、过船枪、钺、斧、标、铁弹均为水师营利用之器，毋庸议改。其陆路各营有设三眼铳、长枪而无藤牌者，按三眼铳不能致远，长枪遇险狭之地不能旋转任意，应将三眼铳改为鸟枪，长枪改为藤牌兵"。④可见，江南、江西省水师各营普遍装备了鸟枪、火炮、弓箭；鸟枪、火炮、弓箭成为主要的军器，并且将陆路各营的三眼铳改换成鸟枪，增大鸟枪兵的比例。

福建省　雍正六年（1728年），"议准福建省陆路各营，每兵千名，分作二十队，弓箭马兵四队，弓箭步兵二队，鸟枪兵十队，炮兵一队，藤牌兵一队，长枪兵一队，大刀兵一队，各营兵数多寡不齐，照此递为增减。水师战船、大赶缯船设兵八十名，设排枪四十二杆；中赶缯船设兵六十名，设排枪三十杆；小赶缯船设兵五十名，设排枪二十五杆；大艍船设兵三十五名，设排枪十六杆；中艍船设兵三十名，设排枪十六杆；小艍船设兵二十名，设排枪十杆。仍各备火药、弹子、火罐、火箭之属"。⑤可见，福建省陆路各营，每兵千名中，装备了鸟枪的占50%；炮兵占5%；马、步弓箭手占30%；藤牌兵、长枪兵、大刀兵共占15%。总计装备火器的士兵占55%。同时，水师各战船也普遍装备了火器。

浙江省　雍正六年（1728年），"议准浙江省各营，每兵千名，分作二十队，弓箭兵三百名为六队，鸟枪兵四百名为八队，藤牌兵一百名为二队，片刀兵一百名为二队，长枪兵五十名为一队，炮兵五十名为一队"。⑥可见，浙江省各营，每兵千名中，装备了鸟枪的兵士占40%，装备了弓箭的占30%，装备了火炮的占5%，其他藤牌兵、片刀兵、长枪兵共占25%。总计火器兵虽然只占45%，但是其中火器兵中的鸟枪兵还是大大超过了弓箭兵。

陕西、四川省　雍正七年（1729年），"议准陕西省、四川省各营，除了弓箭、鸟枪、炮通行演习外，其弓箭马兵兼习枪、棒；守兵兼习剐刀。又令提标守兵二百名专习藤牌"。⑦可见，陕西、四川省各营普遍装备了鸟枪、火炮、弓箭，鸟枪、火炮、弓箭成为各营兵丁"通行演习"的军器。

广东省　雍正七年（1729年），"议准广东省各营，每兵百名，设弓箭兵二十名，各配腰刀

---

①②③④⑤⑥⑦　《清朝文献通考》，卷一九四《兵十六·军器》。

兼习双刀;鸟枪兵、长枪兵共五十名,各配腰刀;藤牌兵十名,兼习牌刀;挑刀兵十名;炮兵十名"。① 广东省各营,每兵百名中,装备火器的士兵占60%,装备冷兵器的士兵只占40%。

云南、贵州、广西省 雍正七年(1729年),"议准云南、贵州、广西三省各营,每兵千名,设弓箭兵二百名,鸟枪兵六百名,藤牌兵一百名,以炮兵百名兼习牌刀,其不足千名营分,亦照此数递减分派"。② 在云南、贵州、广西三省各营中,每兵千名中,装备火器的士兵已占到70%,比其它各省更多一些。

湖广武昌镇、宜昌镇的水师,因地界川江及楚蜀咽喉,水操不宜装备弓箭,惟有鸟枪最为便利,因此,乾隆十五年(1750年)议准,依照沿边沿海省份的规定,每兵千名,设鸟枪400杆。③

同时,宜昌前后水师二营于原设鸟枪361杆外,再添设鸟枪121杆。④ 可见武昌、宜昌水师装备的鸟枪是相当多的。

湖南湖北各标、协、营兵丁的装备,原鸟枪与弓箭各占4/10,刀牌等项占2/10,后认为这种编制装备,鸟枪与弓箭所占比例相等,不利战阵,故决定两省再各添鸟枪1620杆。⑤ 由此湖南湖北各标、协、营兵丁的鸟枪装备多于弓箭的装备。

从上面各省绿营装备的火器及其它军器可以看出:第一,绿营已普遍装备了鸟枪、火炮、弓箭、藤牌,也就是说,这些火器已成为绿营的主要军器装备。第二,全国除山西、直隶两省外,各省绿营装备的鸟枪比率都超过了弓箭的装备比率,鸟枪装备约占总兵数的40%~50%,有些省份火器装备比率在70%左右。这些事实充分说明,火器已成为绿营的主要装备,冷兵器已退居次要地位,清朝以骑射为根本的作战传统正被打破,这在我国兵器发展史上是一个很大的进步。

但是,由于清朝统治者实行民族压迫政策,害怕以火器为专长的绿营(主要由汉人组成)超过以弓矢为专长的八旗(主要是满蒙人),因此,对绿营的火器装备作了种种严格的限制,精良的火器如子母炮等只能装备八旗,而绿营只能装备陈旧低劣的火器。例如,康熙五十四年(1715年)十一月,山西总兵官金国正奏请制造子母炮22位分给各营操演。清圣祖玄烨谕令:"子母炮系八旗火器,各省概造,断乎不可。前师懿德、马见伯曾经奏请,朕俱不许。"⑥雍正初期,外省将军、督抚、提镇等共十数处又向朝廷奏报,请求于该地方设立子母炮,议政王大臣及兵部会议同意添设,清世宗也已批准允行。但是后来清世宗胤禛看到康熙五十四年实录后,又改口道:"朕因不知曾有此旨,故因外臣之请,廷臣之议,遂尔准行。其议政王大臣中新任事者自不知从前之例,其年久者,或因日远遗忘,或知有旧事而不肯直言,均未可见。今既已错误,应如何办理之处,着议政王大臣定议具奏。"后经廷臣遵旨重新会议,改令为:各省每兵千名,原设立威远炮4位,子母炮6位,今除盛京、吉林、黑龙江三处子母炮百位照旧设立外,其余直省子母炮尽行解部,另制它炮,以兵千名,设立炮10位为准。⑦在清朝统治者看来,八旗驻防的东三省,自然应该例外,而其它各直省绿营的子母炮,则一律

---

① ② ③ 《清朝文献通考》,卷一九四《兵十六·军器》。
④ 《清高宗实录》,卷三七二。
⑤ 《清高宗实录》,卷九四八。
⑥ 《清圣祖实录》,卷二六六。
⑦ 《大清会典事例》(嘉庆本)卷五二四。

撤除运解兵部收藏。这样就大大影响了绿营的军器装备特别是火器装备。

需要指出的是,清朝咸丰以前,除八旗、绿营这些正规军外,还有地方武装。如防军、乡兵、土兵、团练等。这些地方武装,也都装备了火器。其中一些省份的团练装备鸟枪等火器的情况,史籍多有记载。

雍正二年(1724年),刑部尚书励廷仪向朝廷奏请举办团练,装备鸟枪。励廷仪在奏折中建议说:从每个州县挑选士卒50名,"分习鸟枪、弓箭"等兵器,酌给工食,勤加训练,"于武备实有裨益"。胤禛对励廷仪的奏折甚为赞赏,批示:"此奏甚好,严谕直省督抚实心奉行。"[①]此后,以装备鸟枪为主的团练先后兴办起来。乾隆年间,清政府要求以山东省的团练为样板,进一步强调团练应装备操演鸟枪。从此,没有装备鸟枪的团练,一律改习鸟枪;已经分习鸟枪的团练,则加强了对鸟枪的操演。例如:

江西省额设民壮1 664名,原未分习鸟枪,现仿照山东的办法,汰除老弱,另募精壮者补充,会同营弁兵丁一起,操练鸟枪;[②]

湖南省额设民壮一千六七百名,原来已习鸟枪者,"再加习练",原来习弓箭等项者,"一体改习鸟枪"。这样,对湖南"地方有益";[③]

广东省水陆要隘多空旷之区,但冈岭崎岖、村墟逼仄之地也不少,现仿照山东团练改习鸟枪的办法,对各处额设的2 387名民壮,其中已经"习鸟枪者,仍令兼习枪刀",而"未习鸟枪者,即令改习鸟枪,同枪刀并练";[④]

广西省额设民壮2 100余名,其中已"习鸟枪者仅十之二三",其余的"或演试弓箭标枪,或操练藤牌刀棍"。现仿照山东团练改习鸟枪的办法,将其中的一半"改习"鸟枪。另外,苗疆汉土的"土勇堡卒"和瑶僮地方的"狼目狼兵"共有9 500余名,对这些地方兵,也将其中的一半改"习鸟枪";[⑤]

福建、浙江两省沿海各厅州县的团练民壮,会同附近营兵按期一同操演鸟枪。其中福建省官制鸟枪385杆,浙江省官制鸟枪665杆,俱錾刻县名字号,平时收贮库内,遇操演时,发给民壮操演,操演完毕仍旧收贮库内,不许民壮私存在外;[⑥]

四川省各州县的团练民壮,拣派十之六人演习鸟枪,其技艺必须与兵丁一样纯熟。应给予操演的鸟枪,平时编号贮库,每到操演之时,到县领出,操演完毕仍旧缴贮。[⑦]

从以上部分省团练民壮装备操演鸟枪的情况看,其中江西、湖南、广东、福建、浙江等省已全部操练鸟枪(广东省兼习刀);四川省60%操练鸟枪;广西省一半操练鸟枪,一半操练刀棍。这说明,清朝地方团练的军器装备及其操演,也主要以火器(主要是鸟枪)为主了,冷兵器已退居次要地位。

三、火器的操演

清圣祖玄烨指出:"火器关系武备,甚为紧要,应严加操演。"[⑧]清高宗弘历强调说:"国家设立营伍,修明武备,以为折冲御侮之用,必训练精熟于平日,斯可奋勇决胜于临时。"[⑨]又

---

① 《清世宗实录》,卷一六。
②③④⑤ 《清高宗实录》,卷七七三。
⑥⑦ 《大清会典事例》,卷五七五《军器·军器禁令》。
⑧⑨ 《清朝文献通考》,卷一九二《兵十四·教阅》。

说:"凡遇临敌制胜,尤借枪炮为利器,必须平时操演精熟,方能所向无前。"①清宣宗旻宁也称:"各省武备,火器为先,水陆各员弁,均当精习鸟枪。"②可见,清朝统治者对军队操演火器是十分重视的。

清代八旗火器部队和绿营各营标操演火器,各个时期不尽相同,其有关规章制度,常有增益变更。一般说来,操演的形式有分操、合操、大操、大阅等;操演的阵式有九进连环阵式、枚花车炮阵式、连环马枪阵式等;操演的军器,专习者为大炮、鸟枪、弓矢、藤牌等,兼习者为大刀、长枪等,水师则有火箭、火罐、铁弹、钩镰等。据史籍记载,八旗汉军火器部队每年二月和八月各操演鸟枪45天,每年合操2次,秋季则到卢沟桥演试火炮,每三年鸟枪营和炮营到卢沟桥合演枪炮。八旗满蒙火器营,每月逢四、九日演放火炮,逢二、七日演放鸟枪,逢六较射;每年冬季八旗合操,秋季在卢沟桥演放子母炮10日。绿营操演火器,大致与八旗火器部队相同。以下着重介绍合操、卢沟桥演放枪炮和大阅的操演情况。

合操,就是八旗官兵进行综合操演。康熙五十年(1711年),清政府制定了火器营合操阵式。这种合操阵式是:八旗炮兵、鸟枪护军、骁骑兵分立十六营,距离将台一百六十丈;正中列镶黄、正黄两旗,次六旗按翼列队,每营设立帐幕。待八旗官兵齐集后,在距离将台十丈远的地方,按左右翼各建一令纛为表,八旗掌海螺者等则分左右立于将台下。每旗鸟枪护军在前,次为炮手,再次为鸟枪骁骑,各按顺序排立。将台上初次鸣海螺,兵士背负小旗,各整顿器械。二次鸣海螺,兵士按营结队。三次鸣海螺,兵士出营向将台一字排列。"头旗放号枪三,台下海螺出,距令纛十丈斜接,传令海螺排列,将台鸣螺,传令海螺递鸣。阵内海螺毕鸣。螺止。乃进步施放枪炮九次,至第十次,炮与鸟枪连环施放无间,其坐作进止之节均与大阅同。"③八旗每年合操的次数及对合操不认真者的处罚等,清政府也多有规定。对八旗每年的合操次数,雍正十二年(1734年),清政府规定,八旗汉军骁骑营演习鸟枪,每年春秋两季各操演45天,然后本翼四旗合操2次。④乾隆三年(1738年),清政府规定,每年春秋两季,由兵部传行八旗,合操4次。⑤ 第二年(乾隆四年,1739年)又规定,每年春季,各旗官兵集合一处,于本旗教场内操演2次,然后八旗各营官兵于镶黄、正黄二旗教场合操1次。秋季八旗各营官兵到仰山洼合操2次。⑥嘉庆年间规定,满洲蒙古汉军三营会前锋、护军、内火器三营,每年秋季一旗各营合操2次于仰山洼。⑦ 乾隆四十九年(1784年),清政府规定,八旗合操时,如发现有不整齐及迟误者,将兵丁责处,该管护军统领章京等,交兵部察议;兵丁如有放炮迟误、鸟枪走火、进退违式者,该管大臣章京等随时记名,俟合操完毕带至将台,责惩示众。⑧嘉庆六年(1801年),清政府又规定,每年秋季八旗合操时,各旗旗营大臣等要亲自带领兵丁操演,总理操演大臣前往查阅,如发现旗营大臣官员内有托故不到者,即行查参,罚俸一年。⑨

卢沟桥演放枪炮是军队训练的重要内容,清朝统治者极为重视。康熙二十八年(1689

---

① 《清高宗实录》,卷一二七五。
② 《清宣宗实录》,卷二九五。
③ 《大清会典事例》,卷八八一《火器营·操演火器》。
④ 《清朝文献通考》,卷一九二《兵十四·京营教阅》。
⑤⑥⑧⑨ 《大清会典事例》,卷五一五《兵部·简阅》。
⑦ 《大清会典》,卷六九《八旗都统》。

年),清政府规定,每年秋季,由兵部向朝廷具奏,八旗汉军到卢沟桥演放枪炮,操演队伍。具体作法是:九月初一日,八旗各运大炮10位至卢沟桥,每旗在桥西各设立一枪营和一炮营,各旗的都统或副都统率领参领、佐领、散秩官、骁骑校、兵丁炮手前往。由工部负责修饰炮车并供应训练所需火药、火绳、木牌等。操演时,每天早晨,八旗各放炮一百出,记下打牌中的数目,记录一个月。饭后列阵,演放进步连环枪炮。其它余暇时间练习放枪打牌。凡参加卢沟桥操演的兵丁炮手,均预支九月份的兵饷作为整装和盘费。开操的第一天,由太常寺负责举行隆重的祭炮典礼。祭炮时,要建坛备案,设立神位,陈列牲果,宣读祭文,向炮神行三跪九叩礼,十分隆重。开操后第十天,由兵部奏请,遣堂官进行盛大的验操仪式。验操时,搭设彩棚,兵部堂官正坐,都统副都统两旁列坐。然后各放炮十出,由兵部司官笔帖式分验,记录中的数目。再传令开操,鸣螺击鼓,演放九进十连环枪炮法,煞是森严。[①] 康熙以后,到卢沟桥演放枪炮的制度,各朝又多有变更和修正。比如,雍正四年(1726年),改每年一次到卢沟桥演放枪炮为三年一次到卢沟桥演放枪炮,演放枪和炮的时间均为一个月。[②] 乾隆二十三年(1758年)规定,到卢沟桥演放炮位,每日演放十次改为每日演放五次,后又改为每日演放三次。[③] 乾隆五十五年(1790年)又规定,到卢沟桥演放炮位,八旗每旗派出千斤以上炮2门,五百斤以上炮2门,四百斤以上炮5门,加上八旗每次轮派二千斤以上的炮1门,共计73门火炮进行演放操练。[④]

大阅,即"大兵合操",[⑤]是清军训练的一种重要形式,也是清朝最高统治者——皇帝对军队训练的检阅。早在天聪七年(1633年),皇太极就举行大阅,由八旗护军为左右翼,汉军马步兵为一营,满洲步军为一营,四面环列,前设红衣炮30门及各种大小炮若干门。演习开始,皇太极擐甲乘马,众军皆依令而进,依令而退,首先"护军声喊而进,斗角而退。次汉军马步军,次满洲步军,次炮手发炮"。[⑥]可见,当时大阅的规模已是很可观了。顺治十三年(1656年),清政府规定,大阅之礼,"三年一举,永为定制"。[⑦]康熙三十四年(1695年),清圣祖玄烨大阅于南苑择西红门内旷地。八旗官兵枪炮按旗排列为三队,第一队汉军火器营鸟枪步军居中,炮位列于左右;满洲火器营鸟枪列于炮的两旁。第二队前锋兵居中,八旗护军列于两旁。第三队列八旗护军,两翼则设应援兵。队伍整齐,枪炮林立。大阅开始,全军进入临敌状态。玄烨全副武装,率领皇子及朝廷大臣"周视众军",然后军中角鼓齐鸣,炮声震天,枪炮连环齐发。最后鸣角收军,大阅结束。[⑧]雍正六年(1728年),清政府统筹划一,规定了大阅参加的官兵人数、营伍队形及其装备的枪炮和其它器械数目。大阅参加的官兵人数和枪炮器械是:八旗军都统副都统12人,将校312人,炮手240人,随炮领催骁骑2 232名,鸟枪领催骁骑2 304名;神威将军炮80门,鸟枪2 560杆。八旗火器营总统5人,将校400人,鸟枪护军960名,鸟枪什长96名,鸟枪骁骑960名,鸟枪领催96名,炮领催骁骑480名;应用鸟枪1 920杆,子母炮48门。大阅的营伍队形是:首队由前锋营、护军营、骁骑营等抽调的官兵组成,次队为护军营、骁骑营等抽调的官兵组成。阵后共设34营,左翼汉军火器四旗4营,满洲火器四旗4营,前锋四旗1营,四旗护军营骁骑营相间设立8营,以上左翼共17

[①][②][③][④]《大清会典事例》,卷八四八《兵制·操演火器》。
[⑤][⑥][⑦]《大清会典事例》,卷八四七《兵制·大阅》。
[⑧]《清朝文献通考》,卷一九二《兵十四·大阅》。

营;右翼汉军火器四旗 4 营,满洲火器四旗 4 营,前锋四旗 1 营,四旗护军营与骁骑营相间设立 8 营,以上右翼共 17 营。① 全军共计 34 营,真可谓营阵井然,枪炮森严。

训练的情况和成绩的优劣,要进行严格的考核,对成绩优异者给予奖励,对成绩不好的给予处罚。对火炮训练的考核,顺治十二年(1655 年),清政府规定,凡操演弓矢火器,每年春季都要进行操演。其中红衣炮、法贡炮等火炮的操演,每两年进行一次,每次从十月初一日起,共演放十日。演放时,竖靶于八十弓远的地方,每座红衣炮或法贡炮各放五次,红衣炮中一次者赏银一两,法贡炮中一次者赏银五钱。② 乾隆四十二年(1777 年),清政府规定,八旗汉军演放炮位,凡千斤以上炮位,设立三百步炮靶,放十五出,中十出以上者为合式;五百斤以上炮位,设立二百步炮靶,放十五出,中十二出以上者为合式;四百斤炮位,设立一百步炮靶,放十五出,中十三出以上者为合式。如果有中少而不及格者,对管炮官员要"照例议处"。③ 乾隆四十五年(1780 年),清政府又规定,八旗演放炮位,除一百步炮位演放不计算外,其余二三百步炮位,中的数如果能符合规定数额的,炮营参领记成绩一次,炮手每名赏银一两。如果中的没有达到规定数额的,欠少一二分者,炮营参领记过一次,并将年终参领份内应得成绩不准给与,炮手打四十棍;欠少三分以上者,将该旗炮营参领罚俸一年,并停升一次,炮手打八十棍。④ 乾隆五十五年(1790 年),清政府又规定:炮位不论大小轻重,均各于一百步处设立炮靶,其中多中一出者,炮营参领记功一次;多中二出者,记功二次;若中数仅能及格者,不予记功。其炮手兵丁如能多中一出者赏银一两,二出者赏银二两。⑤ 对鸟枪训练情况的考核,顺治十二年(1655 年),清政府规定,每年二月十六日至四月十六日为八旗操演鸟枪时间。操演时,在演武教场内竖的于四十一弓远的地方,每人放十枪,中一枪以上者,每枪赏银五钱,中八枪以上者,加赏折弓价银三两。⑥ 乾隆四十三年(1778 年),清政府又规定:鸟枪兵丁打靶准头及进步连环情况,责成总兵于每年巡查的时候,每兵十名,打靶中三十枪并演习进步连环精熟者为头等,备弁分别记功。中靶二十五枪以上并演习鸟枪连环平顺者为二等,千把记功。中靶二十枪以上及演习鸟枪连环合式者为三等,不予给赏。中靶不及二十枪并演习鸟枪连环生疏者,分别议处:将管操千总,照不操演军士律,降二级留任;该管将被降一级留任。提督本标鸟枪兵丁打靶的考核,也照此例办理。如果提镇不认真查办,将打靶分数以少报多,以生为熟,不据实参奏,一经查出,则将该提镇照包庇不报罪惩罚,降一级留任。⑦ 乾隆四十四年(1779 年),清政府考虑到对鸟枪兵丁打靶考核标准过严,"转恐营员不能奉行,致起隐讳欺饰之渐",因此又规定:嗣后绿营兵丁操演鸟枪,每十名打靶三十枪,中二十枪以上者,列为一等,官弁记功;中靶十五枪以上者,列为二等;中靶十枪以上者,列为三等,不予记功过。不及十枪者,将该官弁职名送交兵部,仍照例分别议处。如果官弁恃打靶考核标准放宽,不复实心训练,一经发现,即行据实参奏,照废弛营例革职。⑧

清朝前期,军队的训练较勤勉,考核也还认真。但是,乾嘉以后,八旗兵"养尊处优","奢靡自逸";绿营"兵力大半骄惰,将弁又不一心"。⑨ 因此,从这时候起,清军的训练、考核

---

① 《清朝文献通考》,卷一九二《兵十四·大阅》。
②③④⑥ 《大清会典事例》,卷八四八《兵制·操演火器》。
⑤ 《大清会典事例》,卷五一五《兵部·简阅》。
⑦⑧ 《大清会典事例》,卷五〇二《绿营处分例·营伍》。
⑨ 《同治东华续录》,卷七三。

便逐渐怠惰起来。早在乾隆元年(1736年),清高宗弘历就指出:各直省"枪手演习火器,毋许只放空枪,必用铅子打靶,演熟准头,俾成利器"。但是,"实力奉行者少,枪手仍系空放,并未习用铅子打靶"。① 乾隆十一年(1746年)弘历又指出:各省操演之法,"教训演习惟事粉饰,因循怠忽,尚沿旧习"。② 嘉庆年间,朝廷内外,"文恬武嬉,各营伍将弁,往往自耽安逸,竟不以操练为事,而该管上司又复不加查察,以致日渐懈弛"。③ 由于这样,军队操演火器,"放枪时装药下子任意迟缓,中者十无一二"。④ 道光十五年(1835年)九月,清宣宗旻宁在回京途中,顺便到卢沟桥视察满洲火器营操练枪炮。兵士连放两次,虽有中牌的,但"有未中而能致远者,亦有放出铅丸半道落地,未能到牌者,殊属不成事体"。旻宁十分气愤,下令道:"嗣后务须严加训练","断不可再致如此玩懈,视为具文",并对此次演炮马甲重惩,将奕绍、僧格林沁、哈良阿交部察议,内火器营翼长交部议处。⑤ 由于训练怠惰,军队素质日趋下降。同治年间,闽浙总督左宗棠一针见血地指出:"夫有兵不练与无兵同,练之不精与不练同。今之制兵,陆则不知击刺,不能乘骑,水则不习驾驶,不熟械具,将领惟习趋跄应对,办名册,听差使。其练之也,演阵图,习架式,所教皆是花法,如演戏作剧,何裨实用。省标尚有大操小操之名,届时弁兵呼名应点,合队列阵,弓箭、藤牌、鸟枪、抬枪次第行走,既毕散归,不复相识。此外各标营则久不操练,并所习花法,所演阵式而亦忘之矣。"⑥看来,左宗棠的批评是切中要害的。

四、火器在实战中的使用

（一）野战部队使用火器作战

早在天聪五年(1631年),后金制造火炮成功。因此,从这时候起,"凡遇行军",后金兵"必携红衣大将军炮"作战。⑦ 清军入关后,野战部队更加大量地使用火器作战。顺治元年(1644年)十二月,李自成连连失败,匆忙向西撤退;装备了大量红衣炮的清军步步紧追,在灵宝县城外偷袭李自成部。十二月二十九日,清军在距潼关二十里地方立营,等待红衣炮军队的到来。第二年正月十一日,红衣炮军队赶到,清军立即进逼潼关口,发红衣炮猛烈攻打,"诛斩无算",攻下潼关。⑧ 康熙三十五年(1696年),清圣祖玄烨第二次亲自率军征讨噶尔丹。大军分三路进发,将军萨布素率东三省兵出东路,大将军费扬古等率陕甘兵出宁夏西路,玄烨亲自统率禁旅由独石口出中路,皆赴瀚海而北,约期夹攻。当时正值仲春三月,雨雪交加,道路泥泞,装备着各种火炮的军队行进十分艰辛。因此,"将神威等大炮留于喀伦,派绿旗官兵守护",⑨而"惟驼子母以行"。⑩ 大军进击到克鲁伦河,噶尔丹闻风丧胆,拔营宵遁。清军昼夜追击,在昭莫多布下埋伏,诱敌深入。一切布置就绪。清军据险伏击,火炮弓

---

① 《清高宗实录》,卷一八。
② 《清朝文献通考》,卷一九二《兵十四·直省教阅》。
③ 《大清会典事例》,卷五一六《绿营简阅·营伍》。
④ 《中枢政考》,卷二○。
⑤ 《清宣宗实录》,卷二七一。
⑥ 《左恪靖奏稿初编》,卷三四《谨拟减兵加饷就饷练兵疏》。
⑦ 《清朝文献通考》,卷一九四《兵十六·火器》。
⑧ 《清世祖实录》,卷一四。
⑨ 转引自《古今图书集成》,卷一九三。
⑩ 魏源:《圣武记》,卷三《康熙亲征准噶尔记》。

弩迭发,击毙敌军数千,俘获敌人三千,获得马驼、牛羊、器械无算,噶尔丹之妃阿奴也被火炮击毙而丧命,噶尔丹本人仅以数十骑生逃。①

由于火器在野战中起着重要作用,乾隆十九年(1754年),陕甘总督永常还曾向朝廷奏报,要求作战时按一定比例增加野战部队的火器装备。永常在奏折中指出:"兴师进剿,利于火器。拟每百名,用鸟枪手七十五名。每名于向例带铅药五百出之外,再如带铅药三百出。炮手五名,带新铸威远炮一位……"军机大臣经商议后回复说:野战部队"随身佩带,总宜轻捷便利,期于有济实用。至炮位一项,举动辄费驮载,旷野殊不适用,无庸备带,铅药亦无庸加添,仍照例用五百出为率"。② 永常为野战部队增加火器装备的建议没有被清政府批准。但是,乾隆时期,野战部队依恃火器作战更显突出了。乾隆二十四年(1759年),清军分两路征讨回疆大小和卓木:兆惠从乌什取喀什噶尔;富德从和阗取叶尔羌。每路各带兵万余人。两和卓木惊惧,驱人畜逾葱岭西遁。清军昼夜追击至阿尔楚山。敌人以精锐6 000埋伏谷口,诱清军入险。针对这种阵势,富德以火器营、健锐营居中,明瑞、阿桂为左翼,阿里衮、巴禄为右翼,别列奇兵、援兵各二队,大军如墙而进,歼敌千余,获甲胄兵械无算。清军继续追击,至伊西洱库河时,小和卓木企图决一死战。面对敌军的顽抗,富德挑选铳手数十,缘山北伏击,而另一支清军则从南岸山上用火器遥击山北敌人。由于两路火器夹击,加之山麓道路陡峻,仅容单骑行走,敌人走投无路,"降者蔽山而下,声如奔雷,小和卓木手刃而不能止也",降者一万余人。大小和卓木只得落荒逃窜,清军取得戡定回疆的胜利。③

(二)城池关隘攻守部队使用火器作战

清代的重要城池,都安装了大小火炮,以加强防守。例如,北京城内城九门,外城永定、东便二门,共计安装了大小铜铁炮近两千门。④

在清代,攻取或防守城池,主要依恃火器。崇德四年(1639年),清军围攻明朝松山城。皇太极登上松山南冈,视察城垣形势后,命令耿仲明、马光远等用红衣炮攻城右面,其中"攻城门用红衣炮九位,东南隅用红衣炮二位,城隅中间用红衣炮一位";尚可喜、石廷柱等用红衣炮攻城左面,其中攻"城南门用红衣炮八位,西南隅用红衣炮二位,城隅中间用红衣炮一位";另外抽调部分红衣炮攻打城西南隅城台。清军鸣炮达旦,昼夜袭击,经过半年多的激战,终于攻下了松山城。⑤ 顺治二年(1645年),多铎率军从天长、六合水陆并进,围攻扬州城。扬州城守将史可法率军二万据城抵抗,以火炮袭击清军,"伤城外军数百"。针对这种局面,多铎也集中大量火炮,"专攻城西北隅",一时弹如雨下,崩声如雷,坚守了七昼夜的扬州城遂被攻下。⑥ 顺治七年(1650年)二月,清军攻打广州城。坚守广州城的是明总督杜永和及守将范承恩。他们在广州城外密列炮台,城西树设木城,并掘三道濠沟通海潮。由于明军布防严密,清军久攻不下。直到这年十月,清政府从西江大量增派的援军陆续齐集广州,

---

① 魏源:《圣武记》,卷三《康熙亲征准噶尔记》。
② 《清高宗实录》,卷四六七。
③ 魏源:《圣武记》,卷四《乾隆戡定回疆记》。
④ 《大清会典事例》,卷八七九《步军统领·训练》。清代北京城安装的炮位,不同时期,数字不尽相同,稍有增减。
⑤ 《清太宗实录》,卷四五。
⑥ 魏源:《圣武记》,卷一《开国龙兴记四》。

清军用火炮轰击城西北隅,"军士乘炮势登城",最终才攻陷了广州城。① 康熙十二年(1673年),吴三桂发动叛乱,越二年(康熙十四年,1675年),吴三桂军固守长沙城。安亲王岳乐向康熙皇帝奏疏道:要攻取长沙城,"非绿旗兵无以搜其险阻,非红衣炮不能破其营垒",提出要熟悉火器的赵国祚和陈平率军一起进讨,并特别强调需要西洋炮20门。康熙皇帝立即下旨:"悉依安亲王所请",并将火炮"照数送至"。② 由此可见火炮在城池攻守战中的重要性了。

关隘碉卡的攻守,也主要依恃火器。在这里,我们仅以清高宗弘历平定大小金川为例,就足可以说明问题了。乾隆十二年(1747年),大金川发动叛乱,他们筑碉设卡,抗拒清军。清高宗弘历立即命令张广泗等前往镇压。张广泗调兵 30 000 多,采取以碉逼碉,以卡逼卡的办法,但是收效甚微。张广泗镇压失败后,弘历改派傅恒、岳钟琪继续征剿。傅、岳采取"舍碉直捣中坚"的战术,兵分两路进剿,大军用火炮(主要是九节炮、冲天炮、威远炮等)、火箭、火罐等火器轰焚碉卡,敌人死伤甚大,清军军威大振。乾隆十四年(1749年)大金川投降。但是,到乾隆三十六年(1771年),大小金川又发动叛乱。清政府决定先剿小金川,后平大金川。乾隆三十八年(1773年),弘历增调火器营、健锐营兵二千、吉森索伦兵二千赴川配合征剿。清军分三路向小金川进发。敌人碉卡坚固,清军集中火炮轰摧。因为火炮需用量大,只得就地星夜赶铸火炮,以满足阵前需要。由于这样,连克敌人碉卡。十月,平定了小金川。之后弘历谕令移师征讨大金川。大金川主要有两个据点,一为勒乌围,一为噶尔厓,敌人增垒设险,全力抗守,防守比小金川严密十倍。针对这种形势,清军先攻勒乌围。尽管其官寨碉坚墙厚,形势十分险峻,但清军用炮四面轰击,直捣敌人巢穴,勒乌围被攻破。接着便向噶尔厓进军。九月,清军攻打西里。敌人凭借木城石碉顽抗,"枪炮如万雨雹"般向清军射来。清军则步步立栅,以枪炮还击,并向木城投掷火弹,城外积薪被焚,乘风延燎,木城顷刻化为灰烬。十二月,清军分三路进逼噶尔厓,"筑长围周数里,断水道以困之",同时昼夜以火炮霆击,土司头目索诺木及其妻妾等二千余人投降,至此,大金川平定。③

(三)水战部队使用火器作战

顺治八年(1651年),清政府因袭明制,于沿江沿海各省,陆续建立水师部队。④ 这些水师部队装备了大量火器。例如,广州水师一只缯船,装备生铁炮7位,砂炮5位,斑鸠炮4位,琵琶炮7位,封口700个,群子3 500个,黑铅40斤,火药110斤;一只艍船,装备生铁炮6位,砂炮4位,斑鸠炮4位,琵琶枪6门,封口600个,群子3 000个,黑铅40斤,火药100斤。山东登州水师的赶缯船、方梢沙船、五号战船,每只船装备劈山炮1位,子母炮4位,威远炮2位,火药770余斤,铅弹56斤,铁子近107斤,火绳87盘。浙江定海镇标中、左、右三营的篷舡船装备红衣炮4位,子母炮2位,百子炮8位;宁海营的双篷舡船装备红衣炮2位,劈山炮3位,子母炮3位,百子炮5位,追风炮4位,火箭2箱。温州镇标中、左二营的水艍船装备发贡炮4位,得胜炮2位,劈山炮2位,百子炮10位,火药4桶,药袋20条,铁弹700

---

① 魏源:《圣武记》,卷一《开国龙兴记五》。
② 《清圣祖实录》,卷五八。
③ 魏源:《圣武记》,卷七《乾隆初定金川土司记》、《乾隆再定金川土司记》;又参看《清高宗实录》乾隆十二年至十四年、乾隆三十六年至三十九年。
④ 《清史稿》,卷一三五《兵六·水师》,3981页。

出,窝蜂铁子500出,铅弹30斤。① 南澳镇标右营的缯船装备生铁炮4位,子母炮1位,百子炮5位,鹿枪5杆,大炮子500粒,小炮子2 600粒,铅炮子100粒,火药150斤。这些火器,在水战中发挥了重要作用。吴三桂叛乱后,其部众盘踞岳州,舟船穿梭于洞庭湖。康熙十八年(1679年),清军水师造鸟船百艘,沙船438艘,配备水兵3万,准备收复岳州。当时,吴三桂部将吴应麒驾巨舰200艘,乘风进犯柳林。清军水师"掉轻舟飞越贼船",发炮轰打,击毁其巨舰一半,并"败其众五千于陆石口",最后终于收复了岳州。② 台湾人民不堪清朝官吏繁重的苛捐杂税的压榨,康熙六十年(1721年),朱一贵率众起义,攻陷台湾府。清政府调集军队12 000人,大小舟船600余艘,云集澎湖,进行征讨。清军从澎湖出发,直捣鹿耳门。朱一贵以大炮扼险拒战,清军则以云舟冒死直进,发火炮专攻敌台火药,轰响如雷,起义军死伤众多。在平安镇的激战中,清军以小舟载炮,附岸攻击,击毙起义军无算,取得了胜利③。匪盗蔡牵长年横行于浙江、福建沿海。嘉庆十四年(1809年),浙江提督邱良功、福建提督王得禄联合围剿蔡牵于定海的渔山。邱、王水师乘上风,并力专攻蔡牵木船。转战两天,蔡牵船舰损失巨大,仅余30艘,且火炮铅丸接济不上,只得用番银作炮子施放。王得禄中炮受伤,但仍指挥战斗,喝令千总吴兴邦连抛火斗、火罐等火器,烧坏敌船尾楼,复以坐船冲断敌船后柁。经过激战,危害闽、浙、粤十余年的蔡牵匪盗被歼灭。④ 九龙之战是鸦片战争中中国人民打败西方侵略者的第一仗。道光十九年(1839年)七月,装备有旋回炮和长筒炮的英国军用小艇"路易沙"号和巡洋舰"珍珠号"等驶到九龙,向中国战船开火。中国水师立即坚决回击,向敌船施放大炮,击翻双桅船一只,敌人死伤惨重。经过五个多小时的激战,英国侵略者落荒逃窜,中国军队取得了这次九龙之战的全胜。⑤

(四)海疆要塞防守部队使用火器作战

清代初期,沿海要塞大多修筑了炮台,配置了火炮。雍正五年(1727年),清政府重申:"沿海沿边及水师战船并直省守护城池紧要隘口之炮仍旧存留。"⑥由于这样,沿海要塞都安装了大量火炮,以增强海防。吴淞口是苏松的门户,清政府先后建立了吴淞口明炮台和暗炮台,其中明炮台安装了大小火炮6门,暗炮台安装了火炮11门。⑦ 道光二十一年(1841年),又新铸四千斤大炮10门,以增强吴淞口的防卫。⑧ 天津为近畿咽喉,除原安设的火炮外,道光二十年(1840年),又增设火炮32门。⑨ 广州虎门是我国南方的门户,第一次鸦片战争前夕,原有及新建炮台计有新涌、大角、沙角、镇远、南山(亦称威远)、靖远、横档、大虎、蕉门、永安、巩固等11座,它们装备的火炮情况分别是:

新涌炮台:配置大小铁炮12门;

大角炮台:配置大小铁炮17门;

---

① 以上水师战船装备的火器均见《军器则例》,卷二三。
② 魏源:《圣武记》,卷二《康熙戡定三藩记上》。
③ 魏源:《圣武记》,卷八《康熙重定台湾记》。
④ 《清仁宗实录》,卷二一八。
⑤ 《林文忠公政书》乙集卷五;又请参见弁安世:《鸦片战争》,155~160页。
⑥ 《清朝文献通考》,卷一九四《兵十六·火器》。
⑦ 《长江炮台刍议》。
⑧ 《清宣宗实录》,卷三五六。
⑨ 《清宣宗实录》,卷三四三。

沙角炮台:配置大小铁炮12门;
镇远炮台:配置大小铁炮40门;
南山炮台:配置大小铁炮28门(加上原有炮位共40门);
靖远炮台:配置大小铁炮60门;
横档炮台:配置大小铁炮40门;
大虎炮台:配置大小铁炮32门;
蕉门炮台:配置大小铁炮20门;
永安炮台:配置大小铁炮40门;
巩固炮台:配置大小铁炮20门。

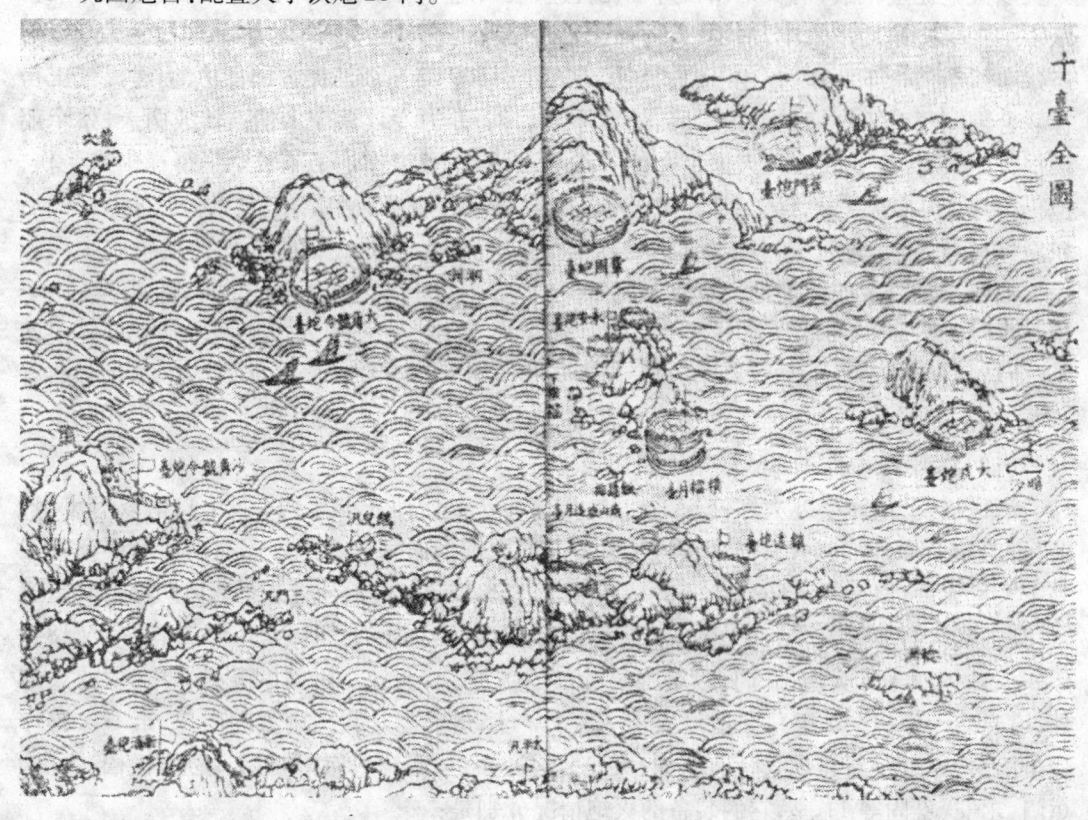

图81 虎门炮台形势图(采自关天培《筹海初集》)

火炮是防守海疆要塞的主要武器。道光十九年(1839年)九月,英国侵略军企图侵占尖沙嘴洋面,作为进一步侵略中国的巢穴。于是,他们调集多艘兵舰,向驻守官涌的清军开炮。官涌系九龙尖沙嘴以北的一座山,山梁上建有炮台。当英军向官涌开炮时,清军居高临下,山梁上五路炮台的"大炮重叠发击",打得英国侵略军"呀哑叫喊,竟无回击之暇",各船狼狈"弃碇潜逃"。经过大小六次激战,清军"具系全胜",英国侵略者遭到惨败,远遁外洋,这就是有名的官涌之战。① 道光二十一年八月(1841年9月),英国侵略军进攻定海。定海东、西、北三面环山,南临大海,建有炮台多座,战略地位十分重要。八月十三日,敌船驶至竹山

---

① 《林文忠公政书》乙集卷七;又请参见弁安世:《鸦片战争》,160~166页。

门,总督葛云飞率军开炮迎击,打断敌船大桅,敌人逃窜而去。十四日,敌军由竹山碶登岸,总兵郑国鸿率军用抬炮轰击,击杀敌人无数。十五日,敌军在五奎山支搭帐篷,总兵葛云飞率军在土城开炮遥击,打坏五奎山上侵略军帐篷五顶,击毙敌人十余名。十七日,敌军进攻东港浦,总兵葛云飞亲自开炮,击中敌舰火药库,敌舰立即起火。清军虽然取得了这些局部胜利,后来由于敌人兵分三路进攻,葛云飞、王锡朋等虽督兵奋战,个个拼死上前,前队阵亡,后队继进,杀去一层又上一层,但因寡不敌众,同时由于所用抬炮连续发射,炮身已经发热红透,不能再继续装打,结果苦战六昼夜,清军失败,定海失守。① 道光二十二年六月(1842年7月),英国侵略军进犯镇江。面对强大凶恶的敌人,清军守城官吏大部分闻风而逃,只有副都统海龄和部分守城士兵坚决抵抗,开始轰击敌舰,把总周兆熊亲手点放抬炮,击毙侵略军头目1名。经过激战,打死敌人37人,打伤敌人128人,英国侵略军损失惨重。但由于整个城区防务空虚,寡不敌众,敌我双方相持八昼夜后,镇江陷落。②

第五节　古代火器的没落

清朝嘉庆以后,随着清王朝政治的腐败,经济的衰退,科学技术的停滞落后,其火器与清代前期相比,与西方各国相比,逐渐走下坡路。从19世纪中期开始,即鸦片战争以后,由于"夷炮新制流入中国",③清朝古代火器逐渐被近代新式火器所更换。至19世纪末20世纪初,古代火器最终被近代新式火器排挤出军队的标准装备行列,从此,中国军队的装备步入了近代兵器的新阶段。

一、新旧火器更换的过程

清朝古代火器被近代新式火器所排挤、更换,不是在短时间内完成的,大约经历了近半个世纪的漫长时间。

(一)陆军装备近代火器

近代先进火器更换古代火器,首先是从清朝陆军开始的。19世纪50年代初,太平天国农民起义军从广西向湖南进军,腐败的清朝政府极端惊恐。为了镇压太平天国农民起义,曾国藩于咸丰四年(1854年)"奉旨"在湖南组建湘军陆师、水师两军,陆师13营,水师10营,合计员弁、兵勇、夫役1.7万余人。湘军水师每营装备舢板船22艘,长龙船8艘。舢板船每船装备七百至八百斤洋装船首炮1门,六百至七百斤洋装船尾炮1门,四十至五十斤舷侧转珠小炮2门。长龙船每船装备八百至一千斤洋装船首炮2门,七百斤洋装舷侧炮4门,七百斤洋装船尾炮1门。一个齐装满员的水营共有官兵弁员531人,装备战船30艘,洋装火炮144门,洋枪及鸟枪、喷筒若干。可见,曾国藩水营的主要装备是洋炮洋枪。湘军陆师也同样装备了大量洋枪洋炮。为了解决湘军的装备,曾国藩在衡州(今湖南衡阳)、湘潭设立造船厂制造炮船,并从国外购置洋枪洋炮武装自己。④ 曾国藩尤其重视洋炮,要求咸丰帝从广州购买千余尊洋炮装备战船,洋炮不到,决不出战。他对洋枪赞美备至,认为其是取胜的决

---

① 《清宣宗实录》,卷三五六;又请参见弁安世:《鸦片战争》,266~270。
② 《清宣宗实录》,卷三七五;又请参见弁安世:《鸦片战争》,315~324页。
③ 《清朝续文献通考》,卷二三七《兵考三十六·军器》。
④ 《近代中国史稿》编写组:《近代中国史稿》,129页。

定因素。① 左宗棠也于咸丰十年(1860年)在长沙招募士卒,按照湘军营制编练,组建成"楚军"。楚军也同样装备洋枪洋炮,配合曾国藩的湘军,转战于江西、皖南交界地区和浙江一带,残酷镇压太平天国农民起义。与此同时(同治元年,1862年),李鸿章在庐州募勇,也按照湘军的营制饷章,编练了一支十三营共约6 500人的淮军。淮军步兵的主要装备是英国的亨利马梯尼后门枪、德国的毛瑟枪等;炮队大部分的装备是德国的克虏伯大小后门钢炮;马队的主要装备是十三响快枪。这是清代陆军装备近代火器的第一阶段。

清朝统治者在镇压太平天国、捻军等人民武装起义中,尝到了使用近代火器的甜头。因此,从太平天国农民起义失败以后到中日甲午战争前这一段时期,"中国陆军开始较多地使用外国武器和中国制造的现代武器"。②

在这一时期,清政府的经制兵——八旗、绿营已彻底腐朽,形同虚设,不堪使用。在这种情况下,清朝政府为了强化国家机器,挽救其危亡的统治,决定把被分派到边防、海防要地的湘军、淮军的防勇营改为防军,承认其为国家经制兵。同时,清政府对绿营兵大加裁汰整顿,到光绪十三年(1887年),累计已裁汰绿营兵14万多人;另一方面,从同治五年(1866年)起,又从直隶额设经制兵内挑选出一部分精壮绿营兵,加以整顿,"简器械、勤训练",史称"练军"。继直隶之后,各省练军蜂起。这些练军完全按照勇营制度加以训练,其装备多以近代火器为主。据史籍记载,同治八年(1869年),"于日昌以江苏省自淮军全部撤防以后,江苏抚标兵仅有一千六百余人,乃裁汰老弱,补以丁勇,分左右二营,练习洋枪及开花炮诸技"。③ 光绪十三年(1887年),"穆图善整理东三省练兵事宜,每省挑练马队二起,步队八营,奉天、吉林、黑龙江各足成四千五百人,以克虏伯炮六十尊,分配三省防营"。④ 光绪二十四年(1898年),"增祺以福建多山,新练防军,宜重步队,参以炮队,增制过山快炮十二尊"。⑤

在这一时期,除了改编绿营外,清政府对向以"骑射为根本"的八旗兵也进行洋式编练,开始用近代火器装备起来。早在同治初年,清政府就在京师八旗中"创设神机营,改弓箭为洋枪"⑥,并且从京畿火器营、健锐营、圆明园八旗营中各抽选出40人,共计120人,到天津训练阵法与步法,专习洋枪洋炮。同治四年(1865年),又先后派圆明园八旗骑兵500人,威远步队500人到天津学习"施放洋枪及分合阵式"⑦。此外,还派兵士到江苏"学习外洋炸炮炸弹及各种军火机器与制器之器"⑧。光绪二十四年(1898年),"选练神机营马步队,以万人为先锋队,习枪炮及行阵战法"⑨。由此可见,出于战争的需要,此时从绿营到八旗均装备了近代枪炮。这是清朝陆军装备近代火器的第二阶段。

甲午中日战争中,清军的腐败无能暴露无遗,号称"北洋精华"的海军全军覆灭,参战的湘军和各省防、练军也大部分溃散。面对这种现实,清政府为了巩固自己摇摇欲坠的统治,

---

① 《近代中国史稿》编写组:《近代中国史稿》,129页。
② 拉尔夫·鲍威尔:《1895~1912中国军事力量的兴起》,22页。
③ 《清史稿》,卷一三二《兵三》,3933页。
④ 《清史稿》,卷一三二《兵三》,3937页。
⑤ 《清史稿》,卷一三二《兵三》,3939页。
⑥ 《清朝续文献通考》《兵二》,9509页。
⑦⑧ 《洋务运动》第三册,497页。
⑨ 《清史稿》,卷一三〇《兵一》,3863页。

决定编练一支新式陆军,责成广西按察使胡燏棻筹办。胡燏棻几经努力,招募壮丁,终于在天津南面的小站成立10个营,其中步兵3 000人,炮队1 000人,马队250人,工程队500人,共计4 750人,号称"定武军"。光绪二十一年(1895年),袁世凯接任,负责小站练兵,又扩充步兵2 000人,马队250人,共计达7 000人,改称"新建陆军",后来的北洋军和北洋集团,就是在此基础上发展起来的。

袁世凯扩建的"新建陆军"已具新式陆军的雏形,它设立了总部,下辖参谋营务处,执法营务处、督操营务处、稽查营务处等。其营制分左右两翼,左翼有步兵2营,炮兵1营;右翼有步兵3营,骑兵1营,另设工程营。步兵营军官配佩刀和左轮六响手枪1支,兵士配曼利夏步枪1支,子弹50发。炮兵营下设3队,左队配克虏伯七五过山轻炮18尊;右队配格鲁森五七过山快炮24尊;接应队配格鲁森五七陆路快炮18尊。骑兵营兵士每人配备马刀1把,曼利夏马枪1支,子弹50发。①

在北洋编练新建陆军的同时,南洋张之洞于光绪二十一年(1895年)冬建立了自强军。自强军建制为步队八营,炮队二营,马队二营,工程队一营,共计2 600余人。光绪二十六年(1900年),英国海军观察员卜朗登访问了张之洞的自强军,"发现步兵和骑兵都装备了现代武器,而炮兵则充分供给汉阳制造局造的克虏伯型六磅快炮"②。

新建陆军和自强军既不同于中国的旧式军队,也不同于19世纪60年代以后出现的防军和练军,而是仿照欧洲近代陆军建立起来的新式军队,它们是我国新式陆军的开始,这是清朝陆军装备近代火器的第三个阶段。

20世纪初,经过义和团运动的洗礼后,"各省皆起练新军,或就防军改编,或用新式招练"③。面对当时现实,清政府于光绪二十九年(1903年)在北京设立考查和督练新军的总机关——练兵处,光绪三十一年(1905年)正式提出在全国编练新军三十六镇的计划,除京畿四镇、直隶两镇已编练完成外,黑龙江、吉林、奉天(今辽宁)、福建、浙江各一镇,两年编练足额;山东、陕西、山西、新疆各一镇,三年编练足额;湖北、江苏各二镇,三年编练足额;河南、安徽、江西、湖南、热河、江北各一镇,四年编练足额;广东、广西、云南、贵州、甘肃各二镇,五年编练足额;四川三镇,三年编练二镇,另一镇由度支(财政)、陆军两部限期编练足额。④ 至武昌起义前,全国编练成新军十六镇。这时,全国各地区的新军,完全是按照西方资本主义国家军队的营制、饷章、军事技术、训练方式、武器装备编练起来的。这是清朝陆军装备近代火器的第四个阶段。

至此,清代陆军以近代火器更换古代火器已基本完成。

(二)海军装备近代火器

咸丰以前,清朝没有海军。⑤ "同治初,曾国藩、左宗棠诸臣建议设船厂、铁厂。沈葆桢兴船政于闽海,李鸿章筑船坞于旅顺,练北洋海军,是为有海军之始。"⑥从这时候起,清朝政府经过多年的苦心经营,先后建成广东水师、福建水师、南洋水师和北洋水师四支力量不同

---

① 《新建陆军兵略录存》。
② 拉尔夫·鲍威尔:《1895~1912中国军事力量的兴起》,107页。
③ 《清史稿》,卷一三二《兵三》,3945页。
④ 《清朝续文献通考》《兵十九》,9671~9672页。
⑤⑥ 《清史稿》,卷一三六《兵七》,4029页。

的舰队。这些舰队的舰船,一部分购自英国、德国、美国等西方资本主义国家,一部分由本国江南制造局和福州船政局等自己制造。中日甲午战争以后,自制的越来越少,舰船的添置则主要购自外洋。其配备的火炮等武器装备,都是西方的近代兵器,其购自外洋的部分舰船装备近代火炮的情况见下表(包括1895年以后购买的)。

清末海军部分外购舰船装备火炮一览表

舰船名称	购置地点	装备火炮	所属舰队
南琛巡洋舰	德国	阿式8英寸炮4门、阿式4.7英寸炮4门、哈式1.5英寸炮1门、拿式1英寸炮4门	南洋水师
南瑞巡洋舰	德国	阿式8英寸炮3门、阿式4.7英寸炮3门、哈式1.5英寸炮1门、拿式1英寸炮3门	南洋水师
福胜炮舰	美国	船首装备前膛阿摩士装16吨炮1门	福建水师
建胜炮舰	美国	船首装备前膛阿摩士装16吨炮1门	福建水师
福安炮舰	英国	阿式12厘米炮1门、哈式6磅炮1门、哈式6磅炮2门	福建水师
辰字、宿字鱼雷艇	德国	哈式1磅炮4门、宿字艇另配12毫米炮2门	北洋水师
列字、张字鱼雷艇	德国	哈式1磅炮4门	北洋水师
飞霆驱逐舰	英国	阿式12厘米炮1门、哈式6磅炮1门、哈式6磅副炮2门	南洋水师
飞鹰驱逐舰	德国	克式12厘米炮2门、哈式37毫米炮4门	北洋水师
海天海圻巡洋舰	英国	阿式8英寸炮2门、阿式4.7英寸炮10门、阿式47毫米炮12门、阿式37毫米炮4门、马式7毫米炮6门、鱼雷管5个	北洋水师
海筹巡洋舰	德国	克式15厘米炮3门、克式10.5厘米炮8门、克式6厘米炮2门、哈式37毫米炮4门、马式8毫米炮5门、鱼雷管1个	北洋水师
海容巡洋舰	德国	克式15厘米炮3门、克式10.5厘米炮8门、克式6厘米炮2门、哈式37毫米炮4门、马式8毫米炮5门、鱼雷管1个	北洋水师

续表

舰船名称	购置地点	装备火炮	所属舰队
海琛巡洋舰	德国	克式15厘米炮3门、克式10.5厘米炮8门、克式6厘米炮2门、哈式37毫米炮4门、马式8毫米炮5门、鱼雷管1个	北洋水师
镇远铁甲舰	德国	原设大小炮位为旧式火炮,1894年添配克虏伯12厘米快炮6门	北洋水师
定远铁甲舰	德国	原设大小炮位为旧式火炮,1894年添配克虏伯12厘米快炮6门	北洋水师
致远巡洋舰	英国	克虏伯炮6尊(飞炮)、6英寸经旁炮4尊	北洋水师
靖远巡洋舰	英国	克虏伯炮6尊(飞炮)、6英寸经旁炮4尊	北洋水师

主要资料来源:

池仲祐:《海军实纪》;薛福成:《出使英法意比四国日记》;《船政奏议汇编》、《清季外交史料》、《海防档》、《李鸿章奏为海军铁甲快练各船拟分年添购快炮陆续付款折》等。装备火炮数,史料记载互有出入,表中只录其中一种,其它只好存疑。因此本表所列火炮与书中其它舰船所列火炮数目有些出入。

清政府自制的舰船,其装备的火炮,也已不是中国古代火炮,而是洋务派兴办的近代兵器工厂所制造或者购自西方的近代火炮。现将清政府自制的部分舰船所装备的近代火炮情况,列表如下(包括1895年以后自制的):

清末海军部分自制舰船装备火炮一览表

舰船名称	制造地点	制造时间	装备火炮	所属舰队
安澜	福州	同治十一年(1872年)	62磅后膛炮1尊、40磅后膛炮4尊	福建水师
镇海①	福州	同治十一年(1872年)	62磅后膛炮1尊、40磅后膛炮4尊	北洋水师
振远②	福州	同治十二年(1873年)	70磅前膛炮1尊、40磅后膛炮4尊	
登瀛洲	福州	光绪二年(1876年)	70磅前膛炮1尊、40磅后膛炮6尊	南洋水师

① 此舰的配备火炮数目及表中其它舰船的配炮数字,与《福建船政志》等史料所记载的数据有出入,现存疑待考。
② 这里用的前膛火炮及表中所列登瀛洲、威远、超武等舰所配备的前膛火炮,已不同中国古代火炮,其形状质料、性能等比中国古代火炮均有较大改进,当时称为"洋庄"或"洋装",参见罗尔纲:《李秀成自述原稿注》,216页注④;罗尔纲:《太平天国文物图释》,124页。

· 203 ·

续表

舰船名称	制造地点	制造时间	装备火炮	所属舰队
威远	福州	光绪三年（1877年）	120磅前膛炮1尊,40磅后膛炮6尊	北洋水师
超武	福州	光绪四年（1878年）	80磅前膛炮1尊,40磅后膛炮6尊	福建水师
澄庆	福州	光绪六年（1880年）	7厘米后膛炮1尊,40磅后膛炮4尊,6厘米后膛炮1尊	南洋水师
开济	福州	光绪九年（1883年）	克虏伯21厘米后膛炮1尊,15厘米膛炮6尊,那腾飞连珠炮6尊	南洋水师
镜清[①]	福州	光绪十年（1884年）	克虏伯21厘米后膛炮1尊,15厘米后膛炮6尊,那腾飞连珠炮6尊	南洋水师
横海	福州	光绪十年（1884年）	19厘米后膛炮2尊,12厘米后膛炮4尊	南洋水师
寰泰	福州	光绪十三年（1887年）	克虏伯21厘米后膛炮1尊,15厘米后膛炮6尊,那腾飞连珠炮6尊	南洋水师
广甲[②]	福州	光绪十三年（1887年）	15厘米后膛炮2尊,12厘米后膛炮1尊	广东水师
平远	福州	光绪十五年（1889年）	克虏伯26厘米后膛炮1尊,10厘米后膛炮1尊,15厘米后膛炮2尊,合乞开司连珠炮4尊	
广庚	福州	光绪十五年（1889年）	12厘米后膛炮3尊	广东水师
广乙	福州	光绪十六年（1890年）	15厘米后膛炮2尊,12厘米后膛炮3尊,连珠炮4尊	广东水师
广丙	福州	光绪十七年（1891年）	12厘米快炮3尊,连珠炮4尊,6磅快炮4尊	广东水师
福靖	福州	光绪十九年（1893年）	12厘米快炮3尊,连珠炮4尊,6磅快炮4尊	福建水师

---

① 镜清和寰泰两舰所配备火炮,《船政厂建造快碰船木模说明书》所载与《马尾船政厂述要》所载互有出入,本表从前者。
② 署理船政大臣裴荫森奏(光绪十三年)载广甲舰装备的火炮如下:船首两旁装配新式后膛15厘米钢炮1尊,船中两旁装配新式后膛12厘米钢炮4尊,船后装备新式中枢旋转后膛15厘米钢炮1尊,瞭台装备连珠炮2尊。这些数字与此表所列相异甚大,供参考。见《洋务运动》第5册,368～369页。

续表

舰船名称	制造地点	制造时间	装备火炮	所属舰队
通济	福州	光绪二十年（1894年）	12厘米快炮3尊,6磅快炮4尊	北洋水师
吉云	福州	光绪二十四年（1898年）	四排连珠炮2尊	
建安	福州	光绪二十八年（1902年）	10厘米快炮1尊,37毫米连珠炮6尊,6.5厘米快炮3尊	南洋水师
建威	福州	光绪二十八年（1902年）	10厘米快炮1尊,37毫米连珠炮6尊,6.5厘米快炮3尊	南洋水师
建翼	福州	光绪二十八年（1902年）	6厘米快炮2尊	
保民炮船	上海	光绪十一年（1885年）	克虏伯炮8尊	南洋水师
金瓯炮船	上海	光绪二年（1876年）	后膛120磅弹子炮1尊	南洋水师

主要资料来源：

际唐：《马尾船政厂述要》，《福建文化》第二卷第15期，见《洋务运动》第8册，518~521页。

池仲祐：《海军实纪》，见《清末海军史料》（上册）、《清末海军史料》（下册）附表。

《船政厂建造钢甲船模说明书》、《船政厂建造鱼雷快舰木模说明书》、《船政厂建造快碰船木模说明书》，均见《清末海军史料》（上册），152~155页。

《两江总督沈葆祯奏》（光绪三年）、《两江总督曾国荃片》（光绪十二年），均见《洋务运动》第4册，37页、52页。

综上可以看出，清代海军舰队从同治初年开始，至光绪年间止，已经全部装备了近代火炮。不仅如此，有些购自外洋的舰船，其装备的火炮，在当时还是非常先进的。关于这一点，英国海军军官寿尔做了比较细致深入的研究。寿尔在19世纪70年代随英国兵船田凫号到过中国和日本，他把自己所亲见的若干事物撰写成《田凫号航行记》一书，书的第十章《中国的炮艇》是专门记述当时中国的炮舰情况的。寿尔写道：

"星期三清晨，在岬头出现一队样式新颖的炮舰，朴茨茅斯的海军界为之惊愕。……它们是埃尔斯威克工场威廉亚门司特龙公司为中国政府所建造的戊、己、庚、辛诸号舰，和在它们先前的甲、乙、丙、丁诸舰一样，是用希腊字母命名的。

"在天津移交的开头的甲、乙两舰是：长118.6英尺，宽27英尺，吃水7.6英尺，排水量仅319吨。其次的丙、丁两舰略为大些，长120英尺，宽30英尺，吃水8英尺，排水量400吨。但是这些更改和它们在武装上的差异比较起来，是毫不重要的；因为较早的甲、乙两舰各带26.5吨的炮一尊，其后增加的丙、丁两舰则各装英国海军样式的38吨炮一尊，射弹800

磅,火药满弹装量为100磅,最强度的弹装量是130磅,最初弹速为每秒1 500英尺,又依据在奢伯利的试验,能打穿夹进10寸麻栗树黄褐色硬木的三层厚的19.5英寸的锻铁。当时海上舰炮中与此重量和口径相同的只有两尊,装在天神号的船首塔上;中国人作此突然的冒险的一跳,已经跳到我们的前面去了。"

寿尔又写道:

"在戊、己、庚、辛诸舰上……虽然这新式炮的口径和重量是少些,但是它们的力量和射程是远远地增加了,并在穿透力上比目前英国海军所拥有的最可怖的武器——无畏舰上的大炮,超过15%。这个优越的性能是因为它们有令人惊奇的火药弹装量。它们的火药弹装量是235磅,即较英国海军12.5英寸的38吨炮迄今所曾发射的最高量的试验弹多了75磅。……

"除了大炮之外,每只炮舰在舷尾又装了一对新埃尔斯威克式12磅后膛炮,弹装药量为3磅,还有一对格林炮。……上面已经说过,船的主要特色是大炮。这大炮装在前面,用水力运转、装弹、制驭,开炮只需要五个人。瞄准时大炮的旋转,并没有机械的自动设备,而是由船本身去完成回旋任务。"①

从上面这几段引文中可以看出,当时清政府海军舰队中,购自外洋的部分舰船的火炮装备是非常先进的。

(三)海防要塞装备近代火器

清代"海防向分南北洋。山东、烟台归北洋兼辖。闽浙粤三口,归南洋兼辖"②。为"固海疆",清朝政府从同治、光绪年间开始,在沿海各海口陆续仿照西洋式样修筑炮台,装备近代火炮。

旅顺、奉天是北洋首冲。光绪八年(1882年),李鸿章在旅顺的黄金山顶,仿照德国式样修建新式炮台,配置巨炮多尊,并建筑兵房、弹药库,近山要道还筑设行营炮垒(详见表一)。③到甲午中日战争时,旅顺军港已筑设海岸炮台13座,陆路炮台9座,配置大炮70~80尊,除4尊为本国制造的外,其余全部是德国克虏伯厂制造的大炮。而在旅顺港后路的大连湾,筑设炮台6座,配置了克虏伯大炮24尊(详见表二)。④

表一　　　　　　　　旅顺口炮台及其装备火炮数

炮台名称	火炮类型	口径（厘米）	长度（米）	装备门数	备注
黄金山炮台	克虏伯炮	24	6	3	
	克虏伯炮	12		4	
	格林炮			4	
黄金山副炮台	12磅榴弹炮			2	
	克虏伯臼炮	15		4	

① 以上引文均引自寿尔:《田凫号航行记》,《洋务运动》第8册,412~416页。
②③ 《清史稿》,卷一三八《兵九》,4095页。
④ 范文澜:《中国近代史》(上册),255页,与表二中装备火炮的数字稍有出入。

续表

炮台名称	火炮类型	口径（厘米）	长度（米）	装备门数	备 注
摸珠礁炮台	克虏伯炮 克虏伯炮 克虏伯炮	20 15 8	5 3	2 2 4	
老蛎嘴炮台	克虏伯炮 克虏伯炮 五管格林炮	24 24	6 7.2	2 2 1	
老蛎嘴后炮台	克虏伯炮	12	4.2	2	
老虎尾炮台	克虏伯炮 12磅榴弹炮	21		2 3	
威远炮台	克虏伯炮 12磅榴弹炮	15	5.3 5.3	2 3	
蛮子营炮台	克虏伯炮 12磅榴弹炮	15		4 2	
馒头山炮台	克虏伯炮 克虏伯炮	24 12		3 2	
城头山炮台	克虏伯炮 克虏伯炮 五管格林炮	12 8		2 6 2	
总计				63	

表二　　　　　　**大连湾炮台及其装备的火炮**

炮台名称	火炮类型	口径（厘米）	长度（米）	装备门数	备 注
和尚岛东炮台	克虏伯炮 克虏伯炮	24 15		2 2	
和尚岛中炮台	克虏伯炮 克虏伯炮 克虏伯炮	21 15 8		2 2 2	
和尚岛西炮台	格鲁森炮 格鲁森炮	21 15		2 2	
老龙头炮台	格鲁森炮	24		4	

续表

炮台名称	火炮类型	口径（厘米）	长度（米）	装备门数	备 注
黄山炮台	克虏伯炮 克虏伯炮	21 15		2 2	
总 计				22	

光绪元年（1875年），丁宝桢在山东登州城北筑建沙土高式炮台，城内修筑沙土圆式炮台。长山西面，修建沙土曲折炮台。各炮台大多装备德国克虏伯后膛大炮，适当配置英国阿姆斯特朗前膛大炮。驻守士兵则使用格林炮、克虏伯四磅炮和亨利马梯尼快枪。①

光绪十七年（1891年），山东刘公岛新筑地阱炮台，在隧道口配置巨型大炮（详见表三）。②而在威海卫修筑了南北两帮炮台，南帮炮台3座，配置了克虏伯炮13尊，北帮炮台7座，配置了克虏伯炮14尊。③

表三　　　　　　　　　　刘公岛炮台及其装备的火炮

炮台名称	火炮类型	口径（厘米）	长度（米）	装备门数	备 注
迎门洞炮台	克虏伯炮	24	8.4	1	
旗顶山炮台	克虏伯炮	24	8.4	4	
南嘴炮台	克虏伯炮 中小型火炮	24	8.4	2 12	
公所后炮台	阿式地阱炮 中小型火炮	24		2 14	
黄岛炮台	克虏伯炮 中小型火炮	24	8.4	4 5	
总 计				44	

江阴、吴淞两口是长江的门户。光绪十年（1884年），曾国荃新购西洋14英寸口径800磅子大炮和开花子弹，分别配置于江阴、吴淞二口炮台。又购买马梯尼快枪2000支，分给各营。光绪十三年（1887年），曾国荃用铁木石土又增建吴淞、江阴炮台，分别配置了新式后膛大炮，"旁佐以哈乞开司炮"④。

---

①② 《清史稿》，卷一三八《兵九》，4102页。
③ 范文澜：《中国近代史》（上册），261页。
④ 《清史稿》，卷一三八《兵九》，4106页。

表四　　　　　　　　　　江阴南岸炮台及其装备的火炮

炮台名称	火炮类型	口径（厘米）	长度（米）	装备门数	备注
黄山各炮台	阿式后装炮	30	10.6	3	
	阿式速射炮	12	5.1	2	
	阿式后装炮	22	9.8	1	
仙人桥暗炮台	阿式前装炮	15	3.0	2	
	克虏伯后装炮	15	3.8	1	
黄山港暗炮台	克虏伯后装炮	15	3.6	1	
	阿式前装炮	15	3.0	1	
小角山各炮台	阿式后装炮	30	9.4	1	
	阿式前装炮	30	7.0	2	
	哈乞开司和格林速射炮	3.7	1.6	2	
	瓦瓦司前装炮	15	3.7	4	
	克虏伯后装炮	15	3.7		
大石湾明炮台	克虏伯后装炮	15	3.7	4	
	瓦瓦司前装炮	15	3.3	3	
	阿式前装炮	15	3.3	4	
小石湾明炮台	阿式前装炮	15	3.3	1	
	克虏伯后装炮	15	3.7	3	
	瓦瓦司前装炮	15	3.7	2	
	勃休马后装炮	10	3	2	
	克虏伯后装炮	10	3	2	
总　计				42	

表五　　　　　　　　　　吴淞口炮台及其装备的火炮

炮台名称	火炮类型	口径（厘米）	长度（米）	装备门数	备注
吴淞口明炮台	阿式前装炮	22	3.65	1	
	阿式前装炮	20	6.6	1	
	瓦瓦司前装炮	17	3.8	4	
吴淞口暗炮台	阿式前装炮	17	3.0	5	
	克虏伯后装炮	17	4.2	2	
	阿式前装炮	17	2.6	4	
	阿式前装炮	12	2.7	6	
	旧式前装炮	1～1.1	5.8	6	

续表

炮台名称	火炮类型	口径（厘米）	长度（米）	装备门数	备注
南石塘明炮台	阿式前装炮	30	7.6	4	
	克虏伯后装炮	20	4.7	2	
	阿式后装炮	20	7.0	2	
	克虏伯后装炮	12	3.0	3	
狮子岭明炮台	阿式后装炮	30	10.6	2	
	阿式后装炮	22	8.0	4	
	克虏伯后装炮	12	3.0	2	
总　计				48	

光绪二十二年(1896年),张之洞将江南各炮台分为四路:南路狮子林、南石塘各台为一路,南北岸各台为一路,象山、焦山、圌山关、天都庙各台为一路,江宁狮子山、幕府山、钟山、下关各台为一路,设总管炮台官四名,并且"新购外洋四十余磅子快枪炮三十具分置各炮台"①。

舟山、招宝、金鸡等是浙江沿海要塞。光绪十三年(1887年),刘秉璋"酌度形势,分建宏远、平远、绥远、安远炮台四座",并配置了克虏伯后膛大小铜炮。第二年,卫荣光对浙江原有营勇炮兵汰弱留强,加以整顿训练,而当时镇海新筑的炮台已经竣工,改造的旧式炮台已经完成,因此,便在炮台上配置新购的后膛巨炮,并派新训练的炮兵驻守。②

"广州海防,自零丁洋过龙穴而北,两山斜峙,东曰沙角,西曰大角,由此入内洋,为第一重隘。进口七里有山曰横当,前有小山曰下横当,左为武山,亦曰南山,为海船所必经,乃第二重隘。再进五里曰大虎山,西曰小虎山,又西曰狮子洋,乃黄埔入省城之路,为第三重隘。"③清政府在这三重防线共修筑了炮台11座,安装大小火炮312尊。光绪九年(1883年)三月,清政府又重新"修筑虎门等炮台,皆配洋炮,各营守台勇丁所用之快枪,均系先后赴外洋购买,盖至是始,不用土铸之炮及旧式枪枝"④。

由此可见,经过同治、光绪三十余年的苦心经营,清代海防要塞各炮台基本上也都先后装备了近代火炮。

二、火器更换的原因

通过对清朝军队和海防要塞炮台近代火器装备情况的分析,不难看出,从19世纪中期起,至20世纪初,清代军队已基本上完成了近代火器对中国古代火器的更换。在中国近代史上之所以发生这一决定性的变化,绝非偶然,而是有其深刻的社会根源和历史根源。归纳起来,主要是:

---

① ②《清史稿》,卷一三八《兵九》,4107页,4110~4111页。
③《清史稿》,卷一三八《兵九》,4115页。
④《东莞县志》。

第一,清朝处在我国封建社会的末期,与封建社会上升时期相比,其政治黑暗腐败,经济衰退,科学技术落后。加上清朝统治者对内实行残酷的阶级压迫和民族压迫,对外妄自尊大,闭关自守,不重视吸收外国的先进科学技术。这样,都直接或间接地严重影响和制约着清朝武器装备特别是火炮火器的发展。

长期以来,在对待火炮火器问题上,一方面,清朝统治者通过战争实践尝到了使用火炮火器的甜头,深知它们在战争中的重要性,因此在一定限度内重视火炮火器的制造并积极加以发展,借以强化自身的统治力量。但是,另一方面,清朝统治者出于民族偏见,害怕汉人掌握了先进的火器火炮对其统治不利。因此,长期以来,他们又片面强调"骑射乃满洲之根本",对火炮火器采取了很多限制政策:他们对火器火炮新的创造发明不但不奖励支持,而且反对,甚至压制埋没已出现的研究成果;不但禁止民间私藏、制造和使用火器,而且还把前代的兵器书籍如《武备志》等也一概列为禁书;不但对汉族军队装备的火器严格限制,而且规定精良的火器一律由满蒙八旗兵掌握,各省绿营兵只能使用陈旧低劣的武器。这种情况,就是在史称"康乾盛世"的清代前期,也不同程度地存在。到了清代后期,这种状况不但没有扭转,反而更加严重。这样,清代的火器制造,特别是火炮火器制造,从嘉靖年间开始,一直处于停滞衰败状态。因此,直到鸦片战争前夕,清代的枪炮仍然停留在前装、滑膛、火绳发火的落后阶段。

但是,18世纪中叶到19世纪末,正是欧洲资本主义兴盛发展时期。西方国家随着资本主义经济的发展,科学技术的进步,火器,特别是枪炮制造有了突飞猛进的发展。早在17世纪,欧洲便出现了线膛枪。到18世纪,后装枪在英国最早问世。1840年(道光二十年),普鲁士首先采用德赖塞击针后膛枪。此后,法国的夏塞拔击针后膛枪、英国的士乃德后膛枪、德国的毛瑟枪等相继出现。在这前后,圆柱锥形子弹也已问世。火炮制造方面,19世纪40年代,意大利的卡瓦利少校创制线膛炮成功。在这期间,火炮的闭锁装置也日渐完善,从而开创了后装式线膛炮的新时代。从这时候起,各种类型的线膛炮,如加农炮、臼炮、榴弹炮等,都有了迅速发展。炮弹也由实心球形发展改进成空心爆炸长弹。发射火药也由黑色火药改换成无烟火药,无烟火药的威力比黑色火药大四至五倍。西方国家对于各种口径火炮的作用、口径、装药量、火炮重量和火炮长度的关系等各种理论问题,已经有了深入的研究和明确的结论。各式不同品种的新式近代火炮如雨后春笋,其中较有影响的有德国的克虏伯炮,英国的阿姆斯特朗炮等。① 这些新式枪炮与我国清代的鸟枪土炮相比,构造先进,性能优良,装填方便,射程远,威力大。先进总要取代落后,落后总要被淘汰,这是历史发展的必然。这样看来,西方新式后装线膛枪炮更换我国当时落后的前装滑膛枪炮是历史发展的必然结果。

第二,近代火器取代清朝古代火器之所以在19世纪后半期完成,这与当时特定的历史环境相关。

1840年的第一次鸦片战争和1851年的第二次鸦片战争,都是以清王朝的失败而告终。鸦片战争的失败,西方资本主义势力的侵入,粉碎了清朝统治者妄自尊大、惟我独尊的美梦,打开了"天朝帝国"的闭关自守的大门,清朝统治者此时才如梦初醒,感到自己兵器的陈旧

---

① 见李待琛:《枪炮构造及理论》上卷《炮之沿革》,下卷《枪之沿革》。

和落后,才认识到西方兵器的先进。在这同时,国内人民反对西方列强侵略,反对清王朝黑暗统治的武装起义此起彼伏,声势浩大。首先是道光三十年(1851年)爆发的长达14年之久的轰轰烈烈的太平天国运动,嗣后是北方捻军起义、贵州苗民起义、云南回民起义等等。面对人民的武装斗争,清朝统治者勾结外国侵略者进行了残酷的镇压。在中外反动势力共同绞杀中国革命人民力量的过程中,清王朝进一步尝到了洋枪洋炮的甜头。为了维护其摇摇欲坠的统治,镇压革命人民的武装起义,清朝统治者迫切需要新式的枪炮武装自己。

此时,西方资产阶级通过两次鸦片战争,强迫清政府签订了一系列不平等条约,从中国掠夺了大量财富,得到了很多特权。例如,在第二次鸦片战争签订的《北京条约》和《天津条约》规定,光赔偿英法两国所谓兵费和恤金就共达2270万两白银,这样一笔巨大的经费,当时平均每百个中国人就要负担白银近6两(按当时全国4亿人计算)。西方列强为了使自己在两次鸦片战争中掠夺到的外交特权得以完满实现,并使自己在一系列不平等条约中得到的实惠不致落空,认为一个相对稳定和巩固的清政府是维护他们利益所必需的。于是,在一定限度内武装清政府是西方资本主义国家的政治需要。因此,他们积极地、大量地向清王朝倾销近代新式火器,其中主要是各种火炮、枪支和弹药。这样做,一方面可使清政府被他们所控制;另一方面又可通过所谓"贸易"进一步掠夺中国的财富,可谓一举两得。由于这样,从19世纪中叶开始,西方近代枪炮便潮水般地涌入了中国,装备着清朝军队:

咸丰四年(1854年),咸丰皇帝谕令"叶名琛等购买夷炮千余尊解至武昌,配搭船只"[①];

咸丰五年(1855年),咸丰皇帝谕令"叶名琛柏贵赶即购运五百斤以上千斤以下洋炮六百尊,派委兵弁妥为护送,由湖南舟运,解赴湖北胡林翼军营"[②];

同治十三年(1874年),李鸿章在给同治皇帝的奏折中称:"林明敦、士乃得二种近年已运入中国,臣处及沈葆桢均购存林明敦数千枝","至炮位一项……臣逐年购到克鲁伯大小炮五十余尊"[③];

光绪四年(1878年),李鸿章在给光绪皇帝的奏折中称:"即以直隶江南计之,除外洋老式枪炮外,近年所购新式前膛后膛大小洋炮不下四百五六十尊,所购所制之新式后门洋枪不下二万数千杆……费款数百万。"[④]

上述例子只是清王朝向西方购买洋枪洋炮的部分数字,但仅从这部分数字中,可以看出清王朝向西方购买近代枪炮的数量是相当大的。

英、法、俄、德等西方资产阶级国家在倾销洋枪洋炮方面,表现得非常积极。在《北京条约》签字的宴会上,法国公使说:"法国洋枪洋炮等件,均肯售卖,并肯派人教导铸造各种火器。"俄国公使对奕䜣说:"俄国愿送鸟枪一万杆,炮五十尊。"[⑤]而德国的军火商从光绪十一年(1885年)以后,积极设法扩大对"中国生意","收到了极大效果"。仅光绪十一年(1885年)就卖给李鸿章北洋部队克虏伯后膛炮108门,克虏伯山炮64门,普鲁士野战炮80门等。[⑥]

第三,清王朝在大量购买西方洋枪洋炮的同时,还通过洋务运动,不惜耗费巨资,引进西

---

① ② ③ ④ 《清朝续文献通考》,卷二三七《兵三十六·军器》。
⑤ 范文澜:《中国近代史》(上册),195~196页。
⑥ 《十九世纪的德国与中国》,257~258页。

方制造近代先进兵器的技术,陆续兴办了一批近代兵器工厂,自己制造近代新式枪炮,装备清朝军队。

所谓洋务运动,又称"同光新政",是19世纪60年代至90年代,清朝政府中一部分当权派采用资本主义生产技术,主要依靠外国资本主义的援助,以开办近代军事工业为主,达到自强的目的,从而进一步巩固摇摇欲坠的清朝封建政权。对于兴办近代新式兵器工业,洋务派的首领奕䜣、曾国藩、李鸿章等人早已梦寐以求,表现得特别活跃。

咸丰十年(1860年),奕䜣等人在给咸丰皇帝的奏折中说:"查康熙年间,平定三藩,曾用西洋人制造枪炮,颇赖其力。此时夷情虽迥非昔比,而佛夷枪炮均肯售卖,并肯派匠役教导制造,倘酌雇夷匠数名在上海制造,用以剿贼,势属可行。"①同治三年(1864年)又在给同治皇帝的奏折中称:"查治国之道在乎自强,而审时度势,则自强以练兵为要,练兵又以制器为先。"②曾国藩在《复陈购买外洋船炮折》中说:"购买外洋船炮,则为今日救时之第一要务。"③在《复陈洋人助剿及采米运津折》中认为:"目前资夷力以助剿济运,得纾一时之忧;将来师夷智以造炮制船,尤可期永远之利。"④李鸿章对于建立新式武装军队的要求也特别迫切,大声疾呼地要那些以八股文猎取巧名的士大夫放弃"沉浸于章句小楷的积习",学会"驾驶轮船,造放炸炮"的技艺。⑤ 他在同治元年(1862年)致曾国藩书说:"惟深以中国军器远逊外洋为耻,日戒谕将士虚心忍辱,学得西洋一二密法,期有增益。……若驻上海久,而不能资取洋人长技,咎悔多矣。"⑥他在同治三年(1864年)致总理衙门书中认为:"中国欲自强,则莫如学习外国利器。欲学习外国利器,则莫如觅制器之器,师其法而不必尽用其人。"并建议:"京城火器营尤宜先行学习炸炮,精益求精,以备威天下,御外侮之用。"⑦在洋务派的积极倡导谋划下,从19世纪中期开始,近代新式兵器工厂在国内一个个陆续兴办起来。

咸丰十一年(1861年),曾国藩首先在安徽安庆创设安庆内军械所,这是洋务派仿制西式武器的最早军工企业,也是我国近代兵器工业的第一个工厂。同治元年(1862年),李鸿章在上海建立上海洋炮局,次年又在苏州建立苏州洋炮局。当时这些工厂的设备比较简陋,规模也不大,生产方式基本处于手工业状态,这是洋务派兴办我国近代兵器工业的第一阶段。

同治四年(1865年),由清政府中枢直接拨款,曾国藩、李鸿章共同筹划在上海设立江南制造总局。此后几年,由清政府拨款,先后又设立了金陵制造局和福州船政局等,这些工厂规模都相当大,设备比较先进齐全,生产组织比较严密,这是洋务派兴办近代兵器工业的第二阶段。

从19世纪70年代以后,各省督抚自筹资金,先后设立了一批中小型地方近代兵工企业,如左宗棠的兰州制造局,山东巡抚丁宝桢的山东机器局等,这是洋务派兴办近代兵器工

---

① 《筹办夷务始末》(咸丰朝)卷七二,2696页。
② 《筹办夷务始末》(同治朝)卷七五。
③ 《曾文正公全集》奏稿卷一七,5页。
④ 《曾文正公全集》奏稿卷一五,14页。
⑤ 《中国近代工业史资料》(第三辑),4页。
⑥ 《李文忠公朋僚函稿》,卷二,47页。
⑦ 《筹办夷务始末》(同治朝)卷二五。

业的第三阶段。

总之,从19世纪60年代开始,到90年代止,洋务派共创办近代兵器工厂大小共计24个,其基本情况如下表:

洋务派创办近代兵器工厂基本情况表(1861～1890年)

工厂名称	所在地	创办年份	创办人	主要产品
安庆内军械所	安庆	咸丰十一年(1861年)	曾国藩	弹、药、炸炮
上海洋炮局	上海	同治元年(1862年)	李鸿章	弹、药
苏州洋炮局	苏州	同治二年(1863年)	李鸿章	弹、药
江南制造总局	上海	同治四年(1865年)	曾国藩 李鸿章	舰艇、枪、炮、水雷、弹、药、机械等
金陵制造局	南京	同治四年(1865年)	李鸿章	枪、炮、弹、药等
福州船政局	福州	同治五年(1866年)	左宗棠	修、造舰艇
天津机器局	天津	同治六年(1867年)	崇厚	枪、炮、弹、药、水雷等
西安机器局	西安	同治八年(1869年)	左宗棠	弹、药
福建机器局	福州	同治九年(1870年)	英桂	弹、药
兰州机器局	兰州	同治十一年(1872年)	左宗棠	弹、药
广州机器局	广州	同治十三年(1874年)	瑞麟	弹、药,修、造小船
广州火药局	广州	光绪元年(1875年)	刘坤一	火药
山东机器局	济南	光绪元年(1875年)	丁宝桢	枪支、弹、药
湖南机器局	长沙	光绪元年(1875年)	王文韶	枪支、开花炮弹、火药
四川机器局	成都	光绪三年(1877年)	丁宝桢	枪支、火药、弹、药
吉林机器局	吉林	光绪七年(1881年)	吴大澂	枪支、弹、药
金陵火药局	南京	光绪七年(1881年)	刘坤一	火药
浙江机器局	杭州	光绪九年(1883年)	刘秉章	弹、药、水雷

续表

工厂名称	所在地	创办年份	创办人	主要产品
神机营机器局	北京	光绪九年（1883年）	奕譞	待考
云南机器局	昆明	光绪十年（1884年）	岑毓英	弹、药
山西机器局	太原	光绪十年（1884年）	张之洞	火药
广东机器局	广州	光绪十一年（1885年）	张之洞	枪支、火炮、小型炮船
台湾机器局	台北	光绪十一年（1885年）	刘铭传	弹、药
湖北枪炮厂	汉阳	光绪十六年（1890年）	张之洞	枪支、火炮、弹、药

资料来源:《中国近代工业史资料》(第一辑);陈真:《中国近代工业史资料》(第三辑);《洋务运动》第4册。本表根据张国辉《洋务运动与中国近代企业》24页表改制。

上表中所列近代兵器工厂,除福州船政局专门制造兵船、炮舰,江南制造局在初期兼营小型舰船外,其它各厂都是以制造近代兵器枪、炮、弹、药为其主要生产品种,它们生产的枪炮弹药,源源不断地运送到水陆军军队及舰船和炮台,装备清军,加速了近代火器更换古代火器的过程。

由以上分析可知,从19世纪下半叶开始,因为"中国军器远逊外洋",所以清政府一方面从西方大量购买近代火器,另一方面"设局派人学制"近代火器。由于这样,近代火器在我国"渐推渐广","风行一时",其结果"毕具一时利器,遍于内地"。① 从此,在我国古代战争舞台上鏖战了八九百年的中国古代火器最终被近代火器所替代。

三、火器更换的局限性及历史意义

中国古代火药火器最终被近代火器所替代,这是历史发展的必然。但是,必须看到,这一更换是有局限性的,这主要表现在如下三个方面:

1. 这一更换是在半殖民地半封建的中国进行的。因此,它必然受到西方资本主义国家的牵制、影响。西方资本主义国家为了各自在中国的既得利益而要求清政府更换武器装备,加强军事力量。为此,他们不仅直接向清朝军队提供近代枪炮,而且还派遣顾问、教练官等介入在清军的各级组织机构中。于是,中国的军队便深深地打上了半殖民地附属国的烙印。

2. 这一更换自始至终是以镇压人民革命起义,挽救清政府摇摇欲坠的统治为最终目的。至于抵御外侮,基本上没有达到。无论从湘军、淮军或是新建陆军、自强军,以及南北洋海军来看,其装备近代武器,都是为了加强其反革命力量,更有效地镇压各族人民的革命武装起义,以巩固清王朝的危亡统治。因此,这一更换具有极大的反动性。

3. 这一更换是不彻底的。恩格斯指出:"装备、编成、编制、战术和战略,首先依赖于当

---

① 《清朝续文献通考》,卷二七三《兵三十六·军器》,9821页。

时的生产水平和交通状况。"①这就是说,武器装备、军事技术等方面的变更,要受当时社会制度、经济发展水平的制约。而当时清朝政府的政治制度极端腐朽,社会经济十分落后,这就必然导致这一更换的不彻底性。在当时清朝政府的一些军队中,中国古代火器,甚至连刀、矛、弓箭等落后的冷兵器,也还在军队中继续使用。正如美国远东问题专家拉尔夫·鲍威尔指出的:"在许多地区,改革仅限于给军队提供某些型式的自动步枪和教给他们德国式的正步走。其它所谓的'士卒',都还穿着五颜六色的坎肩和用戈矛或火绳枪当武器。"②这段文字,从一个方面说明了这种改革的不彻底性。

这一火器的更换虽然具有一定的局限性,但是,它在中国近代军事史上,仍然是一件了不起的大事。从这以后,落后的中国古代火器永远被排挤出军队的标准装备行列,退出了战争舞台,成为了历史博物馆的陈列品。中国军队也进入了装备先进的近代武器的行列。因此,这一枪械装备的更换在中国近代军事史上具有重要的历史意义,在中国兵器发展史上占有重要位置。

---

① 《反杜林论》,164页。
② 拉尔夫·鲍威尔:《1895~1912中国军事力量的兴起》,142页。

第六章　明清火器的制造

我国古代火器的制造,是一件十分复杂的事情,向为人们所重视。《火攻挈要》说:"制器得法,可以胜敌,则一器可收数器之功。若制器无法,不能胜敌,则百器不获一器之用。"因此,火器的制造,对火器效力的发挥至为关键。

第一节　火药弹丸的制造

明清时期,我国火药、弹丸的制造已形成了一套比较完整的工艺技术。

一、火药的制造工艺技术

我国古代军用火药发展到明清时期,其品种已达近百种之多,有用于"偷营劫寨,冲锋破敌"的神火药,有用于制造火绳的"火线药",有用于"烧营烧粮"的"烈火药",有使敌人"闻其气,昏眩卧倒"的"毒火药",有供管形火器发射弹丸的"发药",还有"烟火药"、"爆火药"、"起火药"、"水火药"①等等。《武编》、《纪效新书》、《神器谱》、《兵录》、《天工开物》、《武备志》、《火攻挈要》、《大清会典事例》等史籍对军用火药的一般制造工艺技术多有记载,而尤以《纪效新书》、《神器谱》、《兵录》、《武备志》、《火攻挈要》、《大清会典事例》为详。归纳起来,军用火药的一般制造工艺技术过程如下:

（一）提纯硝、磺等原料

配制火药时,对其原料硝、磺的纯度要求极高,不能含有杂质。因此,首先必须提纯硝、磺。

1. 提纯硝的方法:

成书于明嘉靖二十八年（1549年）的《武编》中,两处提到提纯硝的方法,一处曰:"提硝,用瓦乌盆滤至一百斤,得三十斤";又曰:"用好硝十斤入锅,提六七次,务要提净,形如针芒者可用。"②但由于文字过于简单,提纯硝的工艺流程无法弄清楚。成书于万历二十六年（1598年）的《神器谱》,详细介绍了提纯硝的方法,其方法是:将半锅硝加半锅水,使硝煮化开;用大红萝卜一个,切开成四五片放入锅内同煮,待萝卜煮熟时捞出;用鸡蛋清三个和水二三碗,倒入锅内搅动,待渣滓浮起后除渣;再用极明亮的水胶二两化开,倒入锅内,滚三五滚后,倒入瓷盆内,盖上盖,放阴凉处一夜,盆内结出极细极明亮的枪芽,就得到了提纯的硝。如果枪芽不细,且有碱味,这样的硝不能配制火药,需要按上述方法再次提纯。③　成书于天

---

① 茅元仪《武备志》,卷一一九记载的有配方的军用火药达20余种;唐荆川《武编》记载的有配方的军用火药达十几种;《火攻挈要》记载的有配方的军用火药达22种;等等。
② 《武编》,卷五。
③ 《神器谱》"神器杂说三十一条"。

启元年(1621年)的《武备志》,也详细介绍了提纯硝的水煮法,其方法是:首先选好提炼用的水。最好选用泉水、河水或池水,如无以上三种水,也可用甜井水。提炼时,先用大锅添上选好的水七分,下硝百斤,烧三煎。然后下小灰水一斤,再根据锅的大小,或下硝五十斤,但只用小灰水半斤。如果其硝内有盐碱,还得加小灰水一点,使盐碱与硝自然分开。然后再稍一煎,倒出放在瓷瓮内。这样,泥沫沉底,净硝在中,放置一二日,澄去盐碱水,刮去泥底,宜在二、三、八、九几个月中,放在阳光下晒干,其它炎热和严寒的月份都不适宜。如果欲急用,夏天放于井中,冬天放于暖处晾干也可以。① 成书于崇祯十六年(1643年)的《火攻挈要》,详细介绍了用鸡蛋清提纯硝和用萝卜提纯硝的方法,其步骤和《神器谱》大致相同。②

2. 提纯硫磺的方法:

《武编》介绍提纯硝的方法极为简单,但介绍提纯硫磺的方法(油煮法)却极为详细,其方法是:选十斤好硫磺,打成豆粒状碎块;按每斤硫磺用麻油二斤的比例,将麻油倒入锅内烧滚;在油内放入半斤青柏叶,当柏叶变成枯黑色时,将柏叶捞去;再将硫磺放入烧滚的油内,等到油面上冒起黄沫到半锅时,将锅取起放于冷水盆内;然后倒去硫磺上的黄油,余下的便凝固起来。将锅内的硫磺取出打碎,放入柏枝汤内煮,洗净后便得到提纯的硫磺。③

成书于万历三十四年(1606年)的《兵录》,介绍了三种提纯硫磺的方法:一是麻油煮法,其工艺流程与上述《武编》的油煮法相同。二是水煮法,其工艺流程是:每锅用水五六碗,烧滚开,然后放入三四十斤硫磺,待煎开后,倒入瓷盆内。澄淀一日,取出上面的"黄稍",将"底坐"加水放入锅内再按上述方法煮一次,同样得到"黄稍",去除"下沾墨色底"不用。④ 三是西洋的牛油煮法,其工艺流程是:选用生硫磺,捶碎去砂土,然后将生硫磺用牛油煮。煮时火不能太旺。当硫磺熔化时,用麻布过滤到缸内。这样,除去浮在缸上面的油,得到沉于缸底的提纯了的硫磺。⑤

《火攻挈要》介绍了两种提纯硫磺的方法:其一是牛油、麻油并用法,其工艺流程大致是:首先选用好的生磺捣碎,拣去沙土。然后按每十斤磺用牛油二斤,麻油一斤的比例,把油倒入有耳的大新铁广锅内,用油将锅内荡过,使锅不粘磺。再把捣细的磺慢慢倒入锅内,用大木匙连续不断搅拌锅底,不能停顿。等到磺熔开后,使用细夏布笊篱,随时捞去磺中的滓垢。盛磺的锅最好大于灶数寸,以防灶中火焰窜入锅内燃烧磺。灶中最好烧炭火,不宜烧柴火,恐怕柴火火焰燃入锅内。炭火也不宜太旺,恐怕锅内温度太高而使磺燃烧。应当在锅旁准备数片瓦,如果锅内温度太高引起磺燃烧,便可用瓦随时压盖。等到磺已化尽,将锅掇起离开炭火,但又要不使磺冷滞,即迅速用细麻布将其滤过,放入瓷缸慢慢冷却,这样,油则浮在上面,磺便沉在缸底,再把油除掉,将磺留下,研细听用。假如磺中的油气未尽,则用薄棉纸一层,包裹在磺外表,然后放入炉灰内,埋一二日,这样磺内的油气便完全去净了。其二是水、油并用法,其工艺流程是:每十斤磺,用二斤牛油,以水煮化,将捣细的磺慢慢投入锅内。用水不能太多,务使水与磺相平。用木匙使劲搅匀,等到磺熔化,再煮片刻。然后再加水,使

---

① 《武备志》,卷一一九。
② 《火攻挈要》,卷中《提硝提黄用炭诸法》。
③ 《武编》,卷五。
④ 《兵录》,卷一一。
⑤ 《兵录》,卷一三。

水高出磺面三寸为度。用细夏布笊篱捞去渣垢,然后再熬,再捞。最后用细夏布过滤到釉瓷缸内,冷却后,将油和水分别除去,这样便得到提纯的磺。①

此外,对木炭的选用也有比较严格的要求。《神器谱》详细介绍了如何选用炭的方法:木炭的原料"须用柳条如笔管大者,去皮去节","烧灰入药为上"。南方因柳木甚少,则用"茄秆灰、蒿灰、瓢灰、杉木灰以代柳木"。②《火攻挈要》介绍说:木炭的原料最好用麻秸茄梗,次为迎春梧柳,杉木则为下。一般说来,凡木质轻浮的木柴,均可做木炭。但是,选用的木柴都要全部去皮去节,柳木则正月砍下的为最好。然后将木柴烧成木炭,研成粉末,罗细待用。③ 为什么要"去皮去节"呢?因为皮则烟多,有节易炸。④

(二)配料

原料提纯后,按照火药三成分硝、硫磺、炭的组配比率进行配料。前面已经讲到,我国火药三成分硝、硫磺、炭的组配比率,其用途不同,组配比率也不同。因此,必须按照火药的不同组配比率将硝、硫、炭组配好,然后用大铜碾碾成粉末,罗细,混合,用净水搅拌成半干半湿状,注意搅拌时决不可用井水,古人认为井水中含有"碱气"⑤。

(三)碾细

按照比例配好料后,然后将料碾细或舂细。碾磨(或舂)的时间愈长,次数愈多,则火药的质量愈高。因此,实战用火药和操练演习用火药的主要区别,就在于碾磨(或舂)的时间长短和次数的多少,实战用火药碾磨(或舂)的时间相对较长,次数较多;操练演习用火药碾磨(或舂)的时间则相对要短些,次数要少些。在清代,一般碾磨(或舂)三天三回者为实战用火药,碾磨(或舂)一天一回者为操练演习用火药。戚继光《纪效新书》记载舂细的方法是:"将硝黄炭各研为末,照数兑合一处,用水二碗,下在木臼,木杵舂之","每一臼,舂万杵。若舂干,加水一碗又舂,以细为度"。⑥《武备志》记载碾细的方法是:将配好的料分作三槽,每槽按规定碾五千八百遭,然后出槽。每三斤药,用好烧酒一斤,调合成泥,放入槽内,然后再碾百遭。⑦《火攻挈要》记载舂细的方法说:"不可用木石及生铁杵臼捣之,亦不可干捣,恐干捣与木石生铁之器,俱能生火。必将兑成火药,放在铜镶木舂,铜包木杵脚碓之内,用人着实踩捣。其人须择小心勤慎者,勿使毫厘砂土尘蒙药内,恐捣击之际,砂石相磕,偶而生火,贻害不浅。倘捣久药干,再用水拌湿,捣万余杵。"⑧由此可见,碾细这道工序的要求极为严格。

按《海国图志》记载,清代舂药的"石臼",其形状外方内圆,深一尺四寸,径宽一尺三寸,厚五寸,舂药的木杵用坚硬的槐榆木制成,长六尺,杵嘴长一尺六寸,杵尾下面挖一个小土

---

① 《火攻挈要》,卷中《提硝提黄用炭诸法》。关于提纯磺,刘广定先生做过深入研究,有不少精辟见解,可参看刘广定:《中国古代的纯化硫磺方法》,三十四届亚洲及北非研究国际大会论文。
② 《神器谱》"神器杂说三十一条"。
③ 《火攻挈要》,卷中《提硝提黄用炭诸法》。
④ 《神器谱》"神器杂说三十一条";又可参看:《浪迹丛谈》,卷五《炮考》,清代史料笔记丛刊本。
⑤ 《火攻挈要》,卷中《配合火药分两比例制造晒晾等法》。
⑥ 《纪效新书》,卷一五《放鸟铳法式》。
⑦ 《武备志》,卷一一九。
⑧ 《火攻挈要》,卷中《配合火药分两比例制造晒晾等法》。关于舂杵次数,《海国图志》,卷九一《请仿西洋制造火药疏》记载,清代道光年间规定"舂三万杵足数"。

坑,深一尺,"俾杵扬高有力"。①

(四)检验鉴定

火药碾细后,是否符合要求,需要进行检验鉴定。检验鉴定的方法是:将舂细的火药"一撮堆于纸上,用火燃之,药去而纸不伤,如此者,不敢入铳矣。只将人手心擎药二钱燃之,而手心不热,即可入铳。但燃过有黑星白点,与手心中烧热者,即不佳",不佳者必须"又当再加水舂之,如式而止"。② 明末成书的《火攻挈要》记载曰:将碾细火药"取出放在手心,燃之不热,或用木板试放,略无形迹,烟起白色,快且直者,方为得法,可用。倘烟起黑色,木板燃焦,手心烧热即用前法再捣,如法方止"。③

(五)成粒

关于碾细的火药成粒,戚继光《纪效新书》记载曰:"打碎成豆粒大块,此药之妙。"④"药如粒,不尘。"⑤可见,在戚继光时代,即明嘉靖、隆庆年间,人们对火药成粒的认识还比较模糊,要求不严。到了万历年间,人们对火药成粒的认识向前发展了,赵士祯的《神器谱》记载曰:"上粗大者不用,下细者不用,止取如粟米一般者入铳。其大、小者再如法制造。"⑥这说明,此时人们对火药成粒已有严格要求了。关于成粒的方法,史籍也有详细记载:首先要用清水百斤,新大麦三斤放入锅内同煮,再捞去大麦,将水倒入缸内盛贮。⑦然后,用竹筛将碾细的药粉摊平,"口喷麦水,用力推筛,旋喷旋推,药即成珠"⑧。为了制取不同大小的药粒,可"用粗细竹筛,其大铳药用粗筛筛成黍米珠,狼机药用中筛筛成苏米珠,鸟枪药用细筛筛成粟米珠"⑨。

火药为什么要成粒呢? 火药成粒以后,一方面,药粒变得圆滑,"甚坚"⑩,这样既降低了吸湿性,便于贮存,"永无日久碎散成灰之弊"⑪,又便于运输和携带。如果不成粒,火药运输携带时,经过长时间的摇晃振动,三种成分就会混合不均,上层因炭多(因炭轻浮于上),发射时威力大大减弱;下层因磺多(因磺重沉入底),发射时容易引起膛炸。这在战争中是有深刻教训的。另一方面,粒状火药和粉状火药相比,表面积大为减小,这样,能够靠自重形成足够的堆积密度和均匀的气隙,因而在装填时,不需要捣杵得太紧,也能够产生足够的爆炸威力。

需要指出的是,烘药(即火门药)不必成粒,只需多捣(或碾)数时,使其更成细末,"候干罗细,另装小罐待用"⑫。

(六)晾干

火药成粒以后,"或用细席或竹筐,铺药于上,略用树荫日色照干,万不可用暴日、夏日晒之,恐日中生火,猝难救耳"⑬。

通过上述这几道工序,火药便制成了。

二、弹丸的制造工艺技术

我国古代管形火器品种繁多,用途各异,故其发射的弹丸情况也十分复杂,按制作材料

---

①⑦⑧⑩⑪ 《海国图志》,卷九一《请仿西洋制造火药疏》。
②④ 《纪效新书》,卷一五《放鸟铳法式》。
③⑨⑫⑬ 《火攻挈要》,卷中《配合火药分两比例制造晒晾等法》。
⑤ 《练兵实纪杂集》,卷五。
⑥ 《神器谱》"神器杂说三十一条"。

· 220 ·

分,有石弹、泥弹、铁弹、铅弹、铜弹等;按形状分,有圆形、长形及箭镞形等;按体内状态分,有实心弹丸和空心爆炸弹丸等。《火攻挈要》记载曰:"铳之得力处,全在于弹。"①可见,弹丸对火器火力的发挥至为关键。因此,弹丸的制造十分重要。

弹丸制造总的原则是:一是弹丸大小要合适,不可太小,太小"则铳膛缝宽,火气旁泄",弹丸发射出去后杀伤力小,且命中率低;也不可太大,太大"则阻拦膛内,倘偶不出,则铳必炸裂"。因此,弹丸大小必须"得宜,凑合口径,微小二十一分之一"。二是弹丸表面要极光滑,体形要极圆,"毫无偏长歪斜等弊",这样,发射时,"火力紧推弹身,必更远到而中的",即弹丸圆滑才能射程远,命中率高。②

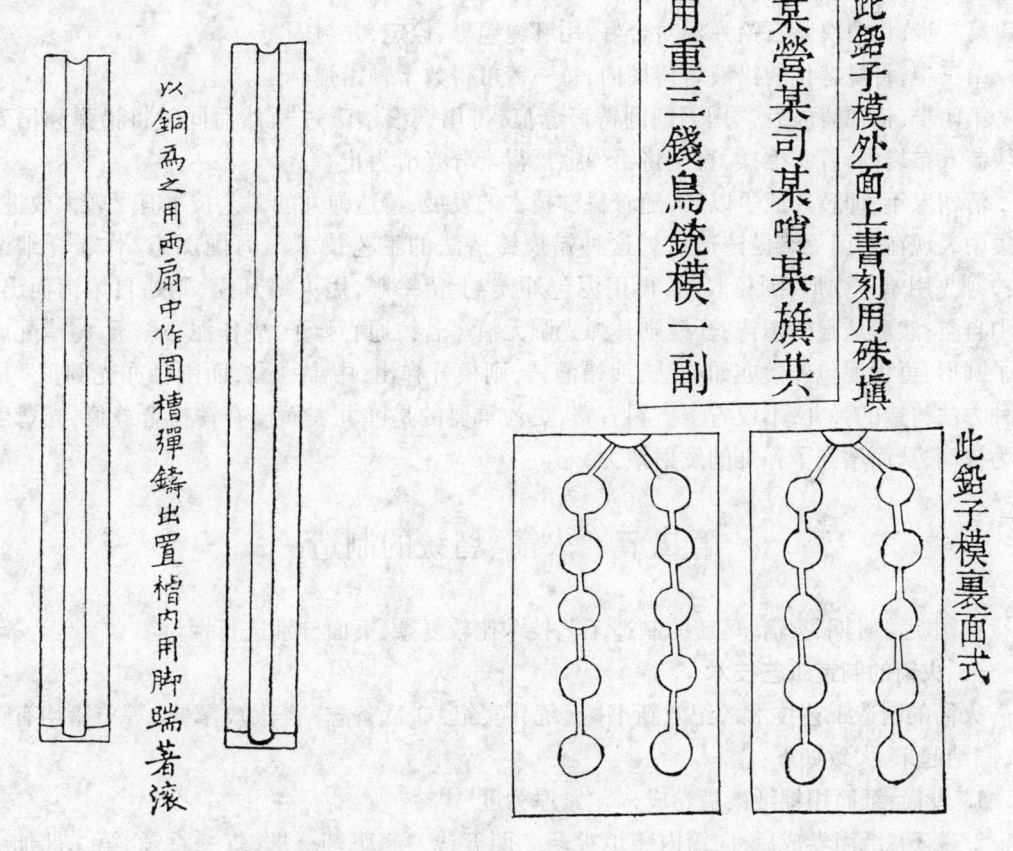

图 82　滚槽(采《神器谱》)与铅子模(采《武备志》)

弹丸制造的工艺技术,《神器谱》、《武备志》、《西法神机》、《火攻挈要》等史籍均有论及,在这里,我们只探讨明清时期实心铁弹丸、实心小铅弹丸及空心弹丸的制造工艺技术。

据《火攻挈要》记载,实心铁弹丸的制造工艺技术是:

第一步,首先用上好的胶黄泥及筛过的细砂,按二八比例配合,并加适量的羊毛,均匀地调拌好,然后将其做成两块砖形。

第二步,分别在做好的两块砖上,用"弹径半规铁片,旋成半窝,上以罗细煤炭刷涂,又

---

①②　《火攻挈要》,卷上《制造各种奇弹图说》。

用半规旋匀",待干后放入炭火内烧过,这样便制成了砖形弹丸模型。

第三步,将烧过的两块砖形弹丸模"对缝箍合,以麻皮缠裹,前泥,封固"。

第四步,将烧熔的生铁往砖形弹丸模内熔铸,"或一枚或数枚不拘",这样便铸成了铁弹丸毛胚。

第五步,铁弹丸毛胚铸成后,将其钳入圆窝铁砧上,趁热将弹丸上的铸口缝痕立即打圆,如未打圆而弹丸已冷却,必须加热再打,直至打至极圆为止。①

通过以上工序,实心铁弹丸便制成了。

据《火攻挈要》及《神器谱》等史籍记载,实心小铅弹丸的制造工艺技术是:

第一步,用两块紫石制成铅弹模。

第二步,将两块紫石铅弹模对合好,用麻绳缠裹、栓定,并封固。

第三步,将烧熔化的铅液熔铸模内,每一铸可得数十颗铅弹。

第四步,铅弹铸成后,"用刀削圆铸口缝痕,再用铁滚槽滚过",然后同时将铅弹和稻壳一块装入布袋内,着实擦揉,直至将铅弹擦揉得十分光滑为止。②

清朝末年,即鸦片战争以后,随着科学技术的发展,铸造弹丸的工艺技术有了较大改进,这集中表现在采用了蜡模铸造法。这种蜡模铸造法的工艺技术,《海国图志》作了详细记载:"须先用蜡作弹形,围径取圆,再用泥包外模,上留一眼,用火焙其模,则蜡自熔泻而出,模中自空,然后从眼内领铸,开模则其弹光圆无痕。若铸通心弹子,先作泥心一条,将蜡配成弹子圆形,再用泥包外模亦如前法,洩蜡灌铸,则模开弹出,中虚一孔,而围径亦光圆。"③用这种方法铸造的弹丸,不仅省工省料省费,更为重要的是弹丸表面没有铸模合缝痕,光滑度大为提高,从而增强了弹丸的发射效力。

第二节 火箭、鸟铳的制造

我国明清时期,火箭、鸟铳的制造工艺技术比较复杂,下面分别进行探讨。

一、火箭的制造工艺技术

火箭的制造工艺技术,《纪效新书》、《练兵实纪》、《武备志》、《火攻挈要》等史籍均有记载,归纳起来,大致如下:

1. 卷筒:纸筒用棉纸裱褙卷成,需"紧厚为度"④。

2. 装药:纸筒卷成后,向筒内装填火药二两五钱,"每下药一匙,打一百锤,第二匙加一百锤,以后照数递加,每筒药打至四千余锤"⑤。总之,筒内火药要装填得密实"如铁"⑥。

3. 钻线眼:钻线眼的方法有两种,一种是用钻头钻线眼,另一种是用铁杆打成自然线眼。但前者容易,后者较费功夫,故制造工匠一般都采用钻头钻线眼。钻线眼十分讲究,一是眼要正,"正则出之直",不正火箭发射后会偏斜。二是眼的深浅要适当。眼太深,药筒前端会烧穿而"泄火";眼太浅,燃烧面积小,火箭发射后"出而无力",中途"定要落地"。以一

---

① ② 以上均见《火攻挈要》,卷上《铸造各种奇弹图说》。
③ 《海国图志》,卷八六《铸炮弹法》。
④ ⑤ 《火攻挈要》,卷上《制造火箭喷筒火罐地雷说略》。
⑥ 《练兵实纪杂集》,卷五。

个药筒五寸长言之,"眼须四寸厚"为宜。三是眼的大小要合宜,以可容三根火药线为限,这样火箭发射后飞行才能快而平稳,否则"线少火微出则不利"①。

4. 安装箭镞和倒须杆:药筒制好后,还要安装箭镞和倒须杆。箭镞一般长五寸,要宽大;倒须杆长三尺或四尺,重三两或四两,须坚直。②

5. 为了防潮,"过夏不致走硝",药筒必须"以矾纸托油纸两层包裹",这样"可以久留"。③

通过以上工序,一支火箭便制好了。

二、鸟铳的制造工艺技术

鸟铳的制造工艺技术,《武编》、《纪效新书》、《练兵实纪》、《神器谱》、《天工开物》、《武备志》、《火攻挈要》、《军需则例》等史籍多有记载,其中以《神器谱》、《武备志》、《军需则例》等记载较详。归纳起来,鸟铳制造的工艺技术大致如下:

1. 炼铁:选用福建铁做原料进行精炼,燃料最好用炭火。铁在炉内精炼时,将切细的稻草拌黄土频撒火中,"令铁屎自出"。当"炼至五火,用黄土和作浆",并加入"稻草浸一二宿",然后将铁放入浆内,半日后取出再炼。每炉铁"须炼至十火之外,生铁十斤,炼至一斤余,方可言熟"。④

2. 打板:将精炼成的熟铁七八斤,分成三节,每节按规定大小打成四块,形如瓦样,边薄中厚。

3. 卷筒:首先将其中的两块卷成一卷,放入炉内加热到一定火候,通上铁条,用铁刷刷去上面的灰滓,然后再将另二块包卷接合于筒上,接缝处要"用草紫黄泥发熟,仍通上铁条",打合牢固,⑤使其"自然合成一家"⑥。这样三节依次卷成筒以后,将筒一端的眼堵住,"以滚水灌入腹中",如发现漏水,"再加煮火",使其无任何"隙漏"。⑦

4. 钻筒:筒卷好以后,将厚板凳凿一眼,用铁栓把筒拴定,然后二人用钢钻将筒"对直钻空"。⑧

5. 合筒:三筒钻空以后,再把接口烧红,然后通上铁条,尽力锤撞接口,使三节接合成一杆。

6. 钻铳心:筒接合好以后,首先"磋去粗黑皮",前口作八棱形,以能"容三钱铅弹"为合式,"口大腹小"、"口小腹大"均"不堪用"。再"将前后门十字分中,吊准墨线",安插于钻架上。然后,由二人对钻,另一人用夹钳将"钻根提着,使钻得旋转伶俐"。⑨使用的钻头五至六根,长短自一尺至五尺不等。先钻上口,钻至中间,翻转从另一头再钻,直至钻通。

7. 洗铳心:铳身钻通以后,将小锉插进孔内来回转动,使铳管内壁光滑。然后将"底眼用铁打成螺丝缠样,量其深浅,仍入炉烧熟,出炉插入其内,重打合缝,后留一小蒂,备装木床之用"。⑩

---

① 《纪效新书》,卷一五;《练兵实纪杂集》,卷五;《武备志》,卷一二六。
②③ 《火攻挈要》,卷上《制造火箭喷筒火罐地雷说略》。
④ 《神器谱》;温编:《利器解》。
⑤⑧⑩ 《武备志》,卷一二四。
⑥⑦⑨ 《神器谱》。

8. 安照星、照门及火门：铳管前安照星，后安照门，"照门照星须要将前后比极准"。① 火门则用细钻"照药底处钻眼一个"即成，然后用小铁凿于火门下"凿成一缝，装上药池，用槌打紧，锉光如同一体"。②

9. 试放：铳身制成后，将其"用泥土封固，置野地，试放三次，不炸，方可使用"，才能算合格品。③

10. 安装木床：首先选用外形端直干挺、不弯曲歪斜的桑木制成木床，如用河柳制木床就次一等，南方则多用楸木制木床。然后将铳身嵌装于木床内，前端铳嘴长出木床二寸，后端木床留剩七寸为柄，柄内挖空，以藏发轨，木床腹后凿一长空槽，用以藏槊杖。

通过以上工序，一杆鸟铳便制成了。

三、鸟铳制造的费用

明清时期，每制造一门鸟铳，既费工，又费料，其成本十分昂贵。据《武编》记载，明代制造一杆鸟铳，其用料、用工、用费开支如下：

每铳一杆用福铁二十斤，用银二钱；炭一百七十斤，用银五钱一分；炼胚打板六工，用银一钱八分；煮筒六工，用银一钱九分（内加钳手银一分）；钻铳心每杆七工，用银二钱一分；锉磨四工，用银一钱二分；打照星、火门、促杖头并锉完共二工，用银六分；镶照星、火门事件，用银八分；锉铳磨錾帮镶一工，用银三分；钻火门事件细眼一工，用银三分；发锉匠一工，用银三分；打钻修接通条二工，用银六分；木托工料，用银九分；铜打铰链工，用银一钱二分；促杖竹杆工料，用银一分；油硝酱竹甲铁线，共用银二分；用铁一斤，用银四分；通条炉棱钻铁二斤，用银二分；外照依番式活底螺丝篆工料，用银三分。

综计以上每铳一杆，共计"用工料价银二两三钱一分"④。这是鸟铳匠头义士马十四制造鸟铳的成本开支。该书同卷还记载了王直制造鸟铳的用工用料及其用费的开支：

每鸟铳一杆用铁四十斤，用银三钱六分；炭五百斤，用银八钱五分；炼铁一炉六人，用工三十工，用银九钱一分；煮筒一炉六人，用工六工，用银一钱九分；钻镦十工，用银三钱；锉磨五工，用银一钱五分；螺蛳篆，用银三钱；打锉火门、照星一工，用银三分；镶嵌火门、照星用银八分；锉铳钻细眼一工，用银三分；通条及杂用铁，用银三分；修通条钻头一工，用银三分；作锉一工，用银三分；钢铁用银二分；旋杖木托坯，用银六分；木匠二工，用银六分；铜拨鬼活钉，用银六分；铜匠二工，用银六分；稻草，用银三分；硝酱竹甲铁线用银二分。

综计以上每鸟铳一杆，共计"用工料价银三两八钱三分"⑤。

清代，鸟铳的制造成本更为昂贵。《军器则例》对清代制造每一杆鸟铳、每一门火炮等火器的用工、用费开支都有很详尽的记载，在这里，就不一一列出了。

第三节　火炮的制造

我国明清时期，火炮的制造工艺技术，归纳起来，可分为打造法和铸造法两种。

---

① 《神器谱》。
②③ 《武备志》，卷一二四。
④⑤ 《武编》，卷五《火器》。

一、打造

《火攻挈要》记载说:"小铳宜用铁打。"①《海国图志》记载说:"因又讲究小炮可容大弹之法,不用铸造而用打造。"②由此可见,我国古代小型火炮多用打造法制造。打造法也就是锻造法。"打造之法,用铁条烧熔百炼,逐渐旋绕成圆,每五斤熟铁方能炼成一斤,坚刚光滑无比,初次制成小炮二位。"③

遗憾的是,《海国图志》记载的打造法,叙述过于简单,看不出打造法的整个工艺过程。温编的《利器解》和茅元仪的《武备志》对打造法作了详细记载。以威远炮为例,打造法分七步进行:

第一步,把生铁精炼成熟铁。精炼生铁时,首先要选择好优质原料和燃料。原料最好用闽铁,晋铁次之;燃料以炭火为上,煤次之。然后将生铁放在炉内精炼,并且将稻草截细,杂以黄土,频撒火中,令铁渣自出。这样炼至五六火,再用黄泥浆,加入稻草,浸一二宿,然后将铁放在浆内,半日取出再炼。每炉须炼至十火以上,生铁五至七斤,炼至一斤,才算炼熟。

第二步,制板。把精炼的熟铁打制成铁板,然后将铁板分作八块,再将八块小铁板打成瓦样,每块铁瓦长一尺四寸,宽一尺一寸,中厚边薄。

第三步,卷筒。将铁瓦四块,用胎杆卷成一筒,八块铁瓦共卷成二筒。

第四步,接合。将二筒的筒端切齐,用铁钉数个,将二筒接合成一体。

第五步,加厚炮身的炮腹、装药、发火处。"用前余铁三十斤,分作两块,亦打如瓦,围于炮腹中,装药、发火处加厚。"在加厚炮腹时,必须将瓦和炮腹锉磨得十分干净,如果上面稍有灰渣,"日后必至损伤"。④

第六步,炮的粗坯制成后,将其吊装上架。上架后,要用墨线吊准,不能有分毫偏差,然后再用钢钻铣膛。膛内要铣得很光很圆,里面的灰渣要用药水清除得十分干净。

第七步,安装火门,并制作照门和护门。照门和护门不要单独另做,都是就炮体本身锉成,而且必须十分坚硬牢固。

以上就是打造威远炮的整个工艺过程。⑤ 其打造工艺,在明清火炮的制造中具有一定的代表性,其它各种小型火炮"大约仿此"⑥。

用打制法制造的火炮,有如下三个优点:

第一,小炮可以发射大弹,提高了火炮的威力。一门炮重"二百斤者,可容二斤有零之大弹,可抵千二百斤炮之用。重百六十斤者,可容一斤十二两大弹,可抵千斤炮之用。虽不能以一当十,已可以一当五。因又精益求精,再仿制百二十斤小炮一位,百斤小炮一位,而其膛可受大弹仍与前两炮等,竟可以一当十矣。炮愈轻,工愈精,力愈大"。"摧坚破众,较之生铁铸成身厚膛小之人炮,其用广而效大,殆不可同年语,即较之抬炮,仅受弹子数两者,亦得力十数倍。"

第二,可以防止膛炸。因"铁经百炼,永无铸造之炸裂"。

第三,轻便灵活,使用方便。"施用灵活,尤胜巨炮之笨重,弹子飞出,到远四炸,又足以

---

① 《火攻挈要》,卷上《制造狼机鸟枪说略》。
②③ 《海国图志》,卷八七《炸弹飞炮轻炮说》。
④⑥ 《武备志》,卷一一九。
⑤ 《利器解》;《武备志》,卷一一九。

惊敌营而裂贼船,一人可以挽放,两人可以扛抬,小车小船皆可运载,即施之陆战行阵,亦可进止自如。"①

用打造法制造的火炮所以具有以上优越性,是因为火炮身管的材料,经过打造之后,组织致密,其强度及韧性较铸铁件有很大的提高,这样,既增强了火炮的威力,又提高了火炮的机动性能。这说明材料及制造工艺是保证火炮质量的重要环节。

二、铸造

除打造法外,我国明清时期主要采用铸造法制造火炮。

《武备志》记载说:百子连珠炮"用精铜熔铸",飞云霹雳炮"用生铁熔铸",②千子雷炮"用铜铸"③。《天工开物》记载说:"西洋炮,熟铜铸就","红夷炮,铸铁为之"。④《火攻挈要》记载说:"大铳宜用铸造。"⑤从这些史籍记载中可以看出,我国古代火炮,特别是大、中型火炮,多是用冶铸法制造的。到目前为止,从传世和出土的我国古代火炮的全部实物中,即从现存世界上最早的铜炮——元至顺三年铜炮至清末的各种铜铁炮实物来看,还没有发现过一尊打造的火炮,几乎全是铸造的火炮。由此说明,铸造技术在我国古代火炮制造史上占有极其重要的位置。

关于我国古代火炮的铸造方法和工艺技术,明末火炮制造专家孙元化撰写的《西法神机》作了较详细的记载。在稍晚的汤若望授、焦勖撰述的《火攻挈要》一书中(成书于崇祯十六年,即1643年)作了更为详细的专门论述。这两本明代火炮专著关于我国古代火炮的铸造方法和工艺技术,概括起来主要是:

1.制模:用干久的楠木或杉木,依照炮体样式,制成炮模。炮模两头要长出尺许,做成轴头,轴头上加铁转辊,然后将炮模安置于旋架之上,以便旋转上泥。炮模做成后,再将炮耳、炮箍、花头字样等模安装上去,并用罗细的煤灰,将炮模均匀地涂刷一层,候干。再用上好的胶黄泥和筛过的细沙,二八相掺,调合成泥(或用本色砂泥亦可),并把羊毛抖开,掺入泥内,和匀作经。泥不可调合得太干,也不可太稀,以涂墙泥的干湿度为准。泥调合好后,再将其涂糊在炮模上。每次只可涂寸许,且要涂匀。然后将转辊转动,用圆口木荡板,蘸水荡平。待干后,照前法再上泥。涂泥的厚薄,依照炮口内径一径六分推算,如炮口内径五寸,则泥模涂八寸厚。待上泥厚至2/3,则用粗条铁线,从炮模的头部密缠至尾部,缠毕照前法再上泥。待上至9/10,则以指头大的铁条,比照炮模的长短,大号炮模用16根,次号炮模用12根,小号炮模用8根,均匀地摆放在炮模上作骨架。随后用一寸宽,五分厚的铁箍,大号炮模用8道,次号炮模用6道,小号炮模用4道,从炮模头部至尾部,自度大小,均匀地箍在铁条之外。然后又按照前法上泥,上完荡匀,候干透。其干透的时间,大号炮模约需四个月,次号炮模约需三个月,小号炮模约需两个月。待干透后,将木芯敲出,再用炭火放入泥模内,一则进一步烧干泥模,二则将炮耳、炮箍及花头字样等件烧化成灰。冷却后,扫出灰渣,将木炮模底安放好,再安尾珠。然后悉照前法上泥,上完候干,取出木炮模底,再用炭火烧化尾珠。待

---

① 以上引文均引自《海国图志》,卷八七《炸弹飞炮轻炮说》。
②③ 《武备志》,卷一二二至一二三。
④ 《天工开物》,卷一五《佳兵》。
⑤ 《火攻挈要》,卷上《制造狼机鸟枪说略》。

完全冷却后,听候下窑铸造。①

在这同时,制造模芯,用铁打成,长短和火炮的内径长度相等,大小是火炮内径的一半,并上好泥,候干听用。

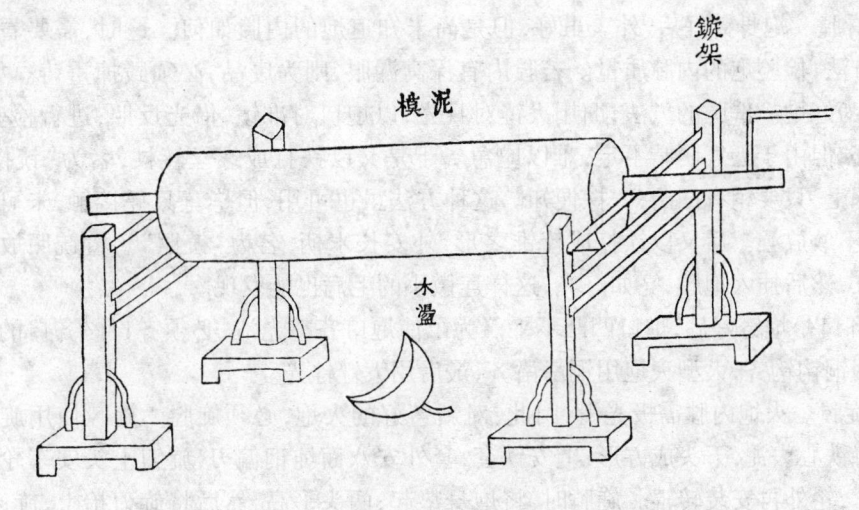

图 83 制造炮模(采自《火攻挈要》)

2. 安放炮模和模芯。炮模轻的数千余斤,重的数万余斤,模芯也十分笨重,因此,单靠人力无法安放。一般常使用简单的起重运重机械,首先将炮模安放好,然后将模芯安于模内,"将下口塞紧","四围用干土筑实,底下用法以通湿气"。②

3. 炼料配料。凡是铸造大型火炮,必须认真对待炮的质体。如果"质体不坚,则铳必受伤",因此,炼料配料非常重要。如果铸造铁炮,一定要对生铁加以提炼,因为生铁质体粗疏,"兼杂土性,若以生铸,必难保全,必着实烧煮,化去土性,追尽铁屎,炼成熟铁"。如果铸铜炮,必须先将铜进行提炼,预先检验铜的质地的纯杂坚脆情况,并如法掺兑上好碗锡少许,用寻常炉座,照常法将铜熔化成汁,以锡掺入,熔化均匀,然后立即浇铸成三斤或五斤一块的薄片,听候浇入大炉内铸造。③

4. 化铜浇注。将精炼的铜放入预先用砖砌好的灶池形化铜浇注炉内,然后用大火将铜催化成汁。等到铜汁全部化清,如油如水,上起金花绿焰之际,便将炉口模口溜槽等物扫净,引出铜汁来,渐渐放入模内,待注满木模,浇注即算完毕。④

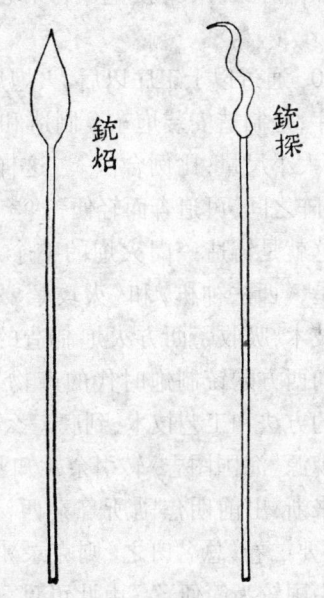

图 84 铳探和铳煏(采自《火攻挈要》)

---

① 《火攻挈要》,卷上《造作铳模诸法》。
② 《火攻挈要》,卷上《下模安芯起重运重引重机器图说》。
③ 《火攻挈要》,卷上《论料配料炼料说略》。
④ 《火攻挈要》,卷上《造炉化铜熔铸图说》。

5. 起芯。待炮铸成三日之内,将模芯摇撼松泛;至五日内,用起重器械将模芯起出;至八日内将土挖开,用起重器械将炮放倒,拉至平地,两头垫起二尺余高,将模泥打去,内外扫净,这样,整个炮身即全部显露出来。①

6. 看膛。炮身铸好后,外表虽好,但是尚未知道炮的内膛如何。这时,需要看膛,即用一定的方法,检验炮的内膛质量。若膛内有深窝漏眼,则为废品,必须毁掉重铸。如果膛内光润,则为好炮。看膛的方法,旧用火镜对日光,以炮口对准镜,借光反照,进行检验。这种方法虽好,但由于天气阴晴不定,难以应急。于是又以铁打成螺丝转杖,名为"铳探",用铳探从下探上,只要稍有凹凸,一探便知。这种方法虽也可用,但毕竟只凭接触,未可目睹,终属臆度,不敢放心。后又以铁打成棒锥之形,外安长木柄,名为"铳照"。将铳照放入炉内,烧至极红,然后插入炮膛,亮如灯光,这样连微小的毛病也能发现。②

7. 齐口。炮铸好后,炮口凹凸不平。为了使炮口齐整光滑,必须齐口。齐口的方法,小型火炮用铜钩钩齐,大型火炮用铜凿凿齐,最后用大锉锉光。③

8. 旋膛。火炮内膛需极光滑,因此,对新铸好的火炮,必须旋膛。旋膛使用旋刀,这种旋刀是将铁心去泥,下头成方形,上安铁套,套外安八面纯钢偏刃,旋刀上头安车轮,以十字铁条绊紧,轮外再安装转辊。旋膛时,将炮身垫起,两头平高,然后将旋刀抬上,旋床平对炮口,将旋刀插入口内,逐渐旋进,这样旋三五次,一直到旋光滑为度。④

9. 钻火门。火门的位置是否适当,是关系到火炮施放时倒坐与不倒坐的关键所在。火门位置若略高一尺二分,那么施放时,火炮必将倒坐数十步,战阵之际,贻祸不浅。因此,必须比照内膛尺寸,紧挨炮底,以纯钢粗钻,蘸油钻好火门。火门须与炮底相平行,方为合式。⑤

10. 通过以上工序以后,火炮炮身已全部加工完毕,最后一道工序,是制造安装炮车。制造和安装炮车时,必须做到"长短厚薄,大小尺量,比例合法"。这样,火炮在"击放之际,不致摇撼;战阵之间,可追奔而轻便"。⑥

这就是铸造一门火炮的整个工艺技术过程。但是应当指出的是,《西法神机》和《火攻挈要》上讲的铸造火炮的方法和工艺技术,吸收了西方火炮制造的先进技术,是徐光启等人在明末向西方购铳制炮时代的产物。至于中国古代传统的铸造火炮的方法和工艺技术,到底怎么样呢?

魏源《海国图志》转引余姚知县汪仲洋《铸炮说》说:"时林少穆来浙,出前明焦勖所辑泰西汤若望造炮之法,分《火攻挈要》秘要二卷,总名曰之《则克录》,其论筑台砌窑造模诸法,似不若中国较为简便。"⑦由此可见,中国古代传统的铸造火炮的方法和工艺技术,与《西法神机》和《火攻挈要》吸收和借鉴了

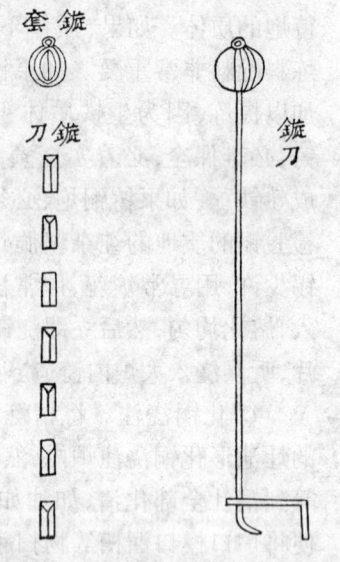

图85 旋刀(采自《火攻挈要》)

---

①②③④⑤ 《火攻挈要》,卷上《起芯看膛齐口旋膛钻火门诸法》。
⑥ 《火攻挈要》,卷上《制造铳车尺量比例诸法》。
⑦ 《海国图志》,卷八七《铸炮说》。

西洋的火炮铸造的方法和工艺技术大同小异，似乎当时中国的方法还更为简便一些。

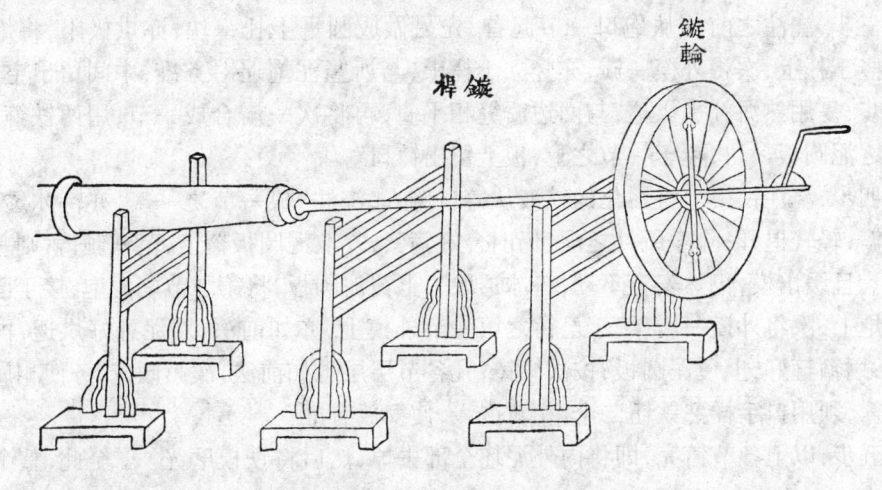

图86　旋膛（采自《火攻挈要》）

三、龚振麟铁模铸炮法

到了清代后期，从总体上看，火器火炮的研制逐渐荒疏了，但是，惟独在铸造火炮的方法和工艺技术方面却有一些新的发展，这集中体现在龚振麟发明的铁模铸炮法的新工艺。

龚振麟，字号、生卒年月、籍贯均不详，曾任江苏嘉兴县县丞。道光二十一年（1841年），因"蛟门失事，省城添局制造，授振麟以铸炮事。铸炮向以合土为模，经旬累月，一模始成，一铸即废，不可复用。当军书旁午，缓难济急，且时入冬令，雨雪连绵，制尤不易，尝谋一劳永逸之计，殚思竭虑，拟以铁易土为模，而苦无成法，遂以私臆创造，模成后鼓铸便捷"，[①]就这样，龚振麟发明了铁模铸炮法。

龚振麟的铁模铸炮法，概括起来，就是首先用泥模翻铸铁模，然后再用铁模铸造火炮。用泥模翻铸铁模的工艺技术过程如下：

第一步，制作泥炮，作为翻铸铁模的模芯。制作时，先根据炮的大小，将模芯按炮身的长短分为几节，或四五节，或六七节均可。然后合泥，按各节式样，做成泥炮，用作模芯。每节上下卯榫，必须极为吻合。最后将模芯烘干，并将各节接合成一泥炮，使无偏倚。同时，将炮箍、炮耳及照星花纹起线处悉照原定式样做好。

第二步，制作翻铸铁模的外模。首先用泥土按照泥炮各节式样，合成外模，烘透。然后将每节从经线处

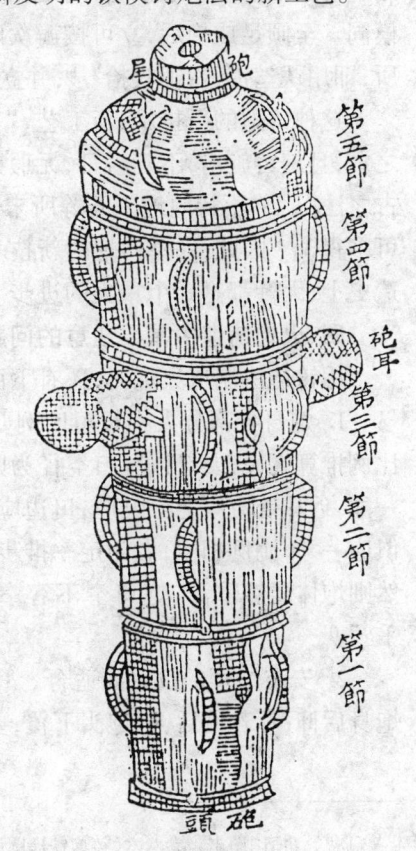

图87　铁模全式（采自《海国图志》）

---

① 《海国图志》，卷八六《铸炮铁模图说》。

分为两瓣,如合瓦式,分瓣时必须划分得极正极匀。

第三步,浇注之前,"从炮口一节起首,先另做成圆平土托一块,亦烘极干,将炮口一节泥炮倒竖于托上,次将外模一瓣,亦竖立于托上,与所竖泥炮遥对务准,中间留出空位,即系炮模地步,复用熟泥补平烘透,与两边瓣缝相平直,再将次一瓣合成一节,用两铁箍箍紧,另用烘透之泥圆板一块,覆于一节之上,板上留出铸口"。①

第四步,浇注铁模。将熔化的铁液从铸口倒入,浇注"成一节之一瓣,亦待冰透,即将先立之一瓣,轻轻退开,除净所补之泥,仍旧合好箍紧,复取泥圆板覆上,范铁倾铸,则一节合瓦式成矣。且缓出模,仍然安置不动,待冰透取去上覆泥圆板,将第二节之泥炮,接于已铸之第一节泥炮上,次将外模一瓣,续于已铸之第一节外模上,亦如前法,用泥补好烘透,再加次一瓣接合,用箍箍好,上覆泥圆板,按次倾铸,凡各节层层悉如前法,次第倾成,务使相属。凡每节之一瓣,须用口字样熟铁钮二个,相对嵌入,使安放有准"。②

第五步,以上各节铸完,即将内外泥坯全部去掉,然后将铁模磨光。③ 至此,整个铁模翻铸完毕。

这就是龚振麟的翻铸铁模的整个工艺技术过程。有了铁模,铸炮就方便多了。使用铁模铸炮的方法是:"先将每瓣内面,用细稻壳灰和细砂泥调水,用帚薄薄刷匀,如粉墙状,次用上等极细窑煤调水刷之,两瓣相合,如合瓦形,用铁箍箍紧,烘热,节节相续,余法皆与用泥模同。至倾足成炮后,立可按瓣次序,剥去铁模,露出炮身,凝结未透,尚属全红,设有不平处所,即用铁丝帚、铁锤收拾"④,并立即取出炮芯,除净泥坯,这样一门火炮便铸造完毕。

这种铸炮的新技术、新工艺,"其法至简,其用最便,一工收数百工之利,一炮省数十倍之资,且旋铸旋出,不延时日,无瑕无疵,自然光滑,事半功倍,利用无穷,辟众论之异轨,开千古之法门","不特内地工匠等所未知,并为西洋夷法所未有,其运施之灵,用心之细,实属不可多得"。⑤因此,铁模铸炮的新技术、新工艺不但在我国兵器发展史上,就是在世界火炮铸造史上,无疑都是一个重大的进步。

四、火炮铸造中需要注意的问题

用铸造法制造火炮时,还有下面几点特别需要注意:

1. 炮身各部大小长短比例要恰当。"炮之一身,厚薄轻重,均有一定准则,故西法有比例推算之说,要皆以膛口空径为则。譬如一炮,约定膛口空径为一寸,则炮墙近尾处应厚一寸,近耳处应厚七分五厘,口边应厚五分,故自外观之,口锐而尾丰。耳之圆径及耳之长,俱应一寸,比例相生,做为定率推步,是以炮体大而膛口亦大,故可用数十百斤封门之弹,不然则炮体蠢然重滞,炮口窄不容拳,徒有数千斤之名,虽食药多而子力不称,安望其致远乎?"⑥

2. 安装炮耳的位置要适合。"其炮耳安置更要合宜,轰震可期稳固,耳若偏前,炮发则炮身后仰;耳若偏后,则炮头下覆,要在轻重衡平,置耳自宜微后又须偏下,不宜过高,方为合

---

① ② 《海国图志》,卷八六《铸炮铁模图说》。
③ 翻铸铁模的整个工艺过程,见《海国图志》,卷八六《铸炮铁模图说》。
④ ⑤ 《海国图志》,卷八六《铁模铸炮法》。
⑥ 《海国图志》,卷八六《铁模利效》。

法。"①

3. 安置引门要得法。"若引门直大,则火气透泄,发火必迟。偏前则必后坐,其孔必须自后微斜前,透入药膛底不可分毫向前,烘药一燃,炮即发出而不动摇。"②"开火门法,铜铁各异,铜炮于铸成后,用尺内外比量极准,以钻开之。铁炮先用熟铁缠丝打成火门管听用,俟铸时安稳泥芯胎之际,将火门管置于芯胎尖上,极正极准,而后范金倾铸即成矣。"③

4. 炮膛受药处必须极其圆滑坚厚。为了做到这一点,须按炮膛"围径大小,另铸一生铁药膛,其引门用熟铁打就贯入膛底,将铁芯先用青麻或藤皮裹住,后用泥滚圆晒干,先上沙浆,次用白土泥浆敷上,用木矩板限住,转圆俱合围径之数,晒干用火焙透,外用乌烟擦之,贯入生铁药膛内,上用泥条顶住,使炮心居中不移,将泥模逐层安上,其合缝处用泥盖护,又用铁箍束住,使其不脱,用火烧红,俟冷时,内用乌烟擦之,周围用干土春实筑之,以固其模。"④

5. 泥模必须极干,"否则火气下激,水气上蒸,水气大,则蜂窝亦多,蜂窝多则有炸裂之患"。⑤

从上述所指的"几点注意"中可以看出,在当时的火炮铸造工艺中,我国已具有相当高的火炮设计知识。例如在决定炮身身管外形及炮身身管各部壁厚比例、引门的安装、内膛的要求等方面,这表明当时我国对火药燃烧的规律、射击现象及延长炮身身管寿命等方面的知识,均已有了比较深入的了解和丰富的实践经验积累。

---

①②④⑤ 《海国图志》,卷八七《铸造洋炮图说》。
③ 《海国图志》,卷八六《铁模利效》。

第七章 火药的民用

火药发明以后,首先被用作医药,以治病疗伤。这一点,在本书第一章第二节中,我们已有过介绍,至于更多的情况,由于这方面的资料奇缺,我们一时还无法更多地探讨,所以下面所要关注的一是火药在娱乐方面的应用;二是火药在手工业方面的应用。

第一节 火药在娱乐方面的应用

火药在娱乐方面的应用,主要是指使用火药制造烟火、鞭炮等娱乐制品。在这一节里,我们着重探讨烟火、鞭炮的发明、发展、制造等问题。

一、烟火的发明

烟火,又名烟花、焰火、礼花,是指烟火剂(以火药为主,加入不同的金属屑等制成)燃烧时所产生的声、光、色、香气、运动及形体变化等综合效果的总称;鞭炮,人们又称爆竹、爆仗、爆竿,有的还写作炮竹,是指在不同大小和形状的纸筒内装填一定数量的火药,点燃火药后,纸筒爆炸并发出声响和放射出各种不同光焰效果的物体。烟火和鞭炮是供人们娱乐用的一种火药制品,没有火药,就根本谈不上烟火、鞭炮。因此,烟火、鞭炮的发明,是和火药密切联系在一起的;火药被应用于娱乐,便导致了烟火、鞭炮的发明。那么,中国到底什么时候发明了烟火、鞭炮呢?

关于中国烟火的发明,目前学术界说法很多,分歧较大。有人认为,我国在汉代就有了烟火,其证据是《淮南子》中有"含雷吐火之术,出于方毕之家",这是当时人们在冰水中烧烟火;[1]有人认为中国在隋唐时期有了烟火,其证据是隋炀帝的《正月十五日放通衢建灯夜升南楼》诗中有"灯树千光照,花焰七枝开"的诗句,唐朝诗人孟浩然的诗中有"火树"、"银花"的句子;有人认为,中国宋代才有了烟火。[2] 这种种说法,孰是孰非呢?

我们知道,古代烟火的关键,一是火药,二是引火线。因此,要解决烟火的发明问题,首先要解决火药的发明和引火线的发明这两个关键问题。

我们在前面已经论述到,中国在晋代已经有了火药的雏形,到了唐代早、中期,火药的特性已经完全被炼丹家掌握和认识了。引火线是引燃烟火的一种部件,是烟火的重要组成部分,我国在北宋末年,最迟在南宋初年,已经发明并使用了引火线引燃火器。由此分析可以得出如下结论:只有到了有了火药和引火线的时代,具体说,就是到了北宋末年、南宋初年,才具备发明烟火的物质基础和必要的技术条件。这是判断我国烟火发明的两个分水岭。这

---

[1] 郭正谊:《中国烟火史料钩沉》,载《中国科技史料》,1990(4)。
[2] 《中国实业志(湖南卷)》第八章《其它工业·爆竹业》。

样看来，认为我国在汉代或者在隋唐时代就发明了烟火的说法显然是站不住脚的。那时所谓的烟花，不是以火药为原料的真正烟火；我国发明以火药为原料的真正烟火，应该是宋代的事情了。南宋人周密于南宋咸淳六年(1270年)写成《武林旧事》，追述南宋都城武林(今浙江杭州)的风土人情，其中回忆皇宫中过元宵节的盛况时写道："宫漏既深，始宣放烟火百余架，于是乐声四起，烛影纵横，而驾始还矣。大率效宣和盛际，愈加精妙。"①从这段话中我们至少可以得到三条信息：

其一，当时南宋都城武林(今浙江杭州市)燃放的烟火，已是成架烟火，即是按照一定的顺序和规则将多种多枚烟火、爆仗用火药线串联起来，安放于高架上燃放的一种烟火、爆仗组合群。《宛署杂记》曰："放烟火，用生铁粉杂硝、黄、灰等为玩具，其名不一。……勋戚家有集百巧为一架"②，这也是说的成架烟火。成架烟火已不是烟火的早期制品，而是烟火发展到一定阶段的较为高级的制品了。

其二，"效宣和盛际"一句，说明当时燃放的烟火，是仿照北宋宣和年间(1119～1125年)的烟火式样制造的，只是后来"愈加精妙"而已。这反过来又说明：宣和年间已经有了成架烟火，只是不如现在这样"精妙"。

其三，综合上述两点，则无可争辩地说明，北宋宣和年间，我国已经有了以火药为原料的真正烟火了。这和宋人孟元老于绍兴十七年(1147年)撰写的《东京梦华录》追述他本人在北宋末年二十余年间(1103～1126年)居住汴京(今河南开封)时所见到的烟火是相吻合的；孟元老在描述军士在皇帝面前表演百戏、燃放烟火时写道："忽作一声霹雳，谓之爆仗。……或就地放烟火之类……又爆仗一声，有假面长髯，展裹绿袍靴筒，如钟馗像者……"③这里所说的烟火、爆仗，也当是以火药为原料的真正烟火、爆仗了。如果不是以火药为原料的烟火，而是以纸燃松香所至，④那么是不会"忽作一声霹雳"的。

《西湖志余》记载曰："淳熙十二年元文，禁中灯火日盛，至二鼓，上乘小辇至宣德门观鳌山，宫漏既深，宣放烟火百余架，而驾始还。"⑤这里记载的淳熙十二年上元节皇宫中燃放烟火与《武林旧事》的记载相同，这就进一步说明，我国北宋末年、南宋初年已经有了以火药为原料的真正烟火了。

周密在《齐东野语》中记载了这样一件事：南宋宝庆元年(1225年)，宋理宗在清燕殿宴请杨太后，为了助兴，便燃放烟火，其中"有所谓地老鼠者，径至太母圣座下。太母为之惊惶，拂衣径起"，使得宴会不欢而散。后宋理宗将筹办这次烟火的陈询关押起来，准备严加处置。杨太后知道后，笑着说：放烟火的人不是有意惊吓我，可以免罪。后来宋理宗将筹办烟火的人无罪释放了。⑥ 这里所说的"地老鼠"，大概是一种旋转型烟火，应是一种比较成熟型的烟火了。

南宋钱塘人氏吴自牧，于南宋咸淳十年(1274年)写成《梦粱录》一书，他在书中追述往

---

① 《武林旧事》，卷二。
② 沈榜：《宛署杂记》，卷一七。
③ 《东京梦华录》，卷七。
④ 《火药的发明和西传》，43页。
⑤ 《西湖志余》，卷二。
⑥ 周密：《齐东野语》，卷一一。

事时写道:"其各坊巷叫卖苍术小枣不绝,又有市爆仗、成架烟火之类。"书中还有"烟火屏风诸般事件"①等记载。"烟火屏风",大概与成架烟火相似,也是将多种多样的烟火、爆仗按一定顺序和规则用引火线串联起来燃放的烟火。

综上所述,可以看出,最迟在北宋宣和年间,我国已经有了以火药为原料的真正烟火,南宋时期,我国烟火已经有了相当发展了。

二、鞭炮的发明

相传早在我国原始社会的氏族公社时期,燧人氏发明了火,后来,我们的祖先无意中又发现竹子在火中烧着时会发出哔哔剥剥的声音。这当是最早的"爆竹"了。

先秦时期,《诗经·小雅》篇中有"有兔斯首,爆之燔之"的诗句,《周礼·春官》篇中有"九祭三日爆祭"的记载。汉代人认为,这里所说的"爆祭"就是烧柴,意即烧柴发出洪烈之声。

据说汉代东方朔所撰写的《神异经》记载有:"西方山中有人焉,其长尺余,一足,性不畏人。犯之则令人寒热。以竹著火中,火扑哔有声,而山臊惊惮远去。"这说明,在我国汉代,已经会利用火烧竹所发出的扑哔声,来驱魅辟邪了。

南北朝时期,梁代的宗懔撰写的《荆楚岁时记》中记载说:"正月一日……鸡鸣而起,先于庭前爆竹,劈山臊恶鬼。"从这里可以看出,在南北朝时期,人们已经用火烧竹爆裂发声,其目的一是表示吉利喜庆,二是驱鬼辟邪。流传至今的"爆竹一声除旧,桃符万象更新"的习俗,大概就来源于此。

到了唐代,据《异闻录》记载:有一个叫李畋的人,"邻人仲叟为山魈所祟,畋命旦夕于庭中用真竹着火爆之,鬼乃惊遁"。唐朝诗人的诗作中,对爆竹也有很多描述,例如于鹄的《早春》一诗,就有"新历才将半纸开,小庭就聚爆竿灰"的句子。民间还流传唐朝贞观年间(627~649年),李畋用火燃竹发出哔哔剥剥之声为唐太宗李世民驱鬼治病的故事,以至后来的烟花鞭炮业尊奉李畋为祖师。

当时的爆竹,还不是以火药为原料制造的,而是"用真竹着火爆之"。不但如此,就是到了北宋,也还是以竹着火爆裂发声的。宋代杰出的政治家、改革家王安石写有一首著名的《元日》,诗曰:"爆竹声中一岁除,春风送暖入屠苏。千门万户瞳瞳日,总把新桃换旧符。"诗中的爆竹,很多人都认为是以火药为原料制成的炮竹。其实,王安石诗句中的"爆竹",同样是以火烧竹发出的爆裂声。与王安石同时代的袁文,他编撰的《瓮牖闲评》书中有"岁旦燎竹于庭"的记载。其对"燎竹"的注释是:"燎竹者,爆竹也。"可见,就是在火药已广泛用于军事的北宋前中期,也就是说,在王安石生活的时代,当时的爆竹还是靠"以竹着火中"爆裂发声的,而不是以火药为原料制成的。

那么,我国到底什么时候发明了以火药为原料制成的炮竹呢?根据目前所掌握的史料,我国大概在北宋末年发明了以火药作原料的炮竹。宋人孟元老的《东京梦华录》中有人"忽作一声霹雳,谓之爆仗"的描写,这种"爆仗"当是以火药作原料制成的。

到了南宋,以火药作原料的炮竹,史籍已有确切的记载。宋高宗绍兴元年(1131年)至绍兴三十二年(1162年),任南宋内府枢密院编修的王铚,他编撰的《杂纂续》中有"小儿放

---

① 吴自牧:《梦粱录》,卷六。

纸炮"的记载。这种"纸炮",我们认为就是平时所说的以纸卷筒、内装火药的真正炮竹了。

南宋人施宿在宋宁宗嘉泰元年(1201年)写成的《嘉泰会稽志》中描写人们过除夕有这样一段话:"除夕爆竹相闻,亦或以硫黄为爆药,声尤震厉,谓之爆仗。"在这里,施宿所说的爆药中,只提到硫磺,而没有提到硝石、木炭,但是,既然这种爆药能够发出"震厉"之声,那么它必定是以硝石、硫磺、木炭做成的火药则是确定无疑的。

周密的《武林旧事》中也有关于爆竹的记载:"至于爆仗,有为果子、人物等类不一,而殿司所进屏风,外画钟馗捕鬼之类,内藏药线,一蓺而百余不绝。"由此可见,南宋末年,我国炮竹有了很大发展,这种"一蓺而百余不绝"的炮竹,就是把单个的炮竹编串起来的鞭炮,也就是说,我国至晚在南宋末年有了鞭炮。

综上所述,我们可以看出,我国大约在北宋末年、南宋初年发明了以火药为原料、以纸卷筒制成的真正的炮竹;而在南宋末年,有了将炮竹编织成串的鞭炮了。

三、烟火、鞭炮发展概况

烟火、鞭炮发明以后,在我国便迅速发展起来。

南宋时期,我国烟火发展已经有了一定的规模。据《武林旧事》记载,南宋的烟火品种不断增加,不但有各色爆仗、烟火、起轮、走线、流星、水爆、地老鼠等单个品种,而且还出现了成架烟火、烟火屏风等大型的组合烟火、爆仗。社会上还出现了专以制造、燃放烟火为生的烟火专业人才,其中比较著名的有陈太保、夏岛子等。每逢节日喜庆之时,皇宫和各地达官显贵就大量燃放烟火庆贺,宋朝著名词人辛弃疾《青玉案·元夕》一词中的"东风夜放花千树,更吹落,星如雨"的名句,就是对南宋上元节燃放烟火盛况的真实写照。

随着科学技术的进步,火药性能的不断改良,元代烟火、鞭炮有了较大发展。正史对元代烟火、鞭炮发展情况记载不多,但在文学作品中却有所反映,以烟火为题材的诗词作品不少,其中以赵孟頫的《赠放烟火者》最为突出,诗中以比拟的手法写道:"人间巧艺夺天工,炼药燃灯清昼同。柳絮飞残铺地白,桃花落尽满阶红。纷纷灿烂如星陨,燿燿喧阗似火攻。后夜再翻花上锦,不愁零乱向东风。"形象逼真,光彩夺目,简直就是一幅绚丽多姿的烟火画卷。这从一个侧面反映出元代烟火的发展水平。

至有明一代,不但军用火药火器发展到了鼎盛时期,民用火药制品的烟火也发展到了鼎盛时期,主要表现在:

一是烟火品种大大增加,名目繁多。据《宛署杂记》记载,明代烟火"有声者曰响炮;高起者曰起火;起火中带炮连声者曰三级浪;不响不起旋绕地上者曰地老鼠;筑打有虚实,分两有多寡,因而有花草人物等形者曰花儿,名几百种。其别以泥函者曰砂锅儿;以纸函者曰花筒;以筐函者曰花盆。总之曰烟火云"①。

二是烟火剂形成了一套科学配方。在明代,经过长时期的实践、摸索和完善,已经形成了一整套烟火剂的科学配方。据《墨娥小录》记载,明代烟火剂的配方,是利用硝、磺、炭的不同组配比率进行配置,从而使其燃烧速度不同,爆炸性能各异,这样便形成烟火各自的不同特色。这些不同的配方,就成为烟火剂的基础药,当时计有玉药、明火、中焰、紧焰、红火、

---

① 沈榜:《宛署杂记》,卷一七。

平慢、平紧、中平等十余种。① 例如,玉药配方中硝、磺、炭的组配比率是:硝一两,磺五分,炭九分;明火配方中硝、磺、炭的组配比率是:硝一两,磺四钱,炭五分;等等。

三是认识并掌握了金属的焰色反应,制造出了彩色烟火,这是烟火发展史上的重大进步。例如,要制造绿色烟火"金丝柳",只要在烟火剂的基础药"平慢"(即硝一两,磺一钱,炭五分)中加铜青;要制造黄色烟火"大金钱",只要在基础药"平慢"中加铁屑,如此等等。②

四是烟火的燃放场面更为热闹、奢华、壮观。明代不但盛行施放成架烟火,而且烟火杂戏也十分流行。成书于明万历年间的《金瓶梅词话》,维妙维肖地描述了成架烟火的燃放场面:"少顷,西门庆吩咐来昭……把烟火架抬出去。……果然扎得停当,好烟火!但见一丈五高花桩,四周下山棚热闹:最高处一只仙鹤,口里衔着一封丹书,乃是一只起火,起去萃山律,万道寒光,直穿透斗牛边;然后正当中一个西瓜炮迸开,四下里人物皆着,必剥剥万个轰雷皆透彻;彩莲舫,赛月明,一个赶一个,犹如金灯吹散碧天星;紫葡萄万架千珠,好似骊珠倒挂水晶帘;霸王鞭,到处响亮;地老鼠,串绕人衣;琼盏玉台,端的旋转得好看;银娥金弹,施逞巧妙难移;八仙捧寿,名显中通;七圣降妖,通身是火;黄烟儿,绿烟儿,氤氲笼罩万堆霞;紧吐莲,慢吐莲,灿烂争开十段锦;一丈菊,与烟兰相对,火梨花,共落地桃争春;楼台殿阁,顷刻不见巍峨之势;丹坊酒鼓,仿佛难闻欢闹之声;货郎担儿,上下光焰齐明;鲍老车儿,百尾拼得粉碎;五鬼闹判,焦头烂额见狰狞;十里埋伏,马到人驰无胜负。总然费却万般心,只落得火灭烟消成灰烬。"③这种成架烟火燃放场面,实在是奢侈豪华,蔚为大观。《金瓶梅词话》虽然是小说,但是书中描述的烟火,如"金盏银台"、"金丝柳"、"赛月明"等二十多个品种都可以在《墨娥小录》中找到,可见作者对当时烟火燃放的描述是真实的。

记述明代末年河南汴梁地区民俗风情的《如梦录》,对当地元宵节燃放烟火情况的描写也十分生动具体:"烟火架上,安设极巧故事,纵放走线兔子,有火盔、火伞、火马、火盆、炮打襄阳、五龙取水、牌坊等名,花炮声震耳。两学宫前,俱有高照花灯、花炮、起火、水兔子入水穿波,随风赶人,有赛月明、高处响炮、下垂拘挛、九条龙取水、九转高升,各样奇巧。"④

成书于明末崇祯末年的《陶庵梦忆》,对崇祯初年兖州鲁藩王府燃放烟火的情景也有过淋漓尽致的描述:"以五色火漆塑狮、象、橐驼之属百余头,上骑百蛮,手中持象牙、犀角、珊瑚、玉斗诸器,器中实千丈菊、千丈梨诸火器。兽足蹴以车轮,腹内藏人,旋转其下。百蛮手中瓶花徐发,雁雁行行,且阵且走。移时,百兽口出火,尻亦出火,纵横践踏。端门内外,烟焰蔽天,月不得明,露不得下。"⑤

以上几段文字,描写的是明代的烟火戏。所谓"烟火戏",就是将烟火屏风、走线烟火、各类花炮按照一定的情节、规则组合起来,用药线使其相互连在一起。燃放时,利用火药燃烧的推动力驱动人物、动物、其它物体运动或者演绎出事先设计好的故事情节,场面热闹壮观,人物千姿百态,栩栩如生。

---

① ② 《墨娥小录》,卷六,明隆庆五年吴氏刻本。
③ 《金瓶梅词话》第四十二回《逞豪华门前放烟火,赏元宵楼上醉花灯》。
④ 《如梦录》,孔宪易校注。
⑤ 张岱:《陶庵梦忆》,卷二。

图88 《明宪宗行乐图》:该画成于明成化十一年(1475年),描绘了明宪宗观看燃放爆竹、烟火的情景

到了清代,烟火也有发展。烟火戏更为盛行,"炮打襄阳"、"火烧战船"、"八仙过海"、"十里埋伏"、"唐僧取经"等都是当时有名的烟火戏名目。便于保管、运送的盒子花广为流传,成为当时燃放烟火的主要品种。烟火的制造也更为讲究。特别需要提及的是,清初赵学敏的《火戏略》,是我国古代难得的一部重要烟火专著,对烟火的原料、烟火的形制构造、烟火的制造技术等问题都有详尽的论述,在我国烟火发展史上占有重要的地位。

四、烟火、鞭炮的制造

关于我国古代烟火、鞭炮的制造,史籍记载零碎、稀少,清初赵学敏的《火戏略》,是我国古代惟一一部比较全面、详细地记载烟火制造的史籍,该书特别对制造烟火的原料提纯、原料配比、制造工艺技术以及制造中的注意事项等问题论述得尤为详细。湖南是烟火、鞭炮的发源地,烟火、鞭炮的制造历史悠久,质地优良,享誉海内外。现在,我们以清代湖南烟火、鞭炮为例,对我国古代烟火、鞭炮制造的原料、工艺技术等加以介绍。

(一)原料

烟火鞭炮的原料主要是纸、硝、硫磺、杉木炭、黄泥、白泥、麻等。

纸是烟火鞭炮的主要原料,卷筒、褙筒、引线等,都少不了纸。根据其用途不同,鞭炮用纸可分爆料纸、皮子纸、引皮纸。爆料纸有浏表纸和细表纸两种,浏表纸产于湖南浏阳及江西上栗等地。细表纸产于江西萍乡和湖南衡山等地。爆料纸是卷筒用的,其纸质好坏直接关系到烟火鞭炮货色的优劣,所以对爆料纸的质量要求非常严格。皮子纸是装裱炮筒外表用的带有颜色的一种纸,普通皮子纸多为红色,多产于湖南宝庆(今邵阳),另有广红纸、广绿纸,由上等宝庆纸染色而成。引皮纸又名雪花纸,是制引线的,多产于江西泸溪郎山。

硝、硫磺、杉木炭是制造烟火鞭炮用的火药的主要原料。硝主要是用旧房屋的土墙砖或其它含硝的泥土熬成,其熬制法和乡村煮盐法大致相同,浏阳、醴陵、萍乡是硝的主产地,都设有熬硝厂;茶陵、攸县、湘乡等县也多有出产。经熬硝厂熬制成的硝,全部是白色,且成钵形,故有人又称它为"白硝"或"硝钵"。这种白硝的优点:一是用这种白硝制成的烟火鞭炮不易回潮;二是这种白硝制成的烟火鞭炮,燃放后有一种独特的香气;三是这种白硝爆炸力强,用它制成的烟火鞭炮,燃放时爆炸声洪亮。因此,白硝很受烟火鞭炮制造业的青睐。除了白硝以外,有的也有用肥田粉煮炼而得到硝,但这种硝的质量不如白硝好。硫磺是湖南主要矿产之一,很多地方都有出产。浏阳烟火鞭炮所用硫磺多来自郴县、常宁等地。杉木炭是湖南山区的特产,浏阳、醴陵等县都有出产。制造烟火鞭炮时,将炭块捶碎,磨成粉末,用火烤干,然后过筛,于是就得到炭末。再将炭末和硝、磺按一定比例进行配制,这样就制成了烟火鞭炮的主要原料——火药。

黄泥、白泥,是用来筑烟火鞭炮筒子的,可以就地取材,十分方便。

麻,是制麻线用的原料,麻线是鞭炮结鞭必不可少的。

(二)制造工艺

建国前,湖南烟火鞭炮的制造都是手工操作,其工艺十分繁杂,我们这里只探讨鞭炮的制造工艺,烟火的制造工艺从略。

湖南鞭炮的制造工艺,归纳起来主要是:

扯筒:就是将裁好的爆料纸卷成一个空纸筒子,扯筒的主要工具是扯凳,用坚木做成,其操作方法是:事先把纸按规格裁成一定大小,用水浸湿纸头一分,然后手拿铁钎,置于纸的腰部,以纸包铁钎,再将其放到扯凳扯板上的凹部,然后用吊板扯紧,这样就制成了纸筒。

褙筒:扯成的筒子为白色,褙筒就是用彩色纸褙于白色筒子上,普通鞭炮用宝庆(今邵阳)产的红纸褙筒,红绿鞭用广红纸和广绿纸褙筒,牛口大鞭炮用蜡光纸褙筒。

洗筒腰筒:所谓洗筒,就是将纸筒用麻绳扎为一饼,其形状成六角形,便于计算筒子数目。每饼筒子的数目各有不同,例如,"加花"每饼900余个,"红绿八扣"每饼1 000余个,"双料"每饼700余个,"牛口"每饼约100个,等等。筒子成饼后,再用阔刀从饼腰截断,一饼切成两饼,一个筒子切成两个筒子,这就叫腰筒。

上盘:所谓"上盘",就是装泥和上硝。首先将腰断成饼的筒子,一端灌白泥,一端灌黄泥,再在筒子中节筑黑硝。所灌的白泥和黄泥,必须晒干、捶碎、过筛、炒燥。所上的黑硝,是将白硝、杉木炭按一定比例称量配置,然后,将白硝捶碎,下锅加水熬,用铁铲炒干,再将硫磺、杉木炭加入和匀,最后磨碎过筛而制成。黑硝的数量,因鞭炮种类不同而各异,但即使是同一类鞭炮,因作坊装药认真与否,其分量也有差异。一般而言,黑硝一斤,大约可制"加花"8 000个,"牛口"860个,"寸金"170个,"红绿鞭"10 000余个,中等大炮百个左右。上盘时,泥、硝均须杵实,这样,燃放时鞭炮爆炸声才会大;如泥、硝不杵实,偷减黑硝,燃放时鞭炮就不爆响或爆响声不大。

钻孔:装泥上硝之后,用铁钎将每个筒子筑紧,再将盘子晒干或焙干,然后用铁钎将每个筒子钻一小孔,用以扦引线。钻孔深浅要适度,如钻孔过深或过浅,都将影响鞭炮的燃放爆炸效果。

扦引:扦引又叫栽引,就是在引孔钻好后,将每个引孔扦入引线。

轧引颈:又简称轧引,就是在引线扦入引孔以后,将扦引这头的筒子用铡刀轧紧,以防引线扯出。

通过上述七道工序,一个完整的鞭炮就制成了。

第二节　火药在手工业方面的应用

火药在手工业方面的应用，主要是指火药在我国古代采掘业方面的应用。我们要着重探讨的是我国古代采石业和采矿业使用火药的情况。在这一方面，由于史籍记载有限，学术界有一些不同的看法。

一、问题的提出

1979年，世界著名的科学史专家李约瑟博士在伦敦大学克雷顿讲座发表题为《开封府的枪》的演讲，在这次演讲中，李约瑟博士指出："可能还会有一个问题，炸药是否在传统中国从未用于手工业中。这里由于术语问题出现了一个困难。在采矿和工程中的'放火'技术是很古老的，也就是说用热将石头劈开，此后便较容易搬动。例如，在《明书》中谈到某个总督让一些'火攻'技术人员工作，将岩石凸出部分清除掉，使某个河流畅通时，这很可能是用火药，虽然这种技术也可能仅仅是放火。这个问题有待更仔细的考察。"[①] 李约瑟认为，中国古代为了清除影响河流畅通的石头，工匠们可能使用了火药进行"火攻"。

1994年，世界著名科学史专家何丙郁博士在台湾清华大学特约讲座讲授科学技术史时指出："《新唐书·列传》，卷一四九下载述唐懿宗时高骈剿治由安南至广州江漕，梗险多巨石，震碎其石乃得通，可能是指用火药炸碎巨石。年代是公元9世纪。"[②] 何丙郁认为，中国古代可能在9世纪为了清除江漕中的梗险巨石，使用了火药将其炸碎。

李约瑟和何丙郁尽管在表述这一观点时是非常谨慎的，但他们在中国古代的采石工程中使用了火药这一点上看法是一致的。事实证明他们的观点是正确的。

二、在采石业中使用火药的情况

在中国古代，修筑道路、疏通河道、建筑房屋、兴建其它大型土木工程，常常需要和石头打交道。为了获得石料，或者为了除掉碍事的石头，常常会使用火药进行爆破开采。这方面，虽然目前还没有获得有足够说服力的文字史料，但是，笔者通过实地调查，对多位年长的采石工匠进行了详细采访。被采访调查的采石工匠，连续四五代都是以采石为生的。他们的祖父的祖父都是以采石为业，是世代的采石匠，这些人都是生活在清朝中期的人了。据他们介绍，在清朝中期，他们的先辈就是采用火药爆破法采石的。这种古老的火药爆破采石法代代相传，一直传到了近代乃至现在。根据他们的介绍，归纳起来，这种火药爆破采石法的工序流程大致是：

1. 打眼：在将要开采的石头上用泥土围一小圆圈，放上水，然后用粗七八分的钢锥在被围的石头上打眼，眼打得越深越好，一般打至一尺至二尺深，这样爆炸力才能够大；眼打得太浅，装填火药少，爆炸力相对小。

2. 眼打好后，将其去除泥浆，清理干净，并晾干或吸干洞眼内水分，使洞眼内保持干燥。

3. 在干燥的洞眼内，装引线。

[①] 见李约瑟：《开封府的枪》；该文又题为《中国发展的人类最早的化学爆炸物》，最初登载于1980年1月11日的《泰晤士报》文学副刊(*The Times Literary Supplement*)，后收入由潘吉星先生主编的《李约瑟文集》。

[②] 何丙郁在台湾清华大学特约讲座讲授的科技史课程内容，后成书名为《海纳百川：科技发源交流史》。

4. 往洞眼内装填火药,边装填,边用铁棍杵紧,但也不能杵得太紧,以合适为度,直至使火药装填到离洞眼口一寸为止。

5. 用草纸将洞眼塞住,杵紧。这样,一眼炮就完成了。

6. 燃放。炮眼装填好以后,点燃引火线。

7. 当引线燃尽,炮眼立即爆炸,石头被炸碎,或者被炸裂而较容易采掘。

以上就是火药爆破法采石的全过程。

为了增大爆炸力,炮眼还可以打成鸳鸯形(即两个炮眼并列)、品字形、双鸳鸯形、双品字形,如此等等,再用一根长引火线将两个或两个以上的炮眼串联起来,进行群体爆破。这样,爆破的效果更好。今天在中国农村的民间采石场,这种火药爆破采石法仍然在使用。

三、中国古代采矿业中是否使用了火药

针对李约瑟在伦敦大学克雷顿讲座演讲中关于火药在中国古代采石业中的使用问题,美国科罗拉多州丹佛大学葛平德博士撰写了《火药在中国采矿中的作用何在?》一文,[1]主要探讨的是中国古代采矿业,特别是煤矿的开采中有没有使用火药的问题,对此,葛平德的回答是否定的。文章并未否定李约瑟关于中国古代在清除凸出岩石,即采石时可能使用了火药的命题,葛平德在自己的论文中也认为,在中国古代"土木工程中的爆破"中使用了火药。笔者以为,中国古代"土木工程中的爆破"应该包括采石业。如果没有理解错误的话,葛平德和李约瑟在中国古代土木工程中的采石业使用火药这个问题上的观点是一致的,是没有分歧的,也就是说,二人都认为,在中国古代采石业中,使用了火药。

那么,是否正如葛文所说,中国古代采矿业没有使用过火药呢?关于这个问题,葛平德作了深入的研究,对有些问题提出了独特的精辟见解,这是难能可贵的。不过,笔者认为:由于中国古代采矿行业多,范围广,问题复杂,不能笼统地肯定,也不能笼统地否定,而应该分别行业予以研究。

中国古代采矿业之一的煤炭采掘业,是没有使用火药开采的。中国煤炭资源丰富,煤炭开采历史悠久,早在西汉时期,现今的河南等地已经有煤炭的开采,并已开始使用煤炼铁。到了宋代,煤炭的开采已经有了一套比较完整的采掘技术。现已被发现的鹤壁古煤矿遗址,其圆形竖井深达46米,巷道高1米多。明代宋应星的《天工开物》,对中国古代采煤作了详细记载:"凡取煤经历久者,从土面能辨有无之色,然后掘挖。深至五丈许,方始得煤。初见煤端时,毒气灼人。有将巨竹凿去中节,尖锐其末,插入炭中,其毒烟从竹中透上,人从其下施钁拾取者。或一井而下,炭纵横广有,则随其左右阔取。其上支

图89 南方采煤图
(采自《天工开物》初刻本)

---

[1] 葛平德:《火药在中国采矿中的作用何在?》,见《中国科技史探索》,437~442页。

板,以防压崩耳。"①采煤业不使用火药爆破,其原因葛平德作了精辟论述,指出:"中国的矿井里不常使用火药的又一个原因是可能引起危险。……任何火药都会产生炽热的火焰,容易点燃煤气(甲烷)或煤屑,因此在煤矿中使用是极危险的。"②中国煤矿矿井中的瓦斯含量一般都较高,一遇火星就会发生瓦斯爆炸,而有时因不慎引起的瓦斯爆炸造成的伤亡是很惨重的。因此,中国古代煤矿是没有使用火药采掘的,这个传统习惯和规矩,一直沿袭到现在也没有改变。

而中国的铁矿开采业,很可能使用了火药。中国铁矿丰富,冶铁业发达,特别是明代的冶铁业,发展到了一个较高的水平。河北省武安县出土的明代炼铁炉高一丈九尺,内径七尺,外径十尺。遵化铁场的大鉴炉,一炉可装矿石二千多斤。据史籍记载,明代铁矿的开采,除了以铁锥、铁锤,使用人力开凿之外,还使用有"烧爆法"和"火爆法"。

所谓烧爆法,就是首先用火烧灼矿床,然后用水泼淋,由于热胀冷缩的作用,致使矿床爆裂,这样便直接得到矿石。《菽园杂记》对烧爆法有记载:"旧取矿携尖铁及铁锤……今不用铁锤,惟烧爆得矿。"③

所谓火爆法,可能就是使用火药爆破采矿。据河北省《唐县志》记载,明万历二十四年(1596年),当地人们采用火爆法采矿,"山灵震裂","鸟惊兽骇,若蹈汤火"。④ 产生如此大的威力,只能是使用火药进行爆破采矿才能发生的。因此,这种火爆法,可能就是火药爆破法采矿了。

---

① 《天工开物》,卷一四。
② 《火药在中国采矿中的作用何在?》,见《中国科技史探索》,440~441页。
③ 陆容:《菽园杂记》,卷一四。
④ 《唐县志》,卷三。

第八章　古代火药、火器的西传东渐

第一节　中国火药、火器的西传

火药是中国古代四大发明之一。我国古代火药、火器从 13 世纪开始，先后传入了阿拉伯国家和欧洲，促进了这些国家和地区的火药、火器的发展。

一、中国古代火药、火器西传到欧洲

早在战国秦汉时期，我们的祖先就逐步认识了硝石和硫磺的作用，在医学和炼丹等方面已开始使用了它们。到了晋代，经过长期的实践，人们已经掌握了科学鉴别硝石的方法，同时在炼丹过程中已经发现了火药的雏形。最迟到唐代，我们的祖先发明了火药。唐末，火药被应用到了军事上。宋代初期，火药、火器有了迅速发展，宋仁宗庆历四年（1044 年），由曾公亮等人编撰的《武经总要》中，正式记载了我国三个最早的军用火药配方和实战用的火药鞭箭、毒药烟球、霹雳火球、猛火油柜等十多种火器，已经有了专门的火药、火器制造机构，生产规模已经相当可观，火药、火器已经成为国家制式军队的重要武器装备，在实战中发挥了重要的作用。

科学无国界。先进的文化科学技术从来就是互相影响、互相传播的。很早以前，中华民族就与邻近的中亚、西亚各民族，甚至远在欧洲的一些民族有着经济、文化和科学技术的交往。因此，中国先进的火药、火器西传到欧洲，就是很自然的了。从目前所掌握的资料来看，我国的火药、火器大约在 13 世纪后期至 14 世纪上半叶传入了欧洲。

13 世纪后期，欧洲的书本中开始介绍火药、火器知识。当时，有一本名叫《制敌燃烧火攻书》（*Liber ignium ad comburendos hostes*）的拉丁文本军事技术书（据说是希腊人马哥所译，原书为阿拉伯文本，写成于 13 世纪中期，1804 年，即清世宗嘉庆九年，由拿破仑下令付印出版），这本书在叙述飞火和花炮时这样写道："第二种飞火是这样制造的：一磅活硫磺，二磅柠檬木炭或柳木炭，六磅硝，三种在大理石上同研，然后装入火筒，或花炮筒内。注意：起火筒须长而细，装药子须紧；花炮筒须短而粗，装上药子一半为止。"[①]

这是已知欧洲最早介绍火药、火器知识的一本书。接着欧洲的一些博学家也开始陆续在自己的著作中介绍火药、火器知识。其中德国的阿尔伯特（Albertus Magnus，约 1193～1280 年，宋光宗绍熙四年至元世祖至元十七年）和英国的罗吉尔·培根（Roger Bacon，1214

[①] 法文译本见贝尔特露：《中古的化学》第一册，89 页以下，引文在 108 页。M. Berthelot: *la chimie au Moyen Age t. I*, PP. 89 ff.

~1292年,宋宁宗嘉定七年至元世祖至元二十九年)是欧洲人最早在自己的著作中谈到火药的人。阿尔伯特是当时欧洲著名的博学家,其著述甚丰,他在介绍火药、火器时这样写道:"拿一磅硫磺,两磅柳木炭,六磅硝在大理石上一同研好,然后装在飞火或雷火的纸制筒子里。其火为飞,筒须长而细;其火如雷声,筒须短而粗,装上一半的药为止。"①不过,很多学者认为这段文字是从《制敌燃烧火攻书》中关于火药、火器知识的文字中抄来的。罗吉尔·培根在自己的著作中曾谈及羊皮纸炮:"我们以小孩玩具为例吧,世界上有许多地方制造像拇指大的一种东西;东西虽小,但由于其中有一种属于盐类而叫做'硝'的东西,以此能够爆炸。当其爆炸时,这个用羊皮纸制成的小东西发出可怕的声音,比疾雷还响;所闪出的亮光比随雷而来的闪电还强。"②经很多学者考证指出,培根与阿尔伯特一样,其关于火药的知识也是从《制敌燃烧火攻书》中得来的。③ 但由此也证明了,在13世纪后期欧洲已有了关于火药、火器知识的文字记载。

据顾特曼(O. Guttman)《最古老的火药史档案》记载,在英国牛津一个教堂里发现了一份古老的文字档案,是1326年(元泰定三年)伦敦主教在英王爱德华三世加冕时的加冕辞,在加冕辞下方画有一个瓶形火炮,火炮上的引线正在被一个武士点燃。④ 后来,在侯开姆(Hoikham)发现的同一年(即1326年,元泰定三年)的档案中,也画有类似的瓶形火炮图。这是我们能知道的欧洲最早出现的火器的记载。这类瓶形火炮与中国宋金时期铁火炮的形状是十分相近的。

1338年(元至元四年),法国也有了关于火器的记载。据拉克邦(L. Lacabane)《论火药及十四世纪传入法国考》一文说,在法国中世纪的一份档案里,记载着这样一件事:1338年7月,法国与英国交战,一位叫Guillallme du Moulin的法国将军从另一位Thomas Fougues将军那里得到一个"铁罐子"、一磅硝和半磅"活硫磺"。⑤ 书中对"铁罐子"的描述,与中国1221年(金宣宗兴定五年,宋宁宗嘉定十四年)金人攻打南宋蕲州的铁火炮(又名"震天雷")十分相似,两者当是同一类火器。

14世纪七八十年代,德国出现了金属管形射击火器。1849年(清道光二十九年),考古工作者在坦奈堡城堡(今德国黑森州内)的废墟遗址中获得了一件铜制手持枪,枪身由枪膛、药室、尾銎三部分构成,药室外形稍大,上有一小眼为火门,尾銎用来插木柄。枪身通长33厘米,枪膛口径1.7厘米,枪膛长27厘米,全重1.24公斤,其尾柄已经腐朽,此枪现藏于纽伦堡的日尔曼博物馆。这种制造于14世纪七八十年代的手持枪的形制、构造,与中国1970年黑龙江省阿城县半拉城子出土的铜火铳(该铳制作年代的下限不晚于1290年)、1971年内蒙古自治区托克托县出土的洪武十年凤阳府制作的铜铳、1974年西安东关景龙池巷出土的铜手铳(该铳制作年代大约在13世纪末至14世纪初)等的形制和构造十分相似,它们之间似有明显的承继关系。

但是,在当时欧洲的一些学者,由于种种历史和现实的局限,否认火药、火器是中国发明

---

① 桑戴克:《魔术与实验科学史》第二册,738页。
② 贝尔克:《罗吉尔·培根的要述》第二册,629页(R. B. Burke: *The opus Maius of Roger Bacon*, Philadelphia, 1928)。
③ 冯家昇:《火药的发明和西传》,66页;又见张子高《中国化学史稿》,167页。
④ 顾特曼:《最古老的火药史档案》,《化工学报》第23卷,591页。
⑤ 拉克邦:《论火药及十四世纪传入法国考》,《中古学术研究图书汇刊》第一册第二编,36页。

的和从中国传入欧洲的。例如,巴黎大学教授拉努(J. T. Reinaud)认为,"中国最先使用硝……而真正的火药则始用于欧洲黑海沿岸及多瑙河下游地区"。又例如,英国人海姆(Liéut-Colonel H. W. L. Hime)提出并坚持培根发明火药论,"他不承认中国有发明火药的能力,甚至有火药以后,也不能对制造方面有什么进步与改良"。再例如,美国人 G. 沙二旦"既不信中国先用硝,更不信中国发明火药",如此等等。这些言论和观点,在 19 世纪迷惑了相当一部分人,"不但所谓火药史专家们附和之,而普遍应用的《大英百科全书》从十一版到十四版",均认为火药是英国人罗吉尔·培根发明的。①

不过,经过一个多世纪的新的历史资料和考古发现,以及许多中外学者专家的探讨和研究,历史终于显露了原来的面目,在世界上中国最早发明了火药和火器,欧洲的火药和火器是由中国传入的这一铁的历史事实,终于在中外学术界得到了普遍的承认。英国著名科学史专家李约瑟先生 1979 年 11 月在伦敦大学发表讲演时说:"火药武器的发展肯定是中世纪中国最大的成就之一。人们发现火药开始于唐末,即九世纪。""欧洲最初了解火药知识只能追溯到 1285 年左右,这就是说,作为纯粹发射剂的火药和弹丸,应用火药的最初阶段,是在中国发展的,并随着那些瓶状臼炮作为火药的最早知识开始传到欧洲。"②

1981 年 9 月,李约瑟先生在罗马尼亚布加勒斯特召开的第十六届国际科学史大会上又一次肯定地指出:"如果我们把较早的那些阶段考虑进去的话,便能看出,中国经历了火药武器的每一个时期,从火药的首次出现一直到金属管枪的问世。而在此期间,欧洲对此则闻所未闻。欧洲缺乏中国那种漫长的发展实验技术的经历,这一事实有力地证明了关于传播的问题。我们倾向于认为,传播发生于公元十三世纪的最后十年。"③

二、中国古代火药、火器西传的两种途径

关于中国古代火药、火器传入欧洲的途径,就目前所掌握的资料,归纳起来,学术界主要有两种观点:

其一,李约瑟等认为,中国古代火药、火器是在 13 世纪后半叶的某个时候,直接从中国传入欧洲的。

李约瑟等对中国火药、火器传入欧洲的途径问题,作了大量的深入的研究,曾在很多文章和讲演中进行了论述和分析,其中《开封府的枪》、《关于中国文化领域内火药与火器史的新看法》、《火药和火器的史诗》等文比较完整地论述了这一观点:"那么火器是怎样传到西方世界的呢?我们可以很肯定地说,这必定是发生在十三世纪后半叶的某个时候。这正好在拔都汗(1209~1256 年)率领下的蒙古人向东欧长驱直入之时;似是而非的是,他们好像并没有导致这种传播。他们高度评价火药是后来的事,尤其在忽必烈汗(1215~1294)争夺中国王位的战斗中。但在更早期阶段,他们作为游牧骑马射手和头等的骑兵,在一二四一年莱格尼查(Liegnitz)战役中击溃了欧洲的骑士团,那时对骑兵作战有用的火器还没有达到发展状态。手枪、卡宾枪或左轮枪仍是遥远的未来的产物。"

让我们稍微看看在这个多事之秋的世纪里一些事件的发展进程:

---

① 以上引文均见冯家昇:《驳斥欧美资产阶级学者的"火药是欧洲人发明"的谬论》,载《科学通报》,1953(12)。
② 潘吉星主编:《李约瑟文集》,579 页,590 页。
③ 李约瑟等:《关于中国文化领域内火药与火器史的新看法》,转引自《科学史译丛》,1982(2)。

蒙古人首先降服了花剌子模的国土。1234年推翻了金朝,1236年蒙哥汗(1208~1259年)远至西方入侵了亚美尼亚。下一年(1237年)看到了俄罗斯的梁赞(Ryazan)的陷落,以及蒙古人入侵了波兰。1241年,随着莱格尼查的大捷,又包围并攻占了布达佩斯,但窝阔台汗(1186~1241年)也崩于此时,十年后由蒙哥继位。1253年左右,罗伯鲁(William de Rubruquis,1215~1270)及其他一些方济各会士启程来到哈拉和卓的蒙古宫廷;他们负有外交使命,而不是传教,想求得蒙古人帮助对付法兰克基督徒的传统敌人穆斯林教徒。

"这是一个古典的关于包围战略的实例即远交近攻。人们想必会了解,这些方济各会士在其漫游蒙古和中国时,关于火药和火器他们毕竟看到了什么;虽然这些兴趣与他们的习性无关,他们必定觉得他们有义务把这些可能保卫基督教世界的安全和政权以对付异教徒的知识和技术带回去。因而对这些教徒主动进行这种传播的活动,要比至今给以更密切的注意。其中之一甚至还可能由一中国的火器手伴行,这个中国人懂得过去六百年来和最近发明的各种各样的装置,并且不反对在生疏的外国谋生——但至今还没有找到关于他的历史记载。

"至于说到这种远交近攻的战略,它获得出乎意料的成功,尽管蒙古人其实有自己的打算,没有与基督徒结成同盟。蒙古人却在征服了波斯以后,入侵波斯湾以外的伊拉克,而于1258年攻陷了巴格达。在这以后不久,建立了以伊朗为中心的蒙古的伊儿汗国,又建立了很大的马拉盖天文台。此后又来了第二个可能的传播媒介,即巴琐马①(Rābban Bar Sauma,1225~1293年)及其友人的游历,其游记很早以前便由沃利斯·巴奇(Wallis Budge,1857~1934年)从叙利亚文译出。这些年轻人是两位维吾尔族世系的中国的基督教(景教)教徒,在北京出生并受教育,他们渴望去耶路撒冷朝圣。他们未曾到那里,但他们在其中之一返国前(1278~1290年)却漫游了整个旧大陆的范围。巴琐马的友人意外地被选为教皇和波斯的大不里士或某个地方的所有景教教会的总管,而其职责因而使他无限期地滞留在那里。但巴琐马则漫游至西方,访问了意大利并于1287年在罗马受到热情的接待(在这里没有提出教义上不便的问题);最后他到达法国的波尔多(在这里他举行了有英国国王参加的礼拜仪式),而后他沿来程回到中国。这次朝圣也许还有一部分政治目的,可能想让西方支持宋对付蒙古人,而如果是这样,则没有一点成功的机会;但那个想象中的中国火器手可能又一次随这两名教徒前来,并将他的知识传给有能力接受的欧洲的有心人。

"最后,在十三世纪不只有方济各教士和景教徒,而且还有——甚至更著名的——旅游商人,其中最知名的当然是马可·波罗(Marco Polo),"一个百万富翁",此人声称在中国河流上有几百万条船,而在杭州有无数的桥——而他基本上没有说错。决定性的日期是马可·波罗最后于1292年离开中国。他侍奉忽必烈汗二十年左右,有时肩负秘密使命,但更经常的是在盐使司工作,而当他借海路离华时,陪伴一个中国公主,她带着一个庞大的舰队登程去嫁给一个中东的君主。这可能是我们所留意的中国火器手登场的更适当的舞台,但不幸的是为时稍晚,因为火药方已大约同时在欧洲由方济各会士罗哲·培根(Roger Bacon)以字谜形式和多明我会士阿贝特大圣(Albert Magnusa)分别首次提到。但马可·波罗还不只

---

① 巴琐马,又译为列班扫马,维吾尔族人,中国景教徒,是与马可·波罗同时代的旅行家,但其旅行方向恰与马可·波罗相反。

是在十三世纪时在中国的惟一的意大利商人;另外有弗兰西斯科·皮戈罗蒂(Francesco Pegolotti),他写了一本书论如何前往中国及返回;在扬州还有欧洲商人及其妻室的一个移民区,更不要说在哈拉和卓侍奉大汗的法国著名工匠纪尧姆·布歇尔(Guillaume Boucher)。因此有许多可能性可以实现其传播。至1355年朱元璋君临中国时,对于欧洲人肯定于1327年点放曰炮来说,为时过晚。我们需要具体明了中国火药传到西方的突出之点在1260年及1300年之间,就是说在突火枪和真正的火炮在中国迅速发展的时期。今后的研究无疑会为我们阐明这一问题提供更多的证据。"①

在李约瑟看来,有三种人直接将中国的火药、火器传入了欧洲:第一,来中国传教的方济各会传教士,将中国的火药、火器直接传入了欧洲;第二,巴琐马及其友人到欧洲游历,将中国的火药火器直接传入了欧洲;第三,马可·波罗等一批旅游商人将中国的火药、火器直接传入了欧洲。这就是李约瑟先生等的中国火药、火器直接传入欧洲论。

其二,恩格斯、冯家昇等认为,中国火药、火器,13世纪先由中国传入阿拉伯国家,13世纪后期至14世纪初,又由阿拉伯国家间接传入欧洲。

恩格斯1857年在《军队》一文中写道:"法国和欧洲其他各国是从西班牙的阿拉伯人那里得知火药的制造和使用的,而阿拉伯人则是从他们东面的各国人民那里学来的,后者却又是从最初的发明者——中国人那里学到的。"②

冯家昇在1954年出版的《火药的发明和西传》一书中指出:"中国对于世界的四大贡献——纸、印刷术、指南针、火药,都是先传入伊斯兰教国家,然后再由伊斯兰教国家传入欧洲的。"③

叙利亚学者艾哈迈德·尤塞夫·阿尔—哈桑1981年在罗马尼亚布加勒斯特召开的第十六届国际科学史大会上说:"火药则是十分缓慢地从中国传至伊斯兰国家,再传至欧洲,并且其有效发展与利用需要几个世纪的时间。"④

三、通过阿拉伯国家传入欧洲的火药、火器

以上就是学术界关于中国火药、火器传入欧洲途径的两种主要观点。对于李约瑟、鲁桂珍等的中国火药、火器直接传入欧洲论,鉴于目前论证资料的缺乏,无法更深入一步探讨。所以笔者也认同恩格斯、冯家昇等提出的中国火药、火器通过阿拉伯国家传入欧洲论,认为这是中国火药、火器西传的主要途径。关于这一点简述如下:笔者认为,中国火药、火器通过阿拉伯国家传入欧洲是分两个阶段进行的。第一阶段,13世纪,中国火药、火器传入阿拉伯国家;第二阶段,13世纪后期至14世纪上半叶,火药、火器再由阿拉伯国家传入欧洲。

(一)第一阶段:中国火药火器传入阿拉伯国家

早在公元八九世纪时,随着中国炼丹术传入阿拉伯国家,大概硝也在那个时候一起传入了这一地区,阿拉伯人称之为"中国雪",波斯人叫做"中国盐",主要用于医药、炼丹、制造玻璃等。直到13世纪20年代前期,还未见这些国家将硝用于军事上的记载。因为在1225年(宋宝庆元年)写成的一本阿拉伯文的兵书中,详细地论述了火攻法,对各种各样的石油凝

---

① 《李约瑟文集》,594~597页。
② 恩格斯:《军队》,《马克思恩格斯全集》第14卷,29页。
③ 《火药的发明和西传》,40页。
④ 艾哈迈德·尤塞夫·阿尔—哈桑:《略论阿拉伯文献中的火药和火炮》,载《科学史译丛》,1982(2)。

固燃料和油脂、松香、硫磺、砒霜等混合燃料记载得非常详尽,但却惟独没有关于硝的记载。可见,1225年以前,阿拉伯国家在军事方面还没有使用硝,也就是说,他们在这个时候还没有用硝配制火药。

大概在此以后,中国的火药、火器开始传入阿拉伯国家,其传播的渠道有两个,一个是通过南宋的海外贸易,另一个是通过蒙古军的西征战争。

我们知道,中国火器发展到南宋,作为娱乐用的火药制品——烟火、起火、爆仗等,有了长足的发展。而在当时,南宋的海外贸易非常繁荣。据《岭外代答》、《诸蕃志》等史书记载,有五十多个国家与南宋有通商往来,而南宋商船通达二十多个国家,广州、泉州、明州(今宁波一带)是当时的三大贸易港口。"每年夏至以后,各国海船纷至沓来,云集于南宋的各个贸易港口;十月以后,又陆续启航回国。南宋的大海船,每年十一月至十二月,趁东北风从广州、泉州等地出海,经过南海,越马六甲海峡,航行四十多天,到达苏门答腊西北部的蓝里,在这里贸易并过冬。第二年冬天,再趁东北风开船,横渡印度洋,约一个月到达印度南端的固临;从固临出发,大约再用一个多月的时间,越过阿拉伯海,就到达波斯湾沿岸的阿拉伯各国。从泉州和广州渡海到达阿拉伯各国,往返一次大约需要两年的时间。"① 在海外贸易中,从南亚及阿拉伯国家输入到中国的商品主要为药材、香料、象牙、珠宝等,而中国输出的商品大多为瓷器和各类丝织品,其中,当亦包括中国所特有的种类繁多的娱乐用火药制品。因此,随着海外贸易的发展与繁荣,南宋的娱乐用火药制品及其制造技术(包括火药的制造)就传到了阿拉伯国家。这种传播,在当时的阿拉伯史书中也有记载。据拉努与法伟的《火炮史》记载,13世纪阿拉伯人哈桑曾写过一本关于军事的书,他说他这本书是根据其祖父的遗志并参考了其它专著写成的。② 在这本书中,记载有火器的火药构成成分及其组配比率:

"契丹火轮"的成分及其组配比率:硝10,硫磺$3\frac{1}{3}$,木炭1。

"契丹花"不同于火轮的成分及其组配比率:硝10,硫磺$1\frac{1}{2}$,木炭$2\frac{1}{4}$。

第一,"契丹"是当时西欧、西亚等地的人对中国的称谓,而哈桑书中谈到的这些火器名称都冠上了"契丹"一词,表明这些烟火来自中国无疑;第二,哈桑书中有"契丹火轮",而当时周密(宋绍兴五年至元大德二年)的《武林旧事》中有"起轮";③第三,哈桑书中有"中国铁",而《金史》中有"铁滓末","中国铁"大概就是金人飞火枪中装的"铁滓末";第四,根据其成分的配比,哈桑书中的"契丹花",当是中国通常所说的"花火"。由此可见,大约在13世纪前后,中国的娱乐用火药制品已通过海外贸易传到了阿拉伯国家。

中国的军用火药、火器则是通过战争——蒙古军的西征传到阿拉伯国家的。蒙古人在漠北崛起以后,便南下攻打金朝。1218年(宋嘉定十一年),蒙古军在对金作战中取得胜利后,接着进行了长时期的频繁的西征战争。1218年至1223年(宋嘉定十一年至十六年),由成吉思汗率领,蒙古军开始了第一次西征,先后攻灭了西辽和花剌子模国,其领土扩大到了今中亚地区。1236年至1241年(宋端平元年至宋淳祐元年),窝阔台派遣拔都、贵由、蒙哥

---

① 蔡美彪等:《中国通史》第五册,382~383页。
② 拉努与法伟:《火炮史》。
③ 周密:《武林旧事》,卷三。

等统率大军第二次西征,攻占了俄罗斯,军队直逼东欧的孛烈儿(今波兰)、马扎儿(今匈牙利)等地。1253年至1258年(宋宝祐元年至六年),蒙哥派遣旭烈兀统率大军第三次西征,打败了黑衣大食,攻占了巴格达和大马士革,其势力发展到西亚。此后直至14世纪初,蒙古军又进行了多次西征。在长期而频繁的西征战争中,蒙古军大量使用了火器这种新式武器。据载:如1253年(宋宝祐元年),旭烈兀西征时,就"从汉地签发炮手(当为发射抛石机的士卒——引者按)、火箭手千人,由著名攻城能手郭侃率领,随军出征"。[①] 1258年(宋宝祐六年),旭烈兀统率大军三路并进,围攻黑衣大食都城巴格达时,蒙古军向城中发射"震天雷",巴格达城东门楼、城墙相继被击毁,最后巴格达城被攻陷。1260年(宋景定元年),蒙古军在大马士革以南被马木路克苏丹打败,马木路克苏丹得到了蒙古军随身携带的火器和制作火器的人。就这样,通过蒙古军的西征,我国的火器在13世纪20年代至14四世纪初传入了阿拉伯国家。从此,阿拉伯国家有了自己的军用火器——"马达发"(madfa'a)。阿拉伯人的"马达发"现在虽无实物可考,但记载这种火器的文献资料却被保存了下来。例如,列宁格勒博物馆藏有一本1300年(元大德四年)的阿拉伯文抄本,上面有阿拉伯人手持"马达发"的图画。同类的手抄本在伊斯坦布尔也有发现,这份手稿对阿拉伯最早的大炮作了类似的描述。[②] 此外,据《亚洲学报》记载,在13、14世纪之交有一本军事著作,其作者是伊斯兰国家的Schemes eddin Mohammed,在这本书中,记载有两种形制不同的"马达发"。一种是粗短的筒子形,内装火药,筒口安装有石球;另一种是长筒子形,内装火药,然后将能上下活动的铁球或铁饼装入,拴在火门旁,铁球或铁饼上再装上一支箭。这两种形制不同的"马达发",与宋代的火筒和突火枪外形极其相似。以上事实无可辩驳地证明,我国的军用火器通过战争在13世纪20年代至14世纪初传入了阿拉伯国家。

(二)第二阶段:火药、火器由阿拉伯国家传入欧洲

火药、火器传入欧洲,主要是通过战争实现的。在中世纪中期,欧洲和阿拉伯国家之间发生了长期的军事冲突,战争在西班牙、意大利、小亚细亚和地中海各岛屿上断断续续地进行,时间长达好几百年。在长时期的战争中,阿拉伯人大量使用了火器。例如,1312年和1323年(元皇庆元年至元至治三年),阿拉伯人两次围攻西班牙的巴萨城,攻城士兵用抛石机向城中发射火球等火器,声震天地,火光冲天,杀伤力极大。在战争中,欧洲人从阿拉伯人那里接触并学会、掌握了制造和使用火药、火器的知识与技术。正如1857年恩格斯在给美国《新百科全书》写的《炮兵》一文中所说:"阿拉伯人从中国人和印度人那里学会了提取硝石和制造烟火剂。……阿拉伯人看来很快就丰富了从中国人那里得到的知识。……如果说阿拉伯人在十二世纪使用的发射器的特点至今还不清楚的话,那么下列事实却是不容置疑的,即在1280年已使用火炮攻打哥多瓦,而到十四世纪初火炮的知识就由阿拉伯人传给了西班牙人。1308年,斐迪南四世利用火炮夺取了直布罗陀。1312年和1323年在巴萨、1326年在马尔托斯、1331年在阿利康特的强攻中都使用了火炮;在上述围攻战中,有几次火炮还发射了燃烧弹。使用火炮的知识又从西班牙人那里传到了欧洲其它各国。法国人在1338年围攻吉约姆山时使用了火炮,同年,普鲁士的德意志骑士也使用了火炮。到1350年,火器

---

① 韩儒林主编:《元朝史》,166页,人民出版社,1986。
② 艾哈迈德·尤塞夫·阿尔—哈桑:《略论阿拉伯文献中的火药和火炮》,载《科学史译丛》,1982(2)。

已流传到西欧、南欧和中欧各国。"①恩格斯的这一段话,简略而明白地概括了13世纪后期至14世纪上半叶火药、火器通过战争由阿拉伯国家传入欧洲的全过程。②

第二节 欧洲火药、火器制作技术的东渐

中国的火药和火器经阿拉伯国家传入欧洲后,欧洲国家的火药和火器便逐渐发展起来。至15世纪,欧洲的管形火器,例如火炮等,其构造、性能及其使用等各方面都有较大改进,可移动的轮式炮架也开始出现。至15世纪中叶,大口径的青铜炮开始用于实战。据记载,穆罕默德二世攻打君士坦丁堡的青铜炮,其口径25英寸,药室直径10英寸,炮重19吨,发射的石块炮弹重600~700磅,曾用于扼守达达尼尔海峡。15世纪末叶,欧洲骑士之风兴起,多崇尚刀、剑、弓、矢,认为使用火器是卑怯之举,因而火炮火器发展迟缓。

16世纪初叶,俄国莫斯科制造出了历史上最大的青铜臼炮——莫斯科臼炮,其口径36英寸,药室直径由19英寸斜至18英寸,炮长18英尺,可发射重2000磅的花岗石弹丸。16世纪中叶,欧洲的加农炮问世,英国于1544年铸造了口径4.75英寸、炮身长58英寸的青铜加农炮。这时,炮膛来复线已经发明,火炮生产数量颇大。步枪也已由火绳枪发展到燧发枪。到17世纪,弹道学兴起,为火炮等管形火器的进一步发展奠定了理论基础。不过,尽管欧洲在15~16世纪火器有了较大发展,但是直到19世纪中叶,即我国鸦片战争前夕,欧洲一直使用滑膛枪炮,燃用黑色火药。

在欧洲火器技术迅速发展的形势下,我国明代后期至清代初期,统治阶级为了改善国家机器的重要支柱——军队的武器装备,巩固或夺取政权,出于战争的需要,结合本国的实际情况,在有限的范围内,引进对本国有益的外国先进火器技术。这一时期,中国统治当局引进西方先进的火器技术,归纳起来,主要表现在下面四个方面:

一、对输入先进火器品种进行仿制

明代后期至清代前期,中国统治者当局逐步认识到了本国火器与西方先进火器之间的差距。为了缩短这一差距,改善和加强军队的武器装备,当时的统治者注意输入西方先进的火器品种,进行大量仿制。其中,对我国火器发展影响较大的,主要是佛郎机炮、红衣炮和鸟铳。

(一)佛郎机炮

佛郎机炮,因从葡萄牙③传入我国而得名,是当时世界上的先进火炮。其制"以铜为之,长五六尺,大者重千余斤,小者百五十斤,巨腹长颈,腹有修孔。以子铳五枚,贮药置腹中,发及百余丈,最利水战"④。我国于明正德年间(1506~1521年)输入,其传入途径有以下几种说法。

一是由葡萄牙人入贡得到的。《筹海图编》记载说:"正德丁丑,予任广东佥事,署海道

---

① 《马克思恩格斯全集》第14卷,194~195页。
② 本节及第二节主要参考:冯家昇先生的《火药的发明和西传》下编和张子高先生的《中国化学史稿》第四章第九节《火药与火器》等资料写成,并略有补充。
③ 明时称葡萄牙为"佛郎机"(波斯文 Frangi 的音译,原泛指欧洲传教士)。
④ 《明史》,卷九二《兵四》,2264页。

事。暮有大海船二只,直至广城怀远驿,称系佛郎机国进贡。……查《大明会典》,并无此国入贡。……其铳以铁为之,长五六尺,巨腹长颈,腹有长孔,以小铳五个轮流贮药,安入腹中放之。……时因征海寇,通事献铳一个,并火药方。此器曾于教场试之,止可百步。"①从这段文字可知,明正德十二年(1517年),顾应祥任广东佥事时,由葡萄牙人向明朝政府入贡而得到了一门佛郎机炮及火药配方。这门佛郎机炮只适用于海战,"守城亦可,持以征战,则无用矣"。②

二是从葡萄牙人那里盗取了制造佛郎机炮的技术和方法。据《明史》记载:"正德末,其国(指葡萄牙——引者按)舶至广东,白沙巡检何儒得其制,以铜为之,长五六尺,大者重千余斤,小者百五十斤,巨腹长颈,腹有修孔。"③《续文献通考》记载曰:"正德末,广东巡检何儒招降佛郎机番人,因得其船铳等法。"④《明实录》也记载曰:"中国之有佛郎机诸火器,盖自儒始也。"⑤

何儒,江西宁都人。明正德年间任广东东莞县白沙巡检。明严从简撰写的《殊域周咨录》详细记载了何儒获取佛郎机炮的经过:"有东莞县白沙巡检何儒,前因委抽分,曾到佛郎机船,见有中国人杨三、戴明等,年久住在彼国,备知造船及铸制火药之法。铳令何儒密遣人到彼,以卖酒米为由,潜与杨三等通话,谕令向化,重加赏赉,彼遂乐从。约定其夜,何儒密驾小船,接引到岸,研审是实,遂令如式制造。"⑥

何儒因从葡萄牙人手中获得佛郎机炮及蜈蚣船的制造方法和技术,因功得赏,"以功升应天府上元县主簿,令于操江衙门监造,以备江防。至是三年秋,秩满,吏部并录其前功,诏升顺天府宛平县县丞"。⑦

三是在与葡萄牙人作战中缴获的战利品。正德十六年(1521年),明军在广东屯门岛与入侵我国的葡萄牙人曾打过一仗。史澄《广州府志》记载说:"汪鋐……正德十六年任巡道,番夷佛郎机假朝贡,占据屯门海澳,时肆剽掠,屠食婴儿。御史邱道隆、何鳌前后具奏,准行驱逐,公亲冒风涛,指画方策,号召编民,率以大义,战而克之。"⑧《广州府志》记载的这次战事,即屯门围困葡人之役。据载通过这次战役,汪鋐从葡萄牙人那里缴获了二十余门佛郎机炮。⑨

由此可以看出,明朝官军通过屯门之役缴获佛郎机炮是正德十六年(1521年)的事,但《明史·佛郎机传》却记载说:"嘉靖二年……官军得其炮,即名为佛郎机,付使汪鋐进之朝"⑩,这其中显然有误。

四是闽广商人在南洋经商过程中,间接从南洋将佛郎机炮的制造技术和方法传入了我国民间。

明正德五年(1510年),"汀漳盗"杨昆仑等犯仙游县,陈寿祺的《福建通志》对此记载

---

①② 《筹海图编》,卷一三。又茅元仪《武备志》卷一二一、王鸣鹤《登坛必究》卷二九都有类似的记载。
③ 《明史》,卷九二《兵四》,2264页。
④ 《续文献通考》,卷一三四《兵十四》,3997页。
⑤⑦ 《明世宗实录》,卷一五三。
⑥⑨ 《殊域周咨录》,卷九。
⑧ 《广州府志》,卷三八,107页。
⑩ 《明史》,卷三二五《佛郎机传》,8431页。

说:"汀漳流盗杨昆仑等,突攻县城,知县范珪檄昇御之。时贼初至,营垒未定,伐木为栅,昇同典史黄琯纵火焚其栅,以佛郎机炮百余攻之。风烈火炽,贼死者枕藉,擒贼党陈四师等二十余人,昆仑遁去。"①这件事说明:早在正德五年(1510年)仙游县军民不但有了佛郎机炮,而且将佛郎机炮用于了实战。

明正德十四年(1519年),宁王朱宸濠与致仕都御史李士实、举人刘养正等起兵叛乱,谋夺帝位。王守仁立即率兵前往平定叛乱。而在这时,退养在家的兵部尚书林俊,为了给平叛军鼓舞士气,立即"使人范锡为佛郎机铳,并抄火药方"②,从相距三千里之遥的福建莆田派人星夜送给王守仁。当佛郎机炮模型和火药配方送到后,朱宸濠叛乱已被平定七天了。但王守仁却感激涕下,特作歌曰:"佛郎机,谁所为? 截取比干肠,裹以鸱夷皮。苌弘之血衅不足,睢阳之怒恨有遗。老臣忠愤寄所泄,震惊百里贼胆披。徒请尚方剑,空闻鲁扬挥。段公笏板不在兹,佛郎机,谁所为?"③

从这件事来看,林俊不但熟悉佛郎机炮的性能,而且已经会使用和制造佛郎机炮了。从传入到熟悉性能,并且会使用和制造,其间应有一个过程。可见,佛郎机炮的传入当在这之前,即正德十四年(1519年)之前。那么福建民间所掌握的佛郎机炮的制造方法和技术是从何而来的呢? 他们不可能是从官方处得来,因为仙游县军民使用佛郎机炮比何儒、汪𬭎等得到佛郎机炮的时间还早;也不可能直接从来中国的葡萄牙人那里得到。那么他们制造佛郎机炮的技术和方法是从何得来的呢? 考虑到明代闽广商人常到南洋一带经商,很可能是这些人在与葡萄牙人的接触过程中,"先已习佛郎机之术,而后赍之以归,仿拟制作,渐而行于民间,似非自葡人入中国后,始得其术也"。④

通过上述四种途径,佛郎机炮传入了我国。从这四种途径所处的时间来看,大都发生在明正德年间(1506~1521年)。由此可以推断,佛郎机炮大约是在明正德年间传入我国的。在这个问题上,史籍的记载比较混乱。比如,明代火器专家赵士祯在《神器谱》中说:"大铳有国初颁发边镇三将军,征交趾所得佛郎机。"⑤"征交趾"是明成祖在位时,即永乐年间(1403~1424年)发生的事。明末清初著名史学家谈迁也认为在明永乐年间我国已有了佛郎机炮,"都督戚继光署登州卫所,发地窖永乐时佛郎机,年月铸文可考"⑥。明人沈德符在《万历野获编》中说:"弘治以后,始有佛郎机炮。其国即古三佛齐,为诸番博易都会。粤中因获通番海艘,没入其货,始并炮收之。"⑦在同书中又说:"自来中国惟重佛郎机大炮,盖正统以后始有之,为御夷第一神器。"⑧沈德符一会儿说佛郎机炮是弘治以后传入的,一会儿又认为正统年间已有佛郎机炮,在时间上自相矛盾。清末王仁俊在《格致古微》中说:"明初有

---

① 《福建通志》,卷二六七《明外纪》。《福建通志》关于仙游县军民使用佛郎机炮"击贼"的史料,除正德五年这条外,还有正德元年(1506年)一条,现抄录如下:"广东盗"柳芳犯仙游县,"昇遣子瑞周同乡勇雷法英等十数人埋佛郎机炮数百于漳村东湖以待之,(柳)芳中炮死。"从"埋佛郎机炮数百于漳村东湖以待之"一句来看,这里所说的"佛郎机炮",很可能是地雷一类火器。因此,笔者存疑,本书不予采用。
②③ 《王文成公全书》,卷二四。
④ 张维华:《明史欧洲四国传注释》,23页。
⑤ 《神器谱·原铳篇》。
⑥ 谈迁:《枣林杂俎·智集·佛郎机条》。
⑦⑧ 沈德符:《野获编》,卷一七"火药"条,卷三〇"红毛夷"条。

火车、火伞、大、二、三将军等炮及碗口铜铳、手把铜铳、佛郎机等品。"①王仁俊也同样认为,明初我国已经有了佛郎机炮。如此等等。笔者认为,这些关于佛郎机炮传入我国时间的论述和记载,都是不准确的。正如前面分析的,佛郎机传入中国的时间应在正德年间。

佛郎机炮传入我国后,由于它比明朝原有的火炮装填便利,发射速度快,且安装有瞄准具命中率高,因此,明朝当局立即进行了仿制。

官方最早仿制佛郎机炮的大概是汪鋐。当何儒从葡萄牙人那里获得了制造佛郎机炮的技术和方法后,汪鋐便"研审是实,遂令如式制造"②,就地进行了仿制。汪鋐为什么要就地立即仿制佛郎机炮呢?因为这种炮"独精",是当时的先进火炮,就地仿制这种炮是为了能尽快对付当时的葡萄牙人对广东的入侵。事实上,汪鋐仿制佛郎机炮成功之后,立即便使用这种炮在屯门之役中打败了葡萄牙人的入侵。"鋐举兵驱逐,亦用此铳取捷,夺获伊铳大小二十余管。"③屯门之役发生在明正德十六年(1521年)四、五、九月间。可以肯定,汪鋐仿制佛郎机炮是在正德十六年(1521年)之前。这以后,明朝政府为了"御虏守城",加强边疆防守力量,自嘉靖年间(1522~1566年),开始了大规模仿制佛郎机炮。

明嘉靖二年(1523年),汪鋐首先向嘉靖皇帝上疏,请求明朝政府仿制佛郎机炮。《殊域周咨录》记载说:"嘉靖二年,鋐后为冢宰,奏称:'佛郎机凶狠无状,惟恃此铳与此船耳。铳之猛烈,自古兵器未有出其右者,用之御虏守城,最为便利,请颁其式于各边制造御虏。'"④对于汪鋐的上疏,嘉靖皇帝完全同意。《大明会典》记有:"大样、中样、小样佛郎机铜铳。大样,嘉靖二年(1523年)造三十二付,发各边试用。"⑤

明嘉靖九年(1530年)九月,汪鋐又向嘉靖皇帝上疏称:"国家于江北沿边,各设重镇,如甘肃、延绥、宁夏、大同、宣府各镇官军,不下六七万人,又设墩台城堡,其为守御之计,似无不周;然每当虏入,卒莫能御,损伤官军,动以千百计,此其故何也?盖墩台初无遏截之兵,徒为瞭望之所,而城堡又多不备,所执兵器,不能及远,所以往往覆败。为今之计,当用臣所进之佛郎机铳。小如二十斤之下,远可六百步者,则用之墩台。每台一铳,以三人守之。大如七十斤以上者,远可五六里者,则用之城堡。"⑥通过汪鋐的这次上疏,明政府便大量仿制佛郎机炮,装备各边镇防守部队。至嘉靖十五年(1536年),明政府仅分发给陕西三边的仿制的铜铁佛郎机炮就达2500尊,第二年,又分发熟铁小佛郎机炮3800尊。⑦明嘉靖年间仿制的佛郎机炮,现在已在辽阳等地出土了实物(见本书第四章)。

(二)红夷炮

红夷炮,有的史书写为"红尸炮"("尸"为"夷"的古字)、"红彝炮"或"红裔炮"。因为此炮是从荷兰人那里传入的,而当时中国称荷兰人为"红夷"或"红毛夷",故名。因清代皇帝讳"夷"字,"彝"、"裔"等字也在讳字之列,常以"衣"字代替,所以在清代又被称为"红衣

---

① 王仁俊:《格致古微》,卷二。
②③④ 《殊域周咨录》,卷九"佛郎机条"。
⑤ 《大明会典》,卷一九三《军器军装二·火器》。关于明政府仿制佛郎机炮的时间,《续文献通考》,卷一三四载曰:"世宗嘉靖三年四月造佛郎机铳于南京";谈迁《国榷》嘉靖三年四月条载曰:"南京仿造佛郎机铳"。这些记载与《大明会典》不同,本书从《大明会典》说。
⑥ 《明世宗实录》,卷一一九。
⑦ 《续文献通考》,卷一三四《兵十四》,3996~3997页。

炮"。有的史书上也有称"西洋大炮"的,实际上都是同一种类型的火炮。

据《明史》等史籍记载,红夷炮身"长二丈余,重者至三千斤"①,因其"物料真,制作巧,药性猛,法度精"②,是当时欧洲威力强大的新式火炮,能够"及远命中"③,"洞裂石城,震数十里"④。此炮明万历年间开始传入我国,其传入的途径是:

1. 西方传教士把红夷炮的知识传入了我国。16世纪初,随着通往东方新航路的开辟,欧洲天主教传教士也陆续来到中国。他们在传教过程中,也把欧洲的"奇器"和科学知识带到了中国。万历三十五年(1607年),德国耶稣会传教士利玛窦与当时的詹事府少詹事徐光启合译《几何原理》,在该书序言中第一次谈到了几何学与兵器学的关系,徐光启还向利玛窦学习过西洋火炮和炮台的制造方法。利玛窦又向光禄寺少卿李之藻详细介绍了西洋大炮的原理构造。应该说是西方传教士最先将红夷炮的有关知识传入了我国。

2. 通过海战从入侵的荷兰人那里缴获所得。16世纪末,荷兰联省共和国取得了反对西班牙统治者的胜利,航运业和海外贸易业迅速发展。17世纪初,荷兰舰队东来,经常侵犯骚扰我东南沿海。他们"所恃惟巨舟大炮,舟长三十丈,广六丈,厚二尺余,树五桅,后为三层楼。旁设小窗置铜炮,桅下置二丈巨铁炮,发之可洞裂石城,震数十里,即所称红夷炮"⑤。万历三十二年(1604年),明军与荷兰舰队遭遇,双方发生了激战,明军以旧有火器与荷兰炮舰交火,西洋大炮威力强大,明军损失严重。后来明军在与荷兰人的交战中,终于缴获了荷兰人的"巨炮"。《明史》对此记载有:"其后,大西洋船至,复得巨炮,曰红夷。"⑥由此可见,通过战争,红夷炮在万历年间传入了我国。但明政府只是将战争获得的红夷炮视为"神器","赐以大将军号,遣官礼之"⑦而已,并没有立即对其仿制应用和推广。

3. 从澳门葡萄牙人那里购买了一批西洋大炮。明万历后期,东北边境的满族在其首领努尔哈赤的领导下,统一了各部落,从此日益强大,迅速崛起,屡犯明边。万历四十六年(1618年),后金兵攻克抚顺。万历四十七年(1619年)萨尔浒之役,装备有大量火器的明军吃了败仗。面对后金兵的强大攻势,明廷举朝震惊。为了扭转败局,徐光启力主"练精兵、致利器",自筹经费暗地里向澳门购买威力强大的西洋大炮,并于天启元年(1621年)派张焘、孙学诗赴澳门去办理此事。天启元年十月将四门西洋大炮运到广州,十二月运抵北京。徐光启在给友人的信中曾谈及此事:"所致西洋大炮四位,业已解到,此歼夷灭虏第一神器,但其用法尚需讲究耳。"⑧

西洋大炮运抵北京后,明熹宗又决定从澳门聘请一批葡萄牙炮师训练中国炮手。天启三年四月(1628年5月),葡萄牙炮师共24人抵达北京。"至是两广总督胡应台,遣游击张焘解送夷目七名,通事一名,兼伴十六名赴京听用。"⑨但葡萄牙炮师在训练中国炮手时,发生了膛炸事故,"一炮忽炸裂……葡籍炮手一人及若干乡人竟因而殒命"⑩。明朝廷认为这

---

① ④ ⑥ 《明史》,卷九二《兵四》,2265页。
② ③ 《徐光启集》,289页。
⑤ 《明史》,卷三二五《和兰传》,8437页。
⑦ 《野获编》,卷三〇,34~35页。
⑧ 《徐氏庖言·与吴生白方伯书》。
⑨ 《明熹宗实录》,卷二八。
⑩ 巴笃里:《耶稣会史中国之部》,771~772页。

是不祥之兆,乃将葡萄牙炮师遣返回澳门,训练中国炮手之事就此告终。

西洋大炮从澳门输入中国以后,明政府立即将其运往东北边境,装备宁远部队,参加了历史上有名的宁远之战。当时宁远城中明朝"士卒不满二万"①,却打败了努尔哈赤亲自率领的后金兵五六万人的进攻,西洋大炮在这次战役中发挥了较大作用。为了表彰西洋大炮的战功,明熹宗下诏"封西洋大炮为安国全军平辽靖虏大将军"②,遣官祭炮。③

天启年间从澳门购买一批西洋大炮以后,崇祯年间,明政府又向澳门葡萄牙人购买过两批西洋大炮。崇祯二年(1629年),两广大吏李逢节、王尊德从澳门葡萄牙人购买10门大炮,数支步枪。领队公沙的西劳,通事陆若汉,带领几名炮手运炮北上。④ 崇祯二年(1629年)二月从广州出发,同年十一月到达涿州。⑤ 崇祯三年(1630年)正月6门西洋大炮运入北京,4门留在涿州。崇祯皇帝对这次购炮"均极满意",并立即旨令"京营总督李守锜同提协诸臣设大炮于都城冲要之所,精选将士习西洋点放法,赐炮名神威大将军"⑥。后又于崇祯三年转托陆若汉等人到澳门购炮。陆若汉在澳门很快办妥了购炮事宜,并募集了150名葡萄牙人及一批侍役,携带一大队巨炮和其它军器,北行到达南昌,不过,当时由于明政府内部意见分歧,这批西洋大炮运抵南昌就停止北上了。

通过以上三种途径,当时欧洲先进的红夷大炮传入了我国。与此同时,为了满足当时对后金战争的需要,明政府也开始大量仿制红夷大炮。

早在天启元年(1621年),徐光启就向朝廷上疏疾呼:"今欲以大,以精胜之,莫如光禄少卿李之藻所陈,与臣昨年所取西洋大炮。欲以多胜之,莫如即令之藻与工部主事沈荣等鸠集工匠,多备材料,星速鼓铸"⑦,主张大量仿制西洋大炮。李之藻也在上疏中指出:朝廷对西洋火炮应该"依法广铸,传行九边,每边各有数门",这样,"幕南应无虏迹"⑧。兵部尚书崔景荣也向朝廷建议,从广东挑选能工巧匠,"星夜赴京","预备钢铁物料,以便制造"西洋大炮。⑨由于徐光启等人的多次上疏力争,加之明军在对后金的战争中尝到了西洋大炮强大威力的甜头,因此,到了天启六年(1626年),明熹宗连连颁旨,"西洋炮即如法多制,以资防御"⑩,决定大量仿制西洋大炮。但是,由于当时明朝政府内部党争日烈,宦党掣肘,熹宗的旨令得不到很好的执行,左右受阻,仿制西洋大炮没有成功。

崇祯年间,明朝朝野要求仿制西洋大炮的呼声很高。崇祯二年(1629年)一月,徐光启再次向明毅宗朱由检上疏,要求亲自主持仿制西洋大炮。对徐光启的这次上疏,明政府给予了嘉许。至此,徐光启要求仿制西洋大炮的愿望得到实现。徐光启在仿制西洋大炮的过程中,有其独到之处:一是态度认真,严格按照西方的制炮技术,"务令事事如式",决不自以为是,随便修改工艺,以避免造成损失。如对二号西铳,徐光启本已"颇谙其法式",但他仍要等"贡铳人至,再与咨询",然后再进行铸造。⑪ 二是严格把好质量关,强调"不精工必自

---

① ② 《明熹宗实录》,卷六五。
③ 《两朝从信录》,卷二九,天启六年三月。
④ 《汤若望传》,139页。
⑤ 《徐光启集》,280页。
⑥ 《崇祯长编》,卷三〇。
⑦⑧⑨ 《徐光启集》,卷四《练兵疏稿二》,175页、181页、182页。
⑩ 《明熹宗实录》,卷六三。
⑪ 《徐光启集》,卷六《守城制器疏稿》,280~281页、290页。

伤"。因此在铸炮时,"请于所造器械,各镌铸本人官籍姓氏,后以此器得胜,即查核功级,斟酌部斩事例,造器之人,加实级示酬"①。三是注意节省铸炮费用,降低铸炮成本。崇祯二年(1629年)徐光启指出,铸造二号西铳"可令与江南抚臣,酌用银两,或料价,或薪饷,会同彼处监司,于芜湖铸造起解。彼中铜铁煤炭所聚,可省半费也"②。崇祯三年(1630年),徐光启又向朝廷建议,制造西铳,在山西较好,"盖彼产铁之处,工料易得,煤价甚贱,亦可加精故也"。"酌量遣官,所裨军资,所省财计,亦不少矣"③。经过一年多的努力,到崇祯三年(1630年)八月,徐光启共计制造出大小炮位400余门。

在徐光启的影响下,当时明朝政府官员中,还有相当一些人积极主张仿制西洋大炮,如光禄寺少卿李之藻、后部主事孙元化、兵部尚书崔景荣、刑部尚书黄克缵、侍郎邹元标、两广督臣王尊德、福建抚臣熊文灿、浙江按察使陈亮采等等。其中王尊德、熊文灿等根据西洋大炮的法式,"大兴鼓铸,恭进应用",④制造出了一批西洋火器,王尊德还上交给朝廷175尊。⑤这批火炮中,有5门重一千三百斤至二千斤的火炮留存到了今天,现陈列于中国历史博物馆,至今仍完好无损。此外,山西、云南等省在崇祯年间也仿制了不少西洋火器交明廷急用。

清代初期也大量仿制红衣大炮。早在天聪五年(1631年),皇太极仿制红衣大炮成功,赐名为"天佑助威大将军"。崇德七年(1642年)、八年(1643年),皇太极在锦州仿制红衣大炮。顺治年间,清政府又在北京设立炮厂,大量仿制红衣大炮。⑥顺治以后,清朝政府仍多次大量仿制红衣大炮。

(三)鸟铳

鸟铳,清代又称鸟枪,为欧洲所发明,其"长约三尺,铁管载药,嵌盛木棍之中,以便手握","每铳约载配硝一钱二分,铅铁弹子二钱"。⑦ 发射时,一手前托铳身,一手后握铳柄,"以目对后星,以后星对前星,以前星对所击之物","以指勾轨,则火自燃"。这种铳命中率很高,"十发有八九中,即飞鸟之在林,皆可射落,因是得名"。⑧

鸟铳主要通过战争传入了中国。明嘉靖年间,倭寇大举入侵明朝东南沿海,明军与倭寇在东南沿海进行了长期的战争。嘉靖二十七年(1548年),明军在一次收复被倭寇和葡人盘踞的双屿岛(今浙江省鄞县东南海域)的战争中,都指挥卢镗率军击败了倭寇和葡萄牙人,并从倭寇和葡萄牙人手中获得了鸟铳和"善铳者",命部下进行仿制。《筹海图编》对此记载说:"鸟枪之制自西番流入中国,其来远矣,然造者多未尽其妙。嘉靖二十七年,都御史朱纨遣都指挥卢镗破双屿,获番酋善铳者。命义士马宪制器,李槐制药,因得其传而造作,比西番尤为精绝。"⑨《登坛必究》也有关于此事的记载。⑩ 在此前后,噜密(今土耳其境内)鸟铳也传入了中国。

---

① 《徐光启集》,卷六《守城制器疏稿》,280~281页、290页。
②③ 《徐光启集》,卷六《守城制器疏稿》,280~281页、290页、303页。
④⑤ 《徐光启集》,卷六《守城制器疏稿》,302页、316页。
⑥ 《清朝文献通考》,卷一九四《兵十六》。
⑦ 宋应星:《天工开物》,卷一五《佳兵·火器》。
⑧ 戚继光:《练兵实纪杂集》,卷五。
⑨ 郑若曾:《筹海图编》,卷一三。
⑩ 《登坛必究》,卷二九。

鸟铳传入中国后,因其能"对准毫厘,命中方寸","更能致远摧坚",①是一种使用方便、命中率高、威力强的先进火器,因此,明政府大量进行仿制,装备军队。据《明会典》记载,嘉靖三十七年(1558年),明政府仿制鸟铳10 000把。万历三年(1575年),明政府光制造装备战车的鸟铳就达2 400杆。② 由于明政府大量仿制鸟铳,明军广泛装备了这种火器。据《练兵实纪杂集》记载,戚继光的步营,每营共计将官士卒2 699名,装备鸟铳1 800杆;马营每营共计将官士卒2 699名,装备鸟铳432杆;车营每营共计将官士卒3 109名,装备鸟铳512杆;辎重营装备鸟铳共计640杆。③ 据《纪效新书》记载,戚继光在东南沿海平定倭寇的水战中,其水军中的福船每艘装备鸟铳10杆;海沧船每艘装备鸟铳6杆;苍山船每艘装备鸟铳4杆,④如此等等。

二、聘用西洋火器专家制造火器

明末清初,由于战争频繁,统治者十分重视武器装备,特别是新式火器的研制。为了引进西方的先进火器制造技术,仅输入西方某些优良的火器品种进行仿制,还远远满足不了战争的需要。因此,在购买和仿制的同时,明清统治者还聘请西洋火器专家,大量制造火器。在当时,先后为中国制造火器的西洋火器专家有毕方济、阳玛诺、汤若望、南怀仁等,其中以汤若望、南怀仁尤为突出。

汤若望(Johann Adam von Bell,1591~1666年),德国人,天主教耶稣会传教士。明天启二年(1622年)来华。开始在北京习学汉语,继往西安传教。崇祯三年(1630年)被明政府召回北京,参与明朝的历法修订。当时,明朝东北边境局势十分紧张,清军经常大规模地进犯明军,严重威胁明朝首都北京。面对这种危急形势,御史杨若桥向朝廷荐举汤若望主持制造火器,以改善明军的装备,加强明边的抵抗力量。明毅宗朱由检采纳了这一建议,决定启用汤若望主持制造火器。但是,明毅宗的这一决定,却遭到朝廷中一些守旧势力的非议和反对,如吏部左侍郎刘宗周上奏道:"堂堂中国,若用其小技以御敌,岂不贻笑?"对刘宗周"愎拗偏迂"之论,朱由检并未采纳,明确指出:"火器是中国长技,若望比不得外夷。"击退了这些保守势力的非议。⑤

最初,汤若望应召到蓟辽总督洪承畴处主持制造火器,但因经费无着,对洪极为失望,并发牢骚说:这位总督显然相信,"人们无须钱财,仅用法术就可把枪炮直接咒出来的"。这一次制炮没有成功。后来,汤若望再次应召为明政府制炮。⑥ 明政府在北京城专门为汤若望设置炮厂,选派一批太监跟随汤若望学习制炮。这样,汤若望很快制造出了20尊能够施放40磅炮弹的火炮。这批火炮在京郊当着朝臣的面试射时,效果很好,非常成功。在此基础上,明毅宗朱由检又命汤若望主持制造便于行军携带的500门小炮。后来,汤若望还帮助明朝廷的太监制造过火炮。⑦

---

① 赵士祯:《神器谱》。
② 《大明会典》,卷一九三。
③ 戚继光:《练兵实纪杂集》,卷六。
④ 戚继光:《纪效新书》,卷一八。
⑤ 李逊之:《三朝野记》,卷七。
⑥ 汤若望这一次造炮的具体时间,史籍记载各异。《汤若望传》记载为崇祯十五年(1642年);《正教奉褒》记载为崇祯十三年(1640年)等等。
⑦ 《汤若望传》,163~166页。

南怀仁(Ferdinand Verbiest,1623~1688年),比利时传教士,于顺治十六年(1659年)随耶稣会传教士卫匡国来到我国。起初在陕西传教,顺治十七年,奉召到北京。南怀仁精通数历,在与杨光先的历法之争中,曾当着康熙的面验证了西洋历法的准确,因而得到康熙的重用,为清政府管理钦天监监务,制造天文仪器。康熙十二年(1673年),镇守云南的平西王吴三桂等发动了"三藩之乱"。为了平定"三藩之乱",当时清军急需"轻便火炮,俾越山渡水以利行军之用"。① 因此,清政府曾命南怀仁主持制造火炮。

南怀仁接旨后,为清政府"依洋式铸造新炮"②。从康熙十三年(1674年)开始,南怀仁为清政府主持制造火炮的情况是:

康熙十四年(1675年):南怀仁接旨后,很快制造出了木炮样品。这种木炮,实际上就是木镶铜铁心炮,炮身内层为铁铸,外层以木料包裹;表面髹漆,炮口箍及炮尾球冠镶铜;火门开在后铜箍上;炮架为平车。故宫博物院现收藏有这种木炮。③ 三月,清廷内大臣及南怀仁等到卢沟桥靶场试炮,连续发射100发,全部命中目标,炮身完好无损。四月,南怀仁遵命按样炮制造火炮。五月,康熙皇帝亲往靶场试炮,认为南怀仁制造的木炮"甚佳"④。十一月,陕甘地区发生了王辅臣叛乱,清军急需红衣炮平叛。南怀仁在28天中,赶制出20门火炮以满足陕甘平叛战争的急需。同月,安亲王岳乐准备从江西进兵湖南,上疏要求朝廷拨给20门"轻利"西洋炮,为平叛"攻剿之用"。康熙帝立即谕令:"南怀仁所造火炮,着官兵照数送至江西,转运安亲王军前。"

康熙十五年(1676年):正月,康熙皇帝谕令南怀仁制造铜红衣炮。三月,南怀仁携2门红衣炮到海子试放,康熙帝亲临靶场观看,并赏赐了南怀仁。从康熙十三年(1674年)至康熙十五年(1676年),为了满足"戡乱之急需",南怀仁"制造轻巧木炮及红衣铜炮共一百三十二门"。⑤

康熙十九年(1680年):清政府决定将直隶废旧铳炮回炉,以供南怀仁为八旗铸炮之用,每旗铸造40门,八旗共计铸造火炮320门。

康熙二十年(1681年):八月,南怀仁督造神威将军炮240门全部完成,在卢沟桥的训练和演习中,均非常成功。对此,康熙皇帝夸赞南怀仁说:"尔向年制造各炮,陕西、湖广、江西等省已有功效。见今所制新炮,从未有如此之准者。"并将御服貂裘袍衣赏赐给南怀仁。⑥

康熙二十二年(1682年):为了抗击沙俄对我国东北的侵略,清朝政府决定,再新添造火炮53门,凑足80门,以保证汉军八旗每旗10门。南怀仁奉旨而行并完成承命。⑦

康熙二十五年(1686年):南怀仁根据康熙皇帝"着南怀仁照三十斤弹子画冲天炮式并相称之车样,其炮底着造平底"的谕令,设计出了冲天炮图样并制造出一门样炮,"其弹子或铸十二个或十五个,以便屡次所用"。⑧这种冲天炮,前侈后敛,形如仰钟,弹道弯曲;发射的炮弹"大如瓜,中虚仰穴,两耳铁环",内装火药等物。⑨ 故宫博物院现收藏有这种火炮的实

---

① 魏源:《圣武记》,卷二《康熙戡定三藩记》。
② 樊国栋:《燕京开教略》中篇。
③ 舒理广等:《南怀仁与中国清代铸造的大炮》,载《故宫博物院院刊》,1989(1)。
④⑤⑥⑧ 《熙朝定案》。
⑦ 徐日升、利安多:《南先生行述》。
⑨ 《清朝文献通考》,卷一九四《兵十六》。

物。

康熙二十八年(1689年):南怀仁以制法官身份先后主持制造武成永固大将军炮61门,神功将军炮80门。①

总之,康熙年间,南怀仁为清政府制造火炮共计566门,②并为清政府新设计了一批火炮。需要特别指出的是,经南怀仁设计的众多的火炮图样中,技术参数科学,结构形制协调合理,因而性能优良,其中的神威将军炮、武成永固大将军炮、神功将军炮等三种图样收入了清代国家典籍——《钦定大清会典》,为清代的火器发展作出了积极贡献。

三、吸收西方先进火器技术创制新式火器

明代后期至清代初期,在输入西方先进火器进行仿制和任用西方火器专家制造火器的同时,一批富有求新精神和抱有经世致用思想的有志之士,受西方先进火器技术的启迪,孜孜于新式火器的研究。他们以本国的传统火器为基础,吸收西方先进火器的优点,创制更为先进的新式火器品种。根据目前掌握的资料,主要有以下三个方面的创新:

其一,吸收佛郎机炮子铳和母炮分离的优点,创制出了后装管形火器——百出先锋炮、万胜佛郎机炮、飞山神炮、无敌大将军炮、提心铳、子母炮、奇炮、奇枪等等。这种新创制的后装管形火器,是在药室部位开有一个与子铳大小大约一致的"腹洞",主要供装填子铳用,发射时,将子铳从腹洞装入母铳,腹洞部位与子铳共同起着与前装炮药室相同的作用。子铳的使用,一方面增大了管形火器药室抗压强度,另一方面可以轮流装填子铳,从而大大加快了装填弹药的速度,提高了管形火器的射速。因此,子铳的采用,是管形火器发展史上的一大进步。例如,明代的百出先锋炮是"仿佛郎机炮而损益之"所创制的一种新式火器。佛郎机炮"大率筒长三尺有奇,而小炮则止于五"。新创制的百出先锋炮是"损其筒十分之六,状若神机而加小炮以至于十",发射时,"系火绳于筒外,而纳火炮于筒内,毕即倾出之",能"连发连纳,十炮尽则更为之循环无间断"。③再例如,明代旧有的"大将军"、发烦等火炮有三方面的缺点:第一,"体重千余斤,身长难移"。第二,装填火药时,如果预先装填好,"日久必结线眼生涩";如果作战临时再装,又"势有不及"。第三,不能连续发射,"一发之后,再不敢入药,又必直起,非数十人莫举"。④针对这些缺点,明代吸收佛郎机炮使用子铳的优点,创制出一种"无敌大将军"炮,"用子铳三,俾轻可移动,且预为装头,临时只大将军母体,安照高下限以木枕,入子铳发之,发毕随用一人之力可以取出,又入一子铳",可见,这种"无敌大将军"炮装填弹药既方便,又可预先装填好,并且能连续发射,大大增强了火炮的杀伤威力。又例如,清代的子母炮和奇炮都是吸收佛郎机炮的优点所新创制的火器品种。子母炮是吸收佛郎机炮使用子炮的优点,从炮腹开口"以纳子炮",从而加快射速,并能连续发射。奇炮则是在子母炮的基础上,又加以改进,其特点有二:第一,"后通底"、"开柄以纳子炮",这样,装填弹药不像子母炮那样从炮腹中装入,而是直接从炮尾部的膛底装入;第二,"后加木柄,曲而俯,下为屈戍",发火装置安装于木柄前部,发射时,用绳索向后拉动使火机发火。⑤显

---

① 《清朝文献通考》,卷一九四《兵十六》。
② 见《熙朝定案》;《清朝文献通考》,卷一九四《兵十六》;《南先生行述》。
③ 《明经世文编》,卷二二三《置造火器疏》,影印本,2343页。
④ 戚继光:《练兵实纪杂集》,卷五《军器解》。
⑤ 《皇朝礼器图式》,卷一六《武备四·火器》。

然,这种奇炮比佛郎机炮更为先进,可说是近代火炮的雏形。

其二,在明代多管铳如三眼铳的基础上,吸收鸟铳的特点,创制出"三捷神机"、"五雷神机"、迅雷铳等新式火器。旧有的三眼铳虽有三个铳管,但打放不准,且发火装置落后。针对这一情况,明代吸收鸟铳的优点,创制出"三捷神机",这种铳每管各装有照星,合用一个照门,三管安装于一个木柄上,可以旋转;火门开在距底一寸处,"火绳函铜管内"。这样,不但发火装置有了改进,"点放由人",同时,三个铳管可以旋转轮流施放,能够连续发射,射速加快,命中率也大大提高了。① 迅雷铳也是在明代多管铳的基础上吸收鸟铳的优点而创制的一种新式火器,每门铳有五个"形如鸟铳"的铳管,上有照星照门,中间装一木杆,木杆上安一"机如噜密铳",五管"总用一机"。发射时,"轮流运转"施放,射速加快,命中率提高。②

其三,吸收佛郎机炮和鸟铳的优点,创制出了掣电铳、鹰扬铳等新式火器。例如,掣电铳既有鸟铳的优点,又有佛郎机炮的长处,是明代火器专家赵士祯将两种火器的优点集于一身而创制的一种新式火器。这种铳外形似鸟铳,长约六尺,重五斤,前用溜筒,后面安装五枚子铳。每枚子铳长六寸,重十两许,前有圆小嘴,后有扁方榫,榫中有眼,可以钉销钉,防止子铳前撞后坐。每枚子铳装火药二钱五分,弹子二钱,子铳火眼下面有小机,形如弩机。这样,放毕一铳,拨之小机即起,可以连续发射五铳。③ 实际上,掣电铳已是近代枪的雏形了。

四、火器著作的问世

明代后期至清代初期,在引进西方先进火器装备和技术的同时,我国的一些火器专家,满怀一腔爱国热情,"目击艰危,感愤积弱",④从军事科学理论入手,结合我国传统的火器技术理论,开始对西方火器科学理论进行深入的学习和研究。因而在此时,系统总结我国火器技术理论和介绍西方火器技术的军事科学理论专著不断问世,如《大铳事宜》、《神器谱》、《利器解》、《西法神机》、《火攻挈要》等等,其中影响较大的是《西法神机》和《火攻挈要》。

《西法神机》 分上、下两卷,明末孙元化撰。孙元化,字初阳,嘉定人。"天资异敏,好奇略,师事上海徐光启,受西学,精火器"⑤,积极主张引进西方先进火器技术,曾在天启年间主持过仿制西洋大炮。同时,他还潜心于对西洋火器技术理论的研究,对西洋火器的性能和制造技术非常熟悉,并有自己的独特见解,经多年努力,撰写成《西法神机》一书。该书上卷分《泰西火攻总说》、《铸造大小战铳尺量法》、《铸造大小攻铳尺量法》、《造西洋铜铳说》、《造铳车说》、《铳台图说》等六章;下卷分《造铁弹法》、《火药库图说》、《炼火药总说》、《铳杂用宜图说》、《点放大小铳说》等五章,并配制有二十多幅火器图。该书比较系统地论述了西洋火器的制造和炮车、炮台、炮弹、火药、火药库、火炮附属件及其火炮发射等相关知识,是我国明代一部重要的火炮制造理论和工艺技术专著,在我国火器研究史上具有重大意义,对西方先进火器技术在中国的进一步传播产生了积极影响。

《火攻挈要》 又名《则克录》,分上、中、下三卷,明末焦勖编述,汤若望授,撰写于明崇祯十六年(1643年)。焦勖,安徽宁国人,其生卒事迹不详。明崇祯年间,辽东局势十分紧张,清军频繁地向明军发起进攻,严重威胁明都北京。焦勖面对这种日益紧张的危急局势,

---

① 茅元仪:《武备志》,卷一二五。
②③ 赵士祯:《神器谱》。
④ 焦勖:《火攻挈要·自序》。
⑤ 《嘉定县志》。

感愤积弱,苦心钻研军事技术,"博访于奇人,就教于西师,更潜度彼己之情形,事机之利弊","朝夕讲究,再四研求",因此,成为一名精通西方火器科学技术的火器专家。在明廷耶稣会士汤若望的帮助下,焦勖对"名书之要旨,师友之秘传,及苦心之偶得,去繁就简,删浮采实,释奥注明,聊述成帙"①,终于撰述成《火攻挈要》一书。该书上卷详细地论述了铸造火铳的台窖、各铳的规格、铳模的制作和搬运、大铳的材料和熔铸、铳车的结构、炮弹的制造和种类及其它火器如火箭、喷筒、地雷等的制造等;中卷分别介绍了火药的制作、贮藏、性能、配方及大铳的试放、安装、教练、搬运等;下卷具体阐述了火器制造中必须注意的问题及各种不同情况下火器的应用。全书配制有数十幅火器图,书前有焦勖的自序。《火攻挈要》是明代继《西法神机》之后的又一部重要火器专著,成为明代火器科学技术的集大成者,对我国古代火器的发展产生过重大的积极影响。

五、火药、火器技术西传东渐的历史意义

从以上介绍可以看出,明代后期至清代初期,我国多方位地陆续从西方引进了先进的火器及其火器技术。这一引进,顺应了历史发展潮流,不但是我国兵器发展史,也是中西关系史上一件大事,具有重大的历史意义:

1. 改善了当时中国军队的武器装备,加强了军队的战斗力,在巩固边防或平定叛乱等战争中发挥了重要作用。例如,明朝后期,东南沿海经常遭到倭寇和西方海盗的侵扰,给沿海人民造成重大损失和严重威胁,西方先进火器的引进,对明军打击倭寇和西方海盗的侵扰起了积极作用。又例如,清代康熙时期,清政府聘用西方火器专家南怀仁制造火炮,对平定三藩之乱起了重要作用,满足了战争的急需。

2. 丰富了我国古代火器的品种。从我国古代火器的大类来看,由于佛郎机炮的引进,我国不但有了前装管形火器,而且也有了后装管形火器。从我国古代火器的品种来看,由于西方先进火器品种的引进,我国不但增添了佛郎机炮、红衣大炮、鸟铳等火器,并在此基础上,"更运巧思而变化之,扩而大之","约而精之",又创制了一批新的火器,进一步促进了我国古代火器的发展和繁荣。

3. 提高了我国古代某些火器的技术性能。由于西方先进火器技术的引进,改进了我国古代一些火器的形制,从而提高了我国古代火器的某些技术性能。例如,佛郎机炮的瞄准装置——照星、照门被广泛采用到我国其它管形火器上。有了照星、照门,发射时,只要"托面以目照对其准,在放铳之人用一目瞄看后照星孔中对前照星,前照星孔中对所打之物"②,命中率大为提高,这样便大大增加了火炮的射击精度。由于鸟铳的引进,鸟铳"筒长气聚"的优点被我国古代管形火器所吸取。因为身管长,口径较小,使产生的气体形成巨大的压力,即所谓"气聚",从而使得射程远,侵彻力强。如"一窝蜂"的形制如"鸟铳之铁杆"而稍短,"其管口比鸟铳口稍宽",发射时,"一发百弹,漫空散去",其威力可以和佛郎机炮相比。③再例如,由于红衣炮的引进,西洋炮的铸造技术被我国广泛采用。铸炮时,火炮各部位的"长短大小,厚薄尺量之制"皆"比照度数,推例其法,不以尺寸为则,只以铳口空径为则",④这

---

① 焦勖:《火攻挈要·自序》。
②③ 《武备志》,卷一二二。
④ 《火攻挈要》,卷上《铸造战攻守各铳尺量比例诸法》。

样铸造出来的火炮,其长短、大小和炮膛壁厚等各部位的比例都十分科学精密,从而使火炮的各项技术性能大为提高。清代铸造的金龙炮、神威将军炮、严威炮、制胜将军炮等等,都是采用这种铸炮技术制造的。

4. 促进了中西科学技术文化的交流。火器本是战争的一种特殊工具,但是,正如恩格斯所指出的,"火药和火器的采用,无论如何不是暴力的举动,而是表现了工业的也就是说经济的进步"①。因此,西方火器被引入中国,其影响和作用远远超出了火器本身。这是因为,火器研制不是一门孤立的学科,而是多种学科及技术的综合,涉及到物理、化学、数学等领域及采矿、冶金、开采、机械制造等行业。随着西方火器的引进,西方的一些科学理论技术随之被输入到我国,推动了我国科学技术文化的发展,加速了中外科学技术文化的交流。当时我国许多学者如明代的徐光启、宋应星、方以智,清代的枚文鼎、枚谷成等都是深受西学的影响,十分注重西学的研究,为中西科学技术文化的传播和交流作出了积极贡献。

但是西方先进火器的引进也有其局限性。从主观上看,这一引进,其最终目的是为了加强封建专制,进一步巩固封建统治阶级本身的统治地位,因此,从这一角度讲,这一引进具有反人民性。从客观上看,这一引进范围和内容都十分有限,康熙以后,西方先进火器的引进不但没有发展,反而逐渐走向停滞,以至到了清代后期(鸦片战争以前),中国对外开放的大门完全关闭。从此,曾发明了火药、火器的中国,其火药、火器的发展反而大大落后于西方,这不能不说是一个重要原因。

结束语

恩格斯指出:"火药……它使整个作战方法发生了变革,这是每一个小学生都知道的。但是,火药和火器的采用决不是一种暴力行为,而是一种工业的、也就是经济的进步。"②中国古代火药、火器从发明、发展到消亡,在我国历史上延续了一千多年。在这一千多年中,火药、火器技术逐步发展,新发明、新品种层出不穷,涌现出了众多的火药火器的研制家、发明家、军事技术专家和使用火器作战的勇武将领,使军事作战领域发生了许多重大变化,它不但在我国兵器发展史上占有极其重要的位置,而且对世界兵器史的发展也产生了深远的影响。我国的火药、火器通过战争先后传入了阿拉伯国家和欧洲各国,推动了这些国家火药、火器的发展,也促进了整个欧洲文明的进步,它是中国古代人民对世界人民的伟大贡献,也是中国古代文明走向世界的重要标志。

清代以后中国火药、火器研制和发展的式微与落后,与整个封建帝制的衰败和腐朽是相一致的,集中而典型地体现出落后的生产关系对生产力发展的制约。中国古代火药、火器的发展历史,同样是与中国封建社会发展史同步和相一致的。因而了解这段历史,不仅对我国现代军事科学及兵器生产领域有着研究和借鉴意义,对研究中国社会历史发展也有着深刻而独到的现实意义。

---

① 恩格斯:《反杜林论》,178 页。
② 恩格斯:《反杜林论》,164 页。

中国古代火药火器大事记

四五十万年前
中国猿人居住过的山洞里,残存有紫荆树木炭块。

五万年前
北京周口店山顶洞人居住的山洞里,发现了炭块。

商朝(约公元前16~前11世纪)
已掌握了伐木烧炭的技术,并开始使用木炭冶炼金属。

公元前6世纪
计然知道"硝石出陇道",表明人们开始对硝石有所认识。

战国(公元前475~前221年)
有方士向荆王献不死之药。燕、齐、楚等国兴起神仙学。

秦朝(公元前221~前207年)
秦始皇为了长生不老,先后多次派徐福等人"入海求神药"。
从战国末至秦朝,以求长生不老的炼丹术开始萌芽。

西汉(公元前206~公元8年)
医药家开始使用硝石、硫磺治病。
炼丹家开始使用硝石、硫磺炼制丹药。

东汉(25~220年)
成书于西汉末、东汉初的《神农本草经》,对硝石、硫磺的物理、化学性质有详细记载,并将硝石、硫磺列为药品。
炼丹家对硝石作过火炼的试验。
魏伯阳撰写成《周易参同契》,比较系统地总结了当时的炼丹实践经验,是留存到现在的我国,也是世界上最早的炼丹专著。

三国魏太和二年(228年)

诸葛亮和郝昭战于陈仓(今陕西宝鸡东),郝昭使用火箭射诸葛亮的云梯,这是我国历史上最早出现的"火箭"一词,这种火箭是在箭镞上绑缚草艾、松脂等易燃物制成的。

东晋(317~420年)

葛洪撰写成的《抱朴子内篇》中有关于硝石、玄胴肠、松脂三物同雄黄火炼的记载。

我国有了火药的雏形。

南朝齐梁(479~557年)

陶弘景辑成《神农本草经集注》,书中记载了鉴别硝石(硝酸钾)和朴硝(硫酸钠)的科学方法——火焰试法,它不但是我国化学史上,也是世界化学史上钾盐鉴定的最早记载。

隋末唐初(约618年前后)

此时,炼丹家采用"伏火黄法"对硝石、硫磺、皂角子等药石进行伏火炼制,导致了我国三组分火药发明的萌芽。

我国出现了"以小瓢盛油贯矢端"的火箭。

唐元和三年(808年)

清虚子在《太上圣祖丹经秘诀》中,记载了炼丹家采用"伏火矾法"对硝石、硫磺、马兜铃等药石进行伏火炼制,至此,我国有确切年代记载的三组分火药被发明。

炼丹家对火药的燃烧特性和爆炸特性有了一定的认识,已采取了一定的防护措施。

唐天祐元年(904年)

郑璠攻打豫章(今江西南昌),"发机飞火",火药被应用于军事。

我国出现了将火药绑缚于箭镞后的最早的火药箭和以燃烧为目的的圆形火药团——火炮,这是我国最早的火药兵器,即火器。

北宋开庆三年(970年)

冯继昇向朝廷进献火药箭法。

北宋咸平三年至咸平五年(1000~1002年)

唐福和石普等人先后向朝廷呈献火球、火药箭、火蒺藜等新研制的火药兵器,火器已用于作战。

北宋天圣元年(1023年)
北宋政府在汴梁城设立了专门制造攻城器械的作坊,其下分大木作、锯匠作、小木作、皮作、大炉作、小炉作、麻作、石作、砖作、泥作、井作、赤白作、桶作、瓦作、竹作、猛火油作、钉铰作、火药作、金火作、青窑作、窑子作等二十一作。其中"火药作"是专门制造火药的部门,"火药"一词在我国史籍中第一次出现。

北宋庆历四年(1044年)
曾公亮等人撰写成《武经总要》,书中收录了我国最早,也是世界上最早的三个军用火药配方以及火球、火蒺藜等多种火器。

北宋宣和年间(1119~1125年)
我国发明了以火药为原料的真正烟火。

北宋末南宋初
我国出现了引燃火药、火器的引火线。
我国发明了以火药为原料的真正爆仗。

南宋绍兴二年(1132年)
陈规守德安(今湖北安陆),发明了火枪。此火枪应是我国管形火器的鼻祖。

南宋绍兴三十一年(1161年)
宋军和金兵在和州附近的采石发生水战,宋将虞允文命军士向金兵发射霹雳炮,这种霹雳炮是以火药燃气的反作用力为动力的真正火箭。

金大定(1161~1189年)末年
山西阳曲(今山西太原)北郑村铁拐李使用火罐捕狐。这种"火罐"大概是一种陶罐式爆炸器;火罐上的"卷爆",可能就是引火线。

南宋嘉泰元年(1201年)
施宿撰成《嘉泰会稽志》,书中记载人们过除夕时,燃放"以硫黄为爆药,声尤震厉"的火器,即爆仗。

南宋嘉定七年(1214年)
成吉思汗驻军暗木河畔,其部将郭宝玉向敌军发射火箭,获得大胜,这大概是有记载的蒙古军最早使用火器作战。

南宋宝庆元年至淳祐八年(1225~1248年)
我国的火药、火器及烟火通过多种途径传入阿拉伯国家。

南宋开庆元年(1259年)
寿春府(今安徽寿县)军民发明突火枪,内装子窠;"突火枪"和"子窠"应该是我国,也是世界上最早的火炮和弹丸。

南宋咸淳六年(1270年)
周密撰写成《武林旧事》,书中记载有"至于爆仗,有为果子、人物等类不一,而殿司所进屏风,外画钟馗捕鬼之类,内藏药线,一爇而百余不绝",说明我国史籍中最迟在1270年出现了"药线"一词,并且最迟在这个时候发明了将单个爆仗串联起来的成挂"鞭炮"。

南宋咸淳十年(1274年)
吴自牧撰写成《梦粱录》,书中记载了杭州城市面上出售成架烟火的情形。
元军侵犯日本,使用了铁火炮。

南宋景炎二年(1277年)
静江(今广西桂林)守军娄钤辖等二百余人在与敌军的战斗中,因城内粮草断绝,无以为继,最后点燃一具大型火炮(爆炸火器)殉难。

元至元十七年(1280年)
扬州炮库发生炮祸。
人们对火药爆炸所产生的冲击波开始有所认识。

元至元二十七年(1290年)
大约在此前后,元统治者开始铸造金属火铳。1907年7月在黑龙江省阿什河畔半拉城子出土的一件铜火铳,据考证,其铸造时间的下限至少不晚于元至元二十七(1290年),这是我国,也是世界上目前发现的最早的金属火铳实物。

13世纪末14世纪初
我国开始由竹制(或木制)火炮改为使用金属火炮,这是我国火器发展史上的突出成就。
我国的火药、火器通过战争等各种渠道,从阿拉伯国家传入欧洲。

元至顺三年(1332年)
元朝统治者铸造盏口筒炮,用以装备政府边防军。中国历史博物馆藏有一门1332年铸造的盏口筒炮,炮身镌刻有"至顺三年二月吉日绥边讨寇军第叁佰号马山"等铭文,这是目前我国,也是世界上留存到现在的最早金属火炮实物。

元至正十九年(1359年)
张士诚部将吕珍和朱元璋军战于越州(今浙江绍兴),双方用"火筒"发射铁弹丸和石弹丸,这是我国管形火器发射铁弹丸的最早记载。

元至正二十一年(1361年)
朱元璋于应天府(今江苏南京)建立宝源局冶铸钱币。洪武初年,兼制火器。

元至正二十三年(1363年)
朱元璋水军和陈友谅水军战于鄱阳湖,朱元璋水军以火器优势打败了陈友谅军。
朱元璋的水军已经有了专习火器的火器部队。

元至正二十四年(1364年)
达礼麻识理按"火铳什伍相联"的原则,组织了一支"丁壮苗军",至此,元末陆军也有了专习火铳的火器部队。

元末
最迟在这一时期,火炮被誉为"将军"、"大将军"、"二将军"、"三将军"、"夺门将军"等称号,表现出人们对火炮威力的尊崇。

明朝初年
元末明初,陶宗仪辑录成《墨娥小录》,书中记载了十几种烟火剂的科学配方和金属的焰色反应。
焦玉撰写成《火龙神器阵法》。

明洪武元年(1368年)
朱元璋"定卫、所官军及将帅将兵之法",全国从首都到郡、县均设立了卫、所。
明政府允许各卫、所制造火器。

明洪武五年(1372年)
明王朝铸造碗口筒铜炮,装备水军,用于水上作战。

明洪武十年(1377年)
明王朝铸造铁炮。山西省博物馆藏有三门这一年铸造的铁炮(洪武十年铁炮),这是目前所能见到的我国最早的铁炮实物。
洪武十年铁炮具有双耳轴,这是目前见到的我国最早的具有耳轴的火炮。火炮耳轴的出现,大大提高了火炮火力的机动性。

明洪武十三年(1380年)
明政府设置军器局,由中央统一制造火器和其它兵器。

明洪武二十八年(1395年)
明政府设置兵仗局,由中央统一制造火器和火药。

明永乐初年
明成祖朱棣将京军正式编制为三大营——五军营、三千营、神机营。神机营就是明朝成建制的独立火器部队。

明宣德二年(1427年)
明政府建立盔甲厂和王恭厂,隶属于军器局。王恭厂是制造火药、火器的大型军工厂。

15世纪
明王朝创制出比较完整的炮车炮架,其架身像车身,下安二轮、三轮或四轮。炮架的出现,大大增强了火炮的机动性。

明弘治至正德初年(1488~1506年前后)
弘治后期至正德初年,闽、广商人在南洋经商过程中,间接从南洋将佛郎机炮的制造技术传入了我国。

明正德十二年(1517年)
佛郎机国(今葡萄牙)海船到达广州,明政府通过通事,获得了一门佛郎机炮并火药方。

明正德末年(1521年前后)
明政府通过何儒,从葡萄牙人那里获得了佛郎机炮的制造技术和方法,并进行了仿制。汪鋐在广东屯门之役中,缴获了葡萄牙人的佛郎机炮20余尊。

明嘉靖二年(1523年)
明政府制造佛郎机炮32门,发各边试用。

明嘉靖四年(1525年)
明政府创制成功毒火飞炮,发射空心爆炸弹——飞炮,这是我国炮弹史上的重大改革,也是世界上最早的开花弹。

明嘉靖二十七年(1548年)

明都指挥卢镗率军击败盘踞双屿(今浙江省鄞县东南海中)的倭寇和葡萄牙人,缴获了鸟铳和"善铳者"。

明嘉靖三十七年(1558年)

唐顺之编撰成《武编》。

明嘉靖三十九年(1560年)

戚继光撰写成《纪效新书》。

明嘉靖四十一年(1562年)

郑若曾撰写成《筹海图编》,书中记载了铜发熕发射炮弹爆炸所产生的空气冲击波及其防止冲击波杀伤力的方法。

明嘉靖年间(1522~1566年)

戚继光研制成功虎蹲炮,以适应东南沿海山地抗倭战争的需要。

明王朝开始仿照佛郎机炮子铳与母铳分离的特点,开始制造后装炮,从而加快了装填弹药的速度,提高了火炮的射程。

明王朝采用佛郎机炮的先进技术,在炮身前加照星,后设照门,从而提高了火炮的命中精度。

明隆庆二年(1568年)

明政府任命戚继光总理蓟州、昌平、辽东、保定军务,节制四镇,将蓟州镇防区划分为十二路,组建七座车营,并配以骑兵营、步兵营、辎重营。车营就是明政府的一支重要火器部队。骑兵营、步兵营、辎重营也大量配备了火器。

明隆庆五年(1571年)

戚继光撰写成《练兵实纪》。

明万历二十六年(1598年)

赵士祯撰写成《神器谱》。

明万历二十八年(1600年)

温编撰写成《利器解》。

明万历三十四年《1606年》

何汝宾撰写成《兵录》。

16 世纪末 17 世纪初
西方传教士利玛窦等人将西洋火炮的知识传入了我国。

17 世纪初
明军在东南沿海通过战争,缴获了荷兰人的"巨炮",即红夷炮。

明天启元年(1621 年)
茅元仪撰写成《武备志》。
张焘、孙学诗从澳门葡萄牙人处购买回 4 门西洋大炮。

明崇祯二年(1629 年)
李逢节、王尊德从澳门葡萄牙人处购买回国 10 门西洋大炮、数支步枪。

明崇祯二年至三年(1629~1630 年)
徐光启督造红夷大炮 400 余门,以加强对后金的防御。

明崇祯三年(1630 年)
陆若汉等人从澳门葡萄牙人处购买回国一批西洋大炮。
明毅宗朱由检启用德国耶稣会传教士汤若望主持制造西洋大炮,但因经费无着,制炮失败。后又第二次启用汤若望主持制造西洋大炮(时间有说崇祯十五年,有说崇祯十三年,等等),先后制成 20 尊能施放 40 磅炮弹的火炮及 500 尊小炮。

后金天聪五年(1631 年)
皇太极制造红衣大炮成功,后金开始有自己制造的火炮。

明崇祯五年(1632 年)
大约在这一年前后,孙元化撰写成《西法神机》一书。

后金天聪八年(1634 年)
后金以汉兵组成的炮兵部队"乌真超哈"最终形成。

明崇祯十年(1637 年)
宋应星撰写成《天工开物》一书。

清崇德七年(1642 年)
皇太极将汉军分为八旗,并将天佑兵、天助兵等炮兵部队并入八旗,汉八旗最终形成。皇太极在汉八旗中设置了炮兵部队。

明崇祯十六年(1643年)

由汤若望授,焦勖编述成《火攻挈要》一书,成为明代火器技术集大成者的火器专著。

明朝末年

张岱写成《陶庵梦忆》一书,书中记载了兖州鲁藩王府燃放烟火戏的情景。

清顺治年间(1644~1661年)

清政府在北京设立濯灵厂,"委官制火药",并在八旗设立炮厂,制造火炮。

清康熙年间(1662~1722年)

清政府先后于紫禁城、景山和铁匠营设立炮厂,铸造火炮等火器,它们分别称为御制、厂制和局制。

清康熙十二年(1673年)

汉军八旗设立专业鸟枪部队——鸟枪营。

清康熙十三年(1674年)

康熙皇帝启用比利时传教士南怀仁主持制造火炮。

清火器研制者戴梓随康熙皇帝南征平叛。此后,戴梓先后研制出了连珠火铳、蟠肠鸟枪和冲天炮等先进火器。

清康熙三十年(1691年)

清政府成立满蒙八旗的炮兵部队——火器营。

清乾隆二十一年(1756年)

清政府制定"钦定工部则例造火器式",将85种火炮、17种鸟枪列为国家制式武器,颁行全国。

清嘉庆四年(1799年)

清政府将火器营分为"内火器营"和"外火器营"。

清政府对前朝160门"神枢炮"加以改造,制成新的"得胜炮",经演试,射程反比原来小。

清道光二十年(1840年)

龚振麟发明铁模铸炮法新工艺,这不但是我国火炮制造史上的创举,也是世界兵器发展史上具有重要意义的大事。

清咸丰四年(1854年)

曾国藩建成湘军陆师、水师两军,并向西方资本主义国家购买洋枪洋炮武装军队,从这时候起,清代军队的鸟枪土炮开始被西方近代枪炮所取代。

清咸丰十一年(1861年)

曾国藩在安庆创办安庆内军械所,制造近代军火,这是我国第一个生产近代弹药的近代军工企业。

清同治元年(1862年)

李鸿章回庐州募勇组建淮军,并用洋枪洋炮装备军队。

清同治四年(1865年)

曾国藩、李鸿章在上海创办大型近代军工企业——江南制造局,制造近代枪、炮、弹、药和舰船等产品。此后,清政府又先后兴办了一批近代军工企业,这样,便加速了近代枪炮取代清军古代鸟枪土炮的进程。

清光绪二十一年(1895年)

袁世凯编练"新建陆军",这是一支完全用近代枪炮装备起来的新式陆军,古代鸟枪土炮则完全被排挤出这支军队的装备行列。

19世纪末20世纪初

清军使用的古代鸟枪土炮完全被近代枪炮所取代,从此,中国古代火器退出了战争舞台而成为博物馆的陈列品,中国军队进入了先进的近代武器装备行列。

参 考 书 目

（按首字笔画排列）

《1895～1912，中国军事力量的兴起》，拉尔夫·鲍威尔，中国社会科学出版社，1979年版。
《十九世纪的德国与中国》，范文澜，人民出版社，1985年版
《干戈春秋》，李少一、刘旭，中国展望出版社，1985年版
《马克思恩格斯全集》，人民出版社，1964年版。
《土化肥制造和使用手册》，甘肃人民出版社，1958年版
《土地肥志》，中华人民共和国农业部编，农业出版社，1958年版
《马克思恩格斯全集》，人民出版社，1964年版。
《反杜林论》，恩格斯，人民出版社，1970年版
《化学发展简史》，科学出版社，1980年版
《火炮的起源及其流传》，有马成甫，日本吉川弘文馆发行，1962年版
《火药的发明和西传》，华东人民出版社，1954年版
《太平天国文物图释》，罗尔纲，三联书店，1956年版
《中国大百科全书·军事·中国古代兵器分册》，军事科学出版社，1987年版
《中国化学史稿（古代之部）》，张子高，科学出版社，1964年版
《中国史稿》（一），郭沫若主编，人民出版社，1962年版
《中国古代火炮史》，刘旭，上海人民出版社，1989年版
《中国古代科技成就》，中国青年出版社，1978年版
《中国近代史》，范文澜，人民出版社，1955年版
《中国近代工业史资料》，陈真，科学出版社，1957年版
《中国近代工业史资料》，陈真，三联书店，1961年版
《中国兵器史稿》，周纬，三联书店，1957年版
《中国科技史探索》，上海古籍出版社，1986年版
《中国近代科学技术史》，李约瑟，英国剑桥大学出版社，1986年版
Science and Civilization in China, Joseph Needham, Cambridge University Press, 1986
《李自成自述原稿注》，罗尔纲，中华书局，1982年版
《李约瑟文集》，潘吉星主编，辽宁科学技术出版社，1986年版

《枪炮构造及理论》,李待琛,东北军区军工部沈阳兵工厂翻印,1949年版
《郑成功收复台湾史料选编》,福建人民出版社,1982年版
《鸦片战争》,中国史学会主编,上海人民出版社,1964年版
《鸦片战争》,卞安世,上海人民出版社,1982年版
《洋务运动》,中国史学会主编,上海人民出版社,1962年版
《海纳百川:科技发源交流史》,何丙郁,台湾联经出版公司,1994年版

《九国志》,商务印书馆,1936年版
《三国志》,中华书局,1960年版
《天工开物》,宋应星,广东人民出版社,1976年版
《元史》,中华书局,1975年版
《元诗选》,中华书局,1987年版
《太平御览》,中华书局,1960年版
《汉书》,中华书局,1975年版
《元朝史》,人民出版社,1986年版
《火攻挈要》,商务印书馆,1936年版
《本草纲目》,李时珍,上海古籍出版社,1987年版
《永乐大典》,中华书局,1986年影印本
《正统道藏》,涵芬楼影印,1933年
《圣武记》,魏源,中华书局,1975年版
《如梦录》,孔宪易校注,中州古籍出版社,1984年版
《孙子今译》,上海古籍出版社,1978年版
《纪效新书》,戚继光,商务印书馆,1936年版
《宋书》,中华书局,1975年版
《宋史》,中华书局,1975年版
《宋会要》,中华书局,1975年版
《武林旧事》,周密,杭州西湖书社,1982年版
《证类本草》,上海古籍出版社,1987年版
《金史》,中华书局,1975年版
《金瓶梅词话》,人民文学出版社,1960年版
《明太宗实录》,台北中央研究院历史语言研究所校印,1962年版
《明史》,中华书局,1974年版
《明史纪事本末》,中华书局,1977年版
《明会典》,中华书局,1975年版
《明经世文编》,中华书局,1962年影印本
《明史欧洲四国传注释》,上海古籍出版社,1982年版
《枣林杂俎》,谈迁,中华书局,1975年版
《虎钤经》,商务印书馆,1936年版

《抱朴子内外篇校释》,中华书局,1985年版
《宛署杂忆》,北京出版社,1961年版
《神农本草经》,上海古籍出版社,1987年版
《练兵实纪》,戚继光,商务印书馆,1936年版
《保越录》,商务印书馆,1936年版
《战国策》,岳麓书社,1985年版
《徐光启集》,上海古籍出版社,1984年版
《殊域周咨录》,严从简,中华书局,1975年版
《野获编》,沈德符,中华书局,1975年版
《陶庵梦忆》,张岱,上海古籍出版社,1982年版
《清代史料笔记丛刊本》,中华书局,1981年版
《清史稿》,中华书局,1976年版
《续文献通考》,中华书局,1975年版影印本
《续资治通鉴》,中华书局,1957年版
《续资治通鉴长编》,上海古籍出版社,1985年影印本
《筹办夷务始末》,中华书局,1962年影印本
《筹海图编》,郑若曾,上海古籍出版社,1987年版
《避戎夜话》,石茂良,上海古籍出版社,1987年版

后　　记

本书稿写成于1989年。在收集资料过程中,北京图书馆、首都图书馆、北京大学图书馆、中国科学院图书馆、湖南图书馆、湘潭大学图书馆、中国历史博物馆、故宫博物院、中国人民革命军事博物馆、首都博物馆、湖南省博物馆、广西壮族自治区博物馆等单位给予了诸多方便和支持;上海的陈浩然,广西的陈小波、黄婉玲等先生也给予我很大帮助,在此一并致谢。在写作过程中及文字脱稿后的三次大修改中,曾将书稿全稿或书稿部分章节寄(送)给英国著名科学史专家李约瑟博士、台湾大学刘广定先生、中国社会科学院李学勤先生、中国青年出版社郑一奇先生、湘潭大学羊春秋先生等审阅,他们或提出了宝贵的修改意见,或给予了热情的鼓励,或做了精心修改,书稿中凝结了他们的心血和辛劳! 遗憾的是,李约瑟博士、羊春秋先生还未看到新书问世,便与世长辞了,在此表示深切的哀思。

书稿完成后,先后与大陆十六家大小出版社联系,主要是经济上的原因,竟无一家出版社愿意无条件出版。于是书稿被搁浅。在这期间,便将书稿中的部分章节单独成篇,陆续在刊物上发表或在国际学术研讨会上宣读,有的被多家报刊转载,有的被结集出版。

后来,一个偶然的机会,书稿目录和内容提要寄给大象出版社。在学术著作出版如此艰难的局面下,大象出版社毅然决定无条件出版十六家出版社不愿意出版的书稿,这是怎样的一种举措和精神,不用作者多言,读者、社会和历史自然会作出公正的评价!

书稿在编辑出版过程中,中国兵工学会杨占昌先生、《兵器知识》编辑部陈韧先生、浙江林学院人文学院院长李明华先生及林学院科研处对本书的撰写出版给予了热情鼓励,特别是中国社会科学院李学勤先生、中国工程院院士张齐生先生在百忙中为本书作序,在此,一并致以最诚挚的谢意。

不妥和错误之处,企望读者和方家指正。

刘　旭

1989年10月写作于湘潭大学点滴斋

2003年孟春修校于浙江林学院天目斋